Emmanuel Todd

L'Invention
de l'Europe

Éditions du Seuil

ISBN 2-02-028522-3
(ISBN 2-02-012415-7, édition brochée)

© Éditions du Seuil, mai 1990, mars 1996

L'Invention
de l'Europe

Du même auteur

à Christine

Préface à la présente édition

Ce livre n'a pas été écrit « pour » ou « contre » l'Europe. Son but est la vérification d'une hypothèse sur le lien existant entre la diversité des structures familiales régionales et certains phénomènes de divergences religieuse, culturelle, économique, idéologique caractéristiques des années 1500-1990. J'avais déjà testé cette hypothèse, à l'échelle du globe, mais de façon plus sommaire, dans deux ouvrages, *La Troisième Planète : structures familiales et systèmes idéologiques* (1983) et *L'Enfance du monde : structures familiales et développement* (1984).

Les recherches nécessaires à la rédaction de *L'Invention de l'Europe* s'étalèrent sur les années 1984-1990, époque durant laquelle l'unification européenne n'était pas l'objet d'un débat majeur. Bref, avant Maastricht. J'étais alors « un bon européen », *a priori* favorable à tout mouvement menant à plus d'unité, même si mon avant-propos de 1990 laisse percer une certaine inquiétude quant au caractère économiste et abstrait du projet européen. Depuis, certaines classes dirigeantes ont affirmé leur volonté d'accélérer l'unification étatique du continent par l'établissement d'une monnaie unique. J'ai longuement hésité durant le printemps de 1992, pour finalement voter Non au référendum de septembre. Sans aucun état d'âme et avec le sentiment de faire le seul choix raisonnable. Mon opposition au traité de Maastricht dérive très directement de ma connaissance de l'anthropologie et de l'histoire du continent. Une sensibilité réelle à la diversité des mœurs et des valeurs européennes ne peut mener qu'à une conclusion : la régulation monétaire centralisée de sociétés aussi différentes que, par exemple, la France et l'Allemagne doit conduire à un dysfonctionnement massif, dans un premier temps, de l'une ou l'autre société, et, dans un deuxième temps, des deux. Il y a, dans l'idéologie de l'unification, une volonté de briser les réalités humaines et sociales qui rappelle, étrangement mais invinciblement, le marxisme-léninisme. Lui aussi mêlait un projet de transformation économique à un souverain mépris des diversités culturelles et nationales. L'état actuel de l'ex-Union soviétique et de l'ex-Yougoslavie nous montre à quel point l'unification étatique par en haut mène plus sûrement à la haine ethnique qu'à la paix perpétuelle.

Aujourd'hui, les contraintes économiques qui pèsent sur certaines sociétés européennes, et particulièrement sur la France, privée depuis près de dix ans de régulation monétaire interne par la politique dite du « franc fort », n'ont heureusement pas encore fait apparaître des sentiments explicites de méfiance vis-à-vis de nos partenaires européens. Le Front national reste pour l'essentiel perçu comme un phénomène lié à l'immigration et non à la construction de l'Europe. Mais la poussée de l'extrême droite en milieu ouvrier, entre 1988 et 1995, est particulièrement spectaculaire sur l'ensemble du croissant industriel menant du nord à l'est de la France. Il s'agit des régions où la politique de convergence monétaire a dévasté plutôt que transformé l'industrie, conduisant à une extermination plutôt qu'à une reconversion du travail faiblement qualifié. L'analyse des structures familiales individualistes du nord-est du Bassin parisien aurait permis de comprendre et de prévoir que l'alignement des populations ouvrières locales sur les niveaux de qualification allemands, qui dérivent assez largement des disciplines de la famille « souche », autoritaire et inégalitaire, n'était pas concevable en l'espace d'une génération (voir les chapitres 4 et 5, consacrés aux fondements anthropologiques du progrès culturel et industriel).

Nous devons être conscients de ce que l'expression du désespoir social par une idéologie d'extrême droite se réclamant d'une conception régressive de la nation est aussi un produit de l'unification économique de l'Europe. Légitime et nécessaire dans les années 1945-1980, le projet européen ne mène plus aujourd'hui à la paix. Il pourrait dans les années qui viennent conduire au contraire à la remontée entre les peuples de sentiments hostiles *qui n'existaient plus vers 1980*. La déconstruction des nations par leurs classes dirigeantes produit du nationalisme, dans les sociétés secouées par une transformation économique brutale et où l'identité nationale la plus traditionnelle et la plus paisible était comme un dernier refuge. Il serait d'ailleurs absurde d'imaginer que l'Allemagne, beaucoup plus stable économiquement que la France mais beaucoup plus anxieuse culturellement, puisse échapper à ce processus de déstabilisation des mentalités par l'unification monétaire. La disparition du mark, point d'ancrage identitaire durant tout l'après-guerre, devrait logiquement conduire à la montée d'un puissant sentiment d'insécurité en Allemagne.

J'espère donc que ce livre, qui fut écrit hors de tout contexte polémique et dont je n'ai pas changé une ligne, permettra à certains européistes sans préjugé de réfléchir sereinement à l'ampleur des problèmes posés, de sonder l'épaisseur anthropologique et historique des nations qu'il s'agit de fusionner. J'espère surtout que certains d'entre eux, partant comme moi de bons sentiments européens, arriveront également à la conclusion que le traité de Maastricht est une œuvre d'amateurs, ignorants de l'histoire et de la vie des sociétés.

Ce livre reste fondamentalement le résultat d'une recherche de caractère scientifique, atemporelle et apolitique, sur les rapports entre une variable anthropologique – la famille – et des variables historiques – la religion, le progrès culturel et économique, les idéologies. Mais si le modèle scientifique est valide, on peut envisager dans l'avenir deux fonctions possibles à l'ouvrage.

Soit la monnaie unique ne se fait pas, et *L'Invention de l'Europe* apparaîtra comme une contribution à la compréhension de certaines impossibilités historiques.

Soit la monnaie unique est réalisée, et ce livre permettra de comprendre, dans vingt ans, pourquoi une unification étatique imposée en l'absence de conscience collective a produit une jungle plutôt qu'une société.

Emmanuel Todd
Novembre 1995

Avant-propos

L'Europe dont il est ici question n'est pas le continent propre, apaisé, rationnel, des économistes ou des technocrates, monde prospère et amnésique dont l'histoire s'inscrit tout entière entre les traités de Rome de 1957 et le grand marché de 1993. Trente-cinq ans de recul, c'est un peu court pour comprendre une civilisation née de la conquête romaine, des invasions germaniques et de la christianisation des peuples.

L'histoire de l'Europe est longue, brillante et sanglante, accoucheuse simultanément de modernité et de mort. Ses cinq cents dernières années comprennent la réforme protestante au XVIe siècle, la Révolution française au XVIIIe, la montée des socialismes et des nationalismes au XXe, trois épisodes décisifs de l'histoire du progrès humain, dont le coût se chiffre pourtant en millions de morts. L'Europe des années 1517-1945 pourrait être décrite, indifféremment, comme le continent savant ou comme le continent fou, chacune des étapes de sa modernisation mêlant création et destruction.

Les passions européennes, religieuses ou idéologiques, sont inscrites dans l'espace. Telle nation, telle région adhère à la Réforme ou à la Révolution, à la social-démocratie ou à l'anarchisme, au libéralisme, au communisme, au fascisme, au nazisme, et se révèle prête à affronter ses voisines au nom de valeurs aussi absolues qu'indémontrables. La France croit majoritairement en la liberté et l'égalité, l'Allemagne lui oppose des rêves d'autorité et d'inégalité, l'Angleterre ne s'intéresse qu'à la liberté. Quelques régions comme l'Italie centrale combinent amour de l'égalité et goût de l'autorité. La diversité des valeurs européennes explique assez largement le prodigieux dynamisme d'un continent qui ne peut, à aucune étape de son histoire, s'enfermer dans un système mental unique et définitif. Lorsque l'histoire s'arrête en Italie, elle reprend en Allemagne ; lorsqu'elle s'épuise en Allemagne, elle renaît en Angleterre ou en France... Les conflits de valeurs entre zones géographiques expliquent cependant aussi l'extraordinaire brutalité des affrontements des cinq derniers siècles.

La civilisation européenne actuelle est le produit d'une synthèse, lente et pénible. Aucune des nations européennes, grande ou petite, ne peut être considérée comme l'inspiratrice de toute la modernité. Considérons par exemple les trois éléments essentiels du progrès que sont l'alphabétisation, l'industrialisation et la contraception. C'est en Allemagne que l'on peut trouver, dès la fin du XVIIe siècle, des populations globalement alphabétisées. Mais c'est en Angleterre que démarre, vers le milieu du XVIIIe, la révolution industrielle. Et c'est en France que commence, entre 1750 et 1800, la diffusion du contrôle des naissances. L'état actuel du continent – cultivé, industriel et contracepteur – est le résultat d'une collaboration entre les peuples.

Le modèle démocratique européen qui se généralise après la Deuxième Guerre mondiale et qui triomphe à l'Est en 1989, deux siècles après l'ouverture de l'âge idéologique moderne par la Révolution française, est, comme la richesse matérielle du continent, un produit de synthèse, mêlant des éléments anglais, français et allemands. Le respect des droits individuels est une invention anglaise, le suffrage universel est une contribution française, la sécurité sociale est nettement d'origine allemande. Aucune des trois nations ne peut donc raisonnablement se prétendre créatrice de l'idéal politique qui semble appelé à dominer l'Europe du troisième millénaire, système essentiellement composite combinant parlementarisme, souveraineté populaire et intégration bureaucratique.

Petites nations, présentes et futures

Il serait d'ailleurs injuste et absurde de réduire l'histoire de l'Europe à celle de ses nations les plus peuplées – France, Angleterre, Allemagne, Italie, Espagne. Les développements religieux, économiques et idéologiques scandinaves, néerlandais, belges, helvétiques, autrichiens, irlandais, portugais, ont leurs logiques propres, dont l'examen gagne aujourd'hui en intérêt. Les grandes nations traditionnelles de l'Europe sont en effet en train de devenir petites, à l'échelle mondiale, et ont désormais beaucoup à apprendre de pays habitués depuis longtemps à une certaine modestie diplomatique et militaire. Dans l'état actuel des équilibres démographiques nationaux et mondiaux, même une Allemagne réunifiée ne serait pas, loin de là, un géant historique. Le nombre annuel des naissances dans chaque pays nous donne une image simplifiée des populations futures. Or, à côté des vrais géants, les peuples de l'Europe occidentale font plus que jamais figure de poids plume. En 1987 (dernière année disponible) naissent en France 770 000 individus, au Royaume-Uni 775 000, en Allemagne, *de part et d'autre* d'un rideau de fer qui existe encore à cette date, 870 000. Aux États-Unis, 3 830 000. En Russie – une Russie qui aurait conservé l'Ukraine mais perdu toutes ses colonies baltes, caucasiennes et musulmanes –, 3 400 000. La disparition de la pression communiste laisse la place à une pression spécifiquement russe, qui contraint, aussi sûrement que le stalinisme, l'Europe à l'unité.

Or l'Europe politique ne pourra être réalisée que si la France, l'Angleterre et l'Allemagne cessent de se penser comme différentes par nature des Pays-Bas, de la Suède ou de la Suisse. L'espace géographique étudié dans ce livre comprend donc toutes les nations occidentales du continent, de la Finlande au Portugal, que celles-ci soient « grandes » ou petites, qu'elles appartiennent ou non à la CEE. Ma définition implicite de la communauté historique européenne n'est pas économique mais religieuse. C'est l'ensemble du monde structuré, dès le xvie siècle, par la polarité catholicisme/protestantisme qu'il s'agit de comprendre, dans son développement culturel, industriel et idéologique. La Grèce, dont les traditions religieuses orthodoxes mèneraient hors de la sphère catholique-protestante, n'est donc pas incluse, malgré son appartenance à la CEE.

La Pologne, la Tchécoslovaquie, la Hongrie et les trois nations baltes n'ont pu être intégrées à cette étude malgré leur appartenance à la sphère religieuse occidentale. L'absence de données électorales solides pour les années 1950-1989 interdit dans leur cas toute analyse comparative. La Pologne (catholique), la Tchécoslovaquie (formellement catholique mais dominée par des traditions hussites proches du protestantisme) et la

Hongrie (catholique mais comprenant de fortes minorités calvinistes) figurent sur mes cartes d'Europe comme des espaces vides que la vie politique libre des années à venir permettra de remplir. Il sera bientôt possible d'évaluer la résistance des traditions religieuses et idéologiques polonaises, tchèques et magyares à la tentative stalinienne de destruction des fonds anthropologiques nationaux.

Le territoire de la RDA est une quatrième case vide sur ces cartes d'Europe, mais il est en réalité étudié en détail avec le reste du cas allemand ; l'abondance des séries électorales correspondant aux années 1871-1933 compense suffisamment l'extinction des années 1933-1989.

Les fondements anthropologiques de la diversité

L'analyse des structures familiales et de leur distribution dans l'espace permet de saisir, à la source, la diversité européenne. Les mondes paysans qui se stabilisent entre la conquête romaine et la fin des grandes invasions ne définissent pas un type unique. Dans certains dominent des systèmes familiaux nucléaires, accordant une large autonomie à l'individu ; dans d'autres, au contraire, des systèmes familiaux complexes, attachant fortement l'individu au groupe. Parfois le système anthropologique considère les individus comme équivalents à l'intérieur du groupe, parfois comme différents par nature.

Les valeurs fondamentales de liberté ou d'autorité, d'égalité ou d'inégalité qui stimulent, organisent, guident le mouvement de la modernité sont enracinées dans ce terrain familial originel, substrat primordial dont on retrouve la marque à toutes les étapes de l'ascension européenne. La diversité des systèmes familiaux permet d'expliquer la pluralité des réactions régionales à la Réforme protestante et à la Révolution française, la multiplication des types de socialisme et de nationalisme au XXᵉ siècle, les aptitudes inégales des zones géographiques à l'alphabétisation, à l'industrialisation, à la déchristianisation, à la contraception.

Cette diversité anthropologique a-t-elle, en 1990, complètement disparu ? C'est peu probable. L'examen des évolutions sociales les plus récentes – démographiques, industrielles, politiques –, qui constitue la dernière partie de ce livre, révèle la permanence de certaines déterminations anthropologiques importantes.

Le passage à la société post-industrielle se fait à des rythmes différents dans les sociétés à fondement individualiste (famille nucléaire), comme la France ou l'Angleterre, et dans les sociétés à fondement anti-individualiste (famille souche), comme l'Allemagne ou la Suisse.

Partout, les idéologies socialistes ou nationalistes qui segmentaient le continent s'effacent, tout comme les dernières poches de religiosité catholique, au point que l'Europe de l'an 2000 dans son ensemble pourra être définie comme un espace d'incrédulité, religieuse autant qu'idéologique. Mais les croyances métaphysiques ne meurent pas partout de la même façon : dans certains pays, les partis traditionnels semblent capables de survivre au reflux des idéologies. Dans d'autres, ils explosent et la politique se restructure de la manière la plus radicale. Ici encore, le couple anthropologique individualisme/anti-individualisme permet d'expliquer bien des divergences.

L'analyse des attitudes européennes face à l'immigration, qui clôt ce livre, illustre quant à elle la permanence des clivages existant entre sociétés à fondement anthropologique égalitaire et sociétés à fondement anthropologique non égalitaire ou même franchement inégalitaire.

L'Europe est apaisée, unifiée par quelques conceptions politiques synthétiques, soudée par sa richesse, mais elle reste très diverse, tranquillement fragmentée.

Cette fragmentation persistante explique assez largement les difficultés de la construction européenne, les hésitations des élites et le scepticisme des peuples. Non parce qu'elle existe en soi, mais parce qu'elle est niée. Après tout, la plupart des nations européennes sont elles-mêmes très diverses sur le plan anthropologique, sans que cette diversité ait empêché la construction des États. Des systèmes familiaux minoritaires mais substantiels peuvent être identifiés en France comme en Grande-Bretagne, aux Pays-Bas comme en Espagne, en Italie comme en Norvège. La fragmentation anthropologique du continent n'est un obstacle à l'unité que parce qu'elle est refoulée de la conscience politique : ce refoulement interdit que l'on aborde franchement les vrais problèmes. La définition d'une citoyenneté commune implique que l'on confronte les conceptions allemande, britannique, française, italienne, néerlandaise, espagnole de la nationalité. La construction d'un pouvoir politique unique suppose une comparaison honnête des différentes formes de vie sociale existant à travers le continent.

L'Europe des citoyens ne peut naître d'une unité naturelle qui n'existe pas. Elle doit, pour se définir, accepter et surmonter des différences bien réelles, ancrées dans les mœurs, dans l'inconscient des peuples.

L'espace et le temps

L'histoire des hommes se développe dans le temps et dans l'espace. Pourtant, l'histoire des savants préfère le temps à l'espace. Elle situe les événements par leur date avant d'en déterminer le lieu. Elle considère par exemple la Réforme protestante comme un phénomène typique du XVIe siècle avant de la localiser dans le monde germanique, en Scandinavie, aux Pays-Bas, en Écosse, dans la France méridionale. Elle fait de la Révolution de 1789 une manifestation du XVIIIe siècle avant d'identifier le Bassin parisien comme son assise géographique fondamentale et de constater la résistance active d'une partie de l'Hexagone à l'événement. L'histoire des savants place également la social-démocratie au XXe siècle avant de préciser qu'elle devient une force dominante en Suède, en Norvège, en Allemagne du Nord, en Écosse et au pays de Galles plutôt qu'ailleurs. Le communisme aussi est repéré, d'abord par une coordonnée temporelle, le XXe siècle, ensuite seulement par des coordonnées spatiales, comme typique de l'Italie centrale, de la Finlande, de la bordure nord-ouest du Massif central, de la façade méditerranéenne de la France et du Portugal méridional, si l'on s'en tient à l'Europe occidentale. D'innombrables exemples, tirés de l'histoire religieuse, politique, économique, sociale pourraient illustrer la prééminence absolue du temps sur l'espace dans la description historique usuelle.

Secondaire, l'espace n'est pas absent de la *description* historique mais il est en général totalement rejeté de l'*explication*, qui ne se contente pas d'énumérer les phénomènes mais s'efforce de les mettre en rapport les uns avec les autres, d'établir des corrélations et, pourquoi pas, des relations de causalité. La coïncidence des phénomènes dans le temps est fréquemment repérée, analysée, expliquée ; leur coïncidence dans l'espace ne l'est que très rarement. L'apparition successive ou simultanée, dans les mêmes lieux, de deux phénomènes distincts évoque pourtant bien la possibilité d'une relation d'un type ou d'un autre, se manifestant par une coïncidence spatiale.

L'indifférence à l'espace et la préférence pour le temps manifestées par les historiens ne proviennent vraisemblablement pas d'un choix conscient, méthodologique ou doctrinal. L'oubli de l'espace est avant tout une facilité technique. Le temps est en effet une dimension linéaire, que définit parfaitement une variable numérique simple, la date. L'espace terrestre n'est pas *une* dimension mais *deux* : sa représentation nécessite la confection de cartes, objets encombrants parce que bidimensionnels, et qu'il n'est pas facile d'intégrer à la structure linéaire d'un récit. Bref, l'espace est oublié, me semble-t-il, parce que sa perception et sa représentation sont, par nature, plus compliquées que celles du temps.

La maîtrise de l'espace par l'historien suppose la fabrication systématique de cartes donnant une représentation exhaustive des phénomènes étudiés, qu'il s'agisse d'événements ou de structures économiques et sociales. Ces cartes mettent très vite en évidence des coïncidences frappantes, entre événements, entre structures, entre événements et structures. Elles révèlent l'existence de formes géographiques stables, traversant les siècles et dans lesquelles viennent s'inscrire, avec une belle régularité, avec une magnifique discipline, événements, structures, phénomènes de tous ordres – économiques, religieux, idéologiques. L'espace lui-même paraît devenir un acteur de l'histoire, un déterminant du destin des hommes.

Ces formes géographiques immuables sont l'effet visible de l'action souterraine mais permanente de forces stables, fortement associées au cadre géographique, incrustées dans des lieux, et relativement indifférentes au temps. La plus importante de ces forces est le système familial, déterminant puissant, quoique silencieux, de nombreuses conduites humaines.

Dès le Moyen Age, l'espace anthropologique européen apparaît segmenté. Quatre types familiaux, distincts par la conception des rapports entre parents et enfants, des relations entre frères, définissent une hétérogénéité initiale du continent. Dans chaque région, on peut identifier un type familial dominant, dont la permanence à travers les siècles éclaire bien des comportements locaux – culturels, économiques, religieux ou idéologiques. La diversité familiale de l'Europe permet d'expliquer sa constante aptitude à la fragmentation, du XVIe au XXe siècle. Cette longue période est celle du décollage, de l'accession à la modernité. Mais chacune des ruptures décisives – Réforme protestante, alphabétisation, révolution industrielle, déchristianisation, développement du contrôle des naissances, essor des idéologies socialistes et nationalistes – semble l'occasion d'une division nouvelle, d'une segmentation supplémentaire de l'espace européen.

Certains pays, certaines provinces adoptent spontanément la Réforme, d'autres la rejettent avec une unanimité troublante et définissent une Contre-Réforme, dont la métaphysique, polairement opposée à celle de Luther ou de Calvin, définit un nouveau catholicisme. Ce premier clivage, d'ordre religieux, se perpétue à travers les phénomènes de développement culturel et industriel. Le monde protestant décolle, la sphère catholique stagne. Dès le XVIIIe siècle cependant, le protestantisme semble se diviser. L'Allemagne du Nord et la Suède atteignent très rapidement le stade de l'alphabétisation de masse tandis que l'Angleterre, moins avancée pourtant sur le plan culturel, s'engage résolument dans la première des révolutions industrielles. Mais déjà, le monde protestant ne s'identifie plus à la modernité. Dans les années 1730-1740 commence dans une partie du monde catholique une autre rupture décisive, le déclin de la foi. Dans la France du Nord, en Espagne, Portugal et Italie du Sud, les populations abandonnent leurs clergés et commencent à vivre comme si Dieu et l'Enfer n'existaient pas. Les pays protestants, souvent plus industriels, toujours plus alphabétisés, ne suivront leur exemple qu'à partir des années 1880-1890, le reste du monde catholique encore plus tard, dans les années 1965-1970. Entre 1730 et 1965, la division de l'espace catholique en deux territoires, l'un clérical, l'autre déchristianisé, renouvelle toute la problématique des affrontements religieux. C'est en France, pays partiellement déchristianisé et relativement alphabétisé (par rapport au reste de la sphère catholique), que se répand, dès les années 1770-1790, le contrôle des naissances. Dans le domaine sexuel, la modernité échappe clairement au protestantisme.

Le déclin des religions mène presque mécaniquement à l'essor des idéologies. A partir de 1789, et deux siècles durant, Révolution française, puis nationalismes et socialismes secouent l'Europe. Les idéologies, une nouvelle fois, divisent le continent. Certaines régions de France et d'Europe acceptent les idéaux de liberté et d'égalité, d'autres les rejettent avec la même détermination. Au xxe siècle, nationalisme et socialisme semblent capables d'envahir tous les pays, toutes les provinces. Le nationalisme, c'est évident, dresse les États les uns contre les autres, mais le socialisme, internationaliste, rêve un instant d'unifier un espace continental traditionnellement morcelé. C'est alors qu'il se divise lui-même, en quatre composantes irréductibles les unes aux autres. Quatre variétés distinctes de socialisme – social-démocratie, communisme, anarchisme, travaillisme – se différencient très vite et se partagent l'Europe. Quatre nationalismes leur font face, que la recherche historique n'avait pas jusqu'à présent définis avec la même précision mais dont les formes caractéristiques deviennent très reconnaissables une fois que le mécanisme différenciateur, la pluralité des types familiaux, est identifié.

A toutes les époques, et dans la plupart des domaines, la diversité des structures familiales est en effet l'agent fondamental du processus de segmentation géographique. Aucun génie des peuples ou des régions n'est en effet responsable de l'existence d'aptitudes spécifiques au protestantisme, à l'alphabétisation, à l'industrialisation, à la déchristianisation, à la contraception, à la production de telle ou telle variété de socialisme ou de nationalisme. Ce sont les quatre types familiaux européens qui déterminent aptitudes et résistances. Leurs espaces anthropologiques respectifs se reflètent en espaces religieux, culturels, économiques, démographiques, idéologiques. Le mécanisme des déterminations implique la coïncidence, partielle ou totale, des cartes décrivant les divers types de phénomènes. Dans les cas de la Réforme, de l'alphabétisation, de l'industrialisation, de la déchristianisation, du contrôle des naissances, la détermination par les structures familiales n'est que partielle : d'autres facteurs essentiels peuvent être identifiés et la coïncidence des cartes, imparfaite, trahit la pluralité des facteurs. L'analyse des idéologies modernes révèle en revanche l'existence d'une détermination simple et stricte du contenu de l'idéologie par les valeurs familiales. Chacun des quatre socialismes s'emboîte donc, conceptuellement et géographiquement, dans un type familial et un seul ; chacun des quatre nationalismes se coule également dans un moule familial. Paradoxalement, c'est donc au xxᵉ siècle que la puissance des déterminations familiales apparaît la plus forte, et qu'elle segmente l'Europe avec la plus grande rigueur. Durant quelques décennies, les sous-ensembles idéologiques et géographiques du continent semblent extraordinairement étanches, aveugles et sourds les uns aux autres. La combinaison de ces autismes idéologiques mène aux deux guerres mondiales, conclusions dramatiques d'un processus de divergence guidé par des fondements anthropologiques souterrains et stables.

Le découpage de l'espace européen : cadre administratif et formes anthropologiques

Les sous-ensembles géographiques dans lesquels viennent s'incrire, entre le xv1ᵉ et le xxᵉ siècle, les structures et événements fondamentaux de l'histoire européenne ne sont pas en général les États-nations. Systèmes familiaux, crises religieuses, poussées d'alphabétisation, ruptures révolutionnaires, idéologies politiques modernes ne définissent pas sur les cartes d'Europe des espaces nationaux mais des unités géographiques d'ordre inférieur. Les grands États ne constituent donc pas des ensembles homogènes. La diversité de leurs systèmes familiaux permet de qualifier d'*anthropologique* leur hétérogénéité.

La France intègre quatre systèmes familiaux, l'Italie trois, l'Espagne et l'Angleterre deux. Parmi les grands États, seule l'Allemagne présente un certain degré d'homogénéité des structures familiales, imparfaite mais néanmoins curieuse si l'on considère la tardive unité étatique de l'espace allemand. Les petites nations elles-mêmes sont rarement uniformes. Ni les Pays-Bas, ni le Portugal, ni la Norvège, ni l'Écosse ne sont constitués, du point de vue anthropologique, d'un système familial unique.

L'analyse des coïncidences spatiales exige donc que l'on descende au-dessous du simple niveau national et que l'on définisse une grille géographique et statistique plus fine. Chaque État doit être fragmenté en un certain nombre d'unités régionales de taille réduite. La diversité des organisations administratives nationales semble à première vue un obstacle : le *département* français ne correspond pas exactement, par la surface ou la population, au *county* anglais, au *Regierungsbezirk* allemand, à la *provincia* italienne, au *län* suédois et au *canton* suisse. Il n'est pas possible de jeter sur l'ensemble de l'Europe occidentale une grille absolument régulière et uniforme, comme il en existe pour chacun des États pris séparément. Il n'est cependant pas impossible d'aboutir à un quadrillage raisonnable, malgré l'absence d'unité politique. L'essentiel est d'obtenir pour chacune des nations une segmentation administrative plus fine que sa segmentation anthropologique « naturelle ». Les 90 *départements* français permettent de définir avec suffisamment de précision huit zones anthropologiques principales, les 95 *provincie* italiennes quatre zones anthropologiques, les 19 *fylkene* norvégiens deux zones, les 12 *regions* écossaises deux zones, les 18 *distritos* portugais trois zones.

Les unités administratives utilisées			
Pays	*Nom de l'unité administrative de base*	*Nb d'unités administratives (après regroupements)*	*Population moyenne de l'unité (1989) (en milliers)*
Suède	län	24	350
Norvège	fylke	19	220
Finlande	lääni	12	410
Danemark	amtskommune	15	340
Écosse	region	12	460
Angleterre-Galles	county	41	1 260
Irlande	county	24	150
Pays-Bas	provincie	11	1 350
Belgique	province	9	1 100
Luxembourg	État	1	400
Allemagne	Regierungsbezirk	30	2 050
Autriche	Land	9	840
Suisse	canton	25	260
France	département	90	620
Italie	provincia	95	600
Espagne	provincia	48	810
Portugal	distrito	18	580

Le tableau ci-dessus indique le nom de l'unité administrative retenue pour chaque État, ainsi que le nombre de ces unités dans l'État considéré.

Dans un certain nombre de cas, le traitement des données statistiques a nécessité quelques simplifications, quelques regroupements d'unités. Il arrive, assez rarement, que les découpages géographiques utilisés pour la présentation des recensements de populations et pour la description des résultats électoraux soient différents. Or une bonne coïncidence est évidemment nécessaire à la confrontation de données concernant, par exemple, les structures familiales et les idéologies. Il arrive également qu'un quadrillage administratif change et que les unités géographiques ne soient plus les mêmes pour deux dates ou époques successives, ce qui a pour effet de rendre les comparaisons incertaines. Chaque fois que l'un ou l'autre problème se posait, j'ai pris le parti d'agréger plusieurs unités administratives afin d'obtenir une unité saisissant de la même manière tous les types de données. On aboutit dans certains cas à un maillage un peu moins fin mais qui a le mérite d'être stable [1].

1. Le schéma ci-dessous indique comment j'ai procédé lorsque deux découpages géographiques – l'un correspondant à un recensement, l'autre à des résultats électoraux par exemple – ne coïncidaient pas. Soit un découpage du recensement comprenant quatre unités géographiques (1, 2, 3, 4). Soit un découpage électoral définissant quatre unités géographiques (A, B, C, D) dont deux seulement (A et B) correspondent parfaitement à des unités géographiques du recensement (1 et 2 respectivement). Les autres unités électorales (C et D) se partagent au hasard l'espace occupé par les autres unités du recensement (3 et 4).

Découpage du recensement	*Découpage électoral*	*Découpage adopté*
1 3 2 4	A C B D	1 = A 3 + 4 = 2 = B C + D

Il est dans un tel cas de figure nécessaire de regrouper les unités de recensement 3 et 4, les unités électorales C et D, pour obtenir un découpage identique du recensement et des résultats électoraux. Les unités géographiques 1 et A, 2 et B, 3+4 et C+D coïncident alors exactement. L'opération s'ap-

1 – Le découpage de l'Europe

Les noms des unités géographiques sont indiqués à l'annexe 1.
Les sources et notes de cette carte et des suivantes sont indiquées à l'annexe 2.

En pratique, seules l'Allemagne, l'Angleterre, l'Écosse et l'Irlande posent de gros problèmes de traitement des données statistiques. L'histoire politique torturée de l'Allemagne a créé des discontinuités administratives nombreuses. En Grande-Bretagne, le génie spécifiquement britannique du flou institutionnel a assuré une non-concordance fréquente entre unités administratives et circonscriptions électorales (en Écosse et en Irlande particulièrement) ainsi qu'une instabilité du découpage administratif lui-même (en Angleterre et en Écosse).

Ce travail préparatoire permet d'aboutir à la définition d'un fond de carte divisant l'Europe occidentale en 483 unités géographiques. Cette grille d'analyse permet l'inscription dans l'espace continental de variables statistiques dont les valeurs sont calculées de la même manière pour chacune des unités géographiques de chacun des pays. On peut ainsi réaliser des cartes à la fois européennes et régionalisées de la structure des ménages, du taux de suicide, de la fréquence des naissances illégitimes, de la proportion d'ouvriers agricoles dans la population paysanne, du pourcentage d'ouvriers dans la population active, de la proportion d'individus pratiquant le culte protestant, du pourcentage de voix recueillies par les socialistes, par les démocrates-chrétiens, par les communistes à certaines époques. Toutes ces variables permettent une mise en forme numérique simple, à partir de concepts équivalents dans chacun des pays. Les cartes fabriquées de cette façon constituent le cœur de l'information historique et statistique utilisée dans ce livre qui propose cependant aussi de nombreuses petites cartes décrivant séparément les systèmes politiques de chacune des nations.

Je n'ai pas hésité à dessiner, lorsque c'était possible et nécessaire, des cartes moins rigoureuses reportant sur le fond de carte de base des données purement qualitatives, concernant les coutumes d'héritage, les systèmes agraires ou les vagues successives de la Réforme protestante. Dans chacun de ces cas, les

---

parente, sur le plan logique, à la recherche d'un plus petit multiple commun. Le problème et sa solution sont évidemment les mêmes lorsqu'on est confronté à des grilles géographiques distinctes correspondant à deux recensements réalisés à des époques différentes.

Ce travail de préparation des données est aussi fastidieux que nécessaire. Les agrégations géographiques réalisées à partir des unités administratives de base sont indiquées à l'annexe 1.

références bibliographiques et cartographiques exactes sont indiquées.

Le découpage de l'Europe en 483 unités géographiques permet aussi une localisation exacte des travaux monographiques réalisés par les historiens et les anthropologues sur certaines des communautés rurales de l'Europe. Ces recherches, parfois anciennes, souvent récentes, sont essentielles à une bonne compréhension des mécanismes familiaux. Ces monographies locales ont été répertoriées (titres 1 à 93 de la bibliographie). Chacune a été située sur la carte et peut être ainsi considérée comme typique non d'un pays ou d'une région trop vaguement définie, mais d'une unité géographique précise. La confrontation des données monographiques, souvent purement qualitatives, et des variables statistiques continues tirées des recensements ou des résultats électoraux devient alors possible. La carte 80 placée en tête de la bibliographie donne la localisation exacte des monographies locales utilisées.

Appliquée à l'échelle européenne, la cartographie statistique exige un très lourd investissement en travail. La fabrication d'une seule carte suppose la combinaison de 17 séries statistiques nationales situées dans 17 annuaires ou recensements différents [1]. Le résultat me semble justifier l'investissement : chaque carte donne une représentation simultanément analytique et synthétique d'un phénomène fondamental : anthropologique, religieux, économique ou idéologique. L'ensemble des cartes dessine une nouvelle histoire de l'Europe, inscrite dans l'espace autant que dans le temps. L'identification des coïncidences spatiales devient un exercice aisé, nécessaire, presque naturel. La vérification détaillée d'hypothèses sur les rapports entre famille et religion, entre famille et idéologie, entre famille et développement devient possible.

La réhabilitation de l'espace n'implique pas que l'on abandonne cette dimension historique traditionnelle qu'est le temps. Les événements de l'histoire doivent être saisis sur un repère à trois dimensions, dont deux sont constituées par l'espace géographique et une par le temps. Le plan général de ce livre privi-

---

1. 16 pays sont étudiés. Le Luxembourg n'est pas subdivisé. Le nombre de 17 annuaires ou recensements vient de ce que l'Écosse est systématiquement dissociée du groupe Angleterre-Galles dans la présentation officielle des données britanniques.

légie donc la dimension temporelle : il est en gros chronologique.

Une première partie décrit les structures les plus anciennes de
la vie européenne : les systèmes familiaux bien sûr, mais aussi
les systèmes agraires qui leur sont associés dans le cadre de la
vie rurale traditionnelle (chapitres 1 et 2).

La deuxième partie est consacrée au processus de modernisation des années 1500-1900, avec ses divers aspects : Réforme
protestante, alphabétisation, industrialisation, déchristianisation,
développement du contrôle des naissances (chapitres 3 à 7).

Dans une troisième partie, les idéologies modernes sont analysées en détail. Chacun des cinq chapitres qui la constituent est
consacré aux productions idéologiques modernes de l'un des
types familiaux qui occupent l'espace européen (chapitres 8
à 12). (Un chapitre pour la famille nucléaire égalitaire, deux
pour la famille souche, un pour la famille communautaire, un
pour la famille nucléaire absolue.)

La quatrième partie peut être considérée comme un essai
d'histoire immédiate puisqu'elle étudie la dissolution des idéologies européennes durant la période 1965-1990, processus qui
n'est pas encore achevé (chapitres 13 à 17). Elle cherche à discerner, dans la floraison des phénomènes actuels, les tendances
significatives, les structures nouvelles en voie d'émergence.
Peut-on parler de disparition des déterminations familiales ou
doit-on constater, à l'approche du troisième millénaire, une persistance de la segmentation anthropologique de l'Europe ? La
question est évidemment capitale pour tous ceux qui s'intéressent à l'avenir de la construction politique européenne.
L'entreprise présente des risques intellectuels évidents, mais il
aurait sans doute été un peu lâche d'éviter de tirer les implications immédiates du modèle historique exposé dans ce livre.

PREMIÈRE PARTIE

Le socle anthropologique :
systèmes familiaux
et systèmes agraires

Systèmes familiaux et systèmes agraires constituent ensemble le socle ancien de l'histoire européenne. Ils sont par nature fortement associés : dans un contexte paysan traditionnel, la famille s'identifie parfois à la ferme et il est par conséquent normal d'observer des liens spécifiques entre les quatre types familiaux analysés au chapitre 1 et les quatre systèmes agraires décrits au chapitre 2. La coïncidence entre organisation familiale et mode d'exploitation rural n'est cependant pas parfaite. Ces deux éléments de structure sociale doivent être considérés comme distincts. Le rôle spécifique du système agraire apparaîtra lors de l'analyse du processus de déchristianisation.

Systèmes familiaux et agraires ont en commun une grande stabilité. Ensemble, ils définissent une géographie fondamentale de l'Europe. Chacune des régions du continent peut être caractérisée par la combinaison d'un système familial et d'un système agraire. Jusqu'à l'industrialisation, ce couple de facteurs permet d'expliquer bien des destins régionaux. Le mouvement de la population, de la campagne vers les villes, diminue massivement l'importance du système agraire comme variable explicative. Les valeurs familiales survivent en revanche longtemps à la transplantation urbaine. On ne peut encore, à l'approche de l'an 2000, affirmer avec certitude leur disparition.

CHAPITRE PREMIER

Les systèmes familiaux

Quatre systèmes familiaux principaux se partagent l'espace européen[1]. On doit, pour les définir, partir de l'analyse des valeurs fondamentales organisant les rapports entre parents et enfants d'une part, les relations entre frères d'autre part.

• Les valeurs organisant les rapports entre parents et enfants peuvent être de type libéral ou de type autoritaire.

• Les valeurs organisant les relations entre frères peuvent être de type égalitaire ou non égalitaire.

La combinaison des deux variables dichotomiques que sont les couples libéralisme/autoritarisme et égalitarisme/non-égalitarisme engendre quatre possibilités typologiques.

Famille nucléaire absolue : un système familial dans lequel les relations entre parents et enfants sont de type libéral, les relations entre frères de type non égalitaire.

Famille nucléaire égalitaire : un système familial dans lequel les relations entre parents et enfants sont de type libéral et les relations entre frères de type égalitaire.

Famille souche : un système familial dans lequel les relations entre parents et enfants sont de type autoritaire, les relations entre frères de type non égalitaire.

Famille communautaire : un système familial dans lequel les relations entre parents et enfants sont de type autoritaire, les relations entre frères de type égalitaire.

La définition *a priori* de valeurs familiales n'est qu'un exercice théorique. Le repérage concret de ces valeurs dans la vie des

---

1. Pour une première définition de ces types, voir E. Todd, *La Troisième planète,* p. 14-18. Les références complètes de tous les ouvrages mentionnés sont données dans la liste des ouvrages cités et utilisés.

sociétés locales européennes pose, comme toute confrontation de la théorie à la réalité, des problèmes pratiques. L'identification des valeurs familiales d'une région donnée implique l'utilisation d'indicateurs stables et objectifs, capables de saisir le caractère libéral ou autoritaire du rapport parents-enfants et le caractère égalitaire ou non égalitaire de la relation de fraternité. C'est en milieu rural que ces traits sont le plus facilement identifiables, le rapport à la terre objectivant spontanément les rapports familiaux.

Un indicateur d'égalitarisme : les coutumes d'héritage

Les coutumes d'héritage fournissent une mise en forme très directe et très claire du type de relation entre frères considéré comme idéal dans une société locale donnée. Dans certaines régions, les règles de succession sont rigoureusement égalitaires, obligeant à une division minutieuse de l'héritage entre les enfants. Dans d'autres, les règles de succession manifestent une remarquable indifférence au principe d'égalité, soit qu'elles autorisent les parents à répartir leurs biens comme ils l'entendent au moyen du testament, soit qu'elles imposent la désignation d'un héritier unique, les autres enfants devant abandonner la ferme et chercher ailleurs un moyen de subsistance. Les coutumes d'héritage permettent donc une classification aisée des systèmes familiaux en types égalitaires et non égalitaires.

Un indicateur d'autoritarisme : la corésidence des générations

Un modèle autoritaire de relations entre parents et enfants entraîne une interdépendance des générations qui persiste après l'arrivée des enfants à l'âge adulte. Cette interdépendance favorise la constitution de *ménages* (c'est-à-dire d'unités domestiques) comprenant trois générations : grands-parents, parents, enfants, dans lesquels la génération intermédiaire reste sous l'autorité des anciens. Un modèle libéral de relations entre parents et enfants assure au contraire une émancipation rapide et complète des enfants, dont le mariage suppose la formation d'une unité domestique nouvelle : il n'y a pas formation de ménages complexes comportant trois générations. On peut donc considérer une proportion élevée de ménages comprenant trois générations comme un indicateur sûr de l'existence d'un modèle de relation autoritaire entre parents et enfants ; l'absence ou du moins la rareté de ces ménages complexes est signe du libéralisme de la relation.

La combinaison des coutumes d'héritage et des règles de corésidence permet de définir, pour chacun des quatre systèmes familiaux qui se partagent l'espace européen, un cycle de développement typique du groupe domestique.

Cycles de développement du groupe domestique

Pour présenter chacun des quatre cycles, le plus simple est de postuler la fondation d'une famille par le mariage d'un homme et d'une femme et de la suivre à travers le temps.

Famille nucléaire absolue : Le couple ·initial produit des enfants qui, lorsqu'ils arrivent à l'âge adulte, fondent des ménages indépendants. Les biens des parents sont partagés entre les enfants, mais de façon peu rigoureuse : une partie est fréquemment distribuée avant la mort des parents, le reste réparti par testament. La fondation de ménages indépendants reflète le principe libéral, l'usage du testament la relative indifférence au principe d'égalité.

Le terme *nucléaire* indique qu'à aucun stade de son cycle de développement ce système familial n'engendre de groupe domestique comprenant plus que le noyau fondamental « parents-enfants ». Le terme *absolu* évoque l'individualisme maximal de ce système familial qui non seulement insiste sur la nécessaire indépendance des enfants vis-à-vis des parents, mais exige de plus une dissociation des frères en ne les traitant pas comme des individus égaux, équivalents.

Famille nucléaire égalitaire : Le couple initial produit des enfants qui, lorsqu'ils arrivent à l'âge adulte, fondent des ménages indépendants. Les biens des parents sont partagés de façon égalitaire, méticuleuse, entre les enfants. Si certains biens ont été attribués à certains enfants du vivant des parents, des procédures complexes d'évaluation permettent une égalisation des parts. La fondation de ménages indépendants reflète le principe libéral, le partage rigoureux l'importance du principe d'égalité.

Ce système est, comme le précédent, qualifié de *nucléaire* parce qu'à aucun stade de son cycle de développement il n'engendre la constitution d'un groupe domestique comprenant plus que le noyau « parents-enfants ». Son individualisme est cependant moins « absolu » que celui de la *famille nucléaire absolue*, parce que le principe égalitaire implique la persistance de relations diffuses entre parents et enfants mariés jusqu'à la liquidation exacte et définitive de l'héritage.

Famille souche : Le couple initial produit des enfants. Lors de l'arrivée à l'âge adulte, un seul des fils se marie et produit des enfants sans quitter la famille initiale. Les autres ont le choix entre rester célibataires dans le groupe domestique d'origine ou s'en aller, pour épouser une héritière, fonder un nouveau ménage, devenir prêtre ou soldat. Celui des fils qui assure la continuité du groupe domestique recueille non pas forcément la totalité de l'héritage, mais la terre et surtout la maison, qui matérialise la perpétuation de la famille à travers le temps. Les autres enfants sont dédommagés, en théorie du moins, par des *soultes* en argent. L'élu, qui peut être désigné par une règle de primogéniture (choix de l'aîné), d'ultimogéniture (du cadet), ou même par une décision libre des parents, reste, lorsqu'il est lui-même devenu père, sous l'autorité de son propre père. La corésidence de deux générations adultes illustre l'autoritarisme du système. La transmission à un seul enfant de la maison, et le plus souvent de la totalité de la terre, exprime l'indifférence au principe d'égalité. Le célibat des autres enfants, lorsqu'ils restent au domicile des parents, trahit quant à lui l'inégalitarisme sexuel du système.

Dans le système de la famille souche, la *structure du ménage* ne comprend pas à tout moment trois générations. Cette forme complexe n'apparaît qu'à une étape du cycle de développement, lorsque l'héritier marié est devenu père et que l'un au moins de ses parents est encore vivant. La mort des deux parents efface la structure verticale comprenant trois générations, le ménage reprend une forme nucléaire qu'il reperdra lorsqu'un héritier de

Caractéristiques des types familiaux			
Type familial	*Principe d'égalité*	*Principe d'autorité*	*Formes typiques du groupe domestique*
Nucléaire absolu	Non	Non	
Nucléaire égalitaire	Oui	Non	
Souche	Non	Oui	
Communautaire	Oui	Oui	

△ Homme | Filiation   ⊔ Mariage
○ Femme   ⊓ Fraternité

la génération suivante aura lui-même des enfants, et ainsi de suite. La simulation à l'ordinateur révèle que, dans les conditions de mortalité et de natalité typiques de l'Ancien Régime, la proportion de ménages à trois générations ne peut à une date donnée dépasser le tiers [1].

Famille communautaire : Le couple initial produit des enfants. Lors de l'arrivée à l'âge adulte, *tous les fils peuvent se marier* et amener leurs épouses au domicile de leurs parents. Dès que ces fils ont des enfants, une structure très vaste se forme, étendue verticalement par la corésidence de trois générations et latéralement par la corésidence de deux frères mariés. La mort du père initial est suivie, plus ou moins rapidement, d'une division entre les frères du patrimoine familial ; cette fragmentation mène à de nouvelles expansions lorsque les groupes d'enfants de

1. K.W. Wachter et coll., *Statistical Studies of Historical Social Structure*, p. 44-45.

ces frères séparés se marient à leur tour. *Mais une période de corésidence de deux frères mariés, en l'absence de parents vivants, est concevable.* L'existence de groupes domestiques faisant apparaître cette structure, inconcevable dans tous les autres systèmes familiaux, est le *marqueur* absolu de l'existence d'un système communautaire.

L'extension sur trois générations, sous l'autorité d'un père âgé exprime la force du principe d'autorité. La symétrie des frères, également mariés et partageant égalitairement l'héritage, illustre le respect du principe d'égalité.

Le milieu rural comme terrain d'observation privilégié

C'est en milieu rural qu'apparaissent le plus clairement les valeurs caractéristiques des divers systèmes familiaux européens. L'attachement à la terre implique un haut degré de formalisation des coutumes d'héritage, des règles de corésidence, et par conséquent des cycles de développement du groupe domestique. A chaque génération, la maison et l'exploitation doivent être maintenues ou divisées, les enfants mariés doivent rester ou partir. La simplicité même de la vie crée une transparence des rapports familiaux, aboutit à une mise en scène des valeurs d'égalité ou de non-égalité par les coutumes d'héritage, des valeurs d'autorité ou de libéralisme par les règles de corésidence.

En ville, les valeurs familiales d'égalité ou de non-égalité, d'autorité ou de libéralisme n'existent pas moins, mais sont plus difficiles à saisir. Le repérage des valeurs de non-égalité et d'autorité est particulièrement difficile en milieu urbain.

Le principe de non-égalité des frères, lorsqu'il existe, est révélé, en ilieu rural, par des coutumes d'héritage transmettant la maison et la ferme à un seul des enfants, les autres devant chercher ailleurs un moyen d'existence. La coutume d'héritage inégalitaire est ici une manifestation visible d'un système de valeur considérant les frères comme des individus différents par nature. Mais cette manifestation visible est liée à un contexte matériel précis, celui d'une société rurale ayant des exploitations à transmettre. Le même système de valeurs, dans un environnement urbain comportant un nombre réduit de propriétaires et de biens, aura d'autres effets matériels, moins facilement identifiables : par exemple, le choix de métiers systématiquement différents par les divers individus composant la fratrie.

Le principe d'autorité dans la relation parents-enfants, lorsqu'il existe, est révélé, en milieu rural, par des règles de corésidence associant les parents et un ou plusieurs enfants mariés. La règle de corésidence est une manifestation visible d'un système de valeurs exigeant une persistance tout au long de la vie de l'interdépendance parents-enfants. Mais cette manifestation visible est liée à un contexte matériel précis, celui d'une société rurale pouvant trouver un avantage économique à associer, dans un même logement, dans un même travail, deux générations. En milieu urbain, la rigidité de l'espace habitable, le mécanisme du salariat, suppriment toute justification économique au phénomène de la corésidence. Mais la disparition « urbaine » du ménage complexe à trois générations n'implique nullement celle de la valeur d'autorité, d'interdépendance, qui se manifeste par d'autres effets matériels, moins visibles, mais tout aussi réels : échanges de services et d'argent, proximité de résidence dans des logements distincts, rôle des grands-parents dans la garde et l'éducation des petits-enfants.

Le choix du milieu rural comme terrain d'observation découle donc d'impératifs techniques : la nécessité de définir des indicateurs simples repérant de façon similaire les valeurs d'égalité et de non-égalité, d'autorité et de libéralisme dans les systèmes familiaux des diverses régions d'Europe. Ce choix n'implique pas un postulat d'effacement du système familial traditionnel en milieu urbain. Ce qui disparaît en milieu urbain, c'est le *cycle de développement du groupe domestique,* incarnation visible qui ne doit pas être confondue avec le *système familial, ensemble de valeurs immatérielles, mais stables.*

Les rapports entre frères en Europe : égalité et non-égalité

Pour établir la carte des coutumes d'héritage en milieu rural, dans l'ensemble de l'Europe occidentale, j'ai choisi d'appliquer la *méthode régressive,* recommandée par Marc Bloch, mais rarement appliquée, qui consiste à partir des données les plus récentes et les plus complètes, pour remonter ensuite le temps au

2 – Les coutumes successorales

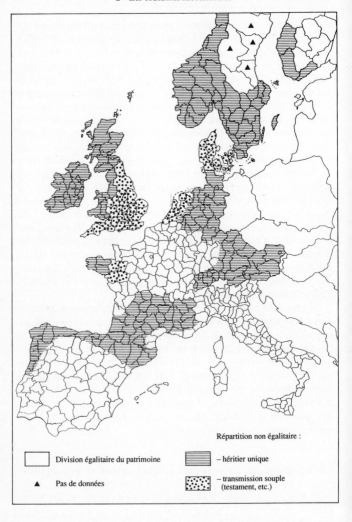

Répartition non égalitaire :

Division égalitaire du patrimoine

– héritier unique

▲ Pas de données

– transmission souple
(testament, etc.)

moyen des documents fragmentaires provenant d'un passé plus ancien[1]. Dans le cas des règles de succession, je n'ai pas utilisé comme matériaux de base les *coutumiers* du XVIe siècle, qui manquent de précision, décrivent un idéal juridique plutôt qu'une pratique anthropologique, et distinguent mal le milieu rural du milieu urbain, prenant trop facilement la coutume de la ville pour celle de la province[2].

La carte 2, qui décrit les coutumes d'héritage des paysanneries européennes, utilise donc des données recueillies, pour leur majorité, durant les années 1850-1970, avec quelques exceptions. Son degré de précision géographique, qui s'efforce d'atteindre le niveau des *unités de base* définies dans l'introduction, est dans l'ensemble satisfaisant. On dispose de cartes détaillées analysant la diversité interne des États nationaux pour le Portugal, l'Espagne, la France, les Pays-Bas, l'Allemagne, l'Autriche et la Suisse. Dans le cas de l'Italie, l'égalitarisme uniforme des règles successorales rend une telle carte superflue. La description des îles Britanniques et des péninsules scandinaves est un peu moins satisfaisante. Le Centre et le Nord de la Suède en particulier comprennent des zones d'héritage égalitaire (*län* de Kopparberg notamment, S 19) dont je ne peux proposer qu'un tracé approximatif[3]. Même imprécision relative dans le cas de la Finlande, où le mélange des coutumes finnoises (égalitaires) et suédoises (non égalitaires en majorité) crée sans doute des ambiguïtés locales. Le reste du monde scandinave – Danemark et Norvège – ainsi que l'ensemble des îles Britanniques peuvent être considérés comme uniformément non égalitaires, les seules incertitudes concernant la division secondaire entre régions pratiquant une inégalité franche (système de l'*héritier unique*) et régions simplement indifférentes au principe d'égalité (système du *testament*). Le dessin proposé, qui s'appuie sur un certain nombre de monographies locales, est cependant raisonnable.

1. M. Bloch, *Apologie pour l'histoire*, p. 49.
2. Ce sont les raisons pour lesquelles je n'ai pas considéré l'ouvrage classique de Jean Yver, *Égalité entre héritiers et exclusion des enfants dotés* , comme un document de base. Je l'ai cependant utilisé comme auxiliaire dans un certain nombre de cas douteux, pour lesquels un certain recul historique est nécessaire.
3. Province traditionnelle de Dalécarlie. Sur la codification des régions géographiques, voir annexe 1.

Globalement, le degré de précision de la carte 2 est nettement supérieur à celui de la carte de synthèse élaborée par Wilhelm Abel et reproduite par Joan Thirsk dans un essai sur les coutumes de succession des paysanneries d'Europe [1]. La carte que je propose exagère cependant l'extension des règles égalitaires et sous-estime celle des règles non égalitaires. Souvent, en effet, une règle égalitaire masque une pratique inégalitaire, un mécanisme silencieux permettant d'éviter le partage de la maison et de l'exploitation. Le célibat d'une proportion importante des enfants est la méthode la plus efficace : les individus sans conjoint restent à la ferme avec leur frère marié, ne réclament pas leur part d'héritage qui revient après leur mort au frère en question ou à ses enfants. Ici, l'inégalité sexuelle produit les mêmes effets qu'une règle franche de succession inégalitaire. Lors de la description finale des types familiaux, l'existence de pratiques inégalitaires masquées devra être envisagée.

Les rapports parents-enfants en Europe : autorité et liberté

L'analyse systématique de la relation d'autorité à travers les proportions de ménages comprenant trois générations implique une utilisation encore plus radicale de la méthode régressive. Les recensements européens fournissant une description suffisamment précise de la structure des groupes domestiques ont été réalisés, pour la plupart, durant l'intervalle 1960-1980. Entre ces deux dates, il est possible de trouver, pour chacun des pays d'Europe, pour presque chacune des 483 unités géographiques découpant l'espace européen de l'Ouest, une mesure sommaire mais utilisable de la proportion de *ménages complexes,* comprenant plus qu'un couple marié avec enfants. Les catégories sont différentes selon les pays : l'expérience montre cependant que tous les indices de complexité des ménages sont de bons indicateurs de verticalité, toutes les extensions du groupe domestique au-delà de la famille conjugale ayant pour condition de base une extension sur trois générations. Exhaustives, ces données présentent l'inconvénient d'être tardives, résiduelles. Les proportions de ménages complexes observées sont faibles. Ces

1. J. Thirsk, *The European Debate on Customs of Inheritance, 1500-1700*, p. 179.

données ressemblent beaucoup à des traces de carbone 14, isotope radioactif dont la proportion décroît avec le temps. L'urbanisation, le salariat, la modernisation en général détruisent les ménages à trois générations selon un processus inexorable, à travers toute l'Europe. Mais parce que la disparition s'effectue dans chaque pays selon un rythme déterminé et parallèlement dans toutes les régions, il est possible d'obtenir, à partir des données résiduelles concernant les années 1960-1980, des cartes indiquant les zones d'autoritarisme et de libéralisme de la relation parents-enfants. Plusieurs précautions méthodologiques s'imposent. D'abord, traiter séparément les données provenant de chacun des pays : les degrés de modernité très inégaux, les définitions du ménage très diverses interdisent en effet toute comparaison directe de chiffres provenant de régions appartenant à des pays distincts.

Mais l'analyse des variations géographiques internes à chaque État suppose aussi certaines précautions. Toute différence entre les proportions de ménages complexes observées dans deux régions distinctes d'un même pays ne peut être interprétée comme signe de l'existence de valeurs autoritaires là où les ménages complexes sont nombreux, et de valeurs libérales là où ils sont rares. L'*incarnation* des valeurs d'autorité dans des ménages à trois générations suppose en effet que certaines conditions matérielles soient remplies, dont la plus fondamentale est un mode de vie rural. Dans une région où les valeurs familiales sont autoritaires, mais où l'urbanisation est très avancée, et où le nombre de paysans est par conséquent réduit, la proportion de ménages complexes ne peut être très élevée. Un modèle statistique *a priori* permet de fixer sur ce point les idées.

Soit un pays hypothétique X, uniformément autoritaire par ses valeurs familiales. Une carte indiquant la proportion de ménages complexes dans chaque région ne fera pas apparaître une répartition uniforme, mais une diversité régionale illusoire, *la proportion de ménages complexes étant d'autant plus importante que la proportion de paysans est élevée*. La carte des ménages complexes ne sera qu'une carte de la ruralité, en aucun cas une carte de l'autoritarisme ou du libéralisme des relations familiales. Sur le plan statistique, un coefficient de corrélation élevé associera proportion de ménages complexes et proportion de paysans dans la population active.

Dans un autre pays hypothétique Y, uniformément libéral par ses valeurs familiales, l'urbanisation ne fera pas apparaître de tels effets statistiques. Faible en milieu rural, la proportion de ménages complexes restera faible en milieu urbain : la corrélation mesurée entre proportion de ménages complexes et proportion de paysans dans la population active sera en général faible.

Dans un troisième pays Z, hétérogène sur le plan familial, comprenant des zones libérales et des zones autoritaires, la corrélation entre proportion de paysans et fréquence des ménages complexes sera moyenne ou faible.

J'ai donc calculé systématiquement, pour chacun des pays, le coefficient de corrélation associant pourcentage de ménages complexes et pourcentage de paysans dans la population active et j'ai considéré qu'un coefficient de corrélation élevé (supérieur à + 0,70 par exemple) pouvait dans certains cas suggérer la présence de valeurs familiales autoritaires relativement uniformes dans un pays donné. Une corrélation faible ou moyenne évoque soit un libéralisme uniforme des valeurs familiales, soit une hétérogénéité géographique des systèmes familiaux [1].

Les monographies villageoises réalisées par des ethnologues ou des historiens en Suède, en Allemagne, en Autriche ou en Suisse germanophone décrivent le plus souvent des structures familiales de type souche, comprenant par conséquent une composante autoritaire. En Finlande, la famille communautaire est observée, qui inclut aussi un trait autoritaire. Or, dans ces cinq pays, le coefficient de corrélation associant proportion de ménages complexes et proportion de paysans est élevé, supérieur à + 0,80 pour la Suède, l'Allemagne, l'Autriche et la Finlande, égal à + 0,72 dans le cas de la Suisse. Il paraît donc illusoire de chercher à cartographier des variations internes à ces ensembles nationaux : l'affaissement dans certaines régions du nombre des ménages complexes (à trois générations) y est en général l'effet d'une faible présence paysanne, et non de l'existence d'une variété libérale de système familial. Sur la carte 3, qui s'efforce

---

1. Le coefficient de corrélation varie entre − 1 et + 1. La corrélation entre deux variables est d'autant plus forte que la valeur absolue du coefficient s'approche de 1, d'autant plus faible qu'elle s'approche de 0. La corrélation est positive si le coefficient est positif, négative s'il est négatif. Toutes les corrélations calculées dans ce livre sont dites « écologiques » parce qu'elles mesurent la coïncidence des variables dans l'espace.

d'atteindre les valeurs familiales et non les comportements bruts observés, Allemagne, Autriche, Suède et Finlande sont décrites comme uniformément autoritaires. La Suisse avec son coefficient un peu plus faible pose un problème : son uniformité est moins nette, d'autant que la proportion de ménages complexes est particulièrement basse par rapport à la population agricole dans les cantons les plus purement francophones de Vaud (CH 17) et Neuchâtel (CH 16). Dans le cas de la Confédération helvétique, il paraît raisonnable de considérer la partie germanophone du pays comme uniformément autoritaire et sa partie francophone comme libérale.

Ménages complexes et ruralité

Coefficients de corrélation associant proportion de ménages complexes et proportion de paysans

Suède	+ 0,81	Belgique	+ 0,20
Norvège	+ 0,38	Allemagne	+ 0,82
Finlande	+ 0,89	Autriche	+ 0,89
Danemark	+ 0,61	Suisse	+ 0,72
Écosse	+ 0,21	France	+ 0,62
Angleterre	− 0,14	Italie	+ 0,04
Irlande	+ 0,40	Espagne	− 0,08
Pays-Bas	+ 0,04	Portugal	− 0,51

Pour les années de recensement utilisées, voir les sources des cartes 3 (ménages complexes) et 13 (les paysans vers 1970).

Dans les autres pays, les variations géographiques de la proportion de ménages complexes ne sont pas liées de façon primordiale aux variations de la proportion de ruraux dans la population active et peuvent par conséquent être considérées, assez largement, comme les expressions de valeurs familiales distinctes, autoritaires là où les ménages complexes sont relativement nombreux, libérales là où ils sont rares.

Cette méthode n'est pas irréprochable, elle est seulement raisonnable. Le dessin obtenu dans le cas des pays hétérogènes reste perturbé, localement, par l'influence du nombre de ruraux. Ainsi, le tracé obtenu pour la France rend mieux compte de

3 – Ménages complexes

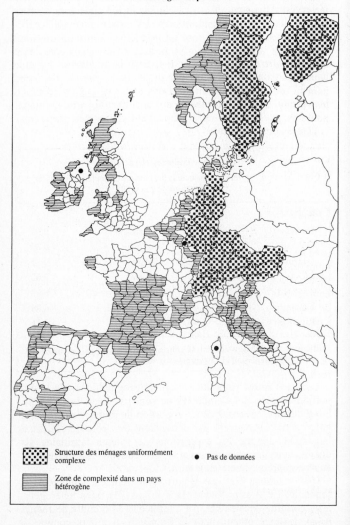

Structure des ménages uniformément complexe

Zone de complexité dans un pays hétérogène

● Pas de données

l'autoritarisme du Sud-Ouest, encore assez rural, que de l'autoritarisme du Sud-Est, plus urbain et industriel. Les zones anthropologiques obtenues sont cependant suffisamment claires et compactes pour permettre une description vraisemblable, que je retoucherai très légèrement par endroits lors de la définition d'une carte définitive des structures familiales. Le seul pays pour lequel cette méthode n'aboutit pas à la définition de zones homogènes satisfaisantes est la Belgique, très urbanisée, mais où les ménages à plusieurs noyaux sont néanmoins relativement nombreux.

L'analyse statistique de la complexité des ménages permet, simultanément, de confirmer des résultats anthropologiques connus et de déceler des nuances internes aux ensembles nationaux que la recherche de terrain n'avait pas jusqu'à présent décelées.

Confirmation

Le caractère autoritaire des systèmes familiaux germaniques, suédois, finnois n'est pas une surprise, mais une vérification des nombreux travaux ethnologiques menés depuis la deuxième moitié du XIXe siècle [1]. L'autoritarisme de la relation parents-enfants était également connu dans les cas de la France du Sud, de l'Espagne du Nord, du Portugal du Nord, des Pays-Bas de l'Est. Symétriquement, le caractère libéral des relations familiales dans la France du Bassin parisien, dans la partie occidentale des Pays-Bas, dans le Centre de l'Espagne, la majeure partie de l'Angleterre et du Danemark avait déjà été identifié par la recherche [2].

1. Sur les systèmes germaniques, voir Le Play, *Les Ouvriers européens,* t. 3, p. 99-203 (monographies 28 et 29) ; sur les systèmes scandinaves, voir O. Löfgren, « Family and household among Scandinavian peasants », p. 40-44.
2. Sur l'Angleterre, voir P. Laslett, « Mean household size in England since the sixteenth century », p. 153, et A. Macfarlane, *The Family Life of Ralph Josselin,* p. 110-125. Pour la France du Bassin parisien, voir Le Play, *Les Ouvriers européens,* t. 5, p. 323-372, et t. 6, p. 84-122 (monographies 57 et 58), ainsi que H. Le Bras et E. Todd, *L'Invention de la France,* p. 111-119. Pour les Pays-Bas, voir A.M. Van der Woude, « Variations in the size and structure of the household in the United Provinces of the Netherlands » (monographie 20). Pour le Danemark, voir J. Elklit, « Household structure in

Découvertes

L'existence d'une division de l'espace norvégien, constitué d'un Nord et d'un Ouest autoritaires et d'un Sud-Est libéral, peut être considérée comme une découverte. Cette coupure est assez bien expliquée par le développement de l'histoire norvégienne : le Sud-Est est traditionnellement « danois » de langue et d'esprit. Le clivage familial recoupe partiellement le clivage linguistique opposant l'idiome du Sud-Est et de la capitale, le *riksmaal,* à celui des régions périphériques de l'Ouest, le *landsmaal.*

Les résidus autoritaires du Danemark, situés dans le Jutland du Sud (DK 9) et dans l'île de Fionie (DK 8), ne sont pas non plus très difficiles à expliquer en termes historiques : ces régions sont, tout simplement, proches de l'Allemagne, dont l'autoritarisme est homogène.

Autre nouveauté, l'identification d'une frange autoritaire bordant à l'ouest l'île de Grande-Bretagne, de la Cornouailles à l'Écosse occidentale, en passant par la partie côtière du pays de Galles et le comté anglais de Cumbria (GBE 7). On retrouve ici, se manifestant sur le plan des structures familiales, la frange celte de la Grande-Bretagne, zone de refuge des anciens occupants de l'île, repoussés vers l'ouest par les envahisseurs anglo-saxons entre le ve et le viiie siècle.

Le caractère globalement autoritaire de l'Irlande, bien connu des ethnologues, est confirmé, mais une nuance importante est mise en évidence : la verticalité des structures familiales est surtout nette sur la périphérie de l'île, des formes plus nucléaires, libérales, subsistant à l'intérieur des terres.

L'analyse statistique permet de définir avec précision la répartition des structures familiales verticales en Italie : une ceinture autoritaire occupe l'ensemble de l'Italie centrale et la Vénétie ; le Nord-Ouest et le Sud du pays sont au contraire de structure familiale libérale.

Denmark 1769-1890 » (monographie 5), ainsi que Ø. Østerud, *Agrarian Structure and Peasant Politics in Scandinavia,* p. 125, et F. Skrubbeltrang, *Agricultural Development and Rural Reform in Denmark,* p. 16 et 24. Sur l'Espagne, voir C. Lison-Tolosana, « Sobre áreas culturales en España », p. 322-326.

Dernière découverte, la plus inattendue sans doute : l'existence au Sud-Ouest de l'Espagne et au Sud du Portugal de traits autoritaires ignorés de la littérature ethnologique, dans les provinces de Badajoz (E 6), Cordoue (E 14), Huelva (E 21) et Séville (E 39), pour ce qui concerne l'Espagne ; dans le district de Faro (P 8), dans le cas du Portugal.

Deux variables, quatre zones

A ce stade, les diverses régions d'Europe ont donc été réparties, par deux cartes successives, en zones d'égalitarisme et de non-égalitarisme (rapports entre frères, carte 2) et en zones d'autoritarisme ou de libéralisme (relations parents-enfants, carte 3). Très logiquement, le croisement de deux variables dichotomiques engendre quatre combinaisons : des zones libérales et non égalitaires, libérales et égalitaires, autoritaires et non égalitaires, autoritaires et égalitaires. C'est ce que réalise la carte 4, qui combine les cartes 2 et 3. Cette carte, qui utilise quatre teintes et fait apparaître quatre combinaisons « familiales », ne doit cependant pas encore être considérée comme une carte définitive des quatre types familiaux définis plus haut : *nucléaire absolu* (liberté + non-égalité), *nucléaire égalitaire* (liberté + égalité), *souche* (autorité + non-égalité) et *communautaire* (autorité + égalité). Pour une raison très simple : la persistance d'incertitudes sur l'extension géographique réelle du principe de non-égalité, dont l'importance est sous-estimée par les règles d'héritage officielles. Une seule des quatre zones définies par la carte pose un problème d'interprétation, les trois autres correspondant de façon suffisamment précise à des types familiaux clairement définis.

Les zones 1 et 3 de non-égalité, qu'elles soient libérales ou autoritaires, ne posent *a priori* pas de problème puisque, par définition, la non-égalité de l'héritage y est un principe reconnu.

La zone 2, libérale et égalitaire, est, de même, sans ambiguïté. Le principe libéral y apparaît comme le complément logique de la règle d'égalité, dont l'application réelle ne fait aucun doute : l'indivision du patrimoine ne présente pas d'intérêt pratique là où n'existe pas un mécanisme lignager et le désir de transmettre en bloc l'exploitation. Aucun élément ne permet de soupçonner

4 – Coutumes successorales et ménages complexes

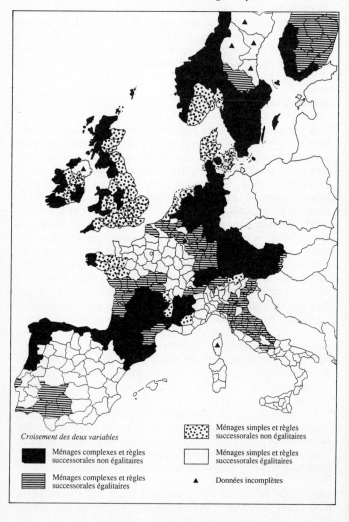

Croisement des deux variables

■ Ménages complexes et règles
successorales non égalitaires

▤ Ménages complexes et règles
successorales égalitaires

▦ Ménages simples et règles
successorales non égalitaires

□ Ménages simples et règles
successorales égalitaires

▲ Données incomplètes

une non-application du principe d'égalité : la structure nucléaire confirme le principe égalitaire [1].

La zone 4, autoritaire et égalitaire, exige en revanche un examen de contrôle. L'ethnologie classique avait, dès le xixe siècle, révélé la rareté des types familiaux communautaires en Europe occidentale ; les recherches anthropologiques récentes ont, quant à elles, démontré l'existence de mécanismes invisibles, mais stables, de détournement de la règle égalitaire [2]. Le principe autoritaire implique la cohabitation de trois générations, ce qui, dans un contexte européen de l'Ouest, évoque fortement la possibilité d'un système lignager attribuant la totalité de la ferme à un seul des enfants. Il est donc nécessaire, pour chacune des grandes régions apparaissant sur la carte 4 comme autoritaire et égalitaire, d'effectuer un contrôle. Une analyse plus détaillée du cycle de développement des ménages, utilisant des monographies anthropologiques et historiques, doit déterminer, chaque fois, s'il s'agit d'une région de famille communautaire authentique (autoritaire et égalitaire) ou d'une région de famille souche imparfaite (le principe autoritaire étant accompagné d'une inégalité de fait n'apparaissant pas clairement dans les coutumes de succession officielles).

Zone 1, liberté + non-égalité : famille nucléaire absolue

La combinaison de ménages nucléaires et de coutumes de succession non égalitaires définit sans aucun doute possible une structure familiale de type « nucléaire absolu ». La carte 5, qui décrit exclusivement cette zone, peut être déduite presque direc-

1. Le principe nucléaire agit toujours en pratique comme un modérateur du principe inégalitaire. Ainsi, en Angleterre du Sud et de l'Est, pays de famille nucléaire absolue, une règle nationale de primogéniture est en pratique remplacée au niveau des villages par l'usage du testament, qui n'impose pas l'égalité mais n'exige pas non plus l'inégalité. La structure nucléaire de la famille, qui refuse la constitution de lignages et de ménages à trois générations, fait de la transmission en bloc du patrimoine un idéal inutile.
2. La rareté des types communautaires en Europe occidentale apparaît déjà clairement dans la somme de Le Play, *Les Ouvriers européens*. Sur les mécanismes de contournement de la règle égalitaire, voir J.W. Cole et E.R. Wolf, *The Hidden Frontier*, p. 175-205 (monographie 67).

5 – La famille nucléaire absolue

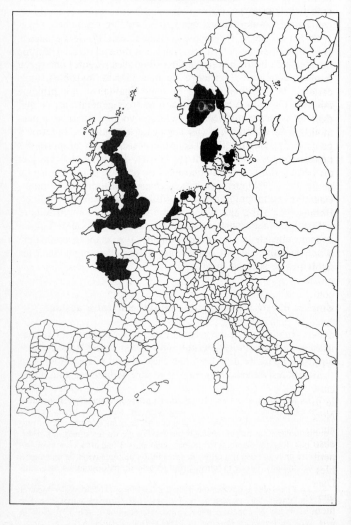

tement de la carte 4, qui croise la variable « relation parents-enfants » avec la variable « relation de fraternité ». Deux modifications peuvent être signalées.

Cinq unités géographiques apparaissant sur la carte 4 comme non égalitaires et nucléaires n'ont pas été intégrées aux régions de famille nucléaire absolue mais affectées aux régions de famille souche, dans un but d'homogénéisation des zones de la carte. Cette opération, qui consiste à donner arbitrairement à certaines unités géographiques la valeur des unité contiguës, permet dans certains cas une simplification des tracés de zones. Cette modification est particulièrement nécessaire lorsqu'une unité géographique fait apparaître une combinaison localement aberrante, parce qu'en contradiction avec l'environnement. Les unités concernées sont, en Angleterre, les comtés de Lancashire et de Cheshire (regroupés dans GBE 19) ; en France, les Alpes-de-Haute-Provence (F 4), l'Ardèche (F 7), la Loire (F 42) ; en Italie, Bolzano (I 17), qui représente le Sud-Tyrol de langue allemande.

Deuxième modification : les régions intérieures de l'Irlande apparaissant sur la carte 4 comme non égalitaires et nucléaires n'ont pas été intégrées à l'ensemble des régions de la zone 1, de famille nucléaire absolue. Dans l'état actuel des recherches, il n'est pas possible de dire si cette région doit être considérée comme de famille nucléaire absolue, ou si la famille souche y est simplement un peu moins nette et forte, dans sa dimension verticale, qu'à la périphérie de l'île. Aucune monographie locale détaillée ne permettant véritablement de trancher, j'ai préféré laisser subsister un point d'interrogation sur la carte finale des types familiaux.

Six régions de famille nucléaire absolue subsistent donc sur la carte 5 : la plus grande partie de l'Angleterre, l'Est de l'Écosse, le gros du Danemark, le Sud-Est de la Norvège, l'Ouest et le Nord des Pays-Bas, l'Ouest intérieur français. Aucun pays, aucun système étatique ne peut donc ici être considéré comme absolument homogène du point de vue anthropologique. De petites nations comme la Norvège, les Pays-Bas sont des ensembles composites combinant deux systèmes familiaux. Même le Danemark, qui approche le plus de l'homogénéité, contient une irrégularité de type souche sur sa frontière sud. La fragmentation anthropologique des États n'implique cependant pas une très grande complexité sur la carte globale de l'Europe occidentale. En effet, le zonage anthropologique, qui définit du point de vue des États des unités régionales d'ordre inférieur, évoque, lorsque l'on regarde l'ensemble de l'Europe, des unités régionales d'ordre supérieur, dépassant le cadre des États. Dans le cas de la famille nucléaire absolue, l'existence d'une *zone homogène centrée sur la mer du Nord* est une évidence géographique. Tous les types nucléaires absolus ne sont pas, au sens strict, contigus, mais tous (si l'on excepte l'Ouest intérieur français, qui touche la Manche et l'Atlantique) bordent la mer du Nord, qui n'apparaît donc pas sur les cartes anthropologiques comme une coupure, mais au contraire comme un lien. La carte de la famille nucléaire absolue évoque immédiatement des images historiques anciennes, remontant à l'an mille et au-delà : l'empire maritime de Cnut le Grand (mort en 1035) ne comprenait certes pas l'Ouest français et les Pays-Bas, mais associait le Danemark, la Norvège et l'Angleterre. En fait, c'est l'ensemble de la sphère occupée, précocement ou tardivement, par les peuples germaniques nord-occidentaux – Anglo-Saxons, Jutes, Frisons – qui réémerge sur cette carte anthropologique.

Zone 2 , liberté + égalité : famille nucléaire égalitaire

Obtenir la carte définitive du type familial nucléaire égalitaire à partir de la zone 2 de la carte 4 ne pose aucun problème majeur. Comme dans le cas de la famille nucléaire absolue, quelques modifications de détail doivent être effectuées, dans un but d'homogénéisation. Le Nord (F 59), Anvers (B 1), Liège (B 4), Trente (I 18), Belluno (I 21), Vicenza (I 20), Bologne (I 38), Grosseto (I 50), Viterbe (I 57), l'Aquila (I 62), Beja (P 2), Evora (P 7) et Setubal (P 15) ont été détachés de la zone 2 pour être alignés sur des unités voisines, dans un but d'optimisation de la cohérence spatiale de la carte. Le district de Lisbonne (P 11) a au contraire été rajouté à cette zone 2, pour la même raison.

Ces quelques rectifications une fois réalisées, quatre grandes régions de famille nucléaire égalitaire se détachent, sur la carte 6 : la France du Nord, centrée sur le Bassin parisien mais ne comprenant pas les régions périphériques extrêmes situées le long des frontières belge et allemande ; l'Italie du Nord-Ouest, se prolongeant par la Provence côtière ; l'Italie du Sud, incluant la Sicile ; un bloc ibérique comprenant l'Espagne du Centre, du Sud-Est, et le Portugal central. Toutes ces régions appartiennent à la sphère historique et linguistique latine. Aucune région de famille nucléaire égalitaire n'existe au-delà du Rhin ou de la Manche. Il est donc difficile de ne pas considérer ce type familial comme l'un des héritages possibles de Rome et de la latinité.

Zone 3 , autorité + non-égalité : la famille souche (type complet)

Dans le cas de la famille souche complète, autoritaire et non égalitaire, le passage de la carte 4 à la carte finale des types familiaux ne pose pas de problème particulier. Toutes les modifications de détail apportées au tracé de la zone 3 pour aboutir à la carte définitive de la famille souche complète (carte 7) ont d'ailleurs déjà été indiquées lors de l'examen des zones 1 et 2, correspondant aux types nucléaire absolu et nucléaire égalitaire.

Comme dans les cas précédents, la distribution géographique d'un type familial révèle, simultanément, une fragmentation des États et l'existence d'unités historiques et ethniques débordant les frontières nationales. La famille souche, identifiable dans quatorze États, ne définit à l'échelle européenne que quatre grandes régions ethnologiques.

Un bloc *germanique* intègre l'ensemble de l'Allemagne occidentale (sans la Rhénanie), l'Autriche (moins le Burgenland, A 1), la Suisse germanophone, le Sud-Tyrol (I 17), l'Est des Pays-Bas, le Sud du Danemark.

Un groupe *nord-scandinave* associe la partie peuplée de la Suède, la côte finnoise suédisée, le Nord et l'Ouest de la Norvège.

Un groupe *celte,* dont la contiguïté est maritime (comme dans le cas de la famille nucléaire absolue), comprend la bordure occidentale de l'île de Grande-Bretagne, du Nord de l'Écosse à la Cornouailles, la périphérie de l'Irlande, le Finistère breton (F 29).

Dans ces trois cas, la cartographie des types familiaux ne fait que confirmer des clivages linguistiques visibles et par conséquent des catégories ethnologiques classiques, si l'on excepte la continuation, au-delà des frontières allemandes, de la région

6 – La famille nucléaire égalitaire

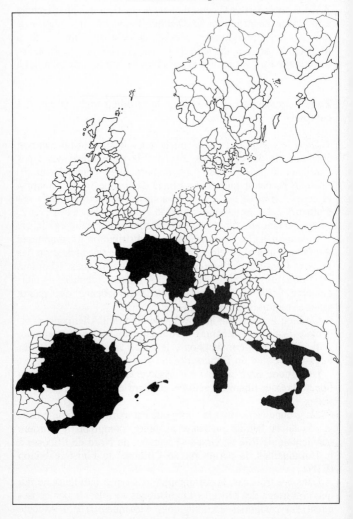

7 – La famille souche

« germanique » de famille souche, dans des provinces de langue néerlandaise ou danoise.

La quatrième région de famille souche, qui s'étend à travers trois pays, est plus surprenante, dans la mesure où elle ne correspond pas à une sphère linguistique spécifique.

L'ensemble *occitan-nord-ibérique* comprend le tiers sud de la France (moins la côte méditerranéenne), la bordure nord de l'Espagne (de la Catalogne à la Galice, en suivant l'axe pyrénéen-cantabrique) et la côte nord du Portugal. On trouve bien au centre de gravité théorique de cet ensemble la langue basque, suffisamment spécifique puisqu'elle n'appartient même pas à l'univers des langues indo-européennes. Mais le Nord du Portugal, la Galice, les Asturies, la Catalogne, la Gascogne, l'Auvergne, le Languedoc intérieur, la Savoie et le Dauphiné parlent des langues ou des patois d'origine latine, nullement isolés par la grammaire ou le vocabulaire du français, de l'espagnol ou de l'italien.

Zone 4, autorité + égalité : famille communautaire ou famille souche incomplète ?

Il n'est pas possible de considérer comme occupées par de véritables types familiaux communautaires toutes les régions de la zone 4, dont les traits caractéristiques sont la verticalité de la structure des ménages et l'égalitarisme des coutumes d'héritage. Dans certains cas, un mécanisme communautaire réel peut être décelé ; dans d'autres, on est en présence d'une forme incomplète de famille souche, pratiquant un inégalitarisme de fait, non ritualisé par les coutumes successorales.

Les régions à examiner sont la Finlande, la province suédoise de Dalécarlie (S 19), la vallée du Rhin, l'ensemble Belgique-extrême Nord de la France, l'Alsace et la Savoie, le Burgenland autrichien (A 1), la Vénétie, l'Italie centrale, le coin sud-ouest de la péninsule Ibérique, comprenant l'Andalousie occidentale en Espagne et l'Algarve au Portugal ; enfin, en France, une bande immédiatement au sud de la Loire, allant de l'Atlantique au rebord ouest du Massif central ainsi que la côte « ouest-méditerranéenne » (Pyrénées-Orientales F 66, Aude F 11, Hérault F 34).

La famille communautaire : un type rare en Europe occidentale

La carte 8 inventorie les formes communautaires réellement identifiées par des monographies ethnologiques ou historiques dans le courant des cent trente dernières années. La moitié seulement des régions apparaissant comme autoritaires et égalitaires sur la carte 4 sont au rendez-vous, et par conséquent confirmées comme relevant, en partie ou en totalité, du type familial communautaire : la Finlande ; le Burgenland autrichien ; en France, la bordure ouest et nord du Massif central et la côte méditerranéenne, qui garde le Roussillon (F 66), perd sa partie languedocienne (F 11 et F 34), mais gagne la Provence ; l'Italie centrale enfin. La fréquence des types communautaires dans ces diverses régions est variable. On peut évaluer grossièrement l'intensité du communautarisme dans chacun de ces cas, en allant du moins net au plus affirmé.

Burgenland : Ce Land constitue la bordure orientale de l'Autriche et touche à la Hongrie. Il est assez largement occupé par des populations magyares germanisées. Or le type familial idéal de la Hongrie est, sans aucun doute possible, le système communautaire, bien décrit dans une monographie de Fél et Hofer [1]. Des traces de communautarisme subsistent donc au Burgenland, qui expliquent l'existence de règles d'héritage égalitaires s'opposant aux coutumes uniformément et solidement inégalitaires du reste de l'Autriche. Mais il s'agit d'un communautarisme minoritaire, résiduel.

France du Centre et de la Méditerranée : Les formes familiales communautaires de la bordure ouest et nord du Massif central, du Roussillon et de la Provence ne peuvent être considérées comme des types localement dominants. On doit envisager, dans ces régions, un mélange de plusieurs types familiaux. Au sud immédiat de la Loire, on doit concevoir un agrégat de types communautaires et souches. Dans la sphère méditerranéenne, on doit considérer une combinaison de types communautaires et nucléaires égalitaires sur la côte, de types

1. *Proper Peasants.*

8 – Formes communautaires

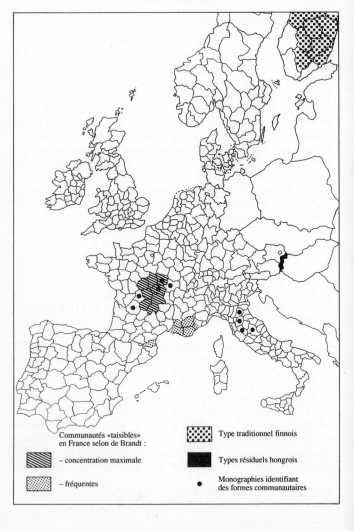

Communautés «taisibles»
en France selon de Brandt :

– concentration maximale

– fréquentes

Type traditionnel finnois

Types résiduels hongrois

Monographies identifiant
des formes communautaires

communautaires et souches dans l'intérieur des terres, avec des dosages et des irrégularités diverses. Ici, les systèmes souches de l'Occitanie entrent en contact avec le lac égalitaire qu'est la Méditerranée. Chrétiens ou musulmans, tous les systèmes familiaux du bassin méditerranéen sont en effet égalitaires, à l'exception du type catalan.

Finlande : En Finlande, les systèmes familiaux communautaires, qui forment le fond de la tradition finnoise, et les types souches qui relèvent de l'influence suédoise, coexistent, avec peut-être une prédominance du communautarisme dans les régions du Nord et de l'Est, restées plus authentiquement finnoises, et un avantage aux types souches dans les régions suédisées et urbanisées de la côte baltique (SF 1, SF 2, SF 10). Les îles d'Ahvenanmaa (SF 3), qui appartiennent à la Finlande mais ont une population suédoise, doivent être considérées comme occupées par une structure familiale de type souche homogène.

Italie centrale : Avec l'Émilie-Romagne, la Toscane, les Marches, l'Ombrie et les Abruzzes, on atteint la seule région d'Europe occidentale où la famille communautaire constitue le type anthropologique exclusif. De nombreuses monographies locales, anthropologiques ou historiques, ont, dans le courant des quinze dernières années, mis en évidence la force et la stabilité de ce modèle. L'analyse des nombreuses listes d'habitants dressées au XVIIIe siècle par les curés de paroisse (italien : *stato d'anime* ; latin : *status animarum*) révèle à peu près toujours l'existence de nombreux ménages associant deux frères, leurs femmes et leurs enfants, forme domestique que l'on doit considérer comme le *marqueur* typique de la famille communautaire puisqu'elle n'apparaît jamais dans le cycle de développement de la famille souche. Dans la paroisse de San Jacopo a Pratolino, que j'ai eu l'occasion d'étudier aux archives de l'évêché de Fiesole, la proportion de tels ménages atteignait 33 % en 1733[1]. Centrée sur l'Apennin, cette zone anthropologique communautaire n'englobe pas, semble-t-il, la Vénétie.

1. E. Todd, *Seven Peasant Communities in Pre-Industrial Europe,* p. 69-72 (monographie 2).

La géographie anthropologique de l'Europe occidentale ne révèle donc l'existence que de quatre poches de communautarisme classique : Italie centrale, Finlande, France du Centre-Ouest et de la Méditerranée, Burgenland autrichien, le dernier de ces types étant d'ailleurs très faible. C'est peu, dans la mesure où la famille communautaire est, à l'échelle planétaire, le type le plus important ; il occupe dans sa variante exogame une masse eurasiatique touchant la Finlande et la Hongrie et comprenant la Russie, la Chine, l'Inde du Nord[1]. En Europe occidentale, la famille communautaire est un type rare. Elle n'occupe pas plus d'espace que la famille souche incomplète, qui domine en Suède la Dalécarlie, en Allemagne la vallée du Rhin, en Belgique un axe central chevauchant la Flandre et la Wallonie, en France un ensemble nord-est courant du Pas-de-Calais à la Savoie ainsi qu'un ensemble centre-ouest entre Loire et Atlantique, en Italie la Vénétie, en Suisse la partie italophone du pays.

La famille souche incomplète : un phénomène de frontière

Ce qui définit la famille souche incomplète, c'est l'existence simultanée d'un trait autoritaire dans la structuration des ménages et de règles d'héritage officiellement égalitaires, sans que la combinaison de ces deux aspects engendre le cycle de développement du groupe domestique typique de la famille communautaire. Le marqueur absolu du communautarisme, la corésidence de deux frères mariés, est en particulier absent. Dans une telle situation, on doit faire l'hypothèse d'une négation par la pratique de la règle égalitaire.

Cette négation peut prendre des formes variées, mais dans tous les cas un seul enfant marié est admis à cohabiter avec ses parents. Les autres peuvent être contraints au célibat ou, munis de *terres,* abandonner néanmoins la *maison* familiale. Plus que le destin de la terre, la transmission de la maison est le symbole de la famille souche. La distribution géographique des régions pratiquant un système de famille souche incomplète, donnée par la carte 9, suffit presque à une explication de l'origine et du sens

1. Sur la géographie mondiale du type communautaire exogame, voir E. Todd, *La Troisième planète,* p. 43-66, et carte hors texte.

9 – La famille souche incomplète

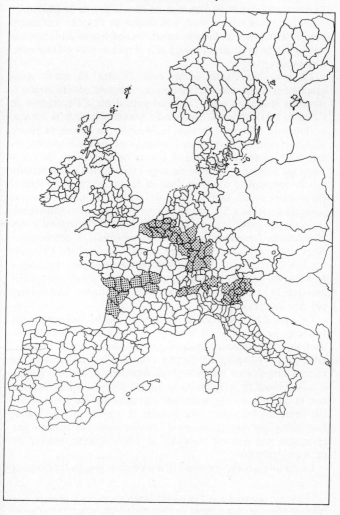

de ce type familial, imparfait, mais dont l'existence ne fait néanmoins aucun doute. Si l'on met de côté le cas de la Dalécarlie suédoise, située très au nord, aux limites de l'espace réellement habité, les régions de famille souche incomplète sont placées sur des lignes de front anthropologiques et même, plus précisément, *linguistiques*

La plus importante, incorporant 38 des 48 unités géographiques concernées (les ajouts par contiguïté ont été mentionnés dans le cas des types familiaux précédents, à l'exception de l'État de Luxembourg), comprend l'extrême Nord de la France, la Belgique, l'Alsace-Lorraine, la Rhénanie, la Savoie, la Suisse italianophone, le Nord-Est de l'Italie. C'est bien le front de contact entre germanité et latinité qui se développe ici, du nord-ouest au sud-est. L'analyse du type imparfait qu'est la famille souche incomplète confirme donc de façon spectaculaire l'association des types familiaux et de catégories historico-ethnologiques anciennes. Si l'on met de côté l'exception occitane-nord-ibérique sur laquelle je reviendrai, la latinité correspond à des conceptions familiales égalitaires, la germanité à des conceptions non égalitaires. Dans les zones frontières de l'Empire romain, en deçà ou au-delà du Rhin, romanisées puis regermanisées par les grandes invasions, la clarté de l'opposition égalité/non-égalité se brouille. Des pratiques inégalitaires sont voilées par des dogmes égalitaires.

Le caractère *frontalier* de la famille souche incomplète est confirmé par l'analyse de la situation géographique et culturelle de l'ensemble mineur constitué par dix départements français, entre Loire, Atlantique et Massif central. C'est ici un front de contact linguistique secondaire qui apparaît, opposant la langue d'oïl du Nord de la France à la langue d'oc du Midi. Dans ce cas, la famille souche incomplète correspond à des zones oscillant entre les influences méridionales et septentrionales. L'analyse historique des coutumes d'héritage dans ces régions fait apparaître une certaine instabilité et une souplesse certaine du principe égalitaire [1].

La famille souche incomplète n'a de clair que sa localisation

---

1. Sur les incertitudes et l'instabilité historique du droit poitevin, pris entre les influences concurrentes du Nord et du Midi, voir J. Yver, *Égalité entre héritiers et exclusion des enfants dotés*, p. 125-130.

géographique dans des aires culturelles intermédiaires. Elle n'est pas en pratique un seul type, mais une multitude de compromis locaux entre les principes respectifs de la famille souche, germanique ou occitane, et de la famille nucléaire égalitaire, latine.

En Belgique, en Suisse italophone, la verticalité des structures familiales est très imparfaite comme le montrent plusieurs monographies historiques menées à partir de documents du XVIIIᵉ et du XIXᵉ siècle. Typique de la Belgique est une association temporaire des générations adultes qui cesse après un certain temps : les jeunes mariés vivent quelques années avec l'un des couples parents, puis établissent un ménage indépendant[1]. Ce comportement, assez rare en Europe, définit à lui seul un type qui n'est ni souche ni nucléaire.

La sortie d'Europe : le Sud-Ouest ibérique et la Corse

Une région de la zone 4, autoritaire et égalitaire, a été laissée de côté, n'entrant ni dans la catégorie de la famille communautaire classique, ni dans celle de la famille souche incomplète : le coin sud-ouest de la péninsule Ibérique, constitué de l'Andalousie occidentale en Espagne, de l'Algarve au Portugal. J'ai décidé d'élargir par contiguïté cette région en y ajoutant l'ensemble de l'Alentejo portugais – districts de Beja (P 2), Evora (P 7) et Setubal (P 15) –, simplification légitimée, on le verra, par l'analyse de quelques cartes démographiques supplémentaires.

Dans cette région située à la limite de l'Europe, proche à la fois de l'Atlantique et du monde musulman, la combinaison de formes verticales dans la structuration des ménages et d'égalitarisme dans les relations de fraternité ne correspond ni à des groupes communautaires classiques, ni à des cycles de développement du type souche. L'égalitarisme des règles d'héritage est minutieusement appliqué ; il ne peut donc s'agir de famille souche incomplète. Mais aucune monographie n'a jusqu'à

1. Sur le phénomène de la corésidence temporaire en Belgique, voir R. Leboutte, « L'apport des registres de population à la connaissance de la dynamique des ménages en Belgique au XIXᵉ siècle », p. 7-11 (monographie 23) ; et E. Van de Walle, « Household dynamics in a Belgian village », p. 89-92 (monographie 24).

présent identifié des formes communautaires classiques de type
toscan, finnois ou limousin. On est confronté à un certain vide
documentaire ou, plutôt, à des contradictions : les monographies
locales, quand elles existent, suggèrent l'existence d'un idéal
nucléaire de la famille, ce que contredit l'évidence statistique
dérivée de l'analyse des recensements [1]. Il y a là un mystère, aux
confins de la civilisation européenne.

La clé se trouve quand même dans certaines monographies
locales qui révèlent des spécificités fortes de la culture régionale,
et en particulier des traits matrilinéaires n'existant nulle part ailleurs en Europe : transmission fréquente du nom par les femmes
au Portugal, existence de *moitiés* matrilinéaires dans certains villages andalous [2]. Nous sortons ici du contexte anthropologique
européen : car ce qui caractérise l'Europe, au-delà de la diversité
de ses systèmes familiaux, qui vient d'être étudiée, c'est aussi
certains traits anthropologiques communs, dont les deux plus
importants sont, en jargon classique, l'*exogamie* et la *bilatéralité*. L'exogamie, c'est l'obligation de se marier à l'extérieur du
groupe familial. La bilatéralité, c'est l'équivalence accordée aux
parentés maternelles et paternelles dans·la vie sociale. De ce
point de vue, toutes les régions d'Europe se ressemblent, avec
des nuances, puisque le Nord-Ouest est légèrement plus fémi-
niste que le Sud ou l'Est. Nulle part l'équivalence des parentés
paternelles et maternelles n'est parfaite, dans la mesure où partout un léger biais patrilinéaire est perceptible, sensible dans la
transmission du nom, qui passe en général du père aux enfants.
Dans les régions de famille communautaire, on peut même
observer une patrilinéarité absolue, sensible dans l'organisation

1. José Cutileiro suggère l'existence d'un idéal nucléaire de la famille
dans l'Alentejo. Voir *A Portuguese Rural Society,* p. 95 (monographie 91).
Le district concerné, Evora (P 7), n'appartient pas aux régions de verticalité
nette de la structure des ménages définies par l'analyse du recensement de
1970 ; le pourcentage de ménages à deux noyaux y est cependant plus élevé
que dans le Portugal central, phénomène d'autant plus remarquable que la
structure agraire de l'Alentejo, opposant une poignée d'exploitants à une
masse écrasante d'ouvriers agricoles, n'est pas particulièrement favorable à
l'expression des valeurs de corésidence des générations.
2. Sur les moitiés matrilinéaires andalouses, voir C. Lison-Tolosana,
« Sobre áreas culturales en España », carte 11 ; pour les traits matrilinéaires
de la culture portugaise, voir P. Descamps, *Le Portugal* (p. 191-194 sur les
tendances matrilinéaires du Sud), et J. Cutileiro, *A Portuguese Rural Society,*
p. 126 (monographie 91).

de ménages complexes structurés par des liens père-fils et frère-frère, qui implique des règles d'exclusion des filles de l'héritage, en Toscane et dans le Centre de la France par exemple [1].

C'est donc une déviation inverse que l'on observe au Sud-Ouest de la péninsule Ibérique, moins nette, affectant la transmission des noms et les rituels villageois plutôt que le phénomène plus solide de la transmission des biens. La documentation ne permet cependant pas d'affirmer à elle seule l'existence d'une spécificité de l'Algarve, de l'Alentejo et de l'Andalousie occidentale ; j'ai donc décidé d'approfondir un peu l'analyse en examinant deux paramètres démographiques étroitement liés par nature à la vie familiale, variables classiques de la sociologie de la deuxième moitié du XIXe siècle : le taux de suicide et la fréquence des naissances illégitimes. Ces deux phénomènes sont, de diverses façons, liés au mode de relations entre hommes et femmes, et par conséquent au problème de la matrilinéarité ou de la patrilinéarité. C'est évident dans le cas des naissances illégitimes, nombreuses là où le contrôle social de sexualité féminine est faible et où l'autonomie des femmes est par conséquent forte. Mais le lien existe aussi dans le cas du suicide, phénomène étroitement corrélé, en Europe, au taux de divorce, c'est-à-dire à l'instabilité du lien matrimonial [2]. Le but des cartes 10 et 11 n'est pas une théorie générale du suicide et de l'illégitimité, dans leurs rapports avec la matrilinéarité. Une telle théorie serait d'ailleurs impossible : les naissances illégitimes sont fréquentes en Autriche par exemple, le taux de suicide est élevé en Finlande, deux pays dont les cultures ne sont nullement matrilinéaires. Le but de ces cartes est de souligner, sans trop d'esprit de système, l'existence d'une anomalie, d'un système familial original dans le Sud-Ouest de la péninsule Ibérique. Le Sud du Portugal, mais non l'Andalousie occidentale, se détache de l'ensemble méditerranéen par ses taux de suicide et d'illégitimité dignes de l'Europe du Nord ou de l'Est. Sans que l'on puisse dire exactement de quoi il s'agit, on doit admettre l'existence d'une spécificité

1. Sur l'exclusion des filles de l'héritage, voir, pour la Toscane, D. Herlihy et C. Klapisch-Zuber, *Les Toscans et leurs familles,* p. 532-534 ; pour le Centre de la France, A. De Brandt, *Droits et coutumes des populations rurales de la France en matière successorale,* p. 38.

2. Sur les rapports entre suicide et mariage, voir E. Durkheim, *Le Suicide,* p. 174-214.

10 – Le suicide vers 1970

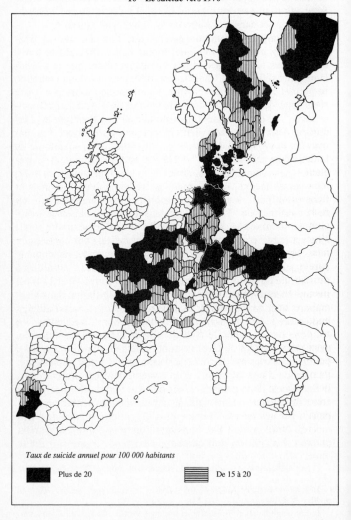

Taux de suicide annuel pour 100 000 habitants

Plus de 20   De 15 à 20

anthropologique du Sud-Ouest de la péninsule Ibérique. Il ne serait pas raisonnable, compte tenu de la pauvreté des données, d'en proposer une description définitive. L'état de la question peut être résumé comme suit : il existe, dans un ensemble constitué par huit unités géographiques – Beja (P 2), Evora (P 7), Faro (P 8), Setubal (P 15), Badajoz (E 6), Cadix (E 11), Huelva (E 21), Séville (E 39) –, un ou plusieurs systèmes familiaux particuliers, dosant de diverses manières des traits *autoritaires*, *égalitaires* et *matrilinéaires*.

Un deuxième système familial déviant, extra-européen, doit être ici mentionné, celui de la Corse. L'approche ne peut être que purement monographique parce que l'île a échappé au recensement français de 1975, cette indiscipline administrative étant en elle-même signe d'extériorité anthropologique. Le système familial corse est égalitaire pour ce qui concerne les relations entre frères. Il ne peut être qualifié de nucléaire. Il est communautaire, mais sans que ce communautarisme corresponde, comme en Toscane, en Limousin ou en Finlande, à une forte structuration verticale de la vie familiale. La communauté ne naît pas d'une combinaison d'autoritarisme de la relation parents-enfants et d'égalité des frères, mais d'une hypertrophie du lien de fraternité qui rappelle absolument le principe fondamental de structuration de la famille musulmane. Dans le monde arabe, l'implication typique de ce fraternalisme est le mariage endogame entre les enfants de deux frères, trait qui ne peut exister dans un contexte officiellement chrétien[1]. Mais l'esprit du système est présent en Corse, même si l'affection fraternelle ne peut déboucher sur l'endogamie familiale pure. Une forte endogamie de village est cependant notable[2]. Fondé sur la solidarité des mâles d'une même famille et d'une même génération – frères et cousins –, le système familial corse peut être qualifié de patrilinéaire à résidu endogamique.

Très différents l'un de l'autre, polairement opposés même puisque l'un est matrilinéaire et l'autre patrilinéaire, les systèmes déviants du Sud-Ouest ibérique et de Corse ont en

---

1. Sur l'endogamie des pays arabes, voir E. Todd, *La Troisième planète*, p. 30 et 152-175.
2. Sur l'endogamie de communauté en Corse, voir G. Ravis-Giordani, « Des cousins à la mode de Corse », p. 35 (monographie 62).

11 – Les enfants naturels vers 1975

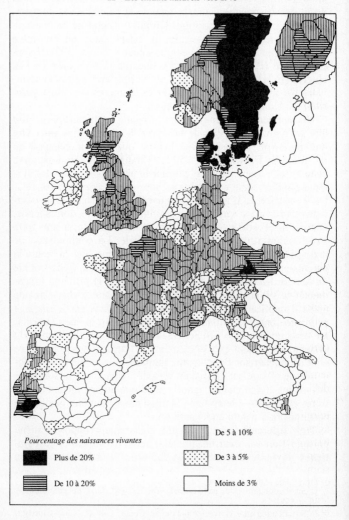

Pourcentage des naissances vivantes

Plus de 20%

De 10 à 20%

De 5 à 10%

De 3 à 5%

Moins de 3%

commun leur proximité géographique et historique au monde musulman.

Le temps long

Le point d'aboutissement de cette analyse détaillée des systèmes familiaux européens de l'Ouest est donc une carte relativement simple : quatre types familiaux principaux (famille nucléaire absolue, famille nucléaire égalitaire, famille souche, famille communautaire), un type intermédiaire (la famille souche incomplète), deux types exceptionnels (système du Sud-Ouest ibérique, système corse). Dans leurs diverses variantes, ces types familiaux définissent une quinzaine de zones anthropologiques, d'espaces dans lesquels domine un type familial donné. Dans certaines régions, assez peu nombreuses, on doit concevoir une superposition de types, communautaire et souche, communautaire et nucléaire égalitaire (carte 12).

Cette carte anthropologique de l'Europe ressemble mal à celle des États : la plupart des nations résultent de l'agrégation de plusieurs espaces anthropologiques, caractérisés par des types familiaux différents. Mais parce que les zones anthropologiques débordent le cadre des États, le degré de complexité de la carte anthropologique n'est pas supérieur à celui de la carte politique. 16 zones anthropologiques contre 15 ou 16 États, selon que l'on compte ou non le Luxembourg comme un État à part entière. C'est à cette carte de base, primordiale au sens fort et exact du terme, que je vais confronter l'histoire de l'Europe depuis le début du XVIe siècle.

Avant d'aborder l'étude des éléments plus classiques de l'histoire, structurels ou événementiels, que sont les systèmes agraires, l'alphabétisation, la Réforme, la Révolution, l'industrialisation, les idéologies politiques modernes, une hypothèse supplémentaire doit être introduite, fondamentale : celle d'une stabilité des systèmes familiaux dans la période considérée, c'est-à-dire dans le courant des cinq derniers siècles. A vrai dire, le seul examen des zones anthropologiques définies par la cartographie – à partir de données recueillies durant les années 1850-1980 – suggère une inertie beaucoup plus grande encore des

12 – Les types familiaux : synthèse

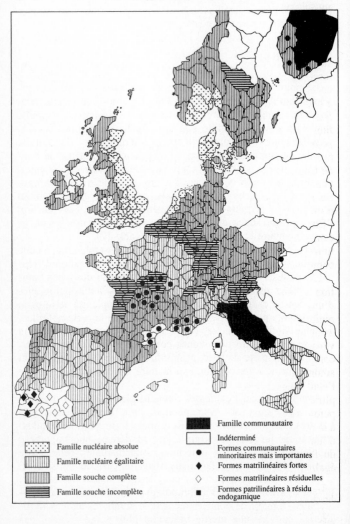

Famille nucléaire absolue

Famille nucléaire égalitaire

Famille souche complète

Famille souche incomplète

Famille communautaire

Indéterminé

● Formes communautaires minoritaires mais importantes

◆ Formes matrilinéaires fortes

◇ Formes matrilinéaires résiduelles

■ Formes patrilinéaires à résidu endogamique

zones anthropologiques. C'est l'époque de la stabilisation des peuplements qu'évoque la carte des types familiaux, qui ressuscite des espaces ethnologiques que l'on croyait balayés par la modernité. Les concepts de germanité et de latinité renvoient bien au-delà du xvie siècle, à la conquête romaine et aux grandes invasions. Les systèmes minoritaires de l'espace latin – zone occitane-ibérique, Italie centrale – ont sans doute une origine plus ancienne encore. Il s'agit de régions dont *la mise en forme anthropologique* a vraisemblablement précédé la conquête romaine, dans lesquelles les habitudes de vie, portées par des densités de population suffisantes, n'ont pas attendu l'ordre républicain ou impérial pour se définir et se stabiliser ; dans lesquelles la conquête n'a pas pris l'allure d'une accession générale à la civilisation. Dans le cas de l'Italie, il est impossible de ne pas être frappé par la ressemblance entre la zone communautaire centrale, s'étalant du Pô inférieur à la ville de Rome, et les antiques zones de peuplement ou d'influence étrusques [1]. Rome, qui doit tant à la civilisation de l'Étrurie, est située, aujourd'hui comme il y a deux mille cinq cents ans, à la frontière sud de cet espace stable, zone de domination étrusque au vi[e] avant Jésus-Christ, zone de structure familiale communautaire à une époque plus récente.

L'ensemble occitan-nord-ibérique n'évoque pas une civilisation connue, pourvue comme celle de l'Étrurie d'une écriture, d'une religion et d'un art. Mais on peut imaginer que cette région, qui touche le monde méditerranéen sans lui appartenir, avait assimilé suffisamment tôt les influences et technologies venant de la mer civilisatrice pour résister, partiellement, à la conquête romaine, et maintenir un système anthropologique autonome. Il s'agit d'un problème complexe, insoluble dans l'état actuel des recherches. La conquête arabe ultérieure ne simplifie d'ailleurs pas les données du problème : le zonage anthropologique actuel de la péninsule Ibérique correspond assez bien à la division entre zone chrétienne du Nord (apparaissant aujourd'hui comme de famille souche) et zone musulmane du Centre et du Sud (apparaissant aujourd'hui comme de famille nucléaire égalitaire) [2]. La limite sud de l'espace occitan-nord-ibérique

1. Voir *Atlas historique*, Stock, p. 68. La zone de domination étrusque directe ne s'étend cependant pas jusqu'à la mer Adriatique.
2. Sur les zones contrôlées par musulmans et chrétiens à l'époque médiévale, voir *Atlas de historia de España*, cartes XXV à XXX.

pourrait remonter à l'époque arabe, tardive, plutôt qu'à l'époque romaine. Le système arabo-musulman, sans être nucléaire, est en effet farouchement égalitaire. Le but de ce livre n'étant pas une explication de l'origine des systèmes familiaux, ces interrogations persistantes sont sans gravité. La carte finale des systèmes familiaux (n° 12) met en place une variable historique de très longue durée, dont la stabilisation s'étale entre le VIe siècle avant Jésus-Christ (apogée de la civilisation étrusque) et l'an 1492, date marquant traditionnellement la fin de la reconquête chrétienne de l'Espagne. Quelles que soient les hypothèses envisagées et les explications retenues, la définition des zones anthropologiques qui se partagent l'Europe remonte au-delà de l'an 1500, au-delà de la période historique étudiée dans ce livre.

La stabilité géographique des zones anthropologiques n'implique cependant pas, à elle seule, une stabilité des types familiaux. On peut concevoir une instabilité des types familiaux n'affectant pas la stabilité des zones. On peut imaginer des histoires parallèles mais séparées des types familiaux occupant les divers espaces, les mutations successives ne menant nullement à une convergence des systèmes. Un exemple montre la réalité du problème, celui du non-égalitarisme germanique. La coïncidence de la valeur de non-égalité et du peuplement germanique non romanisé est une évidence cartographique. Un pont est ainsi établi entre les années 300-500 et les années 1850-1900, époque d'observation des coutumes d'héritage. Mais les systèmes familiaux des années 800-1000 n'auraient pas fait apparaître une telle coïncidence, pour une raison très simple : les règles inégalitaires de la famille souche n'étaient pas encore pleinement définies ; l'héritage égalitaire était sans doute la norme dans les populations germaniques. C'est avec l'augmentation de la densité des populations rurales que les règles d'indivision émergent et se fixent, que le tournant inégalitaire est pris. L'abondance de la terre, à l'époque des grands défrichements, rendait dans une certaine mesure inutiles les règles inégalitaires de transmission du sol. C'est dans le *monde dense* du Moyen Age central que se définissent enfin clairement les zones égalitaires et non égalitaires, parce que les zones latines et germaniques réagissent différemment au problème de la raréfaction de la terre. La mutation inégalitaire respecte les espaces ethnologiques : l'instabilité du type familial respecte la stabilité des zones. Mais on doit admettre qu'à toutes les époques les systèmes familiaux des diverses régions ethnologiques diffèrent les uns des autres ; que préexistait dans le système familial le plus ancien des populations germaniques un facteur favorisant le virage inégalitaire, facteur que je ne chercherai pas ici à définir[1].

Le monde latin pose le même problème d'une instabilité de très longue période du système familial n'affectant pas la stabilité de l'espace ethnologique. C'est ici l'ancienneté du trait libéral, nucléaire de l'organisation familiale qui est douteuse. Le trait égalitaire, par contre, peut être considéré comme stable et domine l'ensemble du monde latin (zone occitane-nord-ibérique exceptée) depuis l'époque romaine proprement dite, que l'on considère l'Empire ou la République. La composante libérale, caractéristique du Bassin parisien, de l'Italie du Nord-Ouest et du Sud, de l'Espagne centrale et orientale n'est quant à elle nullement typique de la Rome antique. Un autoritarisme sans ambiguïté caractérisait le système familial romain des origines qui, se combinant à l'égalitarisme, engendrait une vigoureuse structure familiale communautaire[2]. C'est peut-être ce type communautaire que l'on retrouve en Italie, centré sur la Toscane (c'est-à-dire l'Étrurie), plutôt que sur la ville de Rome elle-même. Mais le type familial majoritaire dans le monde latin des années 1500-1900, la famille nucléaire égalitaire, n'est pas romain au sens strict. La stabilité de l'aire culturelle – le monde latin – n'empêche pas une instabilité du type familial – le passage vraisemblable d'un système communautaire à un système nucléaire égalitaire.

Cette figure logique – transformation dans le temps, stabilité des espaces –, observée ici dans le cas particulier des systèmes familiaux, est en fait caractéristique d'une problématique historique qui s'efforce de saisir, simultanément, les phénomènes dans l'espace et dans le temps. On en retrouvera d'autres exemples, dans ce livre, affectant d'autres types de variables,

1. Sur l'apparition des divers systèmes familiaux, voir L. Sagart et E. Todd, « L'origine des systèmes familiaux : une hypothèse explicative », *Diogène*, nº 160, oct.-déc. 1992, p. 145-175.

2. Sur la famille romaine, voir Y. Thomas, « A Rome, pères citoyens et cités des pères ». La corésidence des frères adultes, marqueur classique de la famille communautaire, apparaît clairement dans certaines études récentes (p. 209-215), article cité.

religieuses et idéologiques. Cette figure logique complexe mais typique doit être nommée : j'appellerai *endomorphose* la transformation temporelle d'une variable ou d'une structure n'affectant pas sa distribution dans l'espace. Le concept d'*endomorphose* rend compatible l'évolution dans le temps des structures et leur inscription dans des régions anthropologiques stables.

Endomorphose = évolution temporelle + stabilité spatiale.

Les années 1500-1900

Les deux cas d'instabilité des systèmes familiaux qui viennent d'être décrits concernent un temps très long s'étirant sur des millénaires. Pour la période relativement courte située entre 1500 et 1900, l'hypothèse d'une stabilité absolue des types familiaux est la plus raisonnable et tient compte des acquis les plus récents de la recherche historique. Tous les systèmes familiaux recensés par la carte de synthèse ne peuvent être étudiés dans le passé des années 1500-1900, mais les quelques plongées rétrospectives réalisées à ce jour ont mis en évidence une formidable stabilité, portant un coup final aux vieux schémas évolutionnistes concernant l'histoire de la famille.

Vers la fin des années soixante, Peter Laslett met en évidence la stabilité de structure des ménages anglais entre le XVIe et le XXe siècle. Avant même la révolution industrielle, dans l'Angleterre traditionnelle des années 1600-1750, les groupes domestiques sont très simplement constitués d'un couple et de ses enfants. Le nombre des ménages incluant trois générations, ou agrégeant oncles et tantes, est très faible. Dans le cas anglais, le type familial dominant semble dès l'origine, nucléaire [1].

La technique employée par Peter Laslett, rapide et fiable, peut être appliquée à d'autres pays et régions. Elle consiste à localiser dans les fonds d'archives de vieilles listes d'habitants décrivant la composition des ménages à une date donnée, documents dont l'origine est parfois civile, le plus souvent religieuse. Suffisamment fréquents pour la plupart des pays d'Europe à partir du XVIIe siècle, ces recensements villageois anciens permettent une

---

1. Voir P. Laslett, « Mean household size in England since the sixteenth century », p. 53.

étude partielle mais néanmoins comparative de la structure des ménages dans l'Europe préindustrielle. Les données obtenues jusqu'à présent ne concernent que quelques dizaines de communautés à travers toute l'Europe, mais les résultats sont d'une clarté telle que la conclusion de stabilité des systèmes familiaux est inévitable. Le plus souvent, l'analyse des recensements villageois anciens aboutit à retrouver dans le passé les formes domestiques saisies en milieu rural par les recensements nationaux entre 1970 et 1980. Si l'on met de côté l'Angleterre, étudiée en détail par Laslett et par le « Groupe de Cambridge pour l'étude de la population et des structures sociales », la région d'Europe dont les structures familiales des années 1500 et 1900 sont les mieux connues est l'Italie centrale. La carte 80 qui précède la bibliographie et indique la localisation des monographies locales utilisées dans ce livre, révèle une densité particulière d'études historiques sur la famille dans cette région. La présence de nombreuses listes d'habitants, datant des XVIIe et XVIIIe siècles, d'un extraordinaire recensement fiscal remontant au XVe, le *Catasto* florentin, le poids des universités de Florence et de Bologne, expliquent sans doute suffisamment cette concentration régionale des efforts de recherche. Or, à toutes les époques, aux XVe, XVIe, XVIIe, XVIIIe et XIXe siècles, la structure des ménages apparaît complexe, et plus spécifiquement communautaire, en Italie centrale, c'est-à-dire dans l'ensemble constitué par la Toscane, l'Émilie-Romagne, l'Ombrie et les Marches [1]. Toutes ces monographies historiques confirment l'essentielle stabilité d'un système familial dense associant des parents et leurs fils mariés, et fréquemment des frères mariés en l'absence de parents. Toutes ces données étalées sur trois siècles ne font que confirmer l'image de la famille dessinée par le recensement italien de 1970 qui révèle l'existence d'une vaste zone de structure familiale

---

1. Voir par exemple : sur le XVe siècle, D. Herlihy et C. Klapisch-Zuber, *Les Toscans et leurs familles*, p. 469-522 ; sur le XVIe et le XVIIe, V. Caiati, « The peasant household under Tuscan mezzadria : a socio-economic analysis of some Sienese mezzadri households 1591-1640 » (monographie 66) ; sur le XVIIIe, E. Todd, *Seven Peasant Communities in Pre-Industrial Europe*, chap. 2 (monographie 2) ; sur le XIXe, D.I. Kertzer, *Family Life in Central Italy, 1880-1910* (monographie 71), et A. Angeli, « Strutture familiari nella pianura e nella montagna bolognesi a metà del XIXe secolo » (monographie 64).

complexe incluant l'Italie centrale et la Vénétie mais non le reste
du pays.

L'abondance de données historiques fait de l'Italie centrale un
exemple particulièrement probant. Mais la plupart des études
réalisées sur des documents anciens aboutissent à des consta-
tations du même ordre. En France, les monographies repérant
dans le passé des ménages complexes concernent la partie sud
du pays ou la Bretagne occidentale, régions pour lesquelles le
recensement de 1975 fait aussi apparaître une organisation dense
de la famille en milieu rural[1]. Même jeu aux Pays-Bas, où les
données régionales concernant le XVIIIᵉ siècle, assez abondantes,
ne font que confirmer le zonage anthropologique défini par le
recensement de 1970, avec une structure des ménages complexes au Sud-Est et plus simple à l'Ouest[2]. Moins utilisables
parce que plus fragmentaires, les études historiques sur l'Allemagne, l'Autriche, la Belgique, la Norvège, la Suède n'infirment
pas l'hypothèse d'une stabilité des systèmes familiaux européens, en milieu rural, entre le XVIᵉ et le XXᵉ siècle.

---

1. Voir par exemple, pour s'en tenir aux monographies analysant des
listes d'habitants antérieures à 1850 : J.-N. Biraben, « A southern French village : the inhabitants of Montplaisant in 1644 » (monographie 39) ;
J.-C. Peyronnet, « Famille élargie ou famille nucléaire ? L'exemple du Limousin au début du XIXᵉ siècle » (monographie 60) ; J.W. Shaffer, *Family and
Farm. Agrarian Change and Household Organization ,1500-1900*, p. 105-121
(monographie 63). Pour la Bretagne occidentale, voir E. Todd, *Seven Peasant
Communities in Pre-Industrial Europe*, chap. 2 (monographie 2).

2. Voir A.M. Van der Woude, « Variations in the size and structure of the
household in the United provinces of the Netherlands in the seventeenth and
eighteenth centuries », p. 206-309 (monographie 20).

CHAPITRE II

Les systèmes agraires

Le brouillard conceptuel et factuel qui enveloppe encore l'analyse des systèmes agraires est d'origine londonienne, et plus précisément marxiste. Dans *Le Capital*, Marx expose la thèse fascinante de l'accumulation primitive, qui constitue une vision de l'histoire agraire, rétrospective et prospective[1]. De l'observation des révolutions agricoles anglaise et écossaise, Marx tire l'idée d'un nécessaire mouvement de *concentration* de l'exploitation et de la propriété durant la phase de modernisation. On part d'une paysannerie moyenne vivant en système d'exploitation familiale. L'expropriation de cette paysannerie permet la constitution de deux catégories rurales antagonistes : une poignée de très grands exploitants capitalistes, une masse d'ouvriers agricoles, prolétaires dépossédés de leurs instruments de production, prototypes des ouvriers misérables appelés à peupler l'industrie naissante. Selon Marx, la concentration de l'exploitation et de la propriété (deux aspects qui ne semblent pas clairement distincts dans son esprit) est en Angleterre un processus long, s'étalant du XVe au XVIIIe siècle, mais en Écosse une crise brutale intervenant au XVIIIe. Cette représentation de l'histoire agraire fait de la vie rurale un élément instable de la vie sociale, une composante parmi d'autres de l'organisation économique. Si l'on s'en tient aux seuls cas de l'Écosse et de l'Angleterre, le schéma marxiste, sans être absolument conforme à la réalité, est loin d'être absurde. Mais dès la fin du XIXe siècle la révolution industrielle allemande détruit toute illusion quant au caractère universel du modèle « instable » présenté dans *Le Capital*. Entre 1875 et 1914, un décollage industriel de grande

1. Tome IV, chapitre 24 de l'édition Costes/Molitor (1928).

ampleur secoue l'ensemble de la société allemande. La classe ouvrière grossit, la paysannerie est vidée par l'exode rural d'une partie de sa substance. Pourtant, les structures de l'exploitation et de la propriété paysannes ne bougent pas. La ferme familiale reste le type économique et social dominant de la partie occidentale du Reich, la plus développée sur le plan industriel. Les sociaux-démocrates allemands, dont le marxisme est alors dogmatique et sans faille, sont surpris. Et c'est au social-démocrate Kautsky que revient le mérite de formuler, entre 1899 et 1931, *une hypothèse de constance des systèmes agraires à travers le temps.* Le premier, Kautsky a l'intuition du caractère ancien, primordial et stable, de la division de l'espace européen en deux grands types agraires : la grande exploitation, la ferme familiale [1]. Selon lui, c'est la conquête et la réduction en esclavage des populations soumises qui expliquent l'apparition des systèmes de grande exploitation. Appliquée à l'Europe, son interprétation renvoie implicitement aux grandes invasions germaniques et même au-delà, à la conquête romaine. La mise en forme de la société rurale par la violence est suivie d'une stabilité plus que millénaire qui résiste à la révolution industrielle.

Le *modèle stable* proposé par Kautsky correspond mieux à la réalité de l'Europe occidentale que le *modèle instable* défini par Marx. Si l'on met de côté le cas britannique, les évolutions réellement constatées durant la période de modernisation, aux XIXᵉ et XXᵉ siècles, vont plutôt dans le sens d'un renforcement de l'exploitation familiale. Les réformes agraires scandinaves ont toutes pour effet une stabilisation de l'exploitation moyenne, au Danemark comme en Finlande ou dans certaines régions de Suède [2]. Dans la plupart des cas, ce n'est pas le clivage fondamental grande exploitation/ferme familiale qui est affecté, mais seulement le mode de propriété du sol dans les zones d'exploitation familiale. Les systèmes du *fermage* et du *métayage*, selon lesquels la famille cultive une terre qui ne lui appartient pas, sont remplacés par un système direct selon lequel la famille est propriétaire de sa ferme. Une évolution analogue est observable en Irlande après l'indépendance : dans les zones d'exploitation

---

1. K. Kautsky, *La Question agraire,* et surtout *Le Bolchevisme dans l'impasse,* p. 25-29.
2. Ø. Østerud, *Agrarian Structure and Peasant Politics in Scandinavia.*

moyenne, les propriétaires anglais sont dépossédés de leurs droits et les fermiers irlandais débarrassés du loyer du sol, sans que le caractère familial de l'exploitation soit fondamentalement modifié[1].

Les îles Britanniques et la Scandinavie représentent, du point de vue agraire, une périphérie de l'Europe, une vaste zone comprenant une impressionnante proportion de terroirs marginaux à peine cultivables ou franchement inutilisables pour des raisons climatiques, et il n'est pas très étonnant d'y observer un certain nombre de réformes agraires y modifiant le régime de la propriété. Sur la masse principale du continent européen en revanche – en Allemagne, en France, en Italie ou dans la péninsule Ibérique –, la solidité des civilisations paysannes est mieux assurée et la stabilité des systèmes agraires est très forte sur longue période.

La stabilité des systèmes agraires : approche synchronique

Une analyse synchronique, utilisant uniquement les recensements européens des années soixante-dix, permet une première vérification de l'*hypothèse de Kautsky* sur le caractère stable de la grande exploitation et de la ferme familiale, selon laquelle la modernisation de l'économie ne favorise pas la concentration agraire. Au milieu des années soixante-dix, au terme de plusieurs siècles d'évolution technique, aucun rapport statistique *positif* n'était observable, à l'échelle européenne, entre modernité économique et concentration agraire.

Le *degré de modernité* peut être saisi à travers la proportion de population active encore employée dans l'agriculture. Plus une économie est avancée, plus la proportion d'individus employés dans le secteur primaire, essentiellement agricole, est faible (carte 13).

Le *degré de concentration* peut être saisi à travers la proportion de salariés dans la population active agricole. La grande exploitation implique l'existence d'un grand nombre de travailleurs qui ne sont pas chefs d'entreprise. Le modèle de la ferme familiale suppose au contraire une majorité de chefs d'entreprise

1. R.I. Kennedy, *The Irish*, p. 30.

13 – Les paysans vers 1970

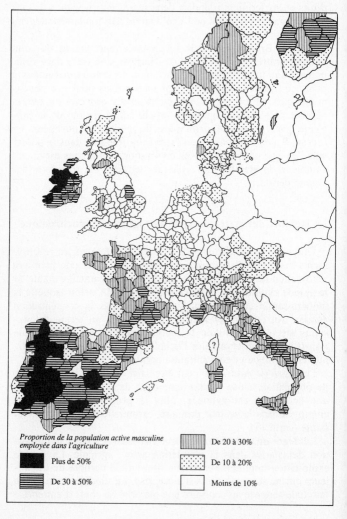

Proportion de la population active masculine employée dans l'agriculture

- Plus de 50%
- De 30 à 50%
- De 20 à 30%
- De 10 à 20%
- Moins de 10%

14 – Les salariés agricoles vers 1970

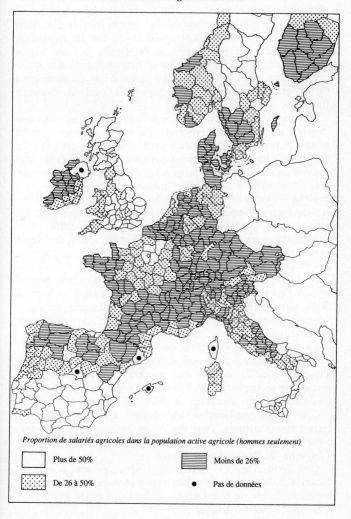

Proportion de salariés agricoles dans la population active agricole (hommes seulement)

☐ Plus de 50%		▤ Moins de 26%
☒ De 26 à 50%		● Pas de données

(de très petites entreprises) dans la population rurale et une proportion faible d'ouvriers agricoles (carte 14). Cependant, même en régime d'exploitation familiale, un certain nombre d'ouvriers agricoles doivent exister. Leur présence permet un ajustement précis de la force de travail, aucune famille n'ayant à tout moment la taille idéale permettant de gérer son exploitation.

L'absence de relation entre les cartes de la modernisation (n° 13) et de la concentration agraire (n° 14) est une évidence frappante.

La carte des niveaux de développement présente une structure simple : un éclatement progresse en ondes concentriques et semble pulvériser la vie rurale à partir d'un centre étiré le long de l'axe Angleterre-Benelux-Allemagne. On trouve le plus souvent dans ce centre des proportions de population active agricole inférieures à 10 %. Une première couronne extérieure englobe la France de l'Est, l'Italie du Nord, la Suisse, l'Autriche, la Scandinavie tempérée, l'Écosse et le pays de Galles avec des proportions de paysans comprises entre 10 et 20 %. Une deuxième couronne inclut l'Ouest de la France, l'Italie du Centre et du Sud, le Nord de la Finlande et le Nord de l'Espagne avec des proportions allant de 20 à 50 %. Une dernière couronne saisit finalement l'Irlande, le Centre et le Sud de l'Espagne, la totalité du Portugal, avec des proportions dépassant fréquemment 50 %. Cette dernière sphère représente la persistance, dans certaines régions périphériques de l'Europe, d'une civilisation majoritairement rurale au milieu des années soixante-dix.

La carte du salariat agricole, qui donne une première description des zones de grande exploitation et de ferme familiale, est absolument différente. Sa structure est plus complexe ; elle révèle une segmentation de l'espace et non, comme celle de la modernisation, un processus de diffusion à partir d'un centre.

Côté grande exploitation, les ouvriers agricoles sont nombreux, simultanément, dans des zones avancées – Angleterre, cœur du Bassin parisien – et dans des zones attardées – Sud de l'Espagne, du Portugal et de l'Italie.

Côté ferme familiale, les ouvriers agricoles sont *peu* nombreux, simultanément, dans des zones avancées – Allemagne, Belgique, Suède du Sud-Ouest – et dans des zones attardées – Espagne du Nord et Irlande.

La stabilité des systèmes agraires : approche historique

L'analyse de la grande exploitation est un exercice classique en histoire médiévale. La documentation de l'époque carolingienne permet la description de vastes unités rurales associant une *réserve,* terre du maître, et des *tenures,* terres des paysans. Le modèle proposé par les médiévistes insiste sur la complémentarité de la réserve et des tenures : les paysans vivent du produit de leur terre, mais doivent au maître du domaine une proportion élevée de leur temps de travail, qui sert à la mise en valeur de la réserve, sous la direction d'une équipe réduite de serviteurs permanents ou d'esclaves. Ce système n'est pas celui du salariat agricole, mais il suppose un niveau élevé de concentration de l'exploitation. Les paysans ne sont pas des ouvriers agricoles puisqu'ils cultivent aussi pour eux-mêmes, mais ils ne sont pas des travailleurs indépendants. Dans la mesure où ils sont fréquemment nourris par le domaine central durant leurs nombreux jours de corvée, il n'est pas nécessaire de considérer que les tenures assurent aux travailleurs une pleine et entière subsistance. Face à la réserve, elles sont peut-être plus des lopins individuels (analogues à ceux des kolkhozes soviétiques) que des exploitations à proprement parler. Le grand domaine carolingien est donc un prototype de grande exploitation. La géographie des cas concrets décrits par les polyptyques est suggestive et même révélatrice.

Georges Duby, qui analyse le grand domaine carolingien dans *L'Économie rurale et la vie des campagnes dans l'Occident médiéval,* met en doute l'universalité du modèle. Il évoque des zones d'existence et de non-existence. Dans le Bassin parisien, l'association tenures-réserve est observable. En Germanie, en Italie du Nord, en Gaule de l'Ouest, en Flandre et en Brabant, le mécanisme de la corvée est moins évident, s'efface [1]. Ce qui est frappant dans cette géographie fragmentaire, c'est qu'elle s'emboîte parfaitement dans celle, exhaustive, du salariat agricole à la fin du XXe siècle. Le Bassin parisien, au XXe comme au

1. G. Duby, *L'Économie rurale et la vie des campagne dans l'Occident médiéval,* t. 1, p. 121-124.

IXe siècle, est une zone de concentration de l'exploitation. Tous les exemples négatifs mentionnés par Duby, soulignant l'absence probable du grand domaine ou sa faiblesse au IXe siècle, s'inscrivent au contraire dans les zones de ferme familiale de la carte 14, qui utilise des données centrées sur l'année 1970.

Le cas de l'Angleterre est encore plus frappant. La géographie de la grande exploitation médiévale *(manor)* préfigure, malgré les changements violents intervenus entre le XVe et le XVIIIe siècle, la distribution spatiale de la grande exploitation vers 1970. La frange ouest, de la Cornouailles à la frontière écossaise, est au XXe siècle caractérisée par une structure moins concentrée de l'exploitation ; elle n'était que peu ou pas atteinte par le grand domaine à l'époque médiévale. Si l'on s'en tient à la synthèse présentée par Michael Postan dans *The Medieval Economy and Society*, la seule modification notable concerne l'extrême Est de l'Angleterre, constitué des comtés de Kent (GBE 18), de Suffolk (GBE 29) et de Norfolk (GBE 22), où l'organisation manoriale ne dominait pas au Moyen Age, mais où la grande exploitation règne au XXe siècle [1].

Sur très longue période, la stabilité des zones de grande exploitation est évidente. Considéré dans tous ses détails, le système agraire n'est cependant pas stable : l'organisation domaniale *n'est pas encore* la grande exploitation capitaliste. On peut ici parler d'*endomorphose* : le capitalisme agraire s'inscrit dans des zones préexistantes.

Grande exploitation contre ferme familiale : les années 1500-1900

Il n'est pas possible de déduire d'une lecture directe de la carte du salariat agricole vers 1970 la distribution de la grande exploitation et de la ferme familiale à travers l'Europe, telle qu'elle se présentait durant sa période de stabilité maximale, entre 1500 et 1900. Certains changements importants interviennent au XXe siècle, qui altèrent la signification de la carte. Le rythme de la modernisation technique en particulier devient tel

---

1. M. Postan, *The Medieval Economy and Society,* p. 97 ; sur le caractère ancien du grand domaine en Europe, voir p. 81-92.

qu'il finit par affecter les types agraires traditionnels, dans un sens opposé à celui prévu par Marx. La mécanisation agricole diminue dans des proportions importantes les besoins en main-d'œuvre des exploitations. Une baisse tendancielle du nombre des salariés agricoles est perceptible, ainsi qu'un renforcement de l'exploitation familiale : le groupe domestique qui constitue le noyau de l'exploitation peut cultiver seul des surfaces sans cesse élargies. Les fermes familiales s'étendent, les grandes exploitations débauchent des ouvriers. Cette évolution est universelle, mais sa vitesse n'est évidemment pas la même dans chaque pays. La rétraction du prolétariat rural est beaucoup plus avancée en Europe du Nord qu'en Europe du Sud, décalage qui rend les comparaisons de pays à pays difficiles. La confrontation des cas français et espagnol est de ce point de vue caractéristique. En France comme en Espagne, la carte du salariat rural vers 1970 révèle l'existence de deux grandes zones agraires. En France, les salariés agricoles sont nettement plus nombreux dans le Bassin parisien, zone traditionnelle de grande exploitation, que sur la périphérie de l'Hexagone, dominée depuis le Moyen Age au moins par la ferme familiale. En Espagne, les salariés agricoles sont beaucoup plus nombreux au Sud qu'au Nord, opposition qui permet de retrouver l'opposition, classique pour l'historiographie ibérique, de la grande exploitation méridionale et de la ferme familiale septentrionale. Les classes statistiques révélant l'opposition des types agraires ne coïncident cependant pas de pays à pays. En France, la classe « 26 à 50 % de salariés agricoles » recouvre le gros des régions de grande exploitation ; en Espagne, c'est la classe « plus de 50 % de salariés agricoles » qui définit en pratique cette catégorie. La non-coïncidence des classes statistiques française et espagnole est un effet du retard technique de l'Espagne, où le délestage du prolétariat rural n'est pas très avancé au milieu des années soixante-dix. Au Nord de l'Europe, une proportion de plus de 50 % de salariés dans la population active agricole ne peut plus être observée que dans les régions de concentration agraire maximale : en Grande-Bretagne et au cœur du Bassin parisien essentiellement. En Suède septentrionale, l'exploitation forestière produit aussi un taux élevé de salariat.

La carte du salariat agricole vers 1970 permet cependant de distinguer, à l'intérieur de chacun des pays, la carte ancienne des systèmes agraires. En Grande-Bretagne, une partie de la frange ouest du pays – Cornouailles, pays de Galles, comtés de Cumbria (GBE 7), de Cheshire et de Lancashire (GBE 19) – garde la trace de la ferme familiale ancienne, avec des proportions d'ouvriers agricoles qui n'atteignent jamais 50 %, même si elles sont, comme dans le grand Bassin parisien, région de grande exploitation, supérieures à 26 %.

Quatre systèmes agraires

L'opposition grande exploitation/ferme familiale présente une description trop simplifiée des systèmes agraires, parce qu'elle n'intègre pas le critère de la propriété du sol. La terre peut appartenir au paysan ou non, distinction capitale dans la vie des communautés rurales.

Dans le cas de la grande exploitation, le mode de propriété du sol est une variable absolument secondaire, si l'on s'intéresse surtout à l'organisation interne de la communauté rurale, à la vie concrète de ses habitants, c'est-à-dire à l'anthropologie plutôt qu'à l'économie. Les exploitants, propriétaires ou non, sont trois au plus par communauté. Le mode de propriété n'affecte pas l'existence immédiate des neuf dixièmes de la population, composés pour l'essentiel de prolétaires agricoles.

Dans le cas de la ferme familiale, le mode de propriété du sol devient au contraire une variable cruciale. Il définit la vie d'une proportion importante de la population. Le degré de maîtrise exercée par le paysan sur son exploitation induit un degré spécifique de stabilité des individus, des groupes domestiques. Mais on ne peut ici se contenter d'une approche dichotomique opposant propriétaires et non-propriétaires. Deux grands types de non-propriété peuvent être identifiés en Europe, le fermage et le métayage. En régime de fermage, le loyer du sol, variable sur longue période, est payé en argent ; il est sans rapport avec le volume des récoltes. En régime de métayage, le loyer du sol est versé en nature et correspond à une proportion fixe de la récolte, qui peut être égale, inférieure ou supérieure à la moitié : l'idée de partage égalitaire est cependant essentielle au système.

Le métayage pèse plus durement sur la famille paysanne qui non seulement n'est pas propriétaire de sa terre, mais ne possède

15 – Le métayage

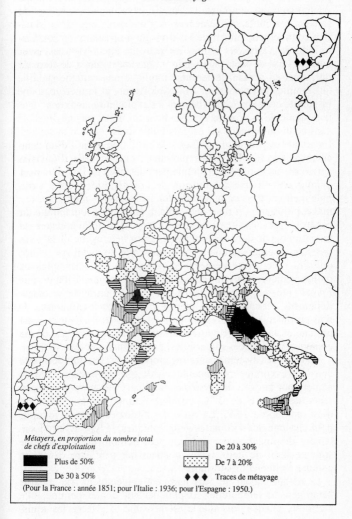

Métayers, en proportion du nombre total
de chefs d'exploitation

■ Plus de 50%

▭ De 30 à 50%

▥ De 20 à 30%

▨ De 7 à 20%

♦ ♦ ♦ Traces de métayage

(Pour la France : année 1851; pour l'Italie : 1936; pour l'Espagne : 1950.)

pas non plus en général son matériel d'exploitation. Dans le cas du fermage, au contraire, la famille paysanne possède le plus souvent ses outils, ses semences, ses animaux ; elle est en situation contractuelle plus forte vis-à-vis du propriétaire du sol. Une infinité de variations régionales peuvent être observées, avec quelques cas de métayage tendre et quelques autres de fermage dur, mais en général le fermage implique une certaine stabilité des familles paysannes sur leur exploitation, et le métayage une instabilité certaine. L'attachement à l'exploitation, maximal dans le système de la propriété paysanne, peut n'être pas négligeable dans celui du fermage ; il est très faible dans celui du métayage. La grande exploitation représente le cas limite négatif d'un détachement absolu : la famille paysanne, qui est celle d'ouvriers agricoles, est purement et simplement détachée de l'exploitation.

Pour obtenir une subdivision de la catégorie « ferme familiale » en ses trois composantes fondamentales – métayage, fermage, propriété – et pour obtenir la distribution géographique de ces trois types agraires à travers l'Europe, j'ai dû m'appuyer sur un ensemble de données et d'études assez hétérogène. Il est ainsi possible de proposer une assez bonne carte du métayage (n° 15) utilisant divers recensements, généraux ou agricoles, plus ou moins anciens, mais ne couvrant que l'Espagne, l'Italie et la France, puisque le métayage est en Europe un système essentiellement « latin », si l'on met de côté ses traces finnoises. Je n'ai pu obtenir un équivalent pour le fermage, système n'ayant pas atteint un tel degré de formalisation et pour lequel j'ai dû me contenter de données imparfaites, parfois qualitatives.

La carte des systèmes agraires proposée (n° 16) doit donc être considérée comme raisonnable plutôt que rigoureuse. Si l'on admet pour la carte des systèmes familiaux une proportion d'erreurs de l'ordre de 5 %, on doit estimer ici le coefficient d'inexactitude à 10 %. La carte des systèmes agraires indique, pour chacune des 483 unités géographiques, le type agraire localement dominant, avec, dans un petit nombre de régions, une superposition de deux types si aucun ne peut être considéré comme réellement majoritaire.

Le défaut majeur de cette carte est évidemment une certaine hétérogénéité temporelle. Essentiellement contemporaine, elle s'efforce, chaque fois que c'est possible, d'effacer les transformations, récentes comme la liquidation juridique du métayage

16 – Les systèmes agraires : synthèse

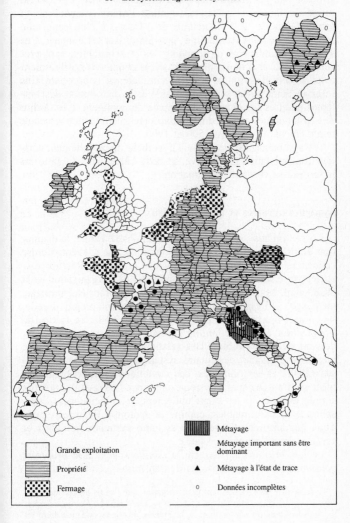

Métayage

Grande exploitation

Propriété

Fermage

● Métayage important sans être dominant

▲ Métayage à l'état de trace

○ Données incomplètes

réalisée dans de nombreux pays depuis la Deuxième Guerre mondiale, ou plus anciennes comme l'affaiblissement de la ferme familiale de l'Angleterre de l'Ouest. En un sens, elle impose un postulat de stabilité, sans martyriser les données. Les systèmes scandinaves ou irlandais, les plus instables, sont présentés en leur état de la fin du XXᵉ siècle et non tels qu'ils étaient avant la consolidation de la ferme familiale par la propriété. Ces réserves étant faites, on peut considérer la distribution des systèmes agraires sur la masse principale du continent, c'est-à-dire îles Britanniques et Scandinavie exceptées, comme une structure relativement stable entre 1500 et 1900.

Il s'agit bien sûr encore d'une hypothèse, imparfaitement vérifiée. La puissance explicative de cette carte, dans la suite du livre, sera sa véritable légitimation.

Systèmes agraires et types familiaux

Lorsqu'on analyse la vie d'une communauté rurale, la distinction entre vie économique et vie familiale est souvent d'ordre conceptuel plutôt que pratique. Seule la grande exploitation dissocie, par le salariat, la structure familiale de l'organisation de la production. Mais dans tous les autres cas – propriété, fermage, métayage –, l'exploitation est, selon la terminologie usuelle, « familiale », expression qui trahit assez le caractère factice de l'opposition économie/famille. Systèmes agraires et familiaux doivent être compatibles. Des relations d'affinité peuvent être identifiées : chacun des quatre systèmes familiaux fournit, par ses valeurs et ses pratiques, des conditions de fonctionnement idéales à l'un des quatre systèmes agraires. Les relations sont de simple affinité : il ne s'agit nullement de coïncidences nécessaires et incontournables, comme le démontre l'examen empirique des accords et discordances entre systèmes familiaux et agraires dans l'espace européen [1].

Le lien le plus clair associe la *famille souche* à la *propriété paysanne*. Le principe lignager de transmission en bloc du patri-

---

1. Je nuance ici sérieusement la présentation que j'avais donnée des relations entre systèmes familiaux et systèmes agraires dans *La Nouvelle France* (p. 89-94). Dans un cadre limité à la France, la correspondance entre les types paraît absolue, ce qui est loin d'être le cas à l'échelle européenne.

moine crée pour la propriété paysanne des conditions optimales de survie. On ne peut guère concevoir la famille souche paysanne sans la ferme qui incarne sa continuité. La permanence d'un lignage sur une ferme est cependant compatible avec certaines formes de fermage si le bail de la famille est renouvelé de génération en génération. Bien des tenures féodales créent des situations de ce type. Le droit médiéval donne une définition incertaine de la propriété mais reconnaît fréquemment un droit héréditaire de succession sur la tenure. La possession de fait est alors le critère essentiel. On doit admettre que la distinction entre propriété et tenure héréditaire est assez mince. La tenure héréditaire de l'époque féodale devient souvent propriété à l'époque moderne. Le droit finit par refléter la réalité. La famille souche exige la stabilité, et donc une forme ou une autre de propriété, qu'il s'agisse de propriété absolue ou de possession de fait par le lignage. La réciproque ne tient pas : la propriété peut se passer de la famille souche, et l'on trouve effectivement en Europe un certain nombre de régions dans lesquelles la propriété paysanne s'accommode de la famille nucléaire égalitaire, de la famille nucléaire absolue ou de la famille communautaire.

La *famille nucléaire égalitaire* fournit à la *grande exploitation* un cadre de fonctionnement idéal. L'atomisation des groupes de parenté, la mobilité des ménages et des adolescents (tôt libérés par leurs familles) permettent l'établissement aisé d'un marché du travail et la mise en place de mécanismes salariaux. Les règles d'héritage égalitaires conviennent bien aux ouvriers agricoles, parce qu'ils ne possèdent pas grand-chose. L'examen des régions européennes montre cependant que l'existence de la grande exploitation sans la famille nucléaire égalitaire est possible. En Angleterre, la grande exploitation s'épanouit dans le contexte de la famille nucléaire absolue. La grande exploitation est plus difficilement compatible avec les systèmes familiaux complexes, de type communautaire notamment. Mais quelques combinaisons de ce type peuvent être repérées.

La *famille communautaire* semble définir un cadre anthropologique indispensable au *métayage*. Ce système agraire refuse en effet la monétarisation des relations entre propriétaire et cultivateur. Dans le contexte d'une économie hostile par principe à l'utilisation de signes monétaires, la famille communautaire permet la réunion d'une force de travail maximale. Aucun autre système anthropologique ne permet la constitution de groupes domestiques aussi vastes, comprenant un tel nombre de jeunes adultes. La solidarité des frères mène à la constitution d'équipes puissantes. Le cycle de développement du groupe domestique impose, à un moment donné, la fission, la séparation des frères. La dissolution périodique de la famille empêche les paysans de s'accrocher à la terre, de transformer progressivement l'occupation du sol en droit héréditaire, pour aboutir finalement à un déplacement du titre de propriété, du noble ou du bourgeois vers l'exploitant. La famille communautaire est certes compatible avec la propriété paysanne. Mais elle est le seul type anthropologique européen qui autorise le plein développement du métayage, c'est-à-dire d'un système agraire combinant exploitation familiale et impuissance paysanne. Derrière le métayage, on voit toujours se profiler en Europe la famille communautaire : en Italie centrale, au Nord-Ouest du Massif central français, en Finlande, au Sud du Portugal.

La *famille nucléaire absolue* encourage quant à elle l'épanouissement du *fermage*. L'émancipation rapide des enfants exclut la constitution de lignages et la succession des générations sur une même terre. Comme dans le cas de la famille communautaire, le propriétaire noble ou bourgeois est protégé contre la solidification de la tenure paysanne, contre la transformation de l'occupation (contre loyer) en pure et simple propriété paysanne. La famille nucléaire absolue ne met cependant pas le paysan dans la situation de dépendance et d'impuissance caractéristique de la famille communautaire. L'indifférence de la famille nucléaire absolue au principe d'égalité permet une transmission rationnelle, partiellement groupée, du capital d'exploitation, et le maintien d'un certain pouvoir de négociation paysan. On doit admettre cependant que l'affinité entre famille nucléaire absolue et fermage est des plus partielles. Le type nucléaire absolu est aussi, comme le type nucléaire égalitaire, remarquablement compatible avec la grande exploitation, combinaison qui peut être observée en Angleterre. La famille nucléaire permet, dans toutes ses variantes, le fonctionnement d'un marché du travail rural assez fluide et la mise en place du salariat.

Système agraire et idéologie

On peut cependant identifier un lien plus profond associant le métayage à la famille communautaire et le fermage à la famille nucléaire absolue. Pour le saisir, il faut passer du plan de la compatibilité mécanique des systèmes agraires et familiaux, au plan de la compatibilité idéologique. Il existe en effet dans les deux cas une analogie entre le mode de répartition de l'héritage familial et le type de répartition du produit de la terre. D'une façon curieuse, la relation entre frères peut servir de modèle au rapport entre propriétaire et exploitant. Le *métayage* français, la *mezzadria* toscane évoquent l'idéal d'une division égalitaire des produits du sol, par moitiés. Or la famille communautaire exige bien la division égalitaire du patrimoine entre les frères. L'analogie est ici perverse, puisqu'elle introduit le concept d'égalité dans un rapport vertical patron/ouvrier. Le fermage institutionnalise quant à lui l'idée d'une rente en argent, variable sur longue période, qui établit une situation d'incertitude, une indéfinition à long terme de la relation entre propriétaire et exploitant. Ce mécanisme reproduit en fait la coutume d'héritage typique de la famille nucléaire absolue qui ne précise pas réellement la part qui doit aller à chacun des frères à la mort des parents.

La conception même des systèmes agraires implique la mise en action de valeurs idéologiques, souvent extraites du domaine familial. L'existence de contraintes techniques et économiques signifie cependant que le système agraire ne peut être un simple reflet du système familial, et qu'en pratique on constate un large degré d'autonomie réciproque des deux variables. La cartographie permet de confronter, par superposition, chacun des systèmes agraires au système familial avec lequel il est en relation d'affinité. Les cartes obtenues (n° 17 à 20) ont la structure logique de diagrammes de Venn. Elles distinguent quatre sortes de régions : celles où le type familial et le système agraire existent simultanément ; celles où le type familial existe sans le système agraire ; celles où le système agraire existe sans le type familial ; celles où ne dominent ni le type familial ni le système agraire. Les zones d'instabilité relative des systèmes agraires – îles Britanniques et Scandinavie – ont été exclues de cette

17 – Famille souche et propriété

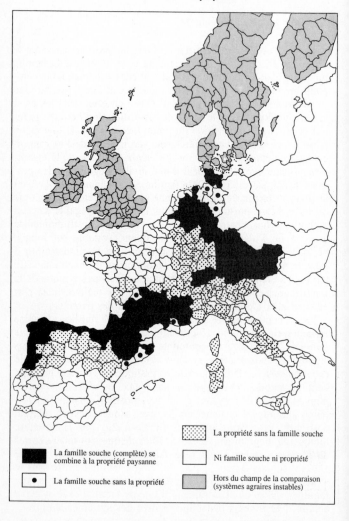

La propriété sans la famille souche

La famille souche (complète) se combine à la propriété paysanne

Ni famille souche ni propriété

La famille souche sans la propriété

Hors du champ de la comparaison (systèmes agraires instables)

18 – Famille nucléaire égalitaire et grande exploitation

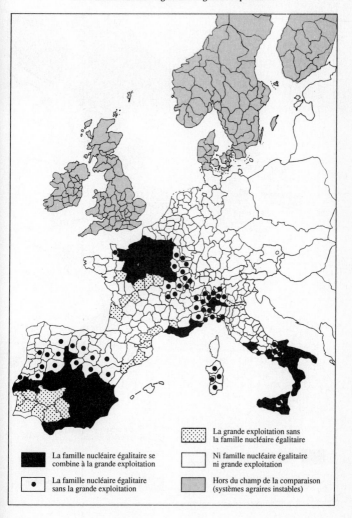

La grande exploitation sans
la famille nucléaire égalitaire

La famille nucléaire égalitaire se
combine à la grande exploitation

Ni famille nucléaire égalitaire
ni grande exploitation

La famille nucléaire égalitaire
sans la grande exploitation

Hors du champ de la comparaison
(systèmes agraires instables)

19 – Famille communautaire et métayage

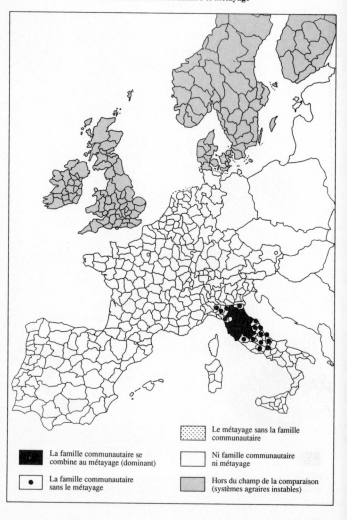

La famille communautaire se combine au métayage (dominant)

La famille communautaire sans le métayage

Le métayage sans la famille communautaire

Ni famille communautaire ni métayage

Hors du champ de la comparaison (systèmes agraires instables)

20 – Famille nucléaire absolue et fermage

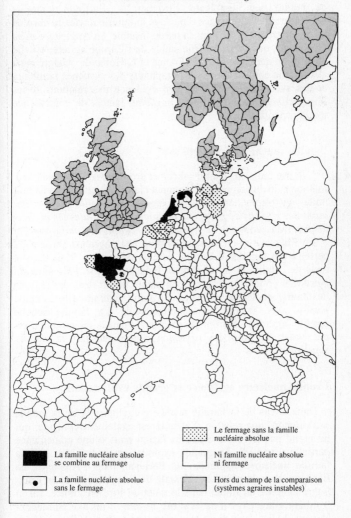

La famille nucléaire absolue se combine au fermage

La famille nucléaire absolue sans le fermage

Le fermage sans la famille nucléaire absolue

Ni famille nucléaire absolue ni fermage

Hors du champ de la comparaison (systèmes agraires instables)

confrontation. Cette restriction, logique, présente l'inconvénient de rendre peu significatif l'examen de l'affinité « famille nucléaire absolue-fermage » puisque la famille nucléaire absolue est mieux représentée dans la partie instable, en Angleterre et au Danemark, que dans la partie stable de l'Europe agraire, où elle ne domine que l'Ouest de la France et la Hollande. Malgré cette absence, la confrontation cartographique des systèmes familiaux et des systèmes agraires met en évidence des relations fortes d'*inclusion* et de *coïncidence partielle*, jamais de coïncidence totale cependant.

Famille souche et propriété

La carte croisant famille souche et propriété (n° 17) révèle une relation d'inclusion particulièrement claire : à l'exception de huit unités géographiques, *toutes les régions de famille souche sont aussi des régions de propriété paysanne, mais toutes les régions de propriété paysanne ne sont pas des régions de famille souche.*

En Rhénanie et en Vénétie, la propriété paysanne correspond certes à des régions de famille souche incomplète. Mais dans le reste de l'Italie du Nord, dans la France de l'Est, l'Espagne du Nord non côtière, la propriété paysanne fleurit dans des régions de famille nucléaire égalitaire. En Italie centrale, elle coïncide parfois avec la famille communautaire. La famille souche semble impliquer la propriété paysanne, mais la réciproque n'est pas vraie, la propriété paysanne n'implique pas la famille souche.

Famille nucléaire égalitaire et grande exploitation

Dans le cas de la famille nucléaire égalitaire et de la grande exploitation, une relation d'affinité est également évidente, qui ne prend pas la forme d'une inclusion mais d'une coïncidence partielle (carte 18). La grande exploitation peut exister sans la famille nucléaire égalitaire : au Portugal, dans l'Alentejo ; en Espagne, dans la partie occidentale de l'Andalousie et en Catalogne côtière ; en Italie, dans le delta du Pô ; en France, sur la frontière entre pays d'oc et d'oïl, le long d'un axe Bordeaux-Nevers. Mais, dans des zones plus vastes, la famille nucléaire égalitaire peut aussi exister sans la grande exploitation : dans le Nord non côtier de l'Espagne, dans le Nord-Est de l'Italie, dans l'Est de la France.

Famille communautaire et métayage

L'affinité entre métayage et famille communautaire ne fait aucun doute. Là où l'on trouve la famille communautaire en situation dominante, on trouve souvent le métayage en situation dominante, comme c'est le cas en Italie centrale. Là où l'on trouve des types familiaux communautaires importants mais non dominants, comme dans le Centre-Ouest de la France, on observe souvent du métayage, important, mais non dominant. Là où la famille communautaire est mêlée à d'autres types, comme en Finlande méridionale, on identifie, à des époques anciennes, des traces de métayage. Les traces de métayage relevées dans le Portugal d'Ancien Régime correspondent à des systèmes familiaux exceptionnels, de type matrilinéaires, mais impliquant des traits communautaires.

Le seul exemple de métayage en situation de système agraire dominant est celui de l'Italie centrale. Ce cas est donc le seul mentionné par la carte 19 qui croise métayage et famille communautaire. Exemple unique, qui donne cependant un résultat d'une clarté remarquable : ici, l'affinité est *inclusion*. Les zones de métayage se présentent comme le noyau central des régions de famille communautaire. Au-delà de ce noyau, la famille communautaire correspond, au Nord et au Sud, à des zones de propriété paysanne ou, plus rarement, de grande exploitation.

Dans le cas de l'affinité famille souche-propriété, le type familial était géographiquement inclus dans le type agraire. Dans le cas de l'affinité famille communautaire-métayage, le type agraire est géographiquement inclus dans le type familial.

Famille nucléaire absolue et fermage

La confrontation de la famille nucléaire absolue et du fermage révèle une coïncidence imparfaite, en Hollande, comme dans l'Ouest de la France. Mais le nombre d'unités géographiques est trop faible pour que l'on pousse plus loin l'analyse.

21 – Famille nucléaire égalitaire et propriété

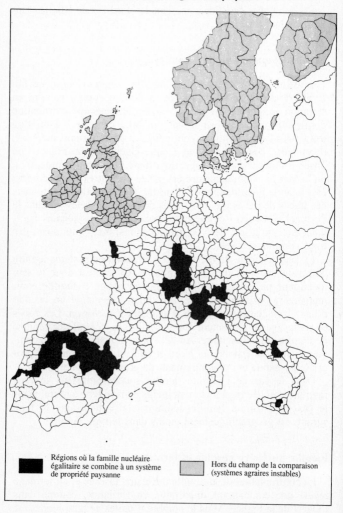

Régions où la famille nucléaire
égalitaire se combine à un système
de propriété paysanne

Hors du champ de la comparaison
(systèmes agraires instables)

Conclusion pratique : deux variables distinctes

Si l'on met de côté l'Europe du Nord et du Nord-Ouest, les systèmes agraires, comme les systèmes familiaux, peuvent être considérés comme stables à partir de l'an 1500. La mise en forme cartographique des deux variables révèle des relations fortes mais complexes et imparfaites. Il ne paraît cependant ni possible ni utile de tirer de ces matériaux une théorie générale expliquant concordances et discordances, qui ne pourrait être au fond qu'une *théorie de l'origine* des systèmes, familiaux ou agraires. La discordance la plus massive, la famille nucléaire égalitaire en association avec la propriété paysanne, occupe des zones frontières, entre mondes germanique et latin, ou entre Espagne chrétienne et Espagne musulmane, localisations géographiques qui ont certainement un sens, une origine historique. Mais pour une telle enquête sur l'origine des systèmes, l'Europe de l'Ouest ne suffit pas. Ailleurs existent des cas massifs d'association entre famille nucléaire égalitaire et propriété paysanne, dans des régions qui ne sont pas des frontières historiques et culturelles, comme la Grèce. Les questions d'origine, de fondation, ne sont pas l'objet de ce livre. Systèmes familiaux et systèmes agraires ont ici le statut de variables explicatives et non de phénomènes à expliquer. Il suffit de constater leur stabilité, totale ou partielle, à partir de l'an 1500, et de définir leur distribution spatiale. La confrontation de deux variables révèle des relations d'*affinité,* mélange de coïncidences et de discordances, nombreuses et parfois massives. De cette constatation découle une obligation : celle de considérer systèmes familiaux et systèmes agraires comme des variables distinctes parce que partiellement indépendantes. Chaque unité géographique devra, en général, être considérée comme porteuse de deux caractéristiques : un système familial et un système agraire.

DEUXIÈME PARTIE

Religion et modernité

A partir du xvf siècle, l'accélération du développement européen amorce un processus de dissociation, de fragmentation. Certains pays, certaines régions décollent, d'autres entrent en stagnation. Les progrès successifs de l'alphabétisation, de l'industrialisation, du contrôle des naissances définissent des zones de changement et d'immobilité dont le tracé semble à première vue mystérieux. D'autant que ces trois variables clés de la modernisation présentent, les unes par rapport aux autres, un large degré d'autonomie.

L'introduction de la dimension religieuse permet de résoudre une partie du problème mais non sa totalité. L'émergence du protestantisme, entre 1520 et 1560, explique assez largement la division du continent en deux sous-ensembles culturels, l'un dynamique, l'autre nettement régressif. Le protestantisme accélère le mouvement de l'alphabétisation ; le catholicisme, qui se redéfinit contre la Réforme, donne, là où il survit, un coup de frein au progrès culturel. Mais entre pays protestants, des différences de rythme de développement curieuses apparaissent : la Suède, l'Allemagne du Nord, l'Écosse, la Suisse réformée progressent nettement plus vite que l'Angleterre vers l'alphabétisation universelle des populations. Ce nouveau mystère est rapidement suivi d'un autre puisque c'est justement l'Angleterre, moins développée, qui se lance au milieu du xviiie siècle dans la première des révolutions industrielles.

Le développement du contrôle des naissances ne peut évidemment toucher qu'une population assez largement alphabétisée. Mais le niveau culturel ne détermine pas seul le démarrage de la contraception. C'est en effet en France, pays moyennement avancé sur le plan culturel, que commence, à la fin du xviiie siècle, la révolution démographique, facile à suivre à travers le mouvement descendant des courbes de natalité et de fécondité. L'histoire religieuse permet ici d'aboutir à une solution définitive. Dans une population largement alphabétisée, l'heure du passage à la contraception est déterminée par l'effondrement des croyances religieuses, par la déchristianisation. Il suffit donc de dater les stades de l'alphabétisation et les étapes de la déchristianisation pour comprendre le mouvement des taux de natalité.

La variable religieuse est essentielle à une bonne compréhension du développement européen. Mais son introduction dans la description du mouvement historique n'aboutit en fait qu'à repousser d'un cran logique en arrière le problème de l'explication du processus de différenciation, de segmentation. Pourquoi certaines régions acceptent-elles avec enthousiasme le protestantisme, tandis que d'autres le rejettent avec énergie ? Pourquoi certaines abandonnent-elles avec brutalité la foi chrétienne dans son ensemble, dès le milieu du xviiie siècle, alors que d'autres restent plus longtemps fidèles à la religion traditionnelle de l'Europe, qui survit, dans le cas du protestantisme, jusqu'à la fin du xixe siècle, dans celui du catholicisme maintenu, jusqu'aux années 1960-1970 ? Derrière cette géographie surprenante de la modernité religieuse se profile la géographie traditionnelle des types familiaux et agraires. La segmentation anthropologique de l'Europe canalise, accélère ou ralentit, selon le lieu, les évolutions religieuses.

Les valeurs de liberté ou d'autorité, d'égalité ou d'inégalité portées par les types familiaux déterminent assez largement les réactions des régions à la Réforme protestante, qui propose à l'Europe une métaphysique autoritaire et inégalitaire : un idéal de soumission absolue des hommes à Dieu et d'inégalité des hommes entre eux. Seules les régions où dominent des structures familiales autoritaires et inégalitaires peuvent accepter pleinement un tel message. Ailleurs, refus, résistances et déformations manifestent un rejet anthropologique de la Réforme, luthérienne ou calviniste.

La disparition de Dieu, qui commence deux siècles plus tard, est aussi fonction du terrain familial. Le Créateur est d'abord éliminé de la vie quotidienne et mentale des hommes là où les structures familiales ne projettent pas l'image d'un Dieu-père *puissant, là où l'égalitarisme, logé dans la relation fraternelle, rend la croyance en l'existence d'un être transcendant difficile. La crise religieuse commence dans les régions où la structure familiale définit des rapports libéraux entre parents et enfants, et des relations égalitaires entre frères. La présence d'un système agraire de grande exploitation, fréquemment associé à la famille nucléaire égalitaire et peu propice en général aux croyances religieuses fortes, est une deuxième condition de la déchristianisation précoce.*

Le mouvement des croyances religieuses, guidé par les fondements anthropologiques régionaux, apparaît donc dans la deuxième partie de ce livre comme un aspect fondamental de l'accession à la modernité. La Réforme et la Contre-Réforme, puis les étapes successives de la déchristianisation définissent un vaste cycle religieux qui détermine plus qu'il ne subit le développement de l'Europe, culturel, économique ou démographique. Les poids relatifs des chapitres qui suivent reflètent l'importance accordée au facteur religieux. Le chapitre 3, consacré à la Réforme et à la Contre-Réforme, le chapitre 6, qui traite de la déchristianisation, pèsent beaucoup plus lourd que les chapitres 4, 5 et 7, qui analysent respectivement l'alphabétisation, l'industrialisation et finalement le contrôle des naissances.

Cette répartition des masses est délibérée. La religion occupe dans ce livre la position d'une variable intermédiaire : déterminée dans ses formes par les structures familiales, elle détermine à son tour les rythmes du progrès culturel, économique ou sexuel. La religion est au cœur de toutes les interactions historiques et logiques.

CHAPITRE III

Réforme et Contre-Réforme

En l'an 1500, l'Europe est encore soudée par une unité de foi. Lorsque s'ouvre l'âge moderne, entre l'invention de l'imprimerie et la découverte de l'Amérique, elle est simplement chrétienne, reconnaissant l'existence d'une autorité spirituelle unique, l'Église catholique. Et ce malgré la fragmentation politique de son territoire, malgré la diversité de ses structures familiales ou agraires. De l'Italie à la Suède, du Portugal à la Saxe, croyances et rituels sont les mêmes, portés par une élite religieuse s'exprimant dans une seule langue, le latin.

Cette unité résulte d'une longue histoire, menant du développement précoce du christianisme dans la partie romaine du continent, entre le ${I}^{er}$ et le ${IV}^{e}$ siècle, à la conversion tardive de la Finlande à la fin du ${XIII}^{e}$ [1]. En l'an 1500, les régions méridionales de l'Europe sont chrétiennes depuis plus de 1200 ans ; certaines parties du Nord ne le sont que depuis un peu plus de deux siècles. Mais on aurait tort de considérer, *a priori,* le christianisme du Nord comme moins solide que celui du Sud. Certains aspects de son histoire tendraient au contraire à le rendre plus puissant. En Finlande, en Suède, en Norvège, au Danemark, en Écosse, en Irlande, dans les Pays-Bas du Nord, dans l'Allemagne du Nord et du Centre, la conversion religieuse a représenté une accession à la civilisation. La fondation des Églises dans le monde barbare a permis l'introduction de l'écriture dans des sociétés qui ne connaissent alors que la communication orale [2]. L'alphabet latin ne se contente pas de véhiculer la langue

1. Sur les étapes de la christianisation du Nord, voir S. Neill, *A History of Christian Missions,* p. 99-109.
2. Je ne considère pas ici comme une réelle mise en forme écrite les vieux systèmes runiques des mondes germanique, scandinave ou irlandais, écri-

latine : il permet la transcription des langues indigènes, que
celles-ci soient scandinaves, finnoise, allemandes ou celtiques.
L'écriture rend possible l'émergence d'institutions, c'est-à-dire
de mémoires sociales : au Nord de l'Europe comme ailleurs, son
introduction marque la fin de la préhistoire. L'Église assure donc
en Scandinavie, dans une partie du monde germanique, dans le
Nord et l'Ouest des îles Britanniques, l'entrée des peuples dans
l'histoire. Elle est fondatrice. Au Sud, en France, en Italie ou en
Espagne, le christianisme, plus ancien, n'apparaît cependant que
comme un élément tardif de la civilisation, dans des sociétés qui
gardent la mémoire diffuse d'une histoire antérieure, non chrétienne, romaine et païenne. L'ancienneté du christianisme méridional, le caractère fondateur du christianisme septentrional
s'équilibrent. En l'an 1500, l'Europe est simplement chrétienne.
    La Réforme protestante casse en deux le continent. L'Alle-
magne du Centre et du Nord-Ouest, la Scandinavie, une partie
des Pays-Bas et de la Suisse, l'Écosse et enfin l'Angleterre,
après bien des hésitations, constituent un monde réformé, séparé
de Rome. Ouverte par Luther en 1517, la crise protestante aboutit très vite à une division stable de l'espace européen. Comme le
remarque Pierre Chaunu, dès les années 1560-1580, l'Europe
réformée prend sa forme géographique définitive[1]. Sa carte est
fixée, elle ne bougera plus guère jusqu'au xxᵉ siècle. Face au
nouveau monde protestant, le catholicisme – désormais italien,
français, espagnol, portugais, autrichien, flamand, irlandais, allemand du Sud et de l'Ouest, suisse du Centre et du Sud – se redéfinit par le concile de Trente entre 1545 et 1563. Deux systèmes
religieux s'affrontent, jusqu'à la fin du xviiᵉ siècle, puis se
contentent de vivre séparés.

tures alphabétiques observables entre le iᵉʳ et le ivᵉ siècle. L'inscription la
plus longue retrouvée, en Norvège, ne comprend que 200 signes environ.
Ces systèmes sont d'ailleurs dérivés de l'alphabet latin. Sur les runes, voir
J.-G. Février, *Histoire de l'écriture*, p. 504-524.
    1. P. Chaunu, *Le Temps des réformes*, t. 2, p. 473-474.

La nature du protestantisme : une contradiction

Comme tout système religieux, le protestantisme existe sur deux plans simultanément. Il fait partie du monde sensible ; il définit aussi un au-delà. Il est une pratique terrestre et une métaphysique. Dans l'esprit des participants au système, les deux plans ne sont pas distincts mais mêlés par l'habitude, soudés par une théologie. Pour comprendre la nature du protestantisme, son développement dans certaines régions seulement du continent européen, ses implications historiques et ses variations théologiques, il est nécessaire de séparer les deux plans – le terrestre et le métaphysique –, fût-ce au prix de certaines schématisations. Au cœur du message protestant, qui accélère l'histoire et divise l'Europe, on trouve en effet une contradiction, fondamentale, entre objectifs terrestres et objectifs métaphysiques. Dans le monde terrestre, la Réforme propose et réalise une démocratisation de la conscience religieuse. Dans l'ordre métaphysique, elle proclame la servitude et l'inégalité des hommes.

La composante terrestre du protestantisme : une démocratisation de la conscience religieuse

L'objectif terrestre primordial de la Réforme luthérienne est l'abolition du monopole clérical de la vie religieuse. Le protestantisme veut la fin d'une religion dissociée, vécue intensément par un ordre spécialisé, mais seulement administrée, sous forme de rituels divers, à une communauté de croyants passifs, maintenus sourds et muets par l'usage liturgique du latin, qu'ils ne comprennent pas. Dans l'appel *A la noblesse chrétienne de la nation allemande,* publié en 1520 et qui met l'Allemagne entière en mouvement, Luther désigne la distinction entre laïcs et ecclésiastiques comme un premier mur, édifié par Rome, et que l'Allemagne doit abattre. Avec cette expression forte, qui saisit l'imagination de ses contemporains : *« Nous sommes tous prêtres*[1]. *»*

1. *A la noblesse chrétienne de la nation allemande,* p. 97 (pour toutes les

« *On a inventé que le pape, les évêques, les prêtres, les gens des monastères seraient appelés état ecclésiastique, les princes, les seigneurs, les artisans et les paysans, l'état laïque, ce qui est certes une fine subtilité et une belle hypocrisie. Mais personne ne doit se laisser intimider par cette distinction, pour la bonne raison que tous les chrétiens appartiennent vraiment à l'état ecclésiastique, il n'existe entre eux aucune différence, si ce n'est celle de la fonction, comme le montre Paul en disant que nous sommes un seul corps, mais que chaque membre a sa fonction propre*[1]... »

Contre les lois établies par Rome, Luther exige des chrétiens égaux (*gleychen Christenn*, orthographe originale[2]).

De cette aspiration fondamentale à l'uniformité du peuple chrétien découlent bien des aspects du programme protestant : l'accès de tous aux Écritures, la traduction des textes et offices religieux en langue vulgaire, le mariage des prêtres, la suppression des ordres monastiques, le refus de l'autorité du pape, considéré comme clé de voûte de l'ordre sacerdotal. Un objectif simple résume la diversité des lignes d'attaque : dans la vie religieuse terrestre, la Réforme rejette l'autorité des prêtres et l'inégalité des hommes.

La composante métaphysique du protestantisme : servitude et inégalité des hommes

Au cœur métaphysique de la Réforme, on trouve une conscience aggravée de la présence du mal dans l'âme des hommes, une perception affinée du rôle de Satan dans leurs vies et un intérêt renouvelé pour le concept de damnation éternelle. En cette Europe du XVIᵉ siècle, le thème du péché originel, de la chute d'Adam entraînant celle de l'humanité, redevient un problème d'actualité. La chute n'est pas perçue comme de l'histoire

---

citations, la référence paginale indiquée correspond à l'édition mentionnée dans la bibliographie générale).

1. *A la noblesse...*, p. 83.
2. *A la noblesse...*, p. 93.

ancienne, mais comme un événement capital, un élément de la vie quotidienne. Ayant constaté la damnation de l'homme, Luther fixe les conditions de son salut, c'est-à-dire du rachat de sa faute et de son accès à la vie éternelle. Deux propositions sont fondamentales. La première est que l'homme ne peut assurer son salut par lui-même, sans l'aide (la volonté, la grâce) de Dieu. La seconde est que tous les hommes ne seront pas sauvés.

Le thème de l'impuissance de l'homme, présent dans bien des textes, est central au traité *Du serf arbitre* (*De servo arbitrio*, 1525), réponse à la défense du libre arbitre présentée par Érasme [1]. Le problème n'est évidemment pas celui de la toute-puissance de Dieu, sur laquelle tous les chrétiens sont en théorie d'accord, mais celui des implications de cette toute-puissance divine pour la liberté humaine. L'homme est-il capable d'assurer lui-même son salut, en choisissant librement le bien et en rejetant le mal durant sa vie terrestre ? La question est présente, lancinante dans toute la problématique chrétienne depuis les origines. La réponse de Luther est claire, et négative :

« *Mais si nous accordons à Dieu la prescience et la toute-puissance, il s'ensuit naturellement et inéluctablement que nous n'avons pas été créés par nous-mêmes et que nous ne vivons ni n'agissons par nous-mêmes, mais uniquement par l'effet de sa toute-puissance. Si donc Dieu a su de toute éternité ce que nous devions être, et s'il nous fait, nous meut et nous gouverne, comment s'imaginer qu'il existe en nous une liberté quelconque, ou que quelque chose puisse se produire autrement qu'il ne l'a prévu ? La prescience et l'omnipotence de Dieu sont diamétralement opposées à notre libre arbitre* [2]. »

Ce Dieu tout-puissant connaît, choisit ses élus. Dans la forme systématisée, radicalisée, de la pensée protestante présentée par Calvin, Dieu choisit de sauver certains hommes et de damner les autres. C'est la double prédestination. Mais cette dualité, cette inégalité des hommes devant le salut est une nécessité logique. Si certains seulement sont sauvés, les autres sont damnés. Il existe donc deux sortes d'hommes, conception qui émerge avec une extrême clarté dans certaines œuvres de Luther, parfois dans des phrases qui semblent directement tirées de saint Augustin :

1. Le *De libero arbitrio* d'Érasme date de 1524.
2. *Du serf arbitre*, p. 150.

« *... il nous faut ici séparer les enfants d'Adam, les hommes, en deux parties : les uns qui sont du royaume de Dieu, les autres qui sont du royaume du monde. Ceux qui font partie du royaume de Dieu, ce sont tous ceux qui, en tant que vrais croyants, sont en Christ et soumis au Christ* [1]. »

C'est la thématique augustinienne des deux cités, qui concerne effectivement le problème de l'élection de certains et du rejet des autres. Du plan théorique, le regard différenciateur de Luther peut se porter concrètement sur le monde environnant :

« *Mais regarde autour de toi, et commence par faire que le monde soit plein de vrais chrétiens, avant de prétendre les gouverner chrétiennement et selon l'Évangile. Mais tu n'y parviendras jamais, car le monde et la masse sont et restent non chrétiens, bien que tous soient baptisés et portent le nom de chrétiens* [2]. »

Un épisode biblique met particulièrement en évidence l'action de la Providence divine qui choisit, c'est-à-dire élit et rejette simultanément : l'histoire de Jacob et d'Ésaü dans laquelle la bénédiction paternelle et le droit de primogéniture sont transférés, sans appel ni procès, de l'aîné au cadet. Seuls les descendants de Jacob, le cadet, constitueront le peuple d'Israël, élu par l'Éternel. Présent dans *La Cité de Dieu*, l'épisode est abondamment utilisé dans le *Serf arbitre* [3].

« *En quoi le libre arbitre a-t-il aidé Jacob ? En quoi a-t-il nui à Ésaü ? Puisque en vertu de la prescience et de la prédestination divines* (praescientia *et* destinatione), *il était établi, avant même qu'ils fussent nés et qu'ils eussent fait quelque chose, quel devait être le sort de chacun, à savoir que l'un devait servir et l'autre dominer* [4]. »

Calvin, dans le chapitre qu'il consacre à la prédestination dans l'*Institution de la religion chrétienne*, radicalise l'expression mais n'ajoute pas grand-chose au sens. Comment le pourrait-il ? Toute problématique de la grâce, de l'élection, de la prédestina-

---

1. *De l'autorité temporelle et dans quelle mesure on lui doit obéissance*, p. 79.
2. *De l'autorité temporelle...*, p. 87.
3. *La Cité de Dieu*, livre XVI, chapitre 36.
4. *Du serf arbitre*, p. 156.

tion est dans saint Augustin [1]. Calvin se contente de symétriser les concepts :

« Nous appelons predestination le conseil éternel de Dieu, par lequel il a déterminé ce qu'il vouloit faire d'un chascun homme. Car il ne les crée pas tous en pareille condition, mais ordonne les uns à vie éternelle, les autres à éternelle damnation. Ainsi selon la fin à laquelle est créé l'homme, nous disons qu'il est predestiné à mort ou à vie [2] »

Mais Calvin n'est ici qu'un exégète fidèle de Luther : l'histoire de Jacob et d'Ésaü constitue aussi le noyau de sa démonstration [3]. Plus tardive, née au milieu des affrontements, la théologie calviniste est clarifiée par la critique catholique qui met en évidence les implications inégalitaires du concept d'élection. Calvin, en position défensive, est contraint dans l'*Institution de la religion chrétienne* d'utiliser, pour le rejeter, le concept même d'inégalité.

« C'est donc faulsement et meschamment qu'aucuns accusent Dieu d'inégalité de justice, pource qu'en sa Predestination il ne fait pas tout un a tous hommes [4]. »

La réalité est niée, mais le mot est prononcé : inégalité.

La composante métaphysique de la Réforme implique donc la servitude et l'inégalité des hommes devant Dieu. Elle est un véritable négatif conceptuel de sa composante terrestre, qui exige la liberté et l'égalité des chrétiens face à l'ordre clérical.

Sur le plan terrestre, les notions d'égalité et de liberté sont logiquement associées ; le rejet de l'autorité des prêtres n'a de sens que parce que les chrétiens sont égaux : ils sont tous prêtres. Sur le plan métaphysique, les notions d'inégalité et d'autorité constituent aussi une totalité logique : dans le mécanisme de la prédestination, tel qu'il apparaît en particulier dans l'histoire de Jacob et d'Ésaü, le choix inégalitaire est l'expression privilégiée de l'autorité absolue de l'Éternel. Malgré l'existence de ces structures logiques globales combinant égalité et liberté, inégalité et autorité, il est possible de séparer les concepts

---

1. Et particulièrement dans ses réponses *Aux moines d'Adrumète et de Provence, Œuvres complètes*, t. 24, p. 311-323, 359-363, 573-585, 715-729, etc.

2. *Institution de la religion chrétienne*, t. 3, p. 62.

3. *Institution...*, t. 3, p. 66-71.

4. *Institution...*, t. 3, p. 83.

« métaphysiques » d'autorité et d'inégalité, les concepts « terrestres » de liberté et d'égalité pour observer comment la pensée protestante concilie les notions d'égalité terrestre et d'inégalité céleste, de liberté face à l'Église et de soumission à Dieu.

Protestantisme et liberté : un autoritarisme désincarné

Dès l'ouverture de *La Liberté du chrétien*, texte précoce puisqu'il date de 1520, Luther révèle que la relation du protestantisme à l'autorité ne va pas être simple. Il avance successivement deux propositions :

« Un chrétien est libre seigneur de toutes choses et il n'est soumis à personne. »

« Un chrétien est un serf corvéable en toutes choses et il est soumis à tout le monde[1]*. »*

Le reste du traité est une réflexion sur cette contradiction. La solution est pour Luther dans la dualité de la nature humaine, corporelle et spirituelle, dans la coexistence d'un homme extérieur et d'un homme intérieur[2]. Mais en dépit de certaines apparences rhétoriques, cette dualité n'oppose pas un homme extérieur serf à un homme intérieur libre. L'homme intérieur n'est libre que du monde extérieur. Il est soumis à Dieu par le mécanisme de la foi, cette foi qui seule sauve de la damnation, cette foi qui exige une perception de la toute-puissance de Dieu et de la petitesse de l'homme.

« Mais pour que tu sortes de toi-même et échappes à toi-même, c'est-à-dire à ta perdition, il te présente son cher fils Jésus-Christ, et il te fait dire par sa parole vivante et consolante que tu dois t'abandonner à lui avec une foi robuste et lui faire hardiment confiance ; alors, à cause de cette foi, tous tes péchés seront pardonnés, et tu seras droit, véridique, apaisé, juste et tu auras accompli tous les commandements, tu te seras libéré en toutes choses[3]*. »*

1. *La Liberté du chrétien*, p. 255.
2. Luther apparaît ici comme un véritable héritier de la tradition mystique rhénane et en particulier de Maître Eckhart. Sur la distinction entre « homme intérieur » et « homme extérieur », voir en particulier « L'homme noble » de Maître Eckhart, dans les *Traités*, p. 144-153.
3. *La Liberté du chrétien*, p. 259.

Cette liberté est vécue comme une soumission à l'autorité divine.

A ce stade, l'autoritarisme métaphysique protestant se heurte à un problème pratique : le rejet par l'homme intérieur de l'autorité extérieure de l'Église de Rome, telle qu'elle s'incarne dans son pape, ses évêques et ses prêtres. Le protestantisme veut une autorité *divine* puissante mais refuse la délégation du pouvoir divin à une institution humaine. La doctrine de Luther dessine donc une *case vide*, au-dessus de l'homme, mieux, au plus profond de l'homme, une instance de contrôle formidable dont les moyens d'expression ne sont pas définis. Un protestant dira qu'il perçoit les commandements de Dieu, un philosophe laïque considérera que ce protestant obéit à sa conscience ; un psychanalyste évoquera peut-être un contrôle de l'individu par le surmoi. Mais quelle que soit l'interprétation, le luthéranisme n'est jamais libéral ; il est autoritaire mais refuse l'exercice terrestre de l'autorité religieuse par les hommes.

Égalité présente, inégalité future

La coexistence des notions d'égalité terrestre et d'inégalité métaphysique pose en pratique peu de problèmes au protestantisme, l'égalité se situant dans le présent, l'inégalité – c'est-à-dire le couple damnation/salvation – dans le futur. Le décalage temporel assure la compatibilité des concepts. Certes, si l'on s'en tient à la lettre du protestantisme, l'inégalité métaphysique des hommes n'est pas à proprement parler située dans le futur mais hors du temps. Dieu est l'Éternel. Sa prescience est absolue. Le temps est pour lui une variable secondaire. L'élection des uns, le rejet des autres sont, à l'échelle de Dieu, situés dans l'éternité. Selon Luther, l'élection de Jacob, le rejet d'Ésaü précèdent leurs naissances. La théologie s'efforce de saisir le point de vue de l'Éternel. Mais les hommes ordinaires sont plus modestes : le salut et la damnation sont pour eux des perspectives, certes métaphysiques, mais également futures, décrivant leurs destins possibles *après la mort*.

Le refus de l'inégalité religieuse terrestre, de la supériorité du prêtre sur le laïc, est au contraire une exigence présente, immédiate. Mais cette égalisation des conditions religieuses dans le présent n'empêche aucunement l'inégalité future.

La nature du catholicisme : une contradiction inverse

La scission luthérienne oblige le catholicisme maintenu à se redéfinir. Comme le protestantisme, mais *contre* le protestantisme, le catholicisme doit stabiliser deux composantes de la vie religieuse : l'une terrestre, l'autre métaphysique. Or, parce qu'elle nie la Réforme sur les deux plans, la Contre-Réforme aboutit aussi, en toute logique, à une contradiction entre objectifs terrestres et métaphysiques, mais inverse de celle à laquelle le protestantisme était arrivé.

La Réforme exigeait la liberté et l'égalité des chrétiens sur terre par élimination du pouvoir des prêtres, mais affirmait l'inégalité métaphysique des hommes et l'autorité absolue de Dieu.

La Contre-Réforme exige la soumission et l'inégalité des chrétiens sur terre par acceptation du pouvoir des prêtres, mais elle affirme l'égalité métaphysique des hommes et leur liberté dans l'atteinte du salut ou de la damnation.

La composante terrestre du catholicisme : un élitisme religieux

L'objectif terrestre primordial de la Contre-Réforme catholique est le renforcement du monopole clérical de la vie religieuse. Le catholicisme aggrave en pratique la distinction entre prêtres et laïcs en fabriquant en série, pour la première fois sans doute dans l'histoire de la chrétienté, des curés de village conformes à l'idéal : éduqués et chastes. Fini le prêtre médiéval inculte et débauché, humain, si proche du laïc. Mais qu'on ne s'y trompe pas : l'effort nouveau de formation des prêtres catholiques est une mise en pratique du dogme de la spécificité du prêtre, s'opposant à la notion protestante d'un prêtre semblable au laïc. Du côté des laïcs, l'Église catholique développe, en réaction au protestantisme, une hostilité formidable à la diffusion des Écritures, une détestation instinctive du livre. Un laïc lisant la Bible, ou tout autre livre religieux, déclenche dans le monde catholique un réflexe de méfiance, débouchant ou non sur un acte de répression. Cette polarisation intellectuelle et sociale, qui refuse les livres aux laïcs et assure une meilleure formation aux prêtres, est bien une inversion de la pratique protestante. La composante terrestre du catholicisme est inégalitaire et autoritaire.

La composante métaphysique du catholicisme : l'égalité et la liberté

Sur le plan métaphysique, l'Église se définit aussi contre le protestantisme, mais avec une nécessaire prudence. Elle se présente en effet comme gardienne d'une orthodoxie, d'une tradition, dont le mécanisme de perpétuation dépend du principe de la succession apostolique. Elle ne peut évidemment pas excommunier rétroactivement saint Augustin, dont la pensée définit le dogme protestant de la prédestination, parce qu'il est l'un de ses saints, et aussi parce qu'il fut un évêque. Elle ne rejette pas purement et simplement la prédestination augustinienne, mais se contente de la mettre délicatement en veilleuse, fournissant ainsi pour des siècles du travail à ses théologiens. De Molina aux rédacteurs du *Dictionnaire de théologie catholique,* les penseurs de l'Église s'efforceront de rendre compatibles une conception molle de la prédestination et une vision nette du libre arbitre. Mais au-delà de toutes les précautions traditionalistes, le concile de Trente solidifie une théorie de l'égalité des chances métaphysiques et du libre arbitre qui refuse la prédestination.

Le concile confirme le caractère universellement salvateur du baptême, qui lave du péché originel et confère la grâce. « *Vous tous qui avez été baptisés, vous avez revêtu le Christ* [1]. » Le baptême catholique, administré immédiatement après la naissance, c'est l'égalité des chances, l'annulation pour *tous* les hommes de la chute d'Adam. Ce sacrement est incompatible avec l'idée protestante de prédestination qui suppose l'existence d'un destin de chaque homme fixé avant la naissance.

---

1. *Dictionnaire de théologie catholique,* t. 2, 1, article « Baptême », colonne 296, « Le baptême d'après le concile de Trente ».

Luther ne conserve que l'aspect formel du baptême, rite de passage populaire trop important pour qu'on le supprime franchement. Mais il précise dans son *Petit catéchisme* (1529), document à l'usage des masses, que le baptême *« opère la rémission des péchés, affranchit de la mort et du diable et donne le salut éternel* à tous ceux qui croient, *conformément aux paroles et aux promesses de Dieu* [1] » (c'est moi qui souligne). Sans la foi, le baptême n'agit pas. Sans l'élection, le sacrement est vide de sens. Le radicalisme protestant va plus loin ; dès 1525, les anabaptistes apparaissent dans la région de Zurich, dans le sillage de la Réforme zwinglienne, qui poussent la logique luthérienne à ses plus extrêmes conséquences en refusant le baptême des enfants et en n'acceptant que le baptême des élus.

Contre ces baptêmes protestants vidés de leur pouvoir salvateur, le baptême catholique affirme donc son efficacité rédemptrice. Mais tous les hommes baptisés par le catholicisme, également, n'ont pas un salut garanti. Lavés du péché originel, ils restent libres de se sauver ou de se damner. Tel est le dogme du libre arbitre, vigoureusement réaffirmé durant la sixième session (canon 5) du concile de Trente :

« Si quelqu'un prétend qu'après le péché d'Adam le libre arbitre de l'homme a été perdu ou détruit, que ce n'est plus guère qu'un mot, ou même un mot sans réalité par-derrière, ou encore une invention introduite par Satan dans l'Église, qu'il soit anathème [2]. »

L'homme peut faire le bien ou le mal, gagner ou non par ses œuvres la vie éternelle. Dieu ici n'est plus tout-puissant à chaque instant de la vie de l'homme. Il n'est plus ce personnage terrifiant dont les décrets sont sans appel. De la conception catholique du libre arbitre découle un ensemble d'attitudes et de rituels dans lesquels Dieu devient accessible à la négociation. Des intermédiaires sont certes nécessaires : l'Église bien sûr qui vend des indulgences et des messes pour les morts. Mais la Vierge et les saints peuvent aussi se charger de petites missions d'intercession auprès de Dieu, en faveur des simples mortels. Ces procédures, souvent baroques en apparence, sont cependant

---

1. *Petit catéchisme*, p. 22.
2. *Dictionnaire de théologie catholique*, t. 12, 2, article « Prédestination », colonne 2961.

liées logiquement au dogme du libre arbitre qui atténue l'autorité de Dieu.

Le couple baptême/libre arbitre du catholicisme définit donc une composante métaphysique égalitaire et libérale qui s'oppose à la composante terrestre, inégalitaire et autoritaire.

La coexistence des concepts terrestres et métaphysiques dans le système catholique

Sur le plan de la logique pure, le système catholique est aussi paradoxal que le système protestant. Il oppose inégalité terrestre et égalité des chances métaphysiques, autorité terrestre et liberté métaphysique, là où le protestantisme opposait égalité terrestre et inégalité métaphysique, liberté terrestre et servitude métaphysique.

La compatibilité du dogme de la supériorité du prêtre et de celui de l'égalité des chances métaphysiques ne pose pas de problème réel. Le choix de la prêtrise, ouverte à tous sur le plan des principes, peut être considéré comme l'un des moyens de faire librement son salut. Le choix ou le rejet d'une vocation religieuse n'est alors que l'un des mécanismes· différenciateurs menant les hommes, sortis égaux du baptême, vers le salut ou la damnation.

Mais l'on peut sans doute ironiser sur une construction théologique offrant une liberté abstraite et imposant une autorité concrète. Le canon cité du concile de Trente résume de façon pittoresque la dualité d'attitude du catholicisme vis-à-vis de la notion d'autorité : il punit très concrètement d'une excommunication tout refus de croire en l'existence de la liberté humaine. Cette contradiction ne mène cependant pas à un problème pratique : en système catholique, l'autorité est magnifiquement incarnée sur terre par une hiérarchie religieuse solidement organisée.

Le protestantisme voulait une autorité divine forte mais refusait son incarnation dans une institution humaine. Il créait un vide et un problème pratique. Le catholicisme, qui se contente d'une autorité divine atténuée mais délègue sa gestion à une institution humaine, ne crée pas un vide social autour de la notion d'autorité.

Les conditions de l'émergence

Le protestantisme une fois modélisé, reste à expliquer son implantation sélective dans certaines seulement des régions constituant l'Europe du début du XVIe siècle. L'acceptation de la Réforme par certaines populations et son refus par d'autres, entre 1517 et 1580, est un phénomène historique dépendant de la structure des sociétés locales, qui présentent ou non des affinités avec la structure de la doctrine protestante.

Les deux composantes religieuses		
	Composante terrestre : rapport à l'Église	*Composante métaphysique : rapport à Dieu*
Protestantisme	Libéral et égalitaire	Autoritaire et inégalitaire
Catholicisme	Autoritaire et inégalitaire	· Libéral et égalitaire

L'interprétation proposée, qui part d'une modélisation des systèmes religieux mettant en évidence deux composantes – l'une terrestre, l'autre métaphysique –, admet aussi l'existence de *deux niveaux de détermination*, et par conséquent de deux ordres de facteurs, correspondant respectivement aux conditions d'émergence de la composante terrestre et d'émergence de la composante métaphysique. L'implantation du protestantisme dans une région donnée suppose l'existence simultanée de facteurs positifs sur le plan terrestre et de facteurs positifs sur le plan métaphysique. L'absence de conditions favorables sur le plan terrestre *et* sur le plan métaphysique permet à l'inverse le maintien d'un catholicisme pur, archétypal. Mais l'on peut aussi concevoir et observer des situations locales de discordance combinant :

• soit des facteurs terrestres favorables au protestantisme et des facteurs métaphysiques favorables au catholicisme ;

• soit des facteurs terrestres favorables au catholicisme et des facteurs métaphysiques favorables au protestantisme.

Dans ces cas, particuliers mais assez nombreux et importants, chaque région finira par rejoindre un camp : mais un travail d'ajustement entre structures régionales et structures théologiques sera nécessaire, produisant d'intéressantes *déformations* culturelles ou religieuses.

Explication de la composante terrestre : alphabétisation, distance à Rome et à l'Allemagne

La première condition d'une contestation du pouvoir de l'Église est l'existence de laïcs capables de se passer des prêtres dans leur vie religieuse quotidienne, pouvant lire seuls les textes, qu'il s'agisse des Écritures saintes ou de résumés décrivant les dogmes et les rituels fondamentaux. La démocratisation de la conscience religieuse réclamée par le protestantisme présuppose donc un certain niveau d'alphabétisation des populations. Dans l'Europe du premier Moyen Age, la capacité de lire et d'écrire définissait le prêtre ; une équation implicite régnait : le clerc était l'alphabétisé. Savoir et religion se légitimaient mutuellement : le prêtre avait seul accès à une connaissance conçue comme à la fois savante et religieuse. Le progrès culturel, continu du XIᵉ au XVᵉ siècle, crée de plus en plus de laïcs capables de lire – nobles, bourgeois ou artisans. L'invention de l'imprimerie, vers 1450, accélère le processus. Son développement permet l'apparition d'une *nouvelle classe*, culturelle, celle des laïcs alphabétisés, qui n'est encore majoritaire nulle part au XVIᵉ siècle, mais dont la masse équilibre ou dépasse, dans certaines régions privilégiées, celle du monde des clercs. L'écriture cesse d'être le monopole de l'Église, sa diffusion entraîne la religion elle-même, portée par les Écritures, hors de l'Église.

La deuxième condition d'une contestation du pouvoir des prêtres est une force atténuée de la présence romaine concrète, se conjuguant à une certaine proximité du foyer réformateur allemand. Plus une société locale est proche de l'Allemagne, lieu de naissance du protestantisme, plus ses chances d'être atteinte par la doctrine luthérienne sont élevées. Tout point de la carte d'Europe peut être situé par rapport au couple antagoniste Rome/Wittenberg. Ainsi, d'un point de vue protestant, la Scandinavie, isolée de Rome par l'Allemagne, est particulièrement

bien placée ; mais l'Italie du Sud, isolée de l'Allemagne par
Rome, est particulièrement inaccessible.

Ces deux facteurs – alphabétisation, position par rapport au
couple antagoniste Rome/Wittenberg – expliquent à eux seuls
une bonne partie de la Réforme. Celle-ci naît dans l'une des

Le passage à la Réforme : les trois vagues		
Phase I : *L'épicentre*	1517	Les 95 thèses de Luther
	1520	Luther brûle la bulle d'excommunication papale
	1523-1531	*L'Allemagne :* les princes du Nord et les deux tiers des villes impériales passent à la Réforme
	1523-1529	*La Suisse :* Zurich, Berne, Bâle
	1524-1525	Guerre des paysans en Allemagne du Sud
Phase II : *La marche vers le Nord*	1527-1544	*La Suède,* qui entraîne *la Finlande*
	1530-1539	*Le Danemark,* qui entraîne *la Norvège*
	1533-1536	*Genève*
	1534	Schisme anglican
Phase III : *La marche vers l'Ouest*	1559	*La France méridionale* (premier synode réformé de France)
	1559-1560	*L'Écosse*
	1559-1572	*L'Angleterre :* mutation calviniste
	1566	*Les Pays-Bas :* soulèvement national et protestant contre l'Espagne

régions les plus avancées culturellement du continent, l'Allemagne du Centre et du Sud, où l'imprimerie fut inventée (voir
carte 22). Elle commence presque simultanément dans la Suisse
du Nord, région assez développée et germanophone. En une
dizaine d'années, l'ensemble du monde germanique est donc
touché. Dans une deuxième phase, la Réforme se répand sans
difficulté vers le nord, en Scandinavie, zone peu alphabétisée

22 – L'imprimerie en 1480

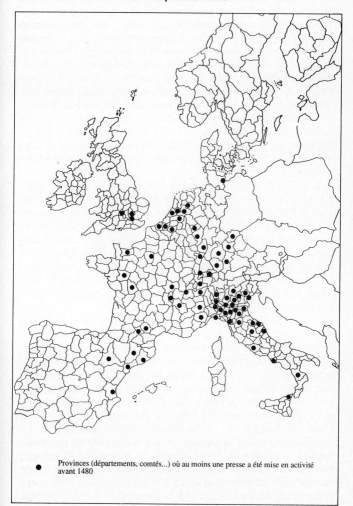

●   Provinces (départements, comtés...) où au moins une presse a été mise en activité avant 1480

sans doute, mais solidement accrochée à l'Allemagne par le commerce hanséatique. Dans une troisième phase, le protestantisme s'engage dans une marche vers l'ouest : la France méridionale, l'Écosse, les Pays-Bas, l'Angleterre sont touchés par une vague protestante prenant la forme radicalisée du calvinisme et non plus du luthéranisme. Il s'agit cette fois de régions relativement alphabétisées, sans être trop proches de Rome. Aux trois temps de la Réforme correspondent donc trois zones géographiques : l'Europe du Centre, celle du Nord, celle de l'Ouest. Une quatrième Europe, celle du Sud, n'est simplement pas atteinte par le protestantisme, qui reste insignifiant en Italie, en Espagne, au Portugal. A ce Sud fermement catholique doivent être ajoutées la France du Bassin parisien et de l'Ouest, ainsi que l'Irlande.

L'existence d'une longue zone frontière, allant de la Belgique à l'Autriche, à travers l'Allemagne rhénane et méridionale, à travers la Suisse centrale et méridionale, doit également être mentionnée. Un protestantisme précoce s'y développe, vite combattu et maîtrisé par les forces politico-militaires du monde catholique. L'empire des Habsbourg, centré sur l'Espagne, sert à l'Église de bras séculier. Dans toute cette zone, l'alphabétisation est assez ou très avancée (à l'échelle de l'époque), mais la puissance de l'Église romaine, présente sous une forme presque militaire, joue dans le sens du conservatisme.

Sans expliquer la totalité du phénomène religieux, alphabétisation et position par rapport au couple Rome/Wittenberg définissent des conditions nécessaires à l'émergence du protestantisme ou, plus précisément, de la composante terrestre du protestantisme, qui veut la liberté et l'égalité des hommes face aux prêtres et qui, par conséquent, rejette Rome. Mais on peut aisément mettre en évidence l'insuffisance de ce système causal, qui explique mal certains refus du protestantisme. Le cas de l'Italie du Nord et du Centre est particulièrement frappant. Le développement de l'imprimerie, et par conséquent de l'alphabétisation, y est presque aussi précoce et fort qu'en Allemagne, mais le luthéranisme n'y prend pas. Il reste même insignifiant dans cet univers culturel et social très dynamique, en renaissance depuis plus de deux siècles, où la capacité de lire déborde très largement le monde des clercs. L'Italie du Nord et du Centre est certes très proche de Rome et cette localisation géographique pourrait expliquer son immobilisme religieux. Mais elle est tellement proche que, dans son cas, on ne peut parler de pression exercée sur la région par l'Église. L'Italie de l'époque *est* Rome. Ses universités fournissent à l'Église et au concile de Trente ses théologiens et sa vivacité intellectuelle. Elle est le cœur de la Contre-Réforme, comme l'Allemagne est le cœur de la Réforme.

Autre version du même problème, le cas de la France du Nord, aussi avancée que la France du Sud sur le plan culturel, plus éloignée de Rome, plus proche de l'Allemagne, et qui pourtant devient très vite un bastion de la lutte antiprotestante, le lieu d'implantation de la Ligue catholique.

En réalité, trois fidélités au catholicisme seulement ne posent pas de problème : celle de l'Irlande, très retardée culturellement et située loin de l'Allemagne ; celles de l'Espagne et du Portugal, pays très moyennement développés et assez proches de Rome. Ailleurs, l'interprétation par les conditions culturelles et géographiques ne suffit pas.

Pourquoi ? Parce que le protestantisme ne réforme pas seulement la société religieuse, le rapport du chrétien à l'Église, mais aussi la métaphysique religieuse, le rapport de l'homme à Dieu. Or des conditions favorables à une telle entreprise métaphysique existent en Allemagne, en Suisse, dans la France méridionale ou en Suède, qui font défaut en Italie ou dans la France du Nord, régions dont le niveau de développement culturel aurait permis l'émergence du protestantisme, mais où un facteur métaphysique caché s'oppose à l'idéal luthérien du rapport de l'homme à Dieu.

Famille souche et acceptation de la métaphysique protestante

La pluralité des systèmes familiaux européens permet de comprendre la diversité des réactions régionales à la diffusion de la métaphysique protestante. Il existe en effet des relations nécessaires entre valeurs familiales et valeurs religieuses. Les métaphysiques protestantes et catholiques reflètent chacune fidèlement les valeurs de l'un des deux systèmes familiaux les plus importants d'Europe occidentale : la Réforme trouve ses points d'appui fondamentaux dans les régions de famille souche, la Contre-Réforme s'établit en pays de famille nucléaire égalitaire.

La structure familiale codifie le rapport des enfants au père et les rapports entre frères ; la métaphysique religieuse évoque le rapport des hommes à Dieu ou des hommes entre eux. Mais les valeurs d'autorité ou de liberté, d'égalité ou d'inégalité peuvent glisser du plan familial au plan métaphysique sans difficulté conceptuelle majeure. L'autoritarisme (ou le libéralisme) du père devient celui de Dieu ; l'inégalité (ou l'égalité) des frères devient celle des hommes. On peut donc formuler une hypothèse assez simple sur les réactions régionales à la métaphysique protestante et à la contre-métaphysique catholique. *La prédestination protestante, l'idée d'un Dieu tout-puissant et d'hommes inégaux devant le salut, a été acceptée facilement là où préexistait une organisation familiale incluant un père autoritaire et des frères inégaux, c'est-à-dire dans les pays de famille souche.* Symétriquement, la doctrine contre-réformée de l'égalité des chances métaphysiques et du libre arbitre a été défendue là où préexistait une organisation familiale comprenant un père libéral et des frères égaux, c'est-à-dire dans les zones de famille nucléaire égalitaire.

On retrouve ici le thème psychanalytique classique du père image de Dieu, mais sous une forme relativisée. Freud croyait en effet à l'unicité de la famille, et ne concevait aucunement une diversité possible des types familiaux, impliquant une diversité des images paternelles et par conséquent des images de Dieu. L'identification de Dieu au père ne peut d'ailleurs pas être considérée, raisonnablement, comme une découverte freudienne majeure, dans la mesure où les théologies chrétiennes sont sur ce point parfaitement explicites. Dieu est le père, les hommes sont ses enfants, présentation qui n'est pas seulement typique du catholicisme traditionnel mais aussi du calvinisme le plus élaboré ; la description que fait Calvin du mécanisme métaphysique de la prédestination révèle un familialisme explicite : les hommes sont présentés à de multiples reprises comme « les enfants de Dieu [1] ».

En un sens, l'histoire de Jacob et Ésaü, reprise par Luther et Calvin, donnait directement la clé du mystère protestant. Elle définit un système métaphysique, un rapport des hommes à Dieu, la prédestination, impliquant la soumission à l'Éternel et

1. *Institution...*, t. 3, p. 86, 91.

l'inégalité devant le salut. Mais le déroulement même du récit suppose l'existence d'un système familial spécifique, de type souche, combinant autoritarisme paternel et inégalité des enfants. Ici, le père est double, l'interface famille/métaphysique est explicite : il y a Isaac, le père terrestre, et il y a Dieu, le père céleste. Isaac, guidé par l'Éternel, transfère d'un fils à l'autre, par un acte d'*autorité* absolu, le droit de primogéniture, c'est-à-dire l'*inégalité*. La métaphysique protestante n'est compréhensible et acceptable que par des populations habituées à vivre en système de famille souche, à subir une autorité paternelle forte et à admettre une inégalité fraternelle marquée. L'histoire de Jacob et d'Ésaü, commentée par saint Augustin ou par Luther, évoque une primogéniture essentiellement spirituelle. Chez Calvin, le sens théologique subsiste, mais s'y ajoute un juridisme pesant qui ramène à la famille souche réelle, avec tous ses problèmes d'héritage : le vocabulaire de la succession matérielle est frappant dans l'*Institution de la religion chrétienne*. Une réflexion sur la légitimité de la primogéniture pratique est parfois repérable [1]. En fait, on sent affleurer chez Calvin une conscience de l'affinité du protestantisme à la famille souche terrestre, et non seulement à la famille souche des Écritures.

La vérification de l'association famille souche-protestantisme ne peut cependant être trouvée ni dans Freud ni dans Calvin. Elle ne peut être tirée que d'une analyse des faits sociaux et historiques : la diffusion du protestantisme à travers l'Europe semble effectivement guidée par l'existence ou la non-existence de structures familiales de type souche. Et la Réforme, lorsqu'elle s'étend au-delà des frontières définies par ce type anthropologique particulier, subit des déformations doctrinales.

La phase I du développement du protestantisme se produit en Allemagne, où les structures familiales de type souche, complètes ou incomplètes, constituent la totalité du fond anthropologique, et en Suisse, où elles comptent pour 88 %.

La phase II de la diffusion mène la Réforme en Scandinavie, où elle trouve, en Suède, 79 % de structures de type souche, ce

---

1. *Institution*..., t. 3, p. 67-68 sur la primogéniture. Sur le vocable juridique, voir le mot *héritage* ou *héritier* appliqué à des concepts métaphysiques, p. 64, 68, 71, 91, 96, le concept de « jouyssance » juridique, p. 86, etc.

Le poids de la famille souche

Part du territoire (en %) occupée
par des structures familiales de type :

	Souche	*Souche ou souche incomplet*
Allemagne	77	100
Suisse	76	88
Autriche	90	90
Suède	75	79
Finlande	25	25
Danemark	13	13
Norvège	50	50
France entière	32	51
France méridionale	70	80
Écosse	50	50
Angleterre-Galles	25	25
Pays-Bas	45	45
Belgique	0	100
Irlande	42	42
Italie	1	10
Espagne	31	31
Portugal	33	33

Ces pourcentages ne constituent que des ordres de grandeur, calculés d'après le nombre d'unités géographiques occupées par le type souche, ou souche incomplet, dans chacun des pays.
Dans le cas de la Norvège, il n'a pas été tenu compte des territoires sous-peuplés du Nord, dans celui de la Finlande des îles d'Ahvenanmaa, dans celui du Danemark de l'île de Bornholm.

qui vérifie bien l'hypothèse d'une association, mais seulement 13 % au Danemark, pays qui constitue donc la première exception au modèle. Les Réformes de la Norvège (50 % de famille souche) et de Finlande (25 %), téléguidées par le Danemark et la Suède, et concernant des populations alors minuscules, ne peuvent être considérées comme des phénomènes religieux autonomes.

La phase III, calviniste, met en évidence l'association la plus spectaculaire. Le protestantisme, présent mais non dominant en Flandre et en Artois, ainsi qu'en Alsace, se révèle incapable de pénétrer le Bassin parisien où domine la famille nucléaire égalitaire. Il le contourne par la Suisse pour s'implanter solidement dans la partie méridionale de la France, où les structures de type souche constituent 80 % du tissu anthropologique. Un arc protestant mène de Genève à La Rochelle, à travers les vallées du Rhône et de la Garonne. Cependant, de façon tout à fait significative, le calvinisme méridional n'arrive pas à prendre pied sur les bords de la Méditerranée, sur la côte languedocienne et provençale, où les structures familiales, communautaires ou nucléaires, sont toujours égalitaires. Marseille et la Provence maritime deviennent rapidement des citadelles ligueuses à l'époque des guerres de Religion (carte 23).

Dans les cas des Réformes néerlandaise, écossaise ou anglaise, autres éléments de la phase III, le protestantisme échappe partiellement à son terrain anthropologique préférentiel, mais subit en conséquence des déformations doctrinales d'ampleur variée.

La déformation : famille nucléaire absolue et arminianisme

L'entrée du protestantisme dans les régions de famille nucléaire absolue qui bordent la mer du Nord, au Danemark, en Écosse, en Hollande, en Angleterre, ne provoque aucun changement théologique immédiat. Luthéranisme et calvinisme viennent de s'arracher à la tradition syncrétique de l'Église : le premier souci des nouveaux protestants est de ne pas se distinguer de leurs frères aînés allemands ou suisses. Par la suite, aucun changement radical n'est réellement observable au Danemark et en Écosse, nations ne disposant pas de la masse critique

23 – Les luttes protestantes

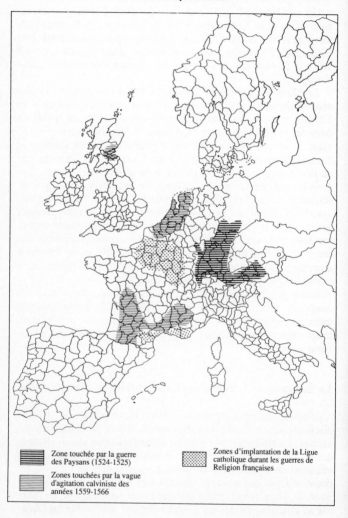

Zone touchée par la guerre des Paysans (1524-1525)

Zones touchées par la vague d'agitation calviniste des années 1559-1566

Zones d'implantation de la Ligue catholique durant les guerres de Religion françaises

– démographique, économique et culturelle – indispensable à une prise d'autonomie religieuse. Mais les Pays-Bas, dominés par la Hollande, et l'Angleterre atteignent cette masse critique. La Hollande est au cœur du développement économique de l'Europe ; l'Angleterre, moins avancée, représente par contre une masse démographique en elle-même suffisante et sa prise d'autonomie est favorisée par l'insularité.

Aux Pays-Bas, dès le début du XVIIe siècle, l'orthodoxie calviniste craque. Arminius, professeur de théologie à l'université de Leyde entre 1603 et 1609, remet en question le dogme de la prédestination. Il refuse de croire en l'existence d'un Dieu condamnant, avant même leur naissance, certains hommes à la damnation éternelle : il réintroduit, dans le monde protestant, l'idéal du libre arbitre et le salut par les œuvres. Après la mort d'Arminius, quarante-six pasteurs néerlandais signent la Remontrance, résumé de ses thèses. Au synode de Dordrecht, en 1618-1619, assemblée de réformés néerlandais, anglais, écossais, suisses, hessois et palatins, les arminiens sont condamnés, puis bannis par les États-Généraux, c'est-à-dire par le pouvoir civil. Mais, dès 1625, ils sont tolérés en Hollande, en particulier à Amsterdam, où ils construisent une église et un séminaire. Très minoritaires, ils colorent cependant le protestantisme néerlandais d'une nuance fort peu calviniste ou luthérienne [1]. L'arminianisme, qui rétablit le libre arbitre, affaiblit l'autorité de Dieu. Très logiquement, du point de vue de l'hypothèse associant métaphysique religieuse et structure familiale, il apparaît dans une région de famille nucléaire absolue, où l'autorité du père est atténuée. Le libéralisme paternel entraîne celui de Dieu.

Aux Pays-Bas, la famille nucléaire absolue n'occupe que 55 % du territoire, et l'évolution doctrinale vers l'arminianisme est bloquée. Mais en Angleterre, la famille nucléaire absolue constitue plus de 70 % du fond anthropologique : après une phase calviniste orthodoxe, allant de 1570 à 1620, l'arminianisme triomphe. A la veille de la révolution de 1640, la plupart des évêques anglicans sont arminiens, phénomène que l'on pourrait certes considérer comme un élément parmi d'autres d'une dérive catholique voulue par les Stuart. Mais face à la hiérarchie

1. Sur l'arminianisme, voir O. Chadwick, *The Reformation*, p. 220-221, et P. Chaunu, *Église, culture et société*, p. 302-303.

anglicane, les puritains, qui définissent la révolution anglaise, sont fréquemment arminiens. Comme l'écrit Christopher Hill : « *L'un des problèmes les plus fascinants de l'histoire intellectuelle de l'Angleterre du XVIIe siècle est l'effondrement du calvinisme. Comme s'il avait fini de jouer son rôle historique dans une société dominée par l'éthique protestante. Avant 1640, le calvinisme avait été attaqué sur la droite par les arminiens laudiens et sacramentalistes. Pendant la révolution, il fut attaqué par les arminiens rationalistes de gauche – John Goodwin, Milton, les quakers* [1]. »

En Angleterre, la déformation de la Réforme devient le phénomène majoritaire. L'idéal d'inégalité des hommes devant le salut n'est pas absolument rejeté, mais l'autorité divine faiblit. Elle ajuste sa force à celle de l'autorité paternelle, faible en système familial nucléaire absolu.

Les sectes anglaises de tendance arminienne – quakers, une bonne partie des indépendants (ou congrégationalistes) et les General Baptists – n'abandonnent pas le concept d'élection, qui implique l'inégalité des hommes. Mais l'élection semble moins pour eux l'effet d'un décret de l'Éternel que d'une autoproclamation, dont la manifestation typique est la « lumière intérieure » des quakers. Dieu n'est plus une autorité extérieure, il est fragmenté, présent dans l'esprit même des élus.

L'évolution doctrinale des réformés français, écossais ou gallois montre que l'affaiblissement du concept de prédestination n'est pas inscrit dans la logique interne du calvinisme. Les huguenots français, durant la même période, n'évoluent pas. Ils restent des calvinistes durs, attachés au dogme de la prédestination. Pourquoi ? Tout simplement parce que leur implantation régionale, dans la France méridionale, les attache à l'une des structures familiales de type souche les plus pures et les plus dures du continent : celle de l'Occitanie. L'autorité incontestée des pères occitans nourrit, sans relâche, celle de Dieu.

En Écosse, le jeu est plus subtil, mais aussi significatif. La répartition famille souche/famille nucléaire absolue est équilibrée. La famille libérale est à l'Est, la famille autoritaire à l'Ouest. La pénétration du protestantisme, qui se fait d'est en ouest, mène donc de la famille nucléaire absolue vers la famille

1. *The World Turned Upside Down*, p. 342.

souche. Or, dans le cas écossais, les années 1600-1640 voient s'opérer un *renforcement* de l'idéal calviniste. Le Sud-Ouest (GBS 12 et Sud de GBS 11) où domine la famille souche est le lieu d'implantation privilégié des covenanters, fraction protestante voulant une interprétation dure du calvinisme au moment même où la révolution anglaise le pulvérise au nom de concepts arminiens[1]. Les covenanters, qui ne représentent pas toute l'Écosse, et qui se heurtent à Cromwell, ne l'emportent pas. Mais l'Écosse, au contraire de l'Angleterre, reste calviniste, stabilité que l'on peut attribuer au poids relatif plus lourd de la famille souche dans sa composition anthropologique.

Le pays de Galles, où dominent des structures familiales de type souche, réagit comme l'Écosse occidentale. L'isolement linguistique retarde son passage au protestantisme, qui ne commence réellement qu'à la fin de la révolution puritaine, après l'élimination des royalistes qui le contrôlent. Mais par la suite, à deux reprises, le pays de Galles choisit la prédestination contre l'arminianisme, à l'occasion de deux scissions doctrinales significatives. Au XVIIᵉ siècle, la division du mouvement baptiste le contraint à un premier choix : c'est alors l'influence des Particular Baptists, tenants du dogme de la prédestination, qui se répand au pays de Galles, et non celle des General Baptists, de tendance arminienne[2]. Au siècle suivant, la division du méthodisme reproduit un clivage identique, et de nouveau le pays de Galles suit les prédestinationnistes de Whitefield plutôt que les arminiens de Wesley[3].

L'arminianisme n'est en général pas un retour au catholicisme. Sa composante métaphysique, qui réintroduit le libre arbitre, se rapproche considérablement de celle de l'Église de Rome. Mais sa composante terrestre, qui rejette autorité et supériorité des prêtres, reste clairement protestante. L'arminianisme laudien peut à la rigueur être considéré comme une tentative de rétablissement du catholicisme, puisqu'il veut combiner libre arbitre métaphysique et autorité terrestre des évêques. Mais l'ar-

1. Sur les zones de force des covenanters, voir T.C. Smout, *A History of the Scottish People*, p. 54-65.
2. Sur les Particular Baptists au pays de Galles, voir C. Hill, *The World Turned Upside Down*, p. 74.
3. Sur le choix prédestinationniste des méthodistes gallois, voir D. William, *A Short History of Modern Wales*, p. 59.

minianisme puritain, qui se développe durant la révolution, s'affaiblit lors de la restauration, pour s'épanouir à nouveau avec le
non-conformisme des années 1750-1850, est protestant par son
rejet de l'autorité terrestre d'une élite religieuse[1]. Il n'existe
donc pas de contradiction apparente entre les objectifs terrestres
et métaphysiques de l'arminianisme, du moins en ce qui concerne la notion d'autorité. Le protestantisme classique, luthérien
ou calviniste, voulait la soumission à Dieu et la liberté face à
l'Église. Le catholicisme contre-réformé exigeait la liberté
devant Dieu et la soumission à l'Église. L'arminianisme puritain
affirme la liberté de l'homme face à Dieu *et* face à l'Église. Ce
radicalisme libéral mènera très vite, aux Pays-Bas mais surtout
en Angleterre, à la tolérance religieuse par la prolifération des
sectes.

La résistance au protestantisme : la famille nucléaire égalitaire

La famille nucléaire égalitaire inversé, terme à terme, les
valeurs d'autorité et d'inégalité qui organisent la famille souche.
Elle est libérale dans les rapports parents-enfants, égalitaire pour
ce qui concerne les rapports entre frères. Elle est par nature hostile au protestantisme. Elle encourage une vision libérale du
Dieu-père et une représentation égalitaire des rapports entre les
hommes. Elle est le soutien anthropologique naturel de la métaphysique du concile de Trente, qui réaffirme l'universelle efficacité du baptême et le libre arbitre de l'homme dans la recherche
du salut. Effectivement, la Réforme ne parvient pas à pénétrer
les zones de famille nucléaire égalitaire. Au contraire : les trois
zones majeures dominées par ce type anthropologique – France
du Bassin parisien, Italie du Nord et du Sud, Espagne (dont il
faut ici exclure la bordure nord, atlantique et pyrénéenne) –
deviennent les trois pôles principaux de résistance au protestantisme. L'Italie du Nord fournit ses théologiens. La France du
Nord lève ses masses urbaines, déchaînées contre les huguenots.
L'Espagne envoie ses armées, qui, de la Belgique à la Rhénanie,

---

1. Même si John Wesley, le fondateur du méthodisme, se veut bon anglican, désireux de ne pas rompre avec l'Église établie.

bloquent militairement l'expansion de la Réforme dans l'une des zones les plus développées du continent.

En fait, si l'on met de côté quelques microrégions de Suisse francophone occidentale, où l'influence bernoise étend diplomatiquement la Réforme, le protestantisme ne prend pied dans aucune région de structure familiale nucléaire égalitaire.

La composante métaphysique sans la composante terrestre : l'échec du protestantisme dans certaines régions de famille souche

L'examen de la carte finale des sphères protestantes et catholiques révèle que le protestantisme n'a pas réussi à s'imposer dans toutes les régions de famille souche, qui constituent pourtant son terrain anthropologique et métaphysique privilégié. En fait, au plus fort de son expansion, lorsqu'il tient encore la plus grande partie de la France méridionale, il n'occupe que la moitié des régions de tempérament autoritaire et inégalitaire. Un peu partout en Europe, des zones de famille souche échappent à la pénétration du luthéranisme ou du calvinisme et restent catholiques : en Irlande, dans le Nord du Portugal et de l'Espagne, dans les hautes terres du Massif central et des Alpes françaises, suisses, allemandes ou autrichiennes, dans le Finistère breton. D'importantes régions de famille souche incomplète restent aussi dans l'orbite de Rome : la Belgique, la Rhénanie, la Vénétie. Dans tous ces cas, la présence d'un facteur métaphysique assez favorable (famille souche incomplète) ou très favorable (famille souche pure) n'a pas suffi. Ces échecs locaux du protestantisme peuvent être expliqués par le mécanisme de la double détermination qui exige, pour tout passage à la Réforme, simultanément des conditions métaphysiques *et* terrestres favorables. Les « conditions terrestres » sont 1° le niveau de développement culturel, et 2° la position géographique par rapport à l'axe Rome-Wittenberg.

Or, dans tous les cas cités, ces « conditions terrestres » sont défavorables. Le sous-développement culturel relatif rend compte de l'immobilité de l'Irlande, du Finistère français, du Nord de l'Espagne et du Portugal, des régions montagneuses de France, de Suisse, d'Allemagne ou d'Autriche. L'échec protes-

24 – Le protestantisme établi

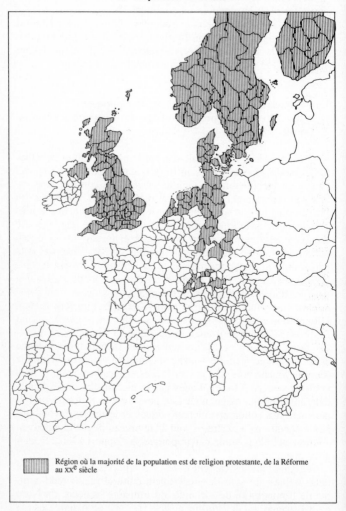

Région où la majorité de la population est de religion protestante, de la Réforme au XXe siècle

tant le long de l'axe Belgique-Rhénanie, ou en Vénétie, dans des régions très avancées, doit au contraire être considéré comme l'effet d'une mauvaise position dans l'espace, la notion de proximité à Rome devant être comprise dans un sens géopolitique plutôt que géographique pur. Dans cette zone se fait en effet sentir le poids de l'empire des Habsbourg, qui gèle par les armes la situation religieuse. Ébranlé par l'évolution de la société locale, le pouvoir de l'Église est maintenu par l'intervention de forces militaires partiellement étrangères, phénomène qui témoigne d'ailleurs de la fragilité de la Réforme émergente.

Lorsque la carte religieuse se stabilise, les régions de famille souche constituent 25 % du monde catholique, les régions de famille souche incomplète 13 %. La sphère catholique, qui survit surtout grâce à la résistance métaphysique de la famille nucléaire égalitaire, reste donc hétérogène du point de vue anthropologique : dans le tiers du monde catholique post-tridentin, les hommes ont des systèmes familiaux incluant des pères autoritaires et des frères inégaux. Du point de vue du modèle interprétatif associant famille et métaphysique religieuse, cette persistance de la famille souche à l'intérieur de la sphère catholique justifie la survie d'une composante théologique augustinienne dans l'Église. L'idée de prédestination des élus, d'un appel sélectif des hommes au salut, reste compréhensible et acceptable dans toutes les régions où l'un des frères seulement est appelé à recueillir l'héritage paternel.

Les systèmes familiaux minoritaires : inclusion et absorption

Deux grands types familiaux définissent le potentiel métaphysique de l'Europe, la famille souche et la famille nucléaire égalitaire. Or la carte du continent comprend quatre types familiaux. Elle révèle l'existence de la famille nucléaire absolue, de la famille communautaire, et de types spéciaux dans le Sud-Ouest de la péninsule Ibérique ou en Corse. Seules les régions de famille nucléaire absolue les plus indépendantes et les plus lourdes démographiquement – Hollande et Angleterre – ont pu définir leur tempérament métaphysique propre, par déformation du protestantisme. Ailleurs, les types familiaux minoritaires sont enclavés, obligés à un alignement métaphysique sur les types majoritaires. C'est le cas des régions de famille nucléaire absolue de l'Ouest intérieur français – six départements – qui doivent se contenter d'être simplement catholiques. C'est également le cas du type communautaire de l'Italie centrale, ou des types spéciaux du Sud-Ouest ibérique ou de Corse. Dans le monde protestant, la petite Finlande, communautaire par la tradition familiale, doit digérer le luthéranisme très orthodoxe imposé par la Suède. Il serait difficile, dans tous ces cas, d'identifier des spécificités métaphysiques locales. La famille communautaire d'Italie centrale, en particulier, s'aligne purement et simplement sur le monde catholique : elle se contente d'exprimer son égalitarisme, mettant en veilleuse son autoritarisme. La détermination de la composante métaphysique des systèmes religieux par la structure familiale n'est possible que si le type familial atteint une certaine masse critique, démographique et culturelle.

La double détermination

Le modèle qui vient d'être proposé pour expliquer l'émergence de la Réforme dans certaines régions seulement, et sa déformation dans quelques zones, tient compte de la double nature des systèmes religieux, qui incluent une composante terrestre et une composante métaphysique, définissant respectivement un rapport à l'Église et une relation à Dieu. A cette dualité correspond une dualité des déterminations : des facteurs « terrestres » conditionnent l'émergence de la composante terrestre (acceptation ou refus de la supériorité du prêtre), dont les plus importants sont l'alphabétisation des laïcs et la position par rapport au couple antagoniste Rome/Wittenberg. Un facteur « métaphysique », la structure familiale, conditionne l'émergence de la composante métaphysique : la famille souche favorise l'idée de prédestination, la famille nucléaire égalitaire les notions d'égalité des chances de salut et de libre arbitre. La famille nucléaire absolue mène au libre arbitre mais non à l'égalité des chances. En toute logique, la famille communautaire, qui n'est en Europe de l'Ouest nulle part assez massive pour exprimer ses valeurs, devrait affirmer une autorité divine absolue et le salut pour tous. La combinaison des conditions terrestres et métaphysiques engendre, dans chaque région, entre 1517 et 1580, une séquence historique spécifique, parfois complexe mais n'impliquant pas la notion de hasard. Quelques équations simples permettent de résumer les séquences principales :

1. La *famille souche* et des *conditions terrestres favorables à la contestation* du pouvoir des prêtres (forte alphabétisation et/ou grande distance à Rome) mènent au *protestantisme orthodoxe*. C'est l'évolution de l'Allemagne du Nord, de la Suisse du Nord, de la France méridionale, de la Suède.

2. La *famille nucléaire absolue* et des *conditions terrestres favorables à la contestation* du pouvoir des prêtres conduisent à un *protestantisme de nuance arminienne*, trajectoire observée en Hollande et surtout en Angleterre.

3. La *famille souche* et des *conditions terrestres défavorables à la contestation* du pouvoir des prêtres (faible alphabétisation et/ou faible distance à Rome) permettent le *maintien du catholicisme*, immobilité typique de l'Irlande, de la Rhénanie, de la côte nord de la péninsule Ibérique, des hautes terres du Massif central et des Alpes.

4. La *famille nucléaire égalitaire* et des *conditions terrestres favorables à la contestation* du pouvoir des prêtres permettent le *maintien du catholicisme,* stabilité dont les exemples les plus caractéristiques sont l'Italie du Nord et le Bassin parisien.

5. La *famille nucléaire égalitaire* et des *conditions terrestres défavorables à la contestation* du pouvoir des prêtres permettent aussi le *maintien de l'emprise catholique*. Ce cas de figure peut être observé en Espagne du Centre et du Sud, ainsi qu'en Italie du Sud.

Seules les séquences 1 et 5 présentent des situations de concordance, dans lesquelles la région considérée présente soit toutes les conditions favorables au protestantisme, métaphysiques et terrestres, soit toutes les conditions favorables au maintien du catholicisme. Les séquences 2, 3 et 4 correspondent au contraire à des situations de discordance dans la mesure où le choix d'un camp par une région ne tient pas compte soit des conditions terrestres, soit des conditions métaphysiques, et implique par conséquent une déformation de la composante terrestre ou de la composante métaphysique du système religieux choisi.

La séquence 2, dans laquelle le protestantisme se greffe sur la famille nucléaire absolue, qui n'est pas son terrain anthropo-

logique et métaphysique préférentiel, mène à une modification
de la composante métaphysique. Le dogme de la prédestination
cède. La structure familiale, libérale et non égalitaire, impose
des valeurs spécifiques qui se combinent au rejet de l'Église
catholique pour aboutir à la définition d'un troisième système
religieux, l'arminianisme. Cette troisième force comprend une
composante terrestre libérale et égalitaire et une composante
métaphysique libérale mais non égalitaire.

La séquence 3, dans laquelle la famille souche n'empêche pas
la persistance du catholicisme, aboutit peut-être aussi à la définition d'un système religieux spécifique, enclavé dans la sphère
géographique contrôlée par l'Église de Rome. La logique du
modèle explicatif suggère l'existence, dans les régions de
famille souche restées catholiques, d'une composante métaphysique incluant une image autoritaire de Dieu et une vision
inégalitaire des chances de salut, reflets, respectivement, de l'autorité paternelle forte et de l'inégalité fraternelle marquée
typiques de la famille souche. Cette métaphysique augustinienne
latente se combinerait localement à la composante terrestre normale du catholicisme, autoritaire et inégalitaire, exigeant la soumission des hommes aux prêtres. Un tel système religieux com-
porterait donc, *simultanément, une composante terrestre
autoritaire et inégalitaire et une composante métaphysique autoritaire et inégalitaire.* Le parfait accord existant entre les conceptions terrestres et métaphysiques de l'autorité ou de l'inégalité justifie, pour ce nouveau système, le nom de *catholicisme
harmonique* (qui s'oppose au *catholicisme classique,* libéral et
égalitaire dans ses conceptions métaphysiques, autoritaire et inégalitaire dans sa vision de la vie religieuse terrestre).

Le *catholicisme harmonique* est presque une inversion de l'arminianisme, qui combine une vision libérale de l'autorité divine
et une vision libérale de l'autorité du prêtre. Le caractère *harmonique* de l'arminianisme est cependant imparfait dans la mesure
où aucun égalitarisme métaphysique affirmé ne correspond à son
égalitarisme terrestre. Cependant, si l'on s'en tient à la seule attitude vis-à-vis de l'autorité, *arminianisme* et *catholicisme harmonique* doivent être considérés comme des négatifs l'un de l'autre,
également harmoniques, le premier affirmant la liberté de
l'homme face à Dieu *et* face à l'Église, le second exigeant la
soumission de l'homme à Dieu *et* à l'Église. L'histoire ultérieure

de l'Europe permettra de démontrer la pertinence de ces identifications et caractérisations : l'arminianisme, qui rejette en fait toute autorité transcendante, apparaîtra vite comme l'un des systèmes religieux les plus souples et tolérants du continent, le catholicisme harmonique, qui combine autorité du prêtre et autorité de Dieu comme l'un des plus rigides et solides. Il n'est pas possible de démontrer l'existence de ce *catholicisme harmonique* dès le XVIe ou le XVIIe siècle, mais le destin des régions de famille souche restées catholiques révélera assez son importance et son autonomie. Nulle part ailleurs en Europe, la foi religieuse ne résistera aussi longtemps au processus final de déchristianisation.

Quatre systèmes religieux		
Autorité du prêtre / *Autorité de Dieu*	*Forte*	*Faible*
Forte (famille souche)	Catholicisme harmonique	Protestantisme classique luthérien/calviniste
Faible (famille nucléaire)	Catholicisme classique	Protestantisme arminien

Un tableau simplifié résumant l'attitude des quatre systèmes religieux principaux vis-à-vis de la seule notion d'autorité, terrestre ou métaphysique, cléricale ou divine, permet une représentation synthétique de la fragmentation religieuse de l'Europe.

Dans la séquence 4, l'existence de conditions terrestres favorables à la contestation du pouvoir des prêtres n'empêche pas la fidélité à Rome : la logique métaphysique l'emporte sur la logique terrestre, la famille nucléaire égalitaire sur l'alphabétisation ou la distance à Rome. Cette séquence implique elle aussi un processus d'ajustement qui n'aboutit pas cette fois à la définition d'une nouvelle composante métaphysique. Ce sont les conditions terrestres qui doivent être adaptées, mises en ordre par l'Église. La position géographique n'est évidemment pas modifiable ; mais le dynamisme culturel, toujours susceptible de nourrir la contestation du pouvoir des prêtres, peut être contrôlé, ou même cassé. L'Italie du Nord est de ce point de vue exemplaire. Catholique par son potentiel anthropologique et métaphysique – égalitaire et libéral –, elle ne l'est pas par ses conditions terrestres de zone très développée culturellement. Elle sera rapidement mise en état de sous-développement culturel, hors d'état de définir une culture religieuse indépendante de l'appareil ecclésiastique. Symétriquement, les protestantismes de l'extrême Nord, scandinaves ou écossais, dont l'émergence avait été favorisée par l'éloignement géographique malgré le sous-développement culturel marqué, mettront la totalité des conditions terrestres en accord avec le dogme protestant, en lançant des campagnes d'alphabétisation massives, en créant les conditions d'apparition d'une culture religieuse indépendante des prêtres. Les composantes terrestres des systèmes religieux catholiques ou protestants définissent donc non seulement deux conceptions du rôle du prêtre, mais aussi deux visions de la culture laïque et deux attitudes vis-à-vis du processus d'alphabétisation. Les effets progressistes du protestantisme, réactionnaires du catholicisme en ce domaine, seront étudiés en détail au chapitre 4, consacré au progrès scientifique et au phénomène de l'alphabétisation de masse.

L'analyse en deux composantes des systèmes religieux – l'une terrestre, l'autre métaphysique – permet de saisir et d'expliquer, simultanément, la cassure en deux de l'Europe et l'émergence de plusieurs variétés de protestantisme et de catholicisme.

La composante terrestre est responsable d'un clivage simple, qui coupe en deux l'Europe. Au Nord, le monde réformé refuse d'accorder au prêtre un rôle spécifique, exige la liberté et l'égalité des hommes face à l'Église. Au Sud, le monde catholique renforce l'autorité du prêtre sur le laïc, la soumission de l'homme à l'Église.

La composante métaphysique n'engendre pas une division aussi simple du continent. A chacun des quatre types familiaux principaux pourrait en théorie correspondre une composante métaphysique spécifique. Cette diversité des composantes métaphysiques possibles fissure intérieurement les mondes protestant et catholique. La complexité de la carte des structures familiales, qui casse souvent les États en plusieurs sous-régions, démultiplie sur le plan géographique la fragmentation métaphysique du protestantisme et du catholicisme.

Protestantisme et ordre social

La Réforme fut une révolution religieuse et il serait absurde de chercher dans les affrontements du XVIe siècle les objectifs sociaux et politiques typiques du XXe. Catholiques et protestants ne se combattent pas au nom d'idéologies prônant ou refusant l'égalité des conditions sociales ou l'intervention de l'État dans la vie économique. L'égalité d'accès aux Écritures ou à la vie éternelle constitue alors un vrai, un *réel* problème, non l'égalité du revenu disponible après impôt. La question de l'autorité de Dieu et des prêtres, non celle de l'autorité de l'État, inquiète et agite les hommes du temps. Mais il serait presque aussi absurde d'affirmer que les concepts d'égalité ou d'inégalité, d'autorité ou de liberté qui sous-tendent les affrontements religieux, ne peuvent pas glisser hors de leur champ d'application initial et s'étendre à la perception du monde social, composé alors, très concrètement, de nobles, de marchands, d'artisans, de paysans et, bien sûr, de prêtres. En 1524-1525, moins de huit ans après la déclaration de guerre de Luther à la papauté, la guerre des Paysans déstabilise l'Allemagne méridionale et centrale. Il est donc légitime et utile de s'interroger sur la réception du message protestant par les diverses catégories sociales. Le problème ne peut être que complexe : le message protestant est en effet double. Il est égalitaire et libéral pour ce qui concerne le rapport des hommes à l'Église, autoritaire et inégalitaire pour ce qui concerne le rapport des hommes à Dieu. Comment la société du XVIe siècle, contenant, comme toute société préindustrielle, des inégalités matérielles importantes et des structures d'autorité fortes, peut-elle réagir à cette attitude religieuse ambivalente vis-à-vis des notions d'autorité et d'égalité ? La réception du message ne peut être que différentielle, chacune des catégories sociales réagissant de façon spécifique. Avant d'examiner la diversité des réceptions possibles, l'extension de la société concernée doit être précisée. Seuls les alphabétisés ont accès à la nouvelle problématique et il est inutile de spéculer sur l'attitude de la section analphabète de la société, dont la masse varie selon les régions. Chez ceux qui ne savent pas lire, le soutien au catholicisme peut découler de la simple passivité. Si l'on met de côté les cas des régions les plus développées – Allemagne méridionale et Italie du Nord –, les paysanneries européennes doivent être considérées comme hors jeu. La culture écrite ne les a pas encore atteintes au XVIᵉ siècle. Symétriquement, nobles et marchands peuvent être alors considérés comme uniformément alphabétisés, même si l'on peut supposer l'existence de quelques noblesses ignorantes sur la périphérie du système européen. Le degré d'alphabétisation des couches artisanales urbaines doit être considéré comme essentiellement variable, élevé dans les régions développées du continent, bas dans les régions excentrées. La concentration et la sociabilité urbaine permettent cependant un accès local de tous aux nouveaux concepts, les individus alphabétisés servant de relais à l'ensemble du monde populaire[1]. L'examen des niveaux d'alphabétisation indique donc que seuls les milieux nobles et urbains, ainsi qu'une partie des mondes paysans d'Allemagne et d'Italie, pouvaient être touchés par la crise protestante. L'analyse des luttes de l'époque confirme ces présupposés : on y voit des nobles et des villes, les paysans du monde sud-germanique et rien d'autre.

Une hypothèse fausse : la spécificité bourgeoise

La diffusion de la problématique marxiste n'a pas encouragé une perception exacte des affrontements du XVIᵉ siècle. Acceptée ou rejetée, la conceptualisation marxiste attire l'attention sur des éléments secondaires et détourne le regard des clivages fondamentaux. Un livre aussi fin et peu systématique (pour ne pas dire contradictoire) que *L'Éthique protestante et l'esprit du capitalisme*, de Max Weber, accroît en fait la confusion en renforçant la croyance en une affinité bourgeoise au protestantisme. Weber étudie une petite bourgeoisie « calviniste » plutôt que des grands marchands « opportunistes ». Mais il insiste quand même sur le

1. Sur la diffusion de l'écrit en milieu urbain, voir R. Chartier, « Stratégies éditoriales et lectures populaires, 1530-1660 », p. 101-117.

rôle des villes et de la modernité urbaine. Or une étude exhaustive, européenne, de la carte du soulèvement protestant et du contre-soulèvement catholique montre assez qu'il n'y eut, à aucun moment, une aptitude spécifique des villes à la Réforme. Protestantes dans le monde germanique ou le long de la vallée de la Garonne, les cités sont farouchement catholiques dans le Bassin parisien ou en Italie. Elles expriment le tempérament d'une région, non les aspirations d'une classe particulière, que celle-ci soit la grande ou la petite bourgeoisie. Les villes permettent certes la circulation des idées, mais de *toutes* les idées, protestantes en région de famille souche (si le niveau régional de développement le permet), catholiques en région de famille nucléaire égalitaire.

Une classe révolutionnaire : la noblesse

L'impossibilité d'une approche marxiste n'implique pas que l'on renonce, globalement et définitivement, à situer socialement la Réforme, à identifier une classe spécifiquement porteuse des idéaux luthériens puis calvinistes. Le plus simple et le plus sûr, pour réaliser cette identification, est d'écouter Luther. C'est par un *Appel à la noblesse chrétienne de la nation allemande* qu'il met la Réforme en marche. Et c'est bien la noblesse qui attaque l'Église, sécularise ses biens et ses terres, détruit son organisation. Le laïc qui s'émancipe de la tutelle du prêtre, c'est d'abord et surtout le noble, au terme de près d'un millénaire de soumission spirituelle. La Réforme est un règlement de comptes entre les deux premiers ordres issus du Moyen Age, entre ceux qui prient et ceux qui combattent. La sécularisation des terres ecclésiastiques inverse puis annule un très vieux mécanisme d'exploitation de la noblesse par l'Église. L'aristocrate ou le chevalier analphabète du Moyen Age, terrifié par la perspective du Jugement dernier et de l'Enfer, achetait au clergé sa place au Paradis. Un testament du xie siècle peut illustrer la domination exercée par le clergé sur la noblesse :

« La miséricorde divine qui toujours ramène les errants sur la voie du salut et inlassablement arrache les hommes à la domination de l'antique exterminateur afin de les conduire à la joie suprême et éternelle, a jugé bon de m'inspirer au fond du cœur,

*pour le remède de mes péchés, l'offrande à Dieu d'une part de
ce qu'il m'a donné. C'est pourquoi, moi, Guillaume, chevalier,
pour le salut de mon âme, je donne à Dieu, à St. Pierre et Paul
et à* Cluny, *où l'abbé Hugues sert plus qu'il ne dirige, une partie
de ce que j'ai acquis par droit héréditaire de mes ancêtres,
c'est-à-dire la moitié des revenus d'une église... je donne aussi
la maison adjacente ... la moitié d'un pré... une colonge très fer-
tile et tout ce qui en dépend, terre cultivée et inculte, avec les
prés, les viviers, les forêts et les eaux courantes* [1]... », etc.

Autant que le bourgeois, l'artisan ou le paysan, le noble fut
exploité par le prêtre. La liquidation du premier ordre médiéval,
le clergé, bénéficie au second, la noblesse.

La dimension égalitaire et libérale du protestantisme, qui concerne la vie religieuse terrestre, ne peut donc que plaire à la
noblesse. Pas plus cependant qu'aux bourgeois et artisans des
villes. Ce qui crée une affinité spécifique de la noblesse au protestantisme, c'est aussi une acceptation enthousiaste et simultanée de la deuxième composante, métaphysique, de la doctrine,
qui insiste sur l'autorité de Dieu et l'inégalité des hommes
devant le salut. Cette représentation autoritaire et inégalitaire de
l'au-delà s'accorde merveilleusement avec la vision nobiliaire de
la société, qui, *par définition*, exige l'inégalité des conditions et
la soumission absolue des inférieurs aux supérieurs. L'idée protestante d'une essence transcendante des élus de Dieu recoupe
celle d'une essence noble, qualitativement différente de celle de
l'homme du commun. L'homme noble est donc doublement à
l'aise dans la doctrine protestante, qui détruit sa soumission au
prêtre sans exiger l'égalité des hommes.

L'analogie de structure entre idéologie nobiliaire et métaphysique protestante n'est pas l'effet d'un hasard mais d'une
commune origine : la famille souche, autoritaire et inégalitaire,
qui favorise la diffusion de la métaphysique protestante et définit
le lignage noble.

La définition d'un héritier, du nom et du château est en effet
l'une des préoccupations majeures de la noblesse. Toutes les
aristocraties régionales n'ont pas mis en place, au lendemain de
l'an mille, un mécanisme officiel de primogéniture, assurant au

---

1. A. Bernard et A. Bruel, *Recueil des chartes de l'abbaye de Cluny*,
n° 3000, p 196-197.

seul aîné la transmission du patrimoine [1]. Dans certaines régions subsistent, *en milieu noble*, des règles d'héritage formellement égalitaires. Mais l'usage, dans ces provinces, complète les imperfections du droit : le célibat des cadets assure le plus souvent l'indivision des biens. En fait, la *famille souche incomplète* caractérise le plus souvent la noblesse de ces régions [2].

Ce rapport particulier de la noblesse à la famille souche permet de comprendre la compatibilité de deux hypothèses sur l'acceptation différentielle du protestantisme : celle qui associe Réforme et famille souche, celle qui associe Réforme et noblesse. *En pratique, la noblesse constitue souvent une classe particulièrement nombreuse dans les régions dominées par un idéal anthropologique du type famille souche.* Il s'agit alors d'une petite noblesse, parfois proliférante.

En région de famille souche, un idéal lignager domine, du haut en bas de l'échelle sociale. Les paysans définissent, comme les rois, *un aîné*, héritier de la maison et de la terre. Il est donc naturel d'observer, dans un tel système culturel, une gradation fine des conditions sociales, une transition imperceptible entre les strates supérieures d'une paysannerie lignagère et les strates inférieures d'une noblesse souvent désargentée. Ces sociétés locales, obsédées par la continuité des familles, la séparation des lignages (ou des races, comme on disait au XVIe siècle), ont, paradoxalement, un système de valeur homogène, accepté par toutes les catégories sociales. En région de famille nucléaire égalitaire au contraire, seul le peuple, paysan ou bourgeois, accepte et vit le système familial dominant. La noblesse s'isole de la masse par ses pratiques de primogéniture. Elle est alors souvent une aristocratie matériellement puissante mais peu nombreuse, coupée du reste de la société par ses valeurs et ses mœurs.

L'examen des faits historiques confirme l'existence de ces interactions complexes entre famille souche, prolifération nobiliaire et protestantisme. Les régions particulièrement actives dans le développement de la Réforme présentent en général

1. Sur l'émergence du célibat des cadets dans la noblesse, vers le XIe siècle, voir G. Duby, *Le Chevalier, la femme et le prêtre*, chap. 5.
2. Pour la définition de la famille souche incomplète, cf. *supra*, chap. 1, p. 54.

simultanément les trois caractéristiques. L'Allemagne, bien sûr, est un monde de famille souche, de luthéranisme, mais aussi celui d'une petite noblesse de chevaliers, nombreuse, pauvre, agitée, fournissant traditionnellement à l'Europe une bonne partie de ses mercenaires[1]. Même configuration dans le Sud-Ouest de l'Écosse, farouchement calviniste, où les *lairds*, propriétaires terriens à peine distincts de leurs paysans, animent le mouvement radical des covenanters[2]. Même situation en France où l'abondante noblesse du Midi s'engage sans trop d'hésitation dans le camp réformé ; on peut considérer que les trois quarts de la noblesse du Languedoc adoptent la cause protestante[3]. Cette affinité de la classe militaire au protestantisme est pour la Réforme un atout important, un facteur de puissance capital : l'adhésion de bon nombre de gentilshommes explique souvent l'exceptionnelle résistance d'un protestantisme qui ne contrôle souvent que des territoires de faible étendue. Phénomène particulièrement évident dans le cas de la France, où les protestants, qui n'occupent jamais plus d'un quart du territoire, font jeu égal, pendant trente ans, avec les catholiques dans le domaine militaire.

L'association noblesse-protestantisme n'est bien sûr pas absolue. En Suède, en Suisse, le protestantisme est confronté à des noblesses numériquement faibles. Mais, dans ces cas précis, la petite noblesse est remplacée par une paysannerie particulièrement sûre de sa puissance et possédant, en Suède comme en Suisse, des droits spécifiques de représentation politique et une exceptionnelle tradition militaire. Et bien sûr attachée au principe de la famille souche.

On peut trouver des cas de petites noblesses proliférantes mais non protestantes : en Bretagne occidentale ou dans le Nord de l'Espagne. Mais il s'agit alors de zones peu développées culturellement, éloignées d'Allemagne, hors de portée de la révolution religieuse. On y observe cependant très bien l'association entre famille souche et abondance nobiliaire, bien connue dans

---

1. Sur la petite noblesse allemande, voir J.-P. Cuvillier, *L'Allemagne médiévale*, t. 2, p. 56-95.

2. Sur les *lairds*, voir T.C. Smout, *A History of the Scottish People*, p. 126-128. Les *lairds*, petits rentiers du sol, ne sont en théorie ni nobles ni paysans.

3. P. Miquel, *Les Guerres de Religion*, p. 336.

le cas de la Bretagne, encore plus spectaculaire dans le cas de l'Espagne du Nord[1]. Au Pays basque, un état limite est atteint : la famille souche domine, sous la forme d'un type particulièrement net et conscient. Et en Guipuzcoa, toute la population est réputée noble[2].

Le triangle logique *famille souche - petite noblesse - protestantisme,* sans être toujours présent, apparaît suffisamment souvent, complet ou partiel, pour que l'on soit certain de son existence. La famille souche doit être considérée comme le sommet dominant, déterminant. C'est évident dans le cas du protestantisme, qu'elle précède et favorise. Mais il faut aussi admettre que la famille souche précède logiquement l'émergence d'une petite noblesse nombreuse. L'idéal lignager, présent dans la société locale, favorise le développement d'une stratification fine incluant une haute paysannerie et une basse noblesse massives et concurrentes.

La paysannerie allemande face au protestantisme

La réception du double message protestant par les strates inférieures de la société, exploitées par toutes les autres et non seulement par le clergé, crée très rapidement en Allemagne une tension révolutionnaire. La composante terrestre de la doctrine protestante, qui réclame la liberté et l'égalité des chrétiens face aux prêtres, est très rapidement interprétée comme une revendication générale, sociale, de liberté et d'égalité. Dès 1524, les paysans souabes rédigent douze articles, qu'ils diffusent par la voie de l'imprimerie, signe objectif d'une certaine alphabétisation des campagnes allemandes du Sud à l'époque de la Réforme. Le premier article réclame le droit pour les paysans de choisir et d'élire leurs prêtres, revendication qui annonce bien sûr la liquidation de la dîme, proposée par l'article 3. La plupart des articles concernent des revendications à la fois symboliques et matérielles : suppression de privilèges nobiliaires comme le droit de chasser, de pêcher, de lever taxes et corvées. L'article 2

1. Sur la prolifération nobiliaire bretonne, voir J. Meyer, *La Noblesse bretonne,* p. 32 ; dans le cas de l'Espagne voir E.N. Williams, *The Ancien Régime in Europe,* p. 100-101.
2. Pour le Pays basque, E.N. Williams, *op. cit. ,* p. 101.

est le plus significatif puisqu'il réclame l'abolition du servage :
*« Il ne doit plus y avoir de serfs parce que le Christ nous a tous
libérés. »* Ce projet, plus que les autres, provoque la colère de
Luther :

> *« Cet article prétend rendre tous les hommes égaux et trans-
> former le royaume spirituel du Christ en un royaume temporel,
> mondain et extérieur, ce qui est chose impossible. Car le
> royaume du monde ne peut exister sans l'inégalité entre les per-
> sonnes, les unes étant libres, les autres captives, les unes des
> maîtres, les autres des sujets* [1] *», etc.*

Mais il est trop tard. La contestation par la noblesse de la
supériorité du prêtre mène naturellement à une contestation par
la paysannerie de la supériorité du noble. La religion est alors la
seule et véritable matrice idéologique de la société : une révolution dans le domaine religieux ne peut que mener à une révolution dans le domaine social. Même si le soulèvement paysan
aboutit très vite à l'échec, à un écrasement par les armées
nobles.

Il serait cependant inexact de voir dans la guerre des Paysans
l'expression simple et univoque d'un libéralisme égalitaire.
L'examen de la production doctrinale de Thomas Müntzer, le
plus actif des intellectuels associés au mouvement, massacré
avec un groupe paysan de Thuringe en 1525, montre le caractère
inconcevable de l'égalité pour les groupes protestants radicaux.
Plus encore que Luther, Müntzer est obsédé par le thème de
l'élection, c'est-à-dire par la nécessaire inégalité métaphysique
des hommes. Cette métaphysique inégalitaire, typique du protestantisme, s'oppose à la conception d'un projet social égalitaire.
Pour Müntzer, comme pour les anabaptistes, comme pour toutes
les sectes radicales qui fleuriront durant la longue histoire du
protestantisme, le rejet de la société présente ne peut que mener
à la définition d'un nouvel inégalitarisme : à la fondation d'une
Ligue des élus dans le cas de Müntzer, c'est-à-dire d'une secte
comme on en verra proliférer dans l'Angleterre révolutionnaire
du XVIIᵉ siècle [2]. Lorsqu'il passe du monde religieux au monde

---

1. Luther, *Exhortation à la paix en réponse aux douze articles des paysans de Souabe,* p. 229-231.
2. N. Cohn, *The Pursuit of the Millenium,* p. 238, et P. Janton, *Voies et
visages de la Réforme au XVIᵉ siècle,* p. 170 et 172.

social, le message protestant conserve sa dualité. Dans le monde religieux, la composante terrestre du protestantisme exige, *au présent*, l'égalité et la liberté des chrétiens ; la composante métaphysique définit, *au futur*, une inégalité des hommes devant le salut, exprimant l'autorité de Dieu. La transposition sociale est parfaite : le radicalisme protestant refuse l'autorité et l'inégalité du monde présent, la supériorité de la noblesse, mais il ne peut que définir un futur autoritaire et inégalitaire : une secte, société séparée vivant dans la discipline sa supériorité par rapport au monde, une autre noblesse.

CHAPITRE IV

Décollage culturel
et alphabétisation

La stabilisation religieuse de l'Europe, évidente dès 1580, ne mène pas le continent à l'immobilité. La Réforme ouvre au contraire une période d'accélération du développement européen, phénomène beaucoup plus sensible dans le domaine de la culture que dans celui de l'économie. Aucune accélération au sens strict n'est repérable dans les secteurs agricoles, industriels ou marchands. La production et l'échange s'y développent, mais sans que les rythmes de croissance médiévaux soient substantiellement modifiés. Par contre, le XVIIᵉ siècle est l'âge de la révolution scientifique, durant lequel l'Europe échappe à toutes les vieilles cosmogonies et définit une vision mathématisée de l'univers. Dès 1687, la physique newtonienne achève cette réorganisation du monde [1]. La révolution scientifique est l'œuvre d'un nombre limité de savants, mais il est difficile de ne pas sentir, dans la rapidité et la complémentarité des recherches, la logique d'une évolution intellectuelle dépassant les individus. La logique du progrès est plus facile encore à saisir au niveau des masses. L'instruction élémentaire des peuples décolle autant que la science des élites. Dès le milieu du XVIIᵉ siècle, un certain nombre de pays ou de régions sont clairement engagés dans un processus d'alphabétisation de masse des populations. En Suède, dans certaines régions du monde germanique, la proportion d'individus de sexe masculin capables de lire dépasse alors la barre des 50 %. Du XVIIᵉ au XXᵉ siècle, le mouvement se poursuit, lent, puissant, irréversible. Mais plus sûrement encore que la Réforme protestante, l'alphabétisation divise l'Europe. L'inégalité des

---

1. C'est à cette date que paraît la première édition latine des *Philosophiae naturalis principia mathematica* de Newton.

25 – L'alphabétisation en 1900

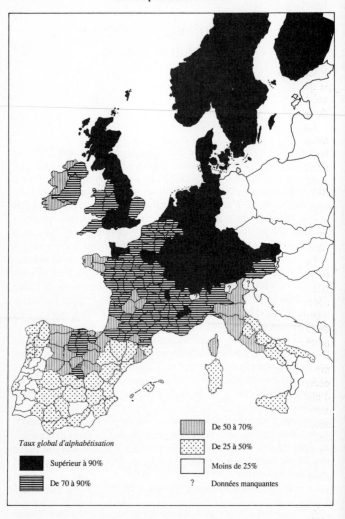

Taux global d'alphabétisation

■ Supérieur à 90%

▤ De 70 à 90%

▥ De 50 à 70%

⦂ De 25 à 50%

☐ Moins de 25%

? Données manquantes

rythmes de progression y définit deux mondes, l'un développé, l'autre sous-développé. Vers 1900, la scission est mesurable, dans toute son ampleur (carte 25). La partie de l'Europe alphabétisée à plus de 90 %, femmes comprises, constitue un ensemble géographique presque compact, centré sur les mondes germanique et scandinave, atteignant l'Écosse, les Pays-Bas, l'Angleterre du Nord-Est et du Sud, la France de l'Est. Au Sud à la même époque, le Portugal, l'Espagne méditerranéenne, l'Italie méridionale comprennent moins de 50 % d'individus capables de lire, dans certaines régions moins de 25 %.

La structure « en couronnes » de la carte décrivant l'alphabétisation de l'Europe vers 1900 révèle un processus de diffusion lent de la culture écrite à partir d'un épicentre étiré le long de l'axe Suède-Suisse. Ce mécanisme de diffusion avait été analysé avec précision par François Furet et Jacques Ozouf dans le cas de la France[1]. L'alphabétisation de la France semblait l'effet de vagues culturelles venues du Nord-Est, c'est-à-dire d'Allemagne, entre 1700 et 1900. Mais le mécanisme de diffusion apparaît ici dans toute son ampleur, continentale plutôt que nationale.

La progression géographique de l'alphabétisation révèle l'importance de l'espace dans le développement culturel, qui n'apparaît pas ici comme un phénomène abstrait, désincarné, mais comme un processus relationnel, devant tenir compte de la localisation des hommes. Le *mécanisme* de la diffusion dans l'espace de la culture écrite ne pose cependant pas de problème d'interprétation majeur. Il doit être constaté plutôt qu'expliqué. C'est l'*origine* du processus de diffusion qui doit être recherchée, définie. Pourquoi l'alphabétisation de masse des populations européennes a-t-elle commencé dans certaines régions plutôt que d'autres ? Quelles sont les caractéristiques fondamentales de la zone centrale s'étendant de la Suède à la Suisse à travers l'Allemagne, d'où les vagues alphabétisantes semblent partir ? Quelles sont les causes de cette dynamique culturelle spécifique, qui fait de la région en question un pôle de développement endogène ?

La cause fondamentale du décollage n'est en tout cas pas l'ancienneté de la culture écrite locale. Avant l'an 1500, cette zone

---

1. F. Furet et J. Ozouf, *Lire et écrire. L'alphabétision des Français de Calvin à Jules Ferry.*

n'apparaît pas dans son ensemble comme un pôle de développement culturel (voir carte 22). Si l'on compare l'Europe de 1900 à celle de 1500 du point de vue de l'alphabétisation, le glissement vers le nord de la culture écrite est frappant. On peut presque parler de basculement. La carte de l'imprimerie vers la fin du XVᵉ siècle révélait l'existence d'un axe de développement européen médian, suivant les vallées du Rhin et du Pô, menant de l'actuelle Belgique à l'Italie du Nord à travers le Sud du monde germanique. Or, vers 1900, la Belgique et l'Italie du Nord n'appartiennent plus à la partie « avancée » du continent, mais seulement à une couronne moyenne. En revanche, la Scandinavie et l'Écosse, périphériques vers 1500, sont prises en 1900 dans le cœur de la partie culturellement développée.

La Belgique et l'Italie, zones de progrès vers 1500, restent catholiques : le développement y subit une nette décélération. L'Écosse et la Scandinavie, relativement arriérées vers 1500, passent à la Réforme : le développement culturel y subit une nette accélération. Il est difficile de ne pas associer la modification des rythmes de développement régionaux aux effets conjugués de la Réforme protestante et de la Contre-Réforme catholique. On retrouve ici un double lieu commun historique : la montée en puissance de l'Europe du Nord et du Nord-Ouest après son passage au protestantisme, la relative stagnation de l'Europe méridionale restée catholique à partir du XVIIᵉ siècle. L'examen des taux d'alphabétisation complète cette analyse traditionnelle par une mesure rigoureuse et uniforme des écarts de développement, perçus ici comme culturels plutôt qu'économiques.

L'importance du facteur religieux dans la dissociation culturelle du continent européen est donc une évidence. Le progressisme protestant était d'ailleurs conscient, l'alphabétisation des chrétiens constituant un aspect fondamental du programme réformé. Le freinage subi par les régions catholiques ne fut pas moins voulu, l'Église de Rome n'acceptant pas l'accès de tous, c'est-à-dire des laïcs, aux Écritures saintes et donc à la lecture. Mais la religion n'explique pas tout. Certaines anomalies suggèrent l'existence d'un deuxième facteur, d'accélération ou de décélération.

Le pôle central d'alphabétisation englobe une bonne partie des régions catholiques du monde germanique. Dans l'Allemagne

26 – Allemagne : l'alphabétisation vers 1875

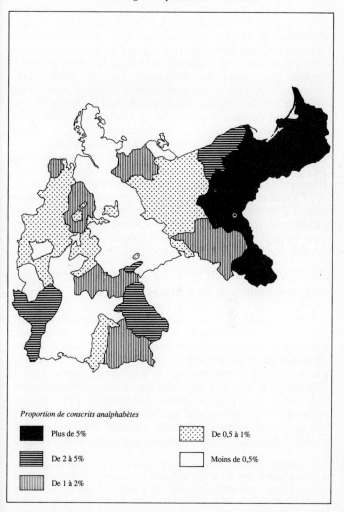

Proportion de conscrits analphabètes

Plus de 5%

De 2 à 5%

De 1 à 2%

De 0,5 à 1%

Moins de 0,5%

unifiée de 1875, et si l'on excepte les régions de peuplement polonais et alsacien-lorrain, le pourcentage de conscrits analphabètes, toujours inférieur à 3,50 %, n'est pas plus élevé en pays catholique qu'en pays protestant (carte 26). L'analphabétisme apparaît maximal dans certaines régions de la Bavière catholique, mais aussi du Palatinat protestant. De plus, certaines régions protestantes du Nord-Ouest (Aurich, Oldenbourg, Hanovre) sont alors moins alphabétisées (marginalement il est vrai) que certaines régions catholiques du Sud comme la Rhénanie, le pays de Bade et une partie du Wurtemberg. Homogène par les structures familiales, toujours de type souche, le monde germanique l'est également par des taux d'alphabétisation toujours élevés. La fragmentation religieuse de l'Allemagne n'induit pas une diversité des niveaux de développement culturel [1]. L'incapacité du phénomène religieux à expliquer tous les aspects de l'alphabétisation européenne est encore plus manifeste lorsque l'on considère le cas du développement culturel anglais, nettement moins rapide que ceux de l'Allemagne ou de la Suède, dans un pays qui fit pourtant une révolution religieuse de type protestant particulièrement violente.

Structure familiale et transmission culturelle

L'apprentissage de la lecture se fait généralement durant l'enfance, le plus souvent entre 6 et 12 ans. A toutes les époques de l'histoire et dans toute les civilisations, l'alphabétisation des adultes n'est qu'un phénomène marginal. Élément de la première éducation, l'apprentissage de la lecture ne peut être indépendant de la structure familiale, qui assure, particulièrement dans les sociétés préindustrielles, l'essentiel de l'élevage des enfants. Or la diversité des structures familiales – nucléaire, souche, communautaire – pourrait entraîner une diversité des potentiels éducatifs, et par conséquent des aptitudes régionales à

1. Seule l'instruction primaire est ici considérée. Une telle remarque ne serait pas valable dans le cas de l'éducation secondaire. Max Weber souligne dans *L'Éthique protestante et l'esprit du capitalisme* que les enfants de milieux catholiques font beaucoup moins fréquemment des études secondaires que ceux des milieux protestants, à partir de statistiques concernant le pays de Bade vers 1895. Cf. *L'Éthique protestante*, p. 34-35.

l'alphabétisation. Il n'est en effet pas raisonnable de considérer *a priori* les mécanismes éducatifs de la famille souche et de la famille nucléaire (absolue ou égalitaire) comme équivalents. Les types nucléaires supposent une interaction faible entre générations, une indépendance relative des enfants. La famille souche aurait donc un potentiel éducatif supérieur et par conséquent une meilleure capacité de transmission culturelle, hypothèse que j'ai déjà développée dans *L'Enfance du monde. Structures familiales et développement*. Les illustrations les plus frappantes du lien entre famille souche et décollage culturel précoce concernent les histoires allemande, japonaise, coréenne et juive [1]. Dans le cadre plus limité de l'Europe occidentale, la démonstration d'une association entre cette structure familiale particulière et le décollage culturel est plus difficile, à cause du poids extrême du facteur religieux. La polarisation protestantisme/catholicisme se présente immédiatement comme un facteur explicatif dominant. Et effectivement, les régions de famille souche restées catholiques n'apparaissent pas, hors du monde germanique, comme particulièrement dynamiques sur le plan culturel : ni dans le Nord de la péninsule Ibérique et en Irlande où il s'agit d'une famille souche pure, ni en Belgique ou en Vénétie où il s'agit d'une famille souche incomplète. Dans tous ces cas, le potentiel éducatif du type anthropologique semble gelé, désactivé. Mais si l'on restreint, dans un premier temps, l'analyse du processus d'alphabétisation au seul monde protestant, dans lequel l'accès de tous aux Écritures est une priorité religieuse, on doit vite admettre que l'apprentissage de la lecture par les populations fut infiniment plus facile et rapide dans des régions de famille souche comme l'Allemagne, la Suède ou l'Écosse que dans celles de famille nucléaire absolue comme l'Angleterre. La comparaison des histoires suédoise et anglaise, les mieux connues en ce qui concerne l'alphabétisation, permet d'aboutir à des conclusions particulièrement fermes.

Avant de se lancer dans cette analyse, il est cependant nécessaire de rappeler que l'opposition des variables familiales et religieuses implique une simplification, pour ne pas dire une illusion logique : à la source du premier protestantisme, on trouve en effet la famille souche allemande. Le protestantisme, lui-

1. E. Todd, *L'Enfance du monde,* p. 63-78, 82-83, 105-107.

même déterminé par les structures familiales, ne peut apparaître que comme l'accélérateur du progrès.

Le modèle suédois

L'alphabétisation des masses est, dès l'origine, l'un des objectifs fondamentaux du protestantisme. Sa nécessité relève d'un syllogisme pur et dur :
1. Luther affirme que nous sommes tous prêtres.
2. Le prêtre, dans l'esprit des hommes prémodernes, c'est celui qui sait lire.
3. Pour être tous prêtres, tous les hommes doivent donc savoir lire.

Les unes après les autres, les Églises protestantes encouragent donc vigoureusement l'apprentissage de la lecture par les populations urbaines et rurales. Le processus d'alphabétisation de la Suède a la beauté d'un archétype. Il est de plus particulièrement bien connu depuis les recherches d'Egil Johansson [1].

Dès le xviiᵉ siècle, l'Église luthérienne de Suède, appuyée par l'État, lance des campagnes d'alphabétisation dont le succès global est spectaculaire. Dans ce pays massivement rural, excentré, froid, l'écrasante majorité de la population apprend à lire en quelques générations. Le taux d'alphabétisation de la génération née entre 1680 et 1690 atteint vraisemblablement déjà 80 % [2]. Dès le milieu du xviiiᵉ siècle, l'alphabétisation de masse est en Suède un processus achevé. Mais la mécanique sociale menant à cette situation de modernité est en elle-même étonnante : car l'alphabétisation semble en Suède à la fois anarchique et irrésistible. Elle est achevée en quelques générations sans qu'un système scolaire soit mis en place. Recommandée par l'Église, elle est assurée de façon informelle par les villages et surtout par les familles.

L'Église fournit en grandes quantités des livres de psaumes, mêlant chants, prières, extraits de la Bible, catéchisme luthérien et préceptes de morale sociale. Son action cependant est surtout répressive : le pasteur fait passer à ses paroissiens des examens

1. E. Johansson, « The history of literacy in Sweden ».
2. E. Johansson, article cité, p. 176.

de lecture, privant parfois de communion les recalés. Les résultats sont consignés par écrit : d'extraordinaires *registres d'examen* permettent aujourd'hui de calculer, pour la Suède du XVIIe siècle, des taux d'alphabétisation précis.

La distribution régionale des registres les plus anciens permet d'affirmer que l'alphabétisation de la Suède ne fut pas, comme celle de la France, l'effet d'un phénomène de contagion, d'une diffusion à travers les frontières d'influences venues d'ailleurs. Les registres les plus vieux, témoignant d'une alphabétisation précoce, appartiennent en effet à des diocèses dispersés sur l'ensemble du territoire, situés au Centre (Västeras, Uppsala, Strängnäs, Karlstad), au Sud (Växjö), au Nord (Härnösand) ou dans l'île de Gotland (Visby) [1]. Cette distribution révèle que l'alphabétisation suédoise fut un décollage endogène, venant de la totalité du territoire et non seulement de sa périphérie.

L'alphabétisation de la Suède, réalisée pour l'essentiel entre 1650 et 1750, apparaît comme un phénomène historique linéaire, une avancée rapide et continue vers un état optimal.

Les hésitations de l'Angleterre

Sans être médiocres, les performances de l'Angleterre dans le domaine de l'alphabétisation sont loin d'égaler celles de la Suède. Et ce malgré le caractère plus urbain, artisanal et marchand de la société anglaise. Vers 1750, le taux d'alphabétisation global de l'Angleterre ne dépasse vraisemblablement pas 50 %, hommes et femmes confondus, selon l'échantillon de 274 paroisses utilisé par Roger Schofield [2]. Le taux correspondant pour la Suède dépasse alors nettement 80 %.

Lorsque l'on observe le détail des courbes d'alphabétisation tracées par David Cressy pour le diocèse de Norwich entre 1530 et 1710, ou par Roger Schofield pour l'ensemble de l'Angleterre entre 1750 et 1840, on s'aperçoit que la lenteur relative du mouvement culturel résulte de véritables hésitations, d'une combinaison d'avancées et de reculs dont la résultante est une ascen-

1. E. Johansson, article cité, p. 166.
2. R.S. Schofield, « Dimensions of illiteracy in England, 1750-1850 ».

sion modérée[1]. Dans le diocèse de Norwich, Cressy identifie, entre 1530 et 1710, quatre phases de progression et quatre de régression, l'ensemble de la période faisant cependant apparaître une évolution positive importante[2]. Mais entre 1750 et 1840, dans l'ensemble de l'Angleterre, le taux d'alphabétisation, qu'il s'agisse de celui des hommes ou de celui des femmes, a plutôt tendance à baisser, avant une reprise du mouvement positif dans la deuxième moitié du xixe siècle[3]. Or cette régression des années 1750-1840 ne peut être seulement attribuée à la révolution industrielle qui transforme l'île durant la période. En effet, le mouvement de l'alphabétisation par groupe professionnel montre que la régression est beaucoup plus nette en milieu rural qu'en zone urbaine. Dans les secteurs minier, textile et métallurgique, l'avancée se poursuit, sur un rythme lent il est vrai[4]. L'alphabétisation de l'Angleterre n'est pas un phénomène linéaire, mais se présente plutôt comme un mouvement oscillatoire de tendance ascendante.

Famille souche, famille nucléaire absolue et alphabétisation

La comparaison des trajectoires suédoise et anglaise permet de percevoir et de définir le rôle des structures familiales dans le processus d'alphabétisation : l'efficacité culturelle de la famille souche, qui domine la Suède, et les incertitudes induites par la famille nucléaire absolue, typique de l'Angleterre.

Dans un contexte protestant, le progrès des taux d'alphabétisation est un phénomène normal et il semble inutile de spéculer sur la capacité de tel ou tel système familial à accélérer, au sens strict, l'apprentissage de la lecture. *Le différentiel de croissance à long terme est surtout déterminé par l'existence en Angleterre de phases régressives qui n'ont pas leur équivalent en Suède.* Si l'on reformule en termes de structures familiales, on peut considérer que la famille nucléaire absolue autorise des reculs culturels et que la famille souche les interdit. A ce stade, l'explication

1. R.S. Schofield, article cité, et D. Cressy, « Levels of illiteracy in England, 1530-1730 ».
2. D. Cressy, article cité, p. 115-116.
3. R.S. Schofield, article cité, p. 207.
4. R.S. Schofield, article cité, p. 211.

devient simple. En système souche, l'obsession de la transmission lignagère fait de tout progrès un acquis définitif. Lorsque l'alphabétisation entre dans une famille, elle y reste, transmise religieusement avec le reste du patrimoine, matériel et moral. En Suède, le rôle des mères dans le mécanisme de reproduction culturelle doit être souligné, puisqu'en plusieurs lieux et à plusieurs reprises le taux d'alphabétisation des femmes dépasse celui des hommes. La continuité temporelle de la structure familiale sous-tend la continuité du mouvement d'alphabétisation.

En système familial nucléaire absolu, la discontinuité est la règle. L'histoire des familles n'est pas linéaire et la préservation de l'acquis n'est pas un objectif majeur. On peut accepter, en système nucléaire, l'idée d'enfants analphabètes succédant à des parents capables de lire. D'où ces phases de régression du taux d'alphabétisation anglais qui reflètent, dans un domaine particulier, une tendance à la discontinuité caractéristique de l'histoire anglaise en général, tendance déterminée par une structure familiale nucléaire, discontinue si l'on pense en termes de succession des générations.

Cette logique familiale du développement culturel est en un sens conforme au dogme luthérien, qui dès l'origine désigne la famille plutôt que le prêtre comme agent de transmission du savoir religieux. Le *Petit catéchisme* de Luther, qui date de 1529, est en ce domaine explicite et répétitif. Chacun des six points fondamentaux est exposé *« tel qu'un père de famille doit les présenter et les enseigner avec simplicité à ses enfants et à ses serviteurs* [1] *»*. Le recentrage de l'enseignement religieux sur la famille, typique du protestantisme en général, est cependant beaucoup plus facile dans des régions de famille souche comme l'Allemagne ou la Suède que dans des régions de famille nucléaire comme l'Angleterre.

L'état des recherches ne permet pas de tester de façon exhaustive ce modèle explicatif qui associe structures familiales et rythmes de développement culturel à l'intérieur du monde protestant. Mais aucun des faits connus ne le contredit sérieusement. L'alphabétisation des régions protestantes de famille souche semble avoir toujours été linéaire et rapide, qu'il s'agisse de pays allemands ou de cantons suisses.

1. Luther, *Petit catéchisme*, p. 3, 9 et 15, par exemple.

En l'absence d'étude rétrospective sur longue période, il est assez difficile de dégager les traits caractéristiques du développement culturel au Danemark et aux Pays-Bas ; une telle analyse permettrait peut-être de mieux comprendre le comportement de la famille nucléaire absolue dans le processus d'alphabétisation. La proximité du monde germanique suggère cependant, *a priori,* que le poids des mécanismes de diffusion par contiguïté fut très lourd dans ces deux régions et que l'identification d'un rôle spécifique des structures familiales y serait assez difficile.

Un cas très important confirme la validité de l'hypothèse, celui de l'Écosse, dont la langue dominante diffère peu, dès le XVIe siècle, de l'anglais. Sans être absolument dominantes, les structures familiales de type souche y sont beaucoup plus importantes (50 % du total) qu'en Angleterre. Or l'alphabétisation de l'Écosse fut, comme celle de la Suède, linéaire et rapide. Le volontarisme éducatif de l'Église calviniste écossaise apparaît plus marqué que celui de l'Église luthérienne de Suède, puisqu'il débouche assez vite sur l'édification d'un système scolaire bien organisé [1]. Mais il est frappant d'observer cette petite nation pauvre, massivement alphabétisée dès le XVIIIe siècle, face à une riche Angleterre qui entre alors en stagnation culturelle. En Écosse comme en Suède, la structure familiale ne se contente pas d'absorber les innovations : elle les transmet indéfiniment aux générations suivantes, assurant la pérennité de tout changement culturel positif.

La résistance catholique

Au progressisme culturel protestant, le catholicisme répond très vite par une véritable haine du livre. Dès 1559, l'Inquisition romaine publie la première édition de l'*Index librorum prohibitorum* qui énumère les ouvrages dont l'accès doit être interdit aux chrétiens pour que leur pureté religieuse soit préservée. L'*Index,* fascinante manifestation d'une bureaucratie intellectuelle, ne représente cependant qu'un aspect, et non le plus important, de l'hostilité catholique à l'écrit. Il condamne des

---

1. Sur le système scolaire écossais et son histoire, voir T.C. Smout, *A History of the Scottish People, 1560-1830,* p. 421-438.

livres désignés comme dangereux parce que hétérodoxes. Mais c'est en fait la totalité de la production imprimée que l'Église considère comme une menace. Dans le monde catholique se répand une attitude générale de méfiance vis-à-vis de l'individu qui lit seul. Posséder une bible devient presque en soi un symptôme d'hérésie.

Il n'est donc pas étonnant d'observer un ralentissement, et parfois un blocage, du progrès culturel dans les pays restés catholiques. Seules les régions appartenant à l'espace linguistique allemand – Rhénanie, Bavière, Suisse, Autriche – sont préservées, lorsqu'elles restent romaines, d'une trop brutale mise au pas. La communication et la rivalité avec le monde germanophone protestant les protègent d'un étouffement systématique. Vers 1900, les taux d'alphabétisation du monde germanophone catholique restent comparables à ceux des pays protestants. Mais, dans le reste de l'espace catholique, les pôles de développement sont supprimés. L'Italie du Nord et la Belgique en particulier perdent leur prééminence à l'intérieur même du territoire contrôlé par Rome. Dès le XVIIIe siècle, au plus tard, la France du Nord-Est dépasse l'Italie du Nord par le taux d'alphabétisation. Le développement culturel devient pour les régions catholiques un processus exogène, l'effet d'influences externes. Or la France du Nord, proche du monde germanique très alphabétisé, est géographiquement mieux placée que l'Italie.

Dans l'espace catholique, les régions de famille souche (complète ou incomplète) ne brillent pas d'un dynamisme particulier, au contraire de ce qui est observable dans le monde protestant. Ni la France du Sud, ni l'Espagne côtière et montagnarde du Nord, ni l'Irlande, ni la Belgique, ni la Vénétie n'apparaissent comme particulièrement avancées. *Aux frontières du monde germanique développé, on a même parfois le sentiment que les régions de famille souche progressent moins vite que celles de famille nucléaire.* Ainsi, la Belgique prend du retard sur la France du Nord-Est, occupée par une structure familiale nucléaire égalitaire ; la Vénétie sur la Lombardie et le Piémont, où domine également le type nucléaire égalitaire. Cette résistance particulière des régions de famille souche à l'alphabétisation dans la sphère catholique n'est peut-être pas l'effet d'un hasard. En pays protestant, dans un contexte religieux favorable au développement de l'alphabétisation, la famille souche assure, à chaque génération, la préservation de l'acquis. Dans le contexte opposé, catholique, d'une religion hostile à l'alphabétisation, la famille souche continue de se comporter en agent idéal de reproduction culturelle : mais c'est alors la tradition qui est perpétuée, c'est-à-dire, du point de vue de l'alphabétisation, l'ignorance. En un sens, la famille souche est neutre, agissant comme un coefficient multiplicateur : elle accélère le progrès en pays protestant, mais facilite la résistance au progrès en pays catholique.

La famille nucléaire (famille nucléaire absolue en pays protestant, famille nucléaire égalitaire en pays catholique) présente des aptitudes inverses. En système protestant, elle assure moins bien que la famille souche la préservation de l'acquis culturel. Mais en système catholique, elle résiste moins bien à la pénétration de l'écrit. La discontinuité des générations, dans le contexte d'un système religieux conservateur, devient une chance de progrès. C'est peut-être la raison pour laquelle la famille nucléaire égalitaire de la France de l'Est ou du Piémont italien permet mieux la diffusion géographique de l'alphabétisation que la famille souche (incomplète) de Belgique ou de Vénétie.

Une analyse du potentiel éducatif des divers types familiaux, et de leur comportement durant la période d'alphabétisation, devrait pour être complète inclure le cas des structures communautaires. Les variantes européennes de l'Ouest de ce type familial ne sont malheureusement pas suffisamment nombreuses ou massives pour permettre une étude significative.

Le mécanisme de la diffusion géographique suffit à rendre compte des évolutions de la Finlande, prise dans la mouvance suédoise, ou de l'Italie centrale, qui se développe très normalement après l'Italie du Nord mais avant l'Italie du Sud. La bordure nord-ouest du Massif central, où les formes communautaires existent sans être dominantes, se présente par contre comme une poche de résistance, puisqu'il s'agit de l'une des régions les plus tardivement alphabétisées de France. Il semble cependant difficile d'extraire de cet exemple unique une tendance générale.

27 – Le décollage culturel

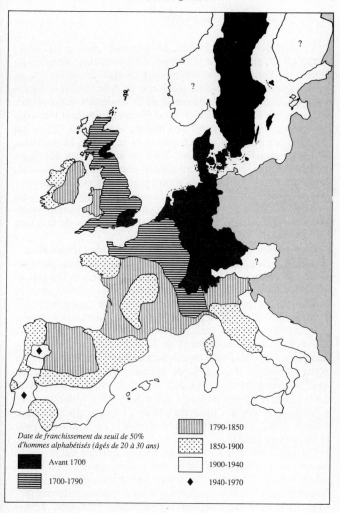

Date de franchissement du seuil de 50%
d'hommes alphabétisés (âgés de 20 à 30 ans)

Avant 1700

1700-1790

1790-1850

1850-1900

1900-1940

1940-1970

Temps absolu, temps de l'écrit

Le passage des populations de la culture orale à la culture écrite est un phénomène historique fondamental. L'alphabétisation n'est certes pas le déterminant unique du processus de modernisation des sociétés, mais elle est une condition nécessaire de la modernité politique et de la modernité économique. L'histoire de l'alphabétisation est donc nécessairement l'une des composantes fondamentales de l'histoire européenne. Or, ce qui est frappant lorsque l'on examine dans sa totalité le processus d'alphabétisation du continent, c'est sa durée et les décalages temporels qu'il implique entre régions et nations. Entre l'accélération du décollage par la Réforme protestante et l'alphabétisation du plus attardé des pays d'Europe occidentale, près d'un demi-millénaire s'écoule. Le Portugal actuel n'a vraisemblablement pas encore dépassé le niveau d'alphabétisation de la Suède du XVIII⁰ siècle.

L'utilisation simultanée de toutes les données disponibles – sondages anciens dans les registres d'examen suédois, observations plus récentes tirées des recensements européens des années 1900-1980 – permet de cartographier cette histoire de très longue durée. On peut en effet évaluer la date approximative à laquelle une région a atteint un taux d'alphabétisation donné. L'indicateur le plus significatif est l'époque à laquelle le taux d'alphabétisation des hommes de 20 à 25 ans a dépassé 50 %, marquant l'entrée d'une société locale dans l'ère d'une culture écrite majoritaire. Pour la Suède, la date de franchissement de ce seuil se situe avant 1700 ; pour la France du Nord, entre 1700 et 1790 ; pour la France du Sud, l'Italie du Nord et l'Irlande, entre 1790 et 1850 ; pour l'Italie du Sud et l'Espagne du Sud, entre 1900 et 1940 ; pour le Portugal du Centre et du Sud, entre 1940 et 1970 (voir carte 27).

On voit ainsi émerger, sous le temps théorique défini par la succession linéaire et uniforme des années, qui est bien sûr le même pour tous les pays, un temps réel des sociétés, défini par leur degré d'avancement culturel. Dans ce système temporel rectifié, l'absurdité de certaines comparaisons politiques, démographiques ou économiques est évidente. L'Espagne du Sud des années 1900-1940 n'est pas comparable à la France du Nord dans la même période. Si l'on considère le taux d'alphabétisation comme une composante fondamentale des structures mentales d'une région donnée, on doit admettre que la comparaison légitime doit opposer *l'Espagne du Sud des années 1900-1940 à la France du Nord des années 1700-1790*. A ces dates et en ces lieux, les populations font également l'expérience d'un passage à la culture écrite. Elles sont culturellement contemporaines.

Le seuil des 50 % d'hommes de 20 à 25 ans alphabétisés et la date qui lui correspond apparaîtront dans la suite de ce livre comme une variable importante. L'accès des hommes au texte imprimé définit en effet une condition nécessaire de la modernité idéologique. La lecture permet la pénétration des masses populaires par des textes politiques articulés, le choix par les populations régionales ou locales des idéologies qui leur conviennent.

CHAPITRE V

L'industrialisation

Jusqu'à la révolution industrielle du XVIIIe siècle, croissance économique et mouvement culturel constituent un tout indissociable. Le secteur secondaire, artisanal avant d'être industriel, progresse là où le taux d'alphabétisation s'élève. Cette coïncidence des développements est manifeste au Moyen Age. Les grandes régions d'industrie textile du XIIIe siècle, particulièrement l'Italie du Nord et centrale, ainsi que les Flandres, font aussi partie du monde intellectuellement développé [1]. Les mouvements économiques de la fin du Moyen Age n'altèrent pas le parallélisme des progrès industriels et culturels. Le développement de l'Allemagne – de la Saxe à la Suisse –, textile mais aussi métallurgique, s'accompagne d'une explosion culturelle qui mène directement à la Réforme protestante. En fait, la carte de l'imprimerie de la fin du XVe siècle (n° 22) peut sans doute être considérée comme une représentation du progrès industriel autant que du progrès intellectuel. Le développement de l'imprimerie, l'un des secteurs de pointe de l'industrie de la Renaissance (selon Du Bellay et ses contemporains, le second étant l'artillerie), suppose des avancées simultanées du taux d'alphabétisation et de la métallurgie de précision [2]. Ouvriers typographes et consommateurs doivent savoir lire ; la fonte de caractères mobiles implique un perfectionnement notable des techniques d'alliage.

1. Voir la carte de l'industrie textile au XIIIe siècle proposée par R.S. Lopez dans *Naissance de l'Europe, V[e]-XIVe siècle*, p. 288.
2. Du Bellay, dans sa *Défense et illustration de la langue française*, considère que l'imprimerie et l'artillerie placent les Modernes au-dessus des Anciens (p. 219 de l'édition du « Livre de poche »).

28 – L'industrie vers 1880

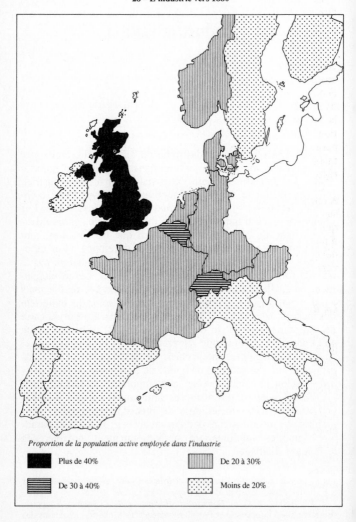

Proportion de la population active employée dans l'industrie

Plus de 40%

De 20 à 30%

De 30 à 40%

Moins de 20%

Le déplacement du centre de gravité économique de l'Europe, aux XVIe et XVIIe siècles, ne modifie pas la corrélation observée, dans la mesure où les marches du progrès culturel et du progrès industriel restent parallèles. La montée des puissances protestantes du Nord – Angleterre, Hollande, Suède – est culturelle *et* économique. Les productions de fer suédoise et anglaise, les artisanats de qualité anglais ou hollandais se développent aussi là où le taux d'alphabétisation s'élève. Symétriquement, et négativement, le déclin relatif de l'Italie dans la même période est à la fois culturel et industriel : au blocage du taux d'alphabétisation correspond une ruralisation de l'économie italienne, une perte de dynamisme du secteur secondaire ou urbain, même si la métallurgie de précision milanaise survit longtemps à cette régression.

L'homogénéité du progrès, indifféremment intellectuel ou économique, ne peut être considérée comme l'effet d'un processus mystérieux. Les techniques de transformation de la matière, qui définissent le secteur secondaire, sont des produits parmi d'autres de l'intelligence humaine. Il est normal de les voir se développer dans les régions où les esprits sont actifs et tournés vers le changement.

La dissociation du culturel et de l'industriel (1750-1850)

Entre 1750 et 1850, l'association du mouvement culturel et du développement économique se défait. La révolution industrielle anglaise transforme, de fond en comble, une nation qui n'est pas la plus avancée d'Europe sur le plan culturel. Vers 1750, seule l'Écosse, qui fait partie du royaume de Grande-Bretagne et d'Irlande, appartient au groupe des pays les plus alphabétisés, aux côtés de la Suède, de l'Allemagne et de la Suisse. L'Angleterre proprement dite, sans être attardée, ne vient qu'au deuxième rang européen pour les performances scolaires de ses populations. Mais, en un siècle à peine, se constitue dans l'île de Grande-Bretagne la première des sociétés industrielles modernes. Dès 1850, la population de la Grande-Bretagne est urbaine à 55 % ; l'agriculture n'emploie alors plus que 22 % des actifs, contre 46 % pour le secteur secondaire. A elle seule, l'industrie (sans le bâtiment et les mines) occupe 34 % de la popula-

tion active [1]. A la même date, la population de l'Allemagne reste
rurale à 65 %, celle de la France à 75 %, celle de la Suède à
88 % [2]. C'est donc en Grande-Bretagne qu'a lieu le premier
déracinement, urbain et industriel, d'une société rurale de type
traditionnel.

Cette transformation fait de la Grande-Bretagne une puissance
économique écrasante. Comme le remarque Paul Bairoch, la
prééminence économique de la Grande-Bretagne du milieu du
XIXe siècle est encore plus impressionnante que celle des États-
Unis du milieu du XXe siècle : dans les années 1858-1862, la
Grande-Bretagne, occupée par 2,2 % de la population mondiale,
produit 53 % du fer et 49 % du textile [3]. Pourtant, c'est en Allemagne, en Suède et en Suisse que les populations savent lire. Au
milieu du XIXe siècle, la dissociation du culturel et de l'économique est une évidence empirique qui donne naissance, sur le
plan théorique, au matérialisme historique. Frappés par le décollage industriel britannique et le retard allemand, Marx et Engels
construisent un modèle interprétatif qui affirme l'autonomie du
développement économique. Ils rejettent la vision du progrès
héritée de la philosophie des Lumières, qui ne voyait dans le
développement économique qu'une composante parmi d'autres
de la marche de l'esprit humain [4].

L'examen de la carte du développement industriel européen
vers 1880 confirme l'hypothèse d'une dissociation des progrès
culturels et économiques (carte 28). L'industrie emploie moins
de 20 % de la population active en Suède, nation totalement
alphabétisée, chiffre très comparable à celui du Portugal, massivement analphabète à l'époque. L'Allemagne et la France font
encore jeu égal pour le développement industriel, malgré le
retard culturel français. La Belgique, dont le développement
industriel reproduit avec un certain décalage celui de l'Angle-

1. Cf. W.A. Armstrong, « The use of information about occupation »,
p. 230.
2. Cf. P. Léon, *Histoire économique et sociale du monde*, t. 4 , p. 30.
3. Cf. P. Bairoch, *Commerce extérieur et développement économique de
l'Europe au XIXe siècle*, p. 169.
4. Comme le montre Ernst Cassirer dans *La Philosophie des Lumières*
(p. 43), la conscience du progrès est une caractéristique fondamentale du
XVIIIe siècle. Le meilleur exemple d'une conception du progrès ne dissociant
pas l'intellectuel du technique est probablement *l'Esquisse d'un tableau historique des progrès de l'esprit humain* de Condorcet.

terre et où le secteur secondaire emploie, vers 1880, 35 % de la population active, n'est pas particulièrement avancée sur le plan de l'alphabétisation. Seule la Suisse associe, vers 1880, un développement industriel important – avec 37 % de la population active dans l'industrie – à un niveau culturel très élevé. En Suisse persiste donc vers le milieu du XIXe siècle un progrès « à l'ancienne » combinant, comme à l'époque médiévale, alphabétisation et industrialisation. Ce modèle redeviendra vers 1900 dominant en Europe.

A l'origine de la dissociation : un système technique

L'émergence entre 1710 et 1790 d'une technologie spécifique rend possible un développement économique massif dans un contexte de relative stagnation culturelle. L'ensemble d'innovations constituant le *système technique* de la révolution industrielle est à la fois impressionnant et limité [1]. Il est impressionnant par sa cohérence : le fer et le charbon permettent la fabrication et l'alimentation énergétique de machines capables de transformer le coton, la laine et le lin. Mais ce système technique paraît limité lorsque l'on observe sa production ultime, totalement dominée par la fabrication des textiles. La diversité des machines inventées par les ingénieurs britanniques entre 1710 et 1790, pour produire de l'acier et de l'énergie, pour filer et tisser, aboutit à une homogénéité de production tout à fait remarquable. L'économie britannique atteint un degré de spécialisation extrême. Or cette spécialisation n'implique pas un niveau culturel élevé de la classe ouvrière qui se constitue.

En 1851, la population active du Royaume-Uni comprend seulement 63 000 personnes occupées à la conception et la construction de machines, mais 1 047 000 à la transformation des textiles, secteur de l'habillement non compris. Les mineurs, de fer et surtout de charbon, sont alors 306 000, les ouvriers de la métallurgie de base, 79 000 [2]. Une telle composition de la population active est compatible avec une alphabétisation médiocre

---

1. Sur le système technique de la révolution industrielle, voir B. Gille, *Histoire des techniques*, p. 692-724.
2. Cf. P. Mathias, *The First Industrial Nation*, p. 260.

de la classe ouvrière. Les tâches du prolétariat textile sont simples, répétitives, et ne nécessitent pas une alphabétisation préalable. La construction de machines, par contre, suppose un niveau culturel minimal et en particulier une alphabétisation donnant accès à la littérature technique élémentaire. Or, en 1851, on compte en Grande-Bretagne plus de seize ouvriers employés dans l'industrie textile pour un seul se consacrant à la fabrication de machines.

L'analyse d'un recensement récent et précis, celui de la France en 1975, permet de mieux saisir l'existence de *qualifications moyennes* spécifiques à chaque branche industrielle, ces qualifications moyennes reflétant nécessairement des *niveaux culturels moyens* différents. Dans la France de 1975, les ouvriers non qualifiés constituaient 62 % de la main-d'œuvre affectée à la production dans le secteur textile, 52 % dans la métallurgie de base et seulement 38 % dans la construction mécanique[1]. Dans le secteur textile du xxe siècle, comme dans celui du xixe, domine une main-d'œuvre non qualifiée ; dans le secteur de la mécanique, une main-d'œuvre qualifiée.

Vers 1850, le développement industriel de la Belgique copie celui de la Grande-Bretagne. Il est fondé sur la trilogie classique « charbon-acier-textile ». Le premier démarrage industriel de la France, sensible alors le long des côtes de la Manche, c'est-à-dire au contact de l'Angleterre, est également de ce type[2]. Ni la France du Nord-Ouest ni la Belgique ne sont à cette époque particulièrement alphabétisées ; mais le système technique de la première révolution industrielle n'exige pas des populations ouvrières un niveau culturel élevé.

Le décollage industriel helvétique, en revanche, relève d'une

1. INSEE, recensement général de la population de 1975, *Population active*. La main-d'œuvre non qualifiée est constituée dans ce calcul des ouvriers spécialisés et des manœuvres (CS 63 et CS 68), la main-d'œuvre qualifiée des ingénieurs, techniciens, contremaîtres et ouvriers qualifiés (CS 33, CS 43, CS 60 et CS 61).

2. Selon le recensement de 1851, les départements où « l'industrie » de l'époque emploie le plus d'ouvriers, en proportion de la population active, sont le Calvados, l'Orne, l'Eure, la Seine-Maritime, l'Oise, la Somme, le Nord, l'Aisne, les Ardennes, qui forment un bloc d'un seul tenant, et la Seine, la Meurthe-et-Moselle, les Vosges, le Haut-Rhin, le Rhône, la Creuse et le Morbihan. Sur le développement géographique de l'industrie française, voir E. Todd, *La Nouvelle France*, p. 47-51.

logique différente. Le textile y joue un rôle mais sous une forme plus « qualifiée » : la Suisse importe du fil britannique et se consacre au stade ultérieur du tissage[1]. S'ajoute déjà à ce secteur textile sophistiqué une mécanique de précision et de consommation – comprenant bien sûr l'horlogerie – qui n'a pas son équivalent en Angleterre. La structure de l'industrie helvétique suppose l'existence d'une classe ouvrière qualifiée, alphabétisée. Elle n'exige pas par contre la présence de ressources naturelles considérables : la Suisse ne dispose ni de charbon ni de fer ; sa production industrielle doit tout à l'activité des hommes et rien à la générosité de la nature.

Entre 1860 et 1975, progressivement, le modèle suisse de développement industriel gagne en importance et l'emporte à travers toute l'Europe.

L'explosion du premier système technique industriel (1875-1975)

Dès la fin du XIXe siècle, la révolution industrielle perd sa simplicité. Elle s'étend en Europe, secouant de nouveaux pays, déracinant d'autres populations rurales. Selon W.W. Rostow, le décollage industriel de l'Allemagne doit être situé vers 1850-1890[2]. Mais cette extension s'accompagne d'un changement de nature de la révolution industrielle. Il ne s'agit plus de transplanter sauvagement une population rurale non qualifiée pour la transformer en prolétariat textile non qualifié. Les activités industrielles deviennent de plus en plus diverses et complexes. Elles courent après la science et la technique, qui subissent alors un véritable processus d'emballement.

Les décollages industriels de l'Allemagne et de la Suède ne sont déjà plus « textiles », comme ceux de l'Angleterre, de la Belgique et même, dans une certaine mesure, de la Suisse. L'extension quantitative du secteur secondaire correspond, dans ces deux pays, à une croissance accélérée de la sidérurgie et de la mécanique. En Allemagne, la part de la population active indus-

---

1. Cf. P. Bairoch, *Commerce extérieur et développement économique de l'Europe au XIXe siècle*, p. 276.
2. W.W. Rostow, *Les Étapes de la croissance économique*, p. 65.

29 – L'industrie vers 1970

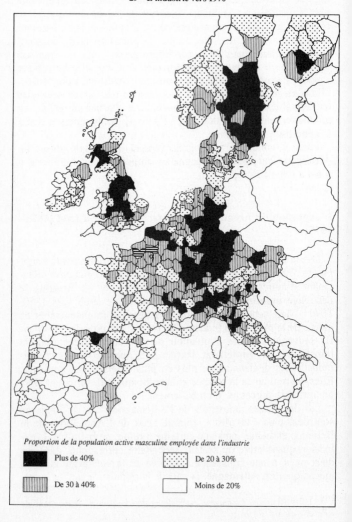

Proportion de la population active masculine employée dans l'industrie

■ Plus de 40%

▨ De 20 à 30%

▥ De 30 à 40%

□ Moins de 20%

trielle employée dans ces deux branches passe de 14,6 % en 1875 à 20,8 % en 1911-1913 ; en Suède, la seule part des industries mécaniques passe de 11,7 % en 1869-1878 à 18,9 % en 1899-1908 [1].

Avec la fin du siècle commence une « deuxième révolution industrielle » combinant chimie, électricité, aluminium, automobile. Avec le xxe siècle arrivent l'aviation, la radio, la télévision, l'électronique. Mais il n'est plus alors raisonnable de parler d'*un* système technique. La caractéristique fondamentale du xxe siècle, sur le plan industriel, est l'explosion des techniques. Le progrès devient diversification. L'émergence incessante de nouvelles méthodes, de nouveaux produits suppose une démultiplication et une évolution parallèle des compétences de la main-d'œuvre, à tous les niveaux, de l'ingénieur à l'ouvrier. La révolution industrielle anglaise étendait à toute une société un *système technique relativement stable ;* l'industrialisation de l'Europe étend à d'autres sociétés une *technologie instable et beaucoup plus complexe.*

Cette deuxième phase de la révolution industrielle produit les mêmes effets quantitatifs que la phase anglaise de la transformation. Des classes ouvrières massives se développent, les populations doivent apprendre à vivre en milieu urbain. Mais cette *phase II* ne peut se développer, facilement et rapidement, que dans des pays et régions où la main-d'œuvre est capable d'apprentissage et de progrès. Le déroulement harmonieux de la phase II de la révolution industrielle présuppose l'existence de populations de niveau culturel élevé. Ainsi s'explique la puissance exceptionnelle des décollages allemand et suédois, qui se produisent dans des pays totalement alphabétisés. L'Angleterre, dont les populations sont moins alphabétisées, ne peut entrer que lentement dans cette phase II : elle est très vite dépassée par l'Allemagne. A partir de la fin du xixe siècle, la révolution industrielle réconcilie donc progrès culturel et progrès industriel. L'industrie ne peut avancer vite que là où le niveau culturel moyen dépasse un certain seuil. Dans l'ensemble de l'Europe, la croissance des populations ouvrières se poursuit jusque vers 1970. Avec quelques exceptions, dont la plus remarquable est bien entendu l'Angleterre, où la diminution de la part de popula-

---

1. P. Léon, *Histoire économique et sociale du monde*, t. 4, p. 119-120.

tion active employée dans l'industrie commence dès les années 1865-1880 [1].

L'importance accrue du facteur culturel dans le progrès industriel, à partir des années 1870-1880, permet de comprendre pourquoi, vers 1970, au terme d'un siècle de phase II, la carte de l'industrialisation européenne (n° 29) ressemble à celle de l'alphabétisation vers 1900 (n° 25). La coïncidence est loin d'être parfaite, mais on observe dans les deux cas un même axe central Suède-Suisse, traversant l'Allemagne. Autour de cet axe, les mêmes mécanismes de diffusion par contiguïté peuvent être identifiés, particulièrement en France. Comme l'alphabétisation, l'industrialisation entre en France par une frontière et fait mouvement vers le centre du pays. L'alphabétisation n'avait qu'un seul point d'entrée, la frontière est, helvétique et allemande. L'industrialisation en a deux : à l'Est, le poids des industries du monde germanique est sensible, mais il est équilibré au Nord-Ouest par une influence anglaise et belge. Vers 1850, seule l'empreinte anglo-belge aurait été visible.

Certaines régions, très alphabétisées vers 1900, n'apparaissent cependant pas très industrielles vers 1970, en particulier le Danemark, les Pays-Bas et la Norvège, sans que leur état rappelle cependant la sous-industrialisation de l'Irlande, de la France de l'Ouest ou du Sud méditerranéen. Dans ces petites nations riveraines de la mer du Nord, le progrès économique a parfois pris la forme de spécialisations non industrielles. Le niveau culturel élevé du Danemark et des Pays-Bas a permis l'émergence dans ces pays des agricultures d'exportation les plus sophistiquées du monde. Le Danemark devient, dès le XIXe siècle, l'un des grands fournisseurs de la Grande-Bretagne en viande, beurre et lait. Dans les pays de haut niveau culturel, la paysannerie manifeste une capacité d'adaptation et d'innovation souvent spectaculaire. Les reconversions incessantes de l'agriculture danoise, des céréales vers l'élevage, de la quantité vers la qualité, sont une magnifique illustration des effets économiques du progrès culturel [2]. En Norvège, la spécialisation non indus-

1. Cf. W.A. Armstrong, « The use of information about occupation », p. 229.
2. On trouvera dans *Pour une agriculture organisée : Danemark et Bretagne,* de J. Chombart de Lauwe, une analyse émerveillée des capacités d'adaptation de l'agriculture danoise, datant il est vrai de 1949.

trielle est l'activité maritime : la flotte marchande de cette nation minuscule était encore en 1955 la troisième du monde.

Réciproquement, certains des pôles industriels européens de 1970 ne correspondent pas à des zones d'alphabétisation précoce. L'industrie anglaise est évidemment l'une des grandes exceptions. L'autre est l'Italie du Nord, densément industrielle vers 1970, mais relativement peu alphabétisée vers 1900. Dans l'un et l'autre cas, l'industrialisation en profondeur est le résultat d'une histoire assez lointaine. Dans le cas de l'Angleterre, il s'agit de la perpétuation de traditions nées entre 1730 et 1850. Dans le cas de l'Italie, une origine beaucoup plus ancienne doit être recherchée. La distribution géographique de l'industrie italienne de 1875, centrée sur le Piémont, la Lombardie et une partie de la Toscane, reproduit étrangement celle de la fin du Moyen Age [1]. Une tradition se perpétue à travers les siècles. Une fois de plus, le « progrès » apparaît autant comme la préservation d'un acquis que comme l'irruption d'une nouveauté.

Dans l'ensemble, la carte de l'industrialisation européenne vers 1970 apparaît comme un produit de l'histoire plutôt que des conditions naturelles. Elle inclut certes bon nombre de bassins miniers, se consacrant à l'extraction du charbon et du fer – allemands, belges, suédois, lorrains, britanniques, basques. Mais elle semble surtout cumuler, synthétiser *toutes* les poussées industrielles de *toutes* les époques antérieures : le XIIIe siècle italien et flamand, le XVe siècle helvétique et allemand, le XVIIe siècle suédois et anglais. Elle résume l'inertie du progrès.

1. C.T. Smith, *An Historical Geography of Western Europe before 1800*, p. 353.

CHAPITRE VI

La déchristianisation

Entre 1730 et 1990, par étapes, la religion chrétienne perd le contrôle de l'Europe. La vie sociale échappe à ses croyances, à ses dogmes, à ses Églises. Le processus est irréversible, mais discontinu. Trois ruptures principales le définissent.

1re rupture : dès les années 1730-1800, la déchristianisation dévaste l'Église dans une partie substantielle du monde catholique. La France du Bassin parisien, l'Espagne centrale et méridionale, le Portugal méridional et vraisemblablement l'Italie méridionale rejettent l'autorité du christianisme. Ailleurs, les peuples restent fidèles à la religion traditionnelle de l'Europe, dans ses formes catholiques ou protestantes.

2e rupture : entre 1880 et 1930, la plupart des systèmes religieux protestants s'effondrent, en Angleterre, dans le monde germanique, dans les pays scandinaves. Au terme de cette deuxième phase, c'est-à-dire vers 1930, la seule puissance religieuse indiscutable d'Europe est l'Église catholique, là où elle a été épargnée par la première crise, celle des années 1730-1800.

3e rupture : entre 1965 et 1990, la sphère catholique résiduelle cède à son tour. La Belgique, l'Allemagne méridionale et rhénane, l'Autriche, une partie de la Suisse, la périphérie de l'Hexagone français, le Nord de l'Italie, de l'Espagne et du Portugal échappent finalement à l'Église.

La discontinuité du processus est sa caractéristique la plus étonnante. De très vastes régions échappent brutalement au christianisme sans que celui-ci soit affecté dans d'autres zones. Le catholicisme, mort dès la fin du XVIIIe siècle dans le Bassin parisien, survit et se renforce au XIXe en Bretagne, en Alsace, en Flandre ou en Bavière. Durant ce même XIXe siècle, une série de réveils religieux redonnent aux divers protestantismes une bonne

part de leur vitalité initiale. Par son irréversibilité, la déchristianisation est un phénomène de modernité. Mais le caractère haché
du déclin, l'existence de phases de réactivation dans certaines
zones géographiques montrent assez qu'il ne s'agit pas d'un processus simple : la modernisation n'agit pas seule. D'ailleurs, les
premières zones touchées ne sont pas parmi les plus avancées,
loin de là. L'Espagne, l'Italie et le Portugal méridionaux, précocement déchristianisés, constituent la partie la moins développée du continent. La France du Bassin parisien, beaucoup plus
avancée, est quand même en retard sur l'Allemagne ou la Suède
pour l'alphabétisation. Pourtant, c'est dans ce monde catholique
relativement arriéré que se produit la première crise, le premier
effondrement de la représentation religieuse du monde et de la
vie.

La complexité apparente du processus de déchristianisation
découle de l'existence et de l'action simultanée, entre 1730 et
1990, de facteurs de décomposition et de résistance de la foi
chrétienne. L'affrontement des éléments positifs et négatifs
détermine pour chaque région un destin religieux spécifique.
Mais les facteurs de crise et de survie sont en eux-mêmes assez
peu nombreux.

Les facteurs de crise sont assez bien connus. Les deux principaux sont la révolution scientifique et la révolution industrielle.
Ces deux révolutions, complémentaires dans leurs effets antireligieux, rendent compte de l'*universalité terminale* du processus de déchristianisation puisqu'elles touchent ou finissent par
toucher l'ensemble de l'Europe. Mais elles ne permettent pas
d'expliquer le caractère discontinu du reflux de la foi et la localisation géographique des crises successives. La révolution scientifique frappe, au XVIIe puis au XIXe siècle, l'ensemble des élites
européennes et l'on ne voit pas très bien comment des attaques
uniformes pourraient produire des effets différentiels. La révolution industrielle fragilise le dogme chrétien et transforme les
diverses régions d'Europe à des époques différentes ; mais globalement son développement ne suffit pas à déterminer la
chronologie et la géographie du processus de déchristianisation.
Vers 1850, l'Angleterre est industrielle et religieuse, la France
du Bassin parisien est rurale et déchristianisée. Il faut chercher
ailleurs le mécanisme différenciateur.

La solution est en fait assez simple : les révolutions de la modernité attaquent un monde chrétien dont la solidité initiale n'était pas uniforme. On trouve dans l'Europe préscientifique et préindustrielle des christianismes forts et faibles, des dieux solides et des dieux fragiles. La diversité familiale et agraire des sociétés locales européennes permet donc d'expliquer les capacités de résistance inégales des christianismes régionaux. Si la structure familiale et le système agraire traditionnels produisent une image faible, et parfois même contestée, de Dieu, l'effondrement est immédiat : au premier choc scientifique ou industriel, la religion s'efface. Mais si la structure familiale et le système agraire produisent une image forte et non contestée de Dieu, la résistance de la religion peut durer un siècle ou même deux. La géographie des structures familiales et des systèmes agraires, au contraire de celle de l'industrialisation, recoupe généralement les segmentations religieuses successives de l'espace européen.

Facteur de décomposition 1 : la révolution scientifique

Dans le courant du XVIIᵉ siècle, les scientifiques européens définissent une nouvelle représentation de l'univers dont le langage n'est plus théologique mais mathématique. L'acceptation définitive de l'héliocentrisme copernicien, la mécanique galiléenne, les lois de Kepler sur le mouvement des corps célestes mènent à la synthèse newtonienne : un univers stable, régi par des lois mathématiques immuables, constituera désormais l'environnement physique et mental des élites européennes. Le Dieu créateur n'est pas supprimé mais éloigné de la vie concrète des hommes. Son action cesse d'être quotidiennement nécessaire au fonctionnement du monde terrestre. Celle du diable également.

Sur le plan de la logique absolue, la science nouvelle n'explique pas mieux le monde que la religion ancienne. La physique newtonienne décrit en partie son fonctionnement, sans éclairer le mystère de son origine. La perception mathématisée de l'univers diminue l'étendue de l'ignorance humaine plus qu'elle ne la supprime. Mais elle établit, à côté des croyances religieuses, contre elles, un nouvel espoir de compréhension. Une *quête scientifique* de la vérité pourra absorber les énergies intellectuelles des élites européennes. Le développement de la science fait apparaître le caractère circulaire du débat théologique ; la physique, la chimie, la médecine sont autant de portes de sortie qui permettent à l'esprit humain d'échapper à des questions fondamentales mais insolubles.

Les signes les plus frappants du fléchissement de la foi religieuse, au niveau des élites, sont négatifs. Dès le milieu du XVIIᵉ siècle, un bon quart de siècle avant la synthèse newtonienne, se multiplient les efforts pour démontrer la justesse de la religion révélée. L'émergence d'un athéisme avoué, souvent associé en France au courant libertin, explique ces tentatives. Dès 1641, Descartes veut prouver dans ses *Méditations métaphysiques* l'existence de Dieu. En 1657-1658, c'est au tour de Pascal de s'attaquer au même problème dans *Les Pensées,* avec des arguments différents. Mais l'inquiétude est la même : Dieu pourrait ne pas exister. Et de façon caractéristique, ce sont des mathématiciens qui cherchent à prouver ce qui ne peut plus être atteint par la foi.

La mise en forme mathématique du monde physique est le premier choc scientifique subi par le christianisme, dès le milieu du XVIIᵉ siècle. Au XVIIIᵉ et dans la première moitié du XIXᵉ siècle, la progression des sciences est plus lente, moins décisive et ne produit en tout cas pas de nouveaux chocs dans le domaine religieux. A partir de la deuxième moitié du XIXᵉ siècle, une nouvelle poussée scientifique commence, touchant tous les secteurs mais aboutissant dans un domaine particulier à un défi majeur pour la religion : la révolution darwinienne remet en question la représentation biblique de l'origine de l'homme en dévoilant les mécanismes fondamentaux de l'évolution. La sélection naturelle ne supprime pas plus que la gravitation universelle la nécessité de Dieu, mais elle éloigne considérablement l'homme de son éventuel créateur. La publication en 1859 de *L'Origine des espèces* ouvre donc une deuxième crise religieuse.

Facteur de décomposition 2 : la révolution industrielle et la dépendance économique

Les effets déchristianisateurs de l'industrialisation constituent l'un des lieux communs de la pensée sociologique du XIXᵉ siècle. Partout en Europe, le développement des classes ouvrières affaiblit les Églises, dans des proportions très variables il est vrai. La perte de l'indépendance économique, la transformation des artisans ou des paysans en ouvriers d'usine semblent mener mécaniquement au déclin de la religiosité. L'universalité du phénomène n'empêche pas la diversité des interprétations.

La plus fine dérive de l'approche webérienne, qui s'efforce d'associer catégories économiques et religieuses[1]. L'indépendance économique est nécessaire à l'émergence d'une religiosité forte, complète. L'autonomie du producteur concrétise, dramatise l'idéal d'un destin terrestre individuel. La perception de ce destin durant la vie rend possible la conception d'un autre destin, métaphysique, après la mort. La responsabilité économique favorise donc la perception d'une responsabilité morale menant au salut ou à la damnation. Le salariat industriel au contraire réduit la responsabilité économique des individus, affaiblit leur perception d'un destin métaphysique et moral après la mort.

Si les effets ultimes de la révolution industrielle sont toujours déchristianisateurs, parce qu'elle crée une classe nouvelle de faible tempérament religieux, ses effets à moyen terme sont beaucoup plus ambigus, parfois même franchement contradictoires. La première révolution industrielle – celle du charbon, du fer et du textile – présente un élément de brutalité, de sauvagerie, qui crée, un peu partout, mais particulièrement en Angleterre, un choc de nature morale capable en certains lieux et certaines classes de réactiver plutôt que de détruire le sentiment religieux. Les prolétaires engloutis par les usines nouvelles échappent – dans une mesure qui varie selon le pays – à l'emprise de la religion. Les groupes sociaux traditionnels, bourgeois et artisans, contemplent avec effroi la marche du processus, craignent d'être engloutis à leur tour et manifestent fréquemment un retour de sensibilité religieuse. C'est en Angleterre – lieu d'une révolution industrielle précoce et massive – que le phénomène est le plus net. Certaines poésies de William Blake identifient les nouvelles usines à une irruption sur terre de l'Enfer traditionnel :

---

1. M. Weber, *Économie et société,* t. 1 ; sur classe sociale et tempérament religieux, voir en particulier le chapitre 5, paragraphe 7 : « Ordre, classe et religion » ; sur le prolétariat, p. 506.

And was Jerusalem builded here
Among these dark satanic mills [1]

Pour bien des Anglais de la deuxième moitié du XVIIIe siècle et de la première moitié du XIXe, les flammes des hauts fourneaux sont celles de l'Enfer. Les effets immédiats de la révolution industrielle ne sont donc pas simples, même s'il est certain que ses effets terminaux sont toujours déchristianisateurs. En un sens, le salariat « propre » des cadres et des employés de bureau, qui ne provoque pas les souffrances physiques et morales du salariat industriel, est plus simplement antireligieux dans ses effets : il détruit l'indépendance économique des artisans et des commerçants sans activer une peur millénariste du Jugement dernier. La dépendance économique n'est déchristianisatrice de façon univoque que lorsqu'elle ne crée pas de souffrances trop immenses.

Globalement, les effets antireligieux de la révolution scientifique et de l'industrialisation ne sont pas contestables. Séparément ou ensemble, ces deux phénomènes ne peuvent cependant rendre compte de l'*ordre* dans lequel les diverses régions d'Europe cèdent au mécanisme déchristianisateur. Pour comprendre la solidité de certaines croyances et la fragilité des autres, il faut passer à l'analyse des fondements anthropologiques de la foi, s'intéresser aux déterminants familiaux et agraires des tempéraments religieux à la veille du processus de déchristianisation.

Structures familiales et solidité de l'image divine

Les révolutions scientifique et industrielle n'attaquent pas une image uniforme de Dieu. Partout, Dieu est une image du père réel, charnel. Or la diversité des structures familiales européennes implique l'existence d'images paternelles distinctes et par conséquent de plusieurs images de Dieu, inégalement solides.

Dès le XVIe siècle, la Réforme et la Contre-Réforme révèlent l'existence de plusieurs personnalités divines adaptées aux

---

1. *The New Jerusalem.*

divers fonds anthropologiques régionaux[1]. Un *Dieu libéral*
domine la plus grande partie du monde catholique, reflet fidèle
des pères libéraux de la famille nucléaire égalitaire. Un autre
Dieu libéral l'emporte dans les pays réformés de tendance arminienne où la famille nucléaire absolue constitue le type anthropologique dominant. Dans le reste du monde protestant, un Dieu
autoritaire s'affirme, transposition métaphysique des pères autoritaires des régions de famille souche. On peut également supposer l'existence d'images autoritaires de Dieu dans certaines
régions de famille souche restées catholiques (catholicisme harmonique)[2].

Or les images autoritaires de Dieu sont évidemment beaucoup
plus solides que ses images libérales. Les révolutions scientifique et industrielle attaquent donc simultanément des Dieux
solides et des Dieux fragiles. L'existence en Europe de deux
niveaux d'autorité des pères implique celle de deux niveaux de
résistance de l'image de Dieu. Le Dieu des régions de famille
souche sera plus difficile à détruire que celui des régions de
famille nucléaire.

Le type d'autorité paternelle ne détermine pas seul la solidité
de l'image divine. Un autre aspect de la structure familiale, la
relation entre frères – qui suppose ou non la présence de valeurs
égalitaires –, joue aussi un rôle capital, probablement aussi
important. L'autorité des pères définissait celle de Dieu, la relation entre frères définit quant à elle un certain niveau de contestation de cette autorité. Les valeurs égalitaires sont par nature
difficilement compatibles avec l'idée qu'il existe un être supérieur aux autres par essence. L'égalitarisme ronge spontanément
la notion même de transcendance divine. Toute structure familiale insistant sur la nécessaire égalité des frères contient un élément défavorable au maintien de l'autorité de Dieu. La famille
nucléaire égalitaire apparaît donc comme un terrain moins favorable à la persistance du sentiment religieux que la famille
nucléaire absolue, la famille communautaire comme un terrain
moins favorable que la famille souche. La relation père-fils définit, positivement, un degré d'autorité divine ; la relation entre
frères définit, négativement, un niveau de contestation de cette

---

1. Cf. *supra,* chap. 3.
2. Cf. *supra,* p. 137.

autorité. La combinaison des deux effets permet de définir *a priori* les degrés de solidité de l'image de Dieu correspondant aux quatre types familiaux utilisés dans ce livre.

La *famille souche* produit une solidité maximale : l'autorité des pères appuie celle de Dieu ; l'indifférence au principe d'égalité, manifeste dans les relations entre frères, implique une absence de contestation de la transcendance divine.

La *famille communautaire* engendre une contradiction et un équilibre instable : le trait vertical de l'organisation familiale implique une image forte de Dieu, mais l'égalitarisme des relations entre frères favorise un rejet de la transcendance divine.

La *famille nucléaire absolue* engendre un autre type de situation moyenne, mais ne correspondant pas à une contradiction. Le libéralisme de l'organisation familiale implique un Dieu fragile, l'indifférence au principe d'égalité permet à ce Dieu fragile d'être assez peu contesté.

La *famille nucléaire égalitaire* représente pour la religion la menace absolue. Le Dieu fragile découlant du libéralisme paternel est rongé par l'égalitarisme du rapport fraternel.

Tous ces Dieux uniques peuvent vivre, et même prospérer, jusqu'au milieu du XVIIᵉ siècle : l'existence d'un Créateur est alors une nécessité intellectuelle autant qu'affective ou morale. Le Dieu faible des régions de famille nucléaire, moins actif dans la vie des hommes, reste le Créateur. La révolution scientifique prive Dieu, par étapes successives, de ses supports logiques et intellectuels. A partir de la deuxième moitié du XVIIᵉ siècle, la religion devra s'appuyer beaucoup plus exclusivement sur des supports affectifs et moraux. Sa dépendance à l'égard des structures familiales, grandes productrices d'affectivité et de moralité, va s'accroître. Là où les structures familiales sont de type libéral et égalitaire, l'image de Dieu et par conséquent la religion fléchiront beaucoup plus vite.

Structures agraires et solidité du système religieux

Le type agraire, autre élément du système anthropologique d'une région donnée, joue aussi un rôle dans la détermination du degré de solidité du système religieux. L'un des quatre types d'organisation agraire étudiés au chapitre 2 – grande exploitation, métayage, fermage, propriété paysanne – engendre une fragilité originelle de la vie religieuse. Il s'agit de la grande exploitation, qui produit et reproduit, autant que la grande industrie, de la dépendance économique, et par conséquent un sentiment atténué de l'importance du destin individuel, terrestre ou métaphysique.

Le système de la grande exploitation suppose, pour fonctionner, l'existence d'une masse d'ouvriers agricoles dont la condition diffère peu de celle des ouvriers d'industrie les moins qualifiés. Ils vivent aussi d'un salaire, même si celui-ci est souvent touché en nature. Le prolétariat, au sens le plus général du terme, n'est pas une création de l'usine. Les journaliers et manouvriers d'Ancien Régime sont déjà des prolétaires, des agents économiques n'exerçant aucun contrôle sur leurs instruments de production, sur l'exploitation rurale qui vit de leur travail. Leur dépendance économique doit, comme celle des ouvriers d'industrie, produire un tempérament religieux faible. L'interprétation proposée par Weber dans *Économie et société* attribue d'ailleurs simultanément aux esclaves, aux ouvriers agricoles et aux salariés de l'industrie un certain indifférentisme religieux [1].

On peut ici ajouter à l'analyse webérienne de la fragilité du sentiment religieux dans un contexte de dépendance économique une autre interprétation, qui la complète et la nuance sans réellement la contredire, centrée sur l'image de Dieu telle qu'elle découle de la vie familiale plutôt que sur la notion de destin individuel.

L'indépendance économique fait de la famille, quel que soit son type, une unité de production autonome dans laquelle le père est chef d'entreprise. Le salariat industriel ou agricole prive la famille de ses fonctions de production, la réduisant, sur le plan économique, au rôle d'unité de consommation. Le père reste chef de famille mais il n'est pas chef d'entreprise. Cette situation, sans détruire l'autorité paternelle, change partiellement sa nature. L'action du père cesse de s'incarner dans des décisions économiques quotidiennes, perceptibles pour l'enfant, elle perd son caractère concret. En régime de salariat, l'autorité du père est plus lointaine, plus strictement affective, souvent relayée par la mère, plus présente au domicile familial. La dépendance

---

1. M. Weber, *op. cit.,* p. 506.

économique rend abstraite l'autorité du père. On observe très souvent, en milieu prolétarien, des déviations matriarcales importantes du système familial [1]. Le salariat, industriel ou agricole, fragilise donc l'image paternelle et par conséquent l'image reflet de Dieu.

Au contraire de la grande industrie, la grande exploitation rurale n'est pas un produit de la modernité. Elle est un élément du fond anthropologique. Elle contribue donc à créer des zones de faiblesse initiale du christianisme traditionnel. Le métayage, le fermage et la propriété paysanne correspondent certes à des situations d'indépendance économique assez différentes. Aucun de ces systèmes agraires – pas même le métayage – n'approche le degré de dépendance typique de la grande exploitation. Tous considèrent la famille comme une unité de production et le père comme un chef d'exploitation. Ils n'ont pas sur la croyance en Dieu et en l'au-delà les effets délétères massifs de la grande exploitation.

L'introduction de la variable agraire ne complique pas exagérément l'analyse de la fragilité initiale du système religieux local. L'existence de la grande exploitation suppose souvent celle de la famille nucléaire [2]. Elle se présente donc comme un facteur aggravant l'instabilité du système religieux dans des zones que leur système familial libéral définit déjà comme fragiles.

Le salariat agricole fragilise la religion dans certaines régions dont le degré de modernisation est très faible – ni industrialisées ni alphabétisées dans la deuxième moitié du XVIIIe siècle. Le premier effondrement du christianisme n'aura donc pas à attendre le décollage industriel pour se manifester. Il se produit là où la famille, libérale et égalitaire, produit une image faible et

---

1. Chez les ouvriers agricoles du Nord de la France, le mariage est souvent matrilocal, les maris venant vivre dans le village de leur femme (cf. E. Todd, *Seven Peasant Communities...*, p. 140-142). Dans la Norvège du début du XIXe siècle, mari et femme ont fréquemment le même âge chez les ouvriers agricoles, alors qu'un écart d'âge les sépare en milieu de paysans indépendants (cf. E. Sundt, *On Marriage in Norway,* p. 145). Le milieu ouvrier moderne permet aussi d'observer des déviations matriarcales, ainsi dans la classe ouvrière anglaise des années cinquante (cf. P. Willmott et M. Young, *Family and Kinship in East London,* p. 44-61).

2. Sur les relations entre structures familiales et types agraires, voir chapitre 2.

contestée du Dieu-père et où le salariat agricole atténue le sentiment d'un destin individuel tout en fragilisant le pouvoir matériel du père. Les régions d'Europe où se combinent *famille
nucléaire égalitaire* et *grande exploitation rurale* sont les pôles
fondamentaux de la première déchristianisation.

La première crise : la fin du catholicisme classique (1730-1800)

Dès le milieu du XVIII⁰ siècle s'ouvre en France, en Espagne,
au Portugal, en Italie la première phase de la déchristianisation.
Cette crise religieuse est d'un type nouveau : elle ne mène pas
d'un système de croyance à un autre, mais de la foi à l'incrédulité. La recherche historique récente, sérielle et quantitative, a
considérablement fait avancer notre connaissance de la chronologie fine du processus, particulièrement dans le cas de la
France.

Les études de Timothy Tackett sur l'histoire sociale du clergé
séculier permettent de situer avec exactitude le début du reflux.
L'indice utilisé ne peut être l'assistance à la messe, qui n'est pas
mesurable pour une période aussi reculée. L'évolution du
nombre des vocations religieuses – fortement corrélé à la pratique dominicale – est un révélateur statistique aussi satisfaisant.
Les chiffres réunis par Tackett montrent que le nombre annuel
des nouveaux prêtres s'effondre, dans certaines régions
majeures, entre 1730 et 1789[1]. Selon le lieu, le point d'inflexion
se situe entre 1730 et 1760[2]. Tous les diocèses français n'ont pas
été étudiés mais la tendance générale est parfaitement claire. Si
l'on s'en tient au grand Bassin parisien et à ses marges, la chute
du nombre des vocations est particulièrement nette dans les diocèses de Reims, Orléans, Dijon, Autun, Le Mans, Lisieux, Sées.
Les résultats sont moins nets pour ceux de Châlons-sur-Marne et
de Laon. Quant à celui de Troyes, il fait apparaître une décrue
continuelle à partir du début du XVIII⁰ siècle. Cependant, dans
plusieurs diocèses périphériques, il n'est pas possible de déceler

1. T. Tackett, « L'histoire sociale du clergé diocésain dans la France du
XIX⁰ siècle », p. 204.
2. T. Tackett, article cité, p. 205.

30 – La pratique religieuse catholique (1950-1965)

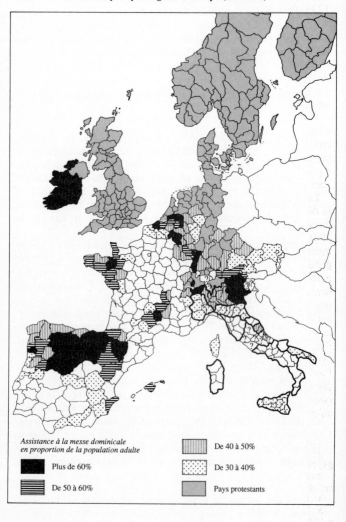

Assistance à la messe dominicale
en proportion de la population adulte

■ Plus de 60%

▤ De 50 à 60%

▥ De 40 à 50%

▦ De 30 à 40%

▨ Pays protestants

une tendance à la baisse du recrutement au cours des années 1730-1789, signe qu'une différenciation s'opère à l'intérieur même du monde catholique. Metz, Saint-Brieuc, Rodez, Vannes, Viviers, Coutances, Gap ne semblent pas réellement touchés par la crise [1]. Dans l'ensemble et sans nier l'existence de certaines irrégularités, on doit constater que la chute du nombre des vocations religieuses séculières est particulièrement forte au centre du système national, au cœur du Bassin parisien, durant le demi-siècle qui précède la Révolution française.

L'évolution du nombre des vocations « régulières », qui concernent les couvents et non les paroisses, confirme ces résultats. Des recherches récentes sur l'ordre capucin dans le Bassin parisien et en Touraine font apparaître une chute du nombre des « professions » (c'est-à-dire des entrées définitives dans l'ordre) vers 1745 à Reims, 1750 à Amiens [2].

Les données utilisées par Michel Vovelle dans son analyse de la déchristianisation en Provence sont d'un autre type mais produisent une chronologie parallèle. L'indicateur statistique est alors la fréquence relative des demandes de messe dans les testaments. La chute du nombre de ces manifestations typiques de piété catholique commence en général vers 1750, dans certaines paroisses dès les années 1720-1730 [3]. Les données chiffrées concernant la péninsule Ibérique ne permettent pas d'aboutir à une datation aussi fine mais révèlent aussi une déchristianisation ancienne. Dès le XVIIIe siècle, le Sud du Portugal – en particulier le diocèse de Beja – apparaît vide de prêtres, abandonné par l'Église. Certains témoignages laissés par des curés de l'époque évoquent un point d'inflexion vers 1750 [4]. En Espagne, l'effondrement religieux remonte aussi au XVIIIe siècle. Les chiffres disponibles montrent que le nombre de prêtres pour 10 000 habitants passe de 70 en 1769 à 25 dès 1859, la chute se poursuivant au-delà de cette date [5]. Le reflux du catholicisme est particulière-

1. T. Tackett, article cité, graphique p. 205.
2. C. Hémar, *Les Frères mineurs capucins sous l'Ancien Régime,* p. 27, 65, 71.
3. M. Vovelle, *Piété baroque et déchristianisation en Provence au XIXe siècle,* p. 305-306.
4. J. Marcadé, « Beja, terre de mission au XIXe siècle », p. 140.
5. R. Duocastella, « Géographie de la pratique religieuse en Espagne », p. 264.

ment brutal en Andalousie. La seule des régions de déchristianisation précoce pour laquelle je ne dispose pas de données permettant de définir une chronologie détaillée est l'Italie. Cependant, au lendemain immédiat de la Deuxième Guerre mondiale, le nombre de prêtres pour 10 000 habitants atteignait déjà en Italie du Sud des valeurs infimes, inférieures à 5 – comme en Andalousie [1] (carte 31). La convergence des séries concernant le Bassin parisien, la Provence, le Sud du Portugal et le Sud de l'Espagne suggère une grande uniformité temporelle du phénomène en Europe dont on doit supposer qu'elle s'étendait à la péninsule italienne. Dans chacun des exemples de chute, le milieu du XVIIIᵉ siècle représente un tournant.

L'uniformité n'est cependant que temporelle et non spatiale. Le monde protestant n'est pas concerné. Dans le monde catholique, certaines régions sont touchées, d'autres non. La différenciation commence, une géographie de l'incroyance se dessine.

Géographie

Entre 1800 et 1960, le catholicisme se stabilise. Dans les régions déchristianisées par la crise des années 1730-1800, l'Église cesse définitivement d'être une puissance sociale. La pratique dominicale reste faible ; les vocations sacerdotales continuent d'être rares. Un catholicisme purement formel, on serait tenté de dire « nominal », se met en place : les enfants sont baptisés, on se marie à l'église. Et c'est tout. L'Église se contente d'administrer les rituels correspondant aux rites de passage classiques de l'existence humaine, d'essence non chrétienne.

Ailleurs, la religion est intacte. Jusqu'aux années 1960-1965, un catholicisme solide survit, prospère même dans la plupart des régions épargnées par la crise des années 1730-1800, avec des taux d'assistance à la messe souvent supérieurs à 50 % et une production de prêtres qui augmente dans le courant du XIXᵉ siècle.

Les études de sociologie religieuse menées par le chanoine Boulard et ses continuateurs dans l'ensemble du monde catholique, durant les années 1950-1965, permettent de dessiner avec

---

1. Pour l'Andalousie, voir R. Duocastella et coll., *Analisis sociologico del catolicismo español*, p. 28.

31 – Italie : le clergé séculier en 1971

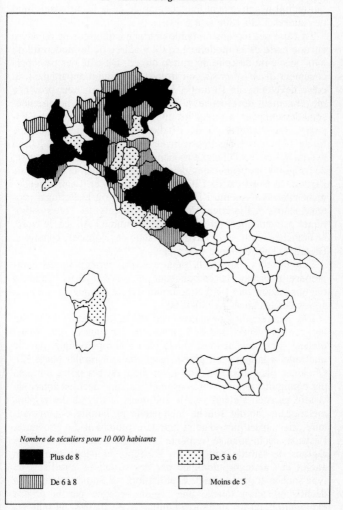

Nombre de séculiers pour 10 000 habitants

Plus de 8

De 6 à 8

De 5 à 6

Moins de 5

une grande précision cette géographie du catholicisme maintenu, qui définit négativement une géographie de la déchristianisation des années 1730-1800 (carte 30).

La carte des régions de faible pratique catholique ne recouvre aucune carte de la modernité, qu'il s'agisse de la modernité du xviiiᵉ siècle ou de celle du milieu du xxᵉ. Du côté des pays précocement *déchristianisés,* on trouve une région appartenant au cœur développé de l'Europe, le Bassin parisien, une province moyennement développée, la Provence, et d'autres notoirement sous-développées, à toutes les époques, comme le Sud de l'Espagne, du Portugal ou de l'Italie. Symétriquement, l'espace fidèle inclut des zones très avancées, comme la Belgique, le Sud des Pays-Bas, l'Allemagne rhénane ou méridionale et la Suisse, des régions moyennement développées, comme la France de l'Ouest, le Nord-Est de l'Italie et l'Autriche, et d'autres réellement attardées comme l'Irlande, l'Espagne ou le Portugal septentrionaux. A l'intérieur de l'espace français, les zones catholiques peuvent apparaître développées comme l'Alsace, le Nord, la Franche-Comté et la Savoie, ou sous-développées, comme la Bretagne, l'Anjou ou le Rouergue.

Les facteurs explicatifs déjà exposés permettent de comprendre pourquoi le catholicisme a survécu dans certaines régions jusque vers 1965 et pourquoi il a été éliminé de certaines autres dès les années 1730-1800.

Les quatre pôles principaux de déchristianisation – Bassin parisien, Provence, Sud de la péninsule Ibérique et Italie méridionale – combinent tous, sur le plan anthropologique, famille nucléaire égalitaire et grande exploitation rurale (carte 32). Quelques phénomènes de diffusion hors de ces pôles initiaux, par contiguïté, peuvent être observés : la zone déchristianisée du Bassin parisien s'étend vers le sud-ouest, à travers des régions mélangeant famille souche incomplète et famille communautaire, mais aussi métayage et grande exploitation. En Provence, l'espace déchristianisé remonte au nord pour atteindre des régions de famille souche. En Espagne, la déchristianisation atteint la Catalogne, dominée par des structures familiales de type souche et par la grande exploitation. Au Sud du Portugal, la déchristianisation touche une région occupée par la grande exploitation, où les structures familiales, égalitaires, ne sont pas à proprement parler nucléaires. Mais dans l'ensemble, la coïn-

32 – Pôles de déchristianisation

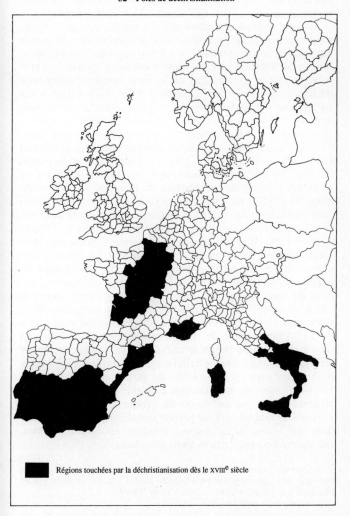

■ Régions touchées par la déchristianisation dès le XVIIIe siècle

cidence entre fond anthropologique (famille nucléaire égalitaire + grande exploitation) et déchristianisation est frappante.

Système familial et système agraire apparaissent donc également nécessaires au processus de déchristianisation : la grande exploitation et son corollaire, le salariat agricole, sont indispensables. Les régions associant famille nucléaire égalitaire et propriété paysanne apparaissent sur la carte comme d'assez bons terrains de résistance du catholicisme. C'est évident dans le cas du Nord de l'Espagne, principale région présentant cette combinaison anthropologique. Mais l'Est de la France – lorrain, franc-comtois ou bourguignon –, qui présente la même combinaison, reste assez catholique, malgré une industrialisation assez poussée au XXᵉ siècle. Dans cette catégorie, seule l'Italie du Nord-Est déserte le catholicisme : la propriété paysanne ne suffit pas à empêcher la défection du Piémont, fort peu pratiquant. Il s'agit il est vrai d'une région surindustrialisée. Quelques coefficients de corrélation permettent de mesurer avec une certaine précision la puissance de détermination de la variable agraire. Le coefficient associant « pourcentage d'ouvriers agricoles dans la population active agricole » et « assistance à la messe dominicale » est en France de – 0,52, en Espagne de – 0,60, au Portugal de – 0,80 [1]. En Italie, pays pour lequel on dispose de statistiques insuffisantes concernant l'assistance à la messe, le coefficient de corrélation associant « proportion d'ouvriers agricoles » et « nombre de curés par habitant » est égal à – 0,53 [2]. L'universalité de la relation est évidente. Si l'on s'en tient à l'examen de la sphère catholique, on a même parfois le sentiment trompeur que le salariat agricole suffit à expliquer la déchristianisation. Au sud-ouest du Bassin parisien (entre la Loire et Bordeaux), en Catalogne, la grande exploitation entraîne la déchristianisation en région de famille souche. Au Sud du Portugal, le salariat agricole produit une déchristianisation totale dans une région où la structure familiale est égalitaire certes, mais présente aussi certains traits autoritaires [3].

1. Ouvriers agricoles en 1975 pour la France et l'Espagne, 1981 pour le Portugal ; pratique religieuse au début des années soixante en France et en Espagne, à la fin des années soixante-dix au Portugal.
2. Année 1971 pour les deux variables.
3. Sur les particularités de la structure familiale du Sud du Portugal, voir chapitre 1, p. 57-62.

Il faut sortir du monde catholique, qui ne comporte pas de région dissociant sur une vaste échelle la grande exploitation de la famille nucléaire égalitaire, pour saisir l'importance de la structure familiale dans le processus de déchristianisation. Ni dans l'Angleterre du Sud, ni en Écosse, ni en Allemagne du Nord ou en Suède du Centre-Est, régions de salariat agricole, la grande exploitation n'entraîne une déchristianisation précoce. Les protestantismes très divers de ces pays et provinces atteignent sans effort, intacts, et même parfois renforcés, le milieu du XIXe siècle. Les structures familiales n'y sont pas de type nucléaire égalitaire. L'absence de ce facteur anthropologique essentiel empêche la déchristianisation précoce.

Le catholicisme avant l'implosion : un phénomène urbain

Le catholicisme des années 1620-1730, solidifié par la Contre-Réforme, ne tenait pas sa partie d'Europe d'une prise uniforme. Son implantation en profondeur est très inégale, en particulier dans les régions de famille nucléaire égalitaire, qui constituent, au lendemain des guerres de Religion, son assise anthropologique fondamentale. L'examen de données concernant le recrutement religieux d'Ancien Régime révèle en effet que le catholicisme des régions de famille nucléaire égalitaire est alors un phénomène *majoritairement* urbain. Dans les régions où la famille nucléaire égalitaire est associée en milieu rural – cas le plus fréquent – à la grande exploitation, le catholicisme est même un phénomène *essentiellement* urbain.

L'analyse détaillée du diocèse de Reims, situé au nord-est du Bassin parisien – uniformément nucléaire égalitaire pour ce qui concerne les structures familiales, mais comprenant sur le plan agraire des zones de grande exploitation et d'autres de propriété paysanne –, permet de saisir les différents niveaux d'implantation du catholicisme d'Ancien Régime. Les données utilisées par Dominique Julia et Dennis McKee pour l'étude de ce diocèse remontent en effet au XVIIe siècle finissant [1]. Les chiffres calculés démontrent le caractère spécifiquement urbain du recrutement

---

1. D. Julia et D. McKee, « Le clergé paroissial dans le diocèse de Reims sous l'épiscopat de Charles-Maurice Le Tellier ».

traditionnel : à la charnière des XVIIᵉ et XVIIIᵉ siècles, villes et
bourgs du diocèse de Reims fournissent près de 70 % de vocations sacerdotales, alors qu'ils comprennent moins de 30 % de la
population de la généralité de Champagne[1]. Les campagnes,
avec plus de 60 % de la population, donnent seulement 30 % des
prêtres. Les villes semblent donc des îlots de religiosité dans une
mer d'indifférentisme rural. Cette répartition spatiale, très nette
lorsque l'on examine les cartes, ne s'efface que le long de la
frange nord-est du diocèse, dans les microrégions de Rumigny,
Charleville-Mézières, Sedan, Grandpré, Cernay, Dun[2]. Dans
cette zone, périphérique à la fois pour le diocèse de Reims et
pour le Bassin parisien, on trouve des campagnes plus produc-
tives en prêtres et des villes moins écrasantes – en somme, une
plus grande homogénéité religieuse de l'ensemble villes/cam-
pagnes. Or c'est sur cette frange nord-est que la grande exploitation typique du Bassin parisien se dilue, laissant progressivement la place à un système agraire constitué d'exploitations
moyennes et de paysans propriétaires. Les familles d'ouvriers
agricoles de la partie sud-ouest du diocèse fournissent peu de
prêtres, les paysans moyens du nord-est beaucoup plus. Les
structures du recrutement clérical ne sont pas différentes, à la
même époque, en Espagne, au Portugal ou en Italie.

Les corrélations observées au XXᵉ siècle entre systèmes
agraires et niveaux de religiosité existaient donc déjà sous l'Ancien Régime. Dès le XVIIᵉ siècle, les paysans propriétaires apparaissent très fidèles au catholicisme contre-réformé, et les
ouvriers agricoles relativement indifférents. C'est le changement
d'attitude des villes – très fidèles au XVIIᵉ siècle, et qui se
détachent à partir des années 1730-1740 – qui définit l'histoire
menant de la foi à la déchristianisation.

Aucune hypothèse supplémentaire n'est nécessaire pour expliquer l'activisme religieux des villes d'Ancien Régime, s'opposant à l'indifférence des zones rurales de grande exploitation.
Comme les campagnes de paysans propriétaires, les villes d'Ancien Régime sont peuplées de travailleurs indépendants. Le
monde urbain préindustriel est surtout constitué d'artisans et de
commerçants. Par sa structure économique, il est très éloigné de

---

1. D. Julia et D. McKee, article cité, p. 540.
2. D. Julia et D. McKee, article cité, p. 539 et 546.

l'univers urbain de l'époque industrielle. La ville typique du XVIIe siècle comprend quelques nobles et marchands, mais elle vit surtout de l'activité d'une masse de petits « maîtres », travailleurs indépendants aptes à une conscience religieuse forte, selon l'hypothèse de Weber.

Le catholicisme des années 1620-1730, triomphant en apparence, est en région de famille nucléaire égalitaire et de grande exploitation un système fragile. Il tient les villes, qui tiennent elles-mêmes les campagnes. Mais son Dieu libéral et égalitaire, faiblement défini par les structures familiales, n'est réellement accepté que dans le monde urbain. L'indépendance économique des masses, typique des villes anciennes, est le seul facteur favorable à sa puissance.

Dans les campagnes de grande exploitation, où la structure familiale est la même – et par conséquent défavorable –, la morphologie économique joue dans un sens négatif. Le salariat déforme l'image du père et par conséquent celle de Dieu. L'Éternel apparaît exceptionnellement lointain et abstrait, spectateur plus qu'acteur de la vie des hommes. En fait, le catholicisme contre-réformé n'a probablement jamais vraiment contrôlé les esprits dans les campagnes de structure familiale nucléaire égalitaire et de grande exploitation [1].

Entre 1730 et 1800, le catholicisme urbain s'effondre à travers toute l'Europe : les régions dont les zones rurales étaient déjà peu religieuses échappent alors d'un coup à l'emprise de l'Église.

Les Lumières frappent au cœur

L'histoire statistique et sérielle du recrutement religieux, qui met en évidence une phase de déclin brutal entre 1730 et 1800, reproduit spontanément l'une des chronologies classiques de l'histoire intellectuelle. Elle est le reflet quantifié de mouve-

---

1. Ce qui n'exclut pas un respect formel de l'Église catholique. G. Le Bras souligne, dans ses *Études de sociologie religieuse,* le bon accomplissement du devoir pascal au début du XVIIIe français, la « soumission quasi parfaite des paysans français », notamment ceux du Bassin parisien. Ses sources sont les enquêtes diocésaines de l'époque, menées par les évêques avec l'aide des curés. Voir en particulier t. 1, p. 240 et 276.

ments d'idées connus. C'est à cette époque, en effet, que l'offensive menée par les Lumières contre la religion organisée atteint son maximum d'intensité. Déisme et athéisme s'attaquent presque simultanément aux dogmes chrétiens traditionnels, à travers toute l'Europe. Le Dieu abstrait du déisme, le Dieu absent de l'athéisme découlent tous deux de la révolution scientifique du XVIIe siècle, qui définit une image du monde dont le Créateur est évacué, du moins pour ce qui concerne la vie quotidienne des hommes. Le premier déisme, celui des intellectuels anglais, se développe d'ailleurs au lendemain immédiat de la révolution newtonienne, entre 1690 et 1740. Il accompagne les lois de la gravitation dans leur voyage vers le continent : en France, il est radicalisé, ultimement transformé par certains en athéisme. L'évolution personnelle de Diderot, du déisme à l'athéisme, est sur ce point caractéristique. La puissance culturelle de la France des Lumières assure une dispersion européenne de l'irréligion des élites. La mission principale des « philosophes » devient alors, selon le mot de Voltaire, d'*écraser l'infâme,* c'est-à-dire de détruire les croyances religieuses traditionnelles. Le caractère européen de la révolution scientifique, puis du mouvement des Lumières, explique fort bien le caractère simultané des évolutions religieuses constatées en France, en Espagne, au Portugal, en Italie. L'histoire politique de la religion confirme d'ailleurs ces coïncidences temporelles. L'expulsion des jésuites par les gouvernements de l'Europe catholique est aussi un phénomène d'échelle continentale, étroitement situé dans le temps : 1759 au Portugal, 1762-1764 en France, 1767 en Espagne, 1773 en Autriche. Un phénomène uniforme attaque la foi chrétienne traditionnelle. La résistance de la religion est cependant différentielle. L'incrédulité entame partout les élites : la noblesse, la bourgeoisie et paradoxalement le clergé lui-même. Mais dans la plus grande partie de l'Europe, le mouvement de déchristianisation n'entame pas les milieux populaires, urbains et surtout ruraux. Déisme et athéisme restent des phénomènes minoritaires, finalement noyés et résorbés par la masse des croyances populaires. La déchristianisation ne triomphe que là où les campagnes présentent une structure anthropologique « optimale » combinant famille nucléaire égalitaire et grande exploitation. Dans le Bassin parisien, dans le Sud de l'Espagne ou de l'Italie, où ces conditions sont réalisées, les Lumières frappent le catholicisme en son cœur : dans les villes où sont recrutés les prêtres et les véritables fidèles. La liquidation de la religion urbaine, sur fond d'indifférence rurale, y implique la destruction globale du système religieux.

Ailleurs la stabilité l'emporte. On assiste même, dans le monde protestant, à une réactivation du sentiment religieux dans les milieux populaires, dès la deuxième moitié du xviiie siècle. Le méthodisme anglais, le piétisme allemand sont les réactions naturelles de systèmes anthropologiques locaux à la philosophie déchristianisatrice des Lumières. La famille nucléaire absolue anglaise, la famille souche allemande accordent à Dieu un bail d'existence supplémentaire.

Réveil et mort des protestantismes (1740-1930)

Les années 1750-1850 sont pour le catholicisme une époque de crise, de division, d'implosion partielle. Cette même période est pour le protestantisme une époque faste, l'heure d'un « réveil » selon la terminologie réformée elle-même [1]. Réactivation du débat théologique, participation plus grande des fidèles, émergence d'Églises et de sectes nouvelles : ente 1750 et 1850, les divers protestantismes européens échappent à l'assoupissement des années 1660-1740. Les aristocrates sceptiques, les souverains anticléricaux ou athées, produits de la philosophie des Lumières, disparaissent du paysage social. En Grande-Bretagne, le phénomène est manifeste dès le milieu du xviiie siècle. John Wesley, fondateur du méthodisme, commence à prêcher en 1739. Son mouvement agite les milieux populaires dès la deuxième moitié du xviiie siècle, entraînant, dans la première moitié du xixe, une réactivation de toutes les sectes issues de la révolution anglaise [2], qui émergent alors d'un sommeil de cent cinquante ans. L'Écosse, le pays de Galles sont simultanément touchés. Sur le continent, le retour de la foi est un peu plus tardif. C'est entre 1800 et 1815 qu'apparaissent, en Allemagne, en Suède, au Danemark, en Norvège, aux Pays-Bas et en Suisse les

---

1. Pour une présentation générale du *réveil* protestant, voir E.G. Léonard, *Histoire générale du protestantisme*, t. 3, et K.S. Latourette, *Christianity in a Revolutionary Age*, t. 2.
2. G.R. Cragg, *The Church and the Age of Reason*, p. 141-156.

premiers signes caractéristiques de ce réveil général[1]. La chronologie révèle d'elle-même, dans le cas de la Grande-Bretagne comme dans celui du continent, la nature du choc qui met en mouvement les croyances religieuses.

En Grande-Bretagne, la première phase, sauvage, de la révolution industrielle répand une inquiétude générale qui aboutit à une renaissance temporaire de la foi. Sur le continent, la Révolution française, qui commence un demi-siècle après la révolution industrielle anglaise, engendre un autre type de peur, un autre besoin de foi et de sécurité métaphysique, qui mène à la même solution, le réveil des croyances traditionnelles.

La réactivation religieuse mène souvent les protestants « régénérés » hors de leur Église instituée, phénomène à peine perceptible en Allemagne, mesurable en Suède, au Danemark et en Norvège, évident aux Pays-Bas, en Angleterre, en Écosse et au pays de Galles, puisque les scissions rythment l'histoire religieuse de ces quatre nations au XIXe siècle. Mais en pays protestant, la scission n'est qu'un signe brut de vitalité. Se séparer de l'Église mère, c'est rejouer l'histoire des pères fondateurs, celle de Luther et de Calvin, c'est se redéfinir « réformé ». L'émergence de la Christelijke Gereformeerde Kerk aux Pays-Bas dans les années 1820-1830, la fondation de la Free Church écossaise en 1843, la lente séparation du méthodisme d'avec l'Église anglicane, la prolifération des autres sectes anglaises, l'élimination par le méthodisme et les autres groupes non conformistes de l'anglicanisme au pays de Galles ne créent pas une nouvelle problématique religieuse. La véritable foi protestante implique, au niveau individuel, le sentiment d'une conversion à l'adolescence ou au milieu de l'âge adulte. La conversion des élus favorise presque mécaniquement les scissions, particulièrement dans les pays de tempérament arminien, qui valorisent peu la discipline organisationnelle. Le protestantisme est prospère durant la plus grande partie du XIXe siècle, même s'il ne crée pas de nouvelles croyances. Il n'a pas à affronter sur son terrain, comme le catholicisme, la menace de l'irréligion, sauf peut-être dans certaines subcultures ouvrières, en Angleterre en particulier. Aucun effondrement global n'est observable avant la fin du siècle. Mais la chute est alors brutale, et totale : au contraire de la crise catho-

---

1. K.S. Latourette, *op. cit.*, t. 2, p. 3, 62-77, 136-140, 168-175, etc.

lique de la deuxième moitié du xviiie siècle, la crise du protestantisme qui commence vers 1880 n'épargne aucune région et ne laisse pas subsister grand-chose de la puissance sociale des Églises. Elle fait du monde réformé un univers totalement laïcisé. Avant d'aborder la chronologie précise de ce processus, il est nécessaire d'évoquer quelques problèmes de méthode concernant la mesure de la pratique et de la foi en pays protestant.

Mesure de la foi et de la pratique en pays protestant

La sociologie du catholicisme renonce à définir la foi pour s'intéresser seulement à la pratique religieuse : la méthode Boulard mène à la définition d'indicateurs quantifiés mesurant l'assistance à la messe dominicale, la fréquence de la communion pascale, la proportion d'enfants baptisés, le pourcentage de mariages religieux, le nombre annuel par habitant des ordinations de prêtres. Sans atteindre l'intensité réelle de la foi dans une population donnée, ces indicateurs définissent bien la puissance locale du catholicisme. Ils mesurent efficacement l'emprise de l'Église sur les esprits. En pays protestant, rien de tel. La religion de Luther nie l'importance des prêtres, affirme la primauté de la foi laïque ; on ne peut donc considérer la fréquence des vocations sacerdotales, à un moment donné, en un lieu donné, comme un indicateur objectif de religiosité. L'utilisation des rituels pose des problèmes analogues : la foi protestante se veut intérieure, rapport direct de l'homme à Dieu. L'assistance aux offices religieux n'est pas capitale pour le protestantisme. Le fait de ne pas assister ne constitue pas une rupture significative. Un nombre peu élevé de pasteurs, une faible assistance à l'office du dimanche ne peuvent être considérés comme les signes sûrs d'une incroyance radicale. Le protestant idéal, dans sa version réformée la plus dure, est un homme qui, chez lui, seul, lit le soir sa bible. Inaccessible à la statistique. La rigueur méthodologique ne doit cependant pas conduire à un rejet des données existantes. L'assistance aux offices religieux *à un moment donné,* le nombre de pasteurs à *un moment donné* n'ont pas de sens absolu. Par contre, un effondrement de l'assistance dominicale, entre *deux* dates données, ou une chute du nombre des pasteurs ont un sens et ne peuvent que révéler un fléchissement de la croyance. Il est donc possible de dater avec une certaine précision la crise du protestantisme européen. Certaines comparaisons dans l'espace ont également un sens. A l'intérieur d'un système religieux national, la présence simultanée de zones de forte et de faible assistance dominicale, de régions particulièrement favorables au recrutement en pasteurs, révèle l'existence de niveaux différents de religiosité. On peut donc étudier à l'intérieur de certains pays, comme l'Angleterre, des phénomènes d'accélération ou de résistance.

Chronologie

Les premiers signes de fléchissement du protestantisme apparaissent en Angleterre et aux Pays-Bas à partir de 1880. L'Église anglicane enregistre dès 1881 une chute du nombre des ordinations annuelles. Les Églises non conformistes ne semblent pas concernées dans un premier temps ; le déclin de leurs effectifs ne commence que vers 1906[1]. Les recensements néerlandais, qui répartissent les habitants du royaume selon l'appartenance religieuse, révèlent une augmentation substantielle du nombre des « sans religion » à partir de 1880, dans les provinces protestantes exclusivement[2]. A partir de 1890 ou de 1900, tous les pays protestants sont concernés : le pays de Galles et l'Écosse, les nations scandinaves, les pays de langue allemande.

Dans les neuf provinces de la vieille Prusse, le nombre des candidats à un ministère sacerdotal chute de 50 % entre 1895 et 1905. Le nombre des étudiants en théologie tombe de 4 536 à 2 228 entre 1900 et 1908[3]. En Suède, le déclin commence aussi dans les années 1890-1914 : dès 1908 y est publié un rapport sur le déclin du recrutement[4]. La trajectoire du Danemark, géographiquement situé entre la Suède et l'Allemagne, est vraisemblablement parallèle.

Les nations scandinaves plus périphériques, comme la Norvège et la Finlande, sont emportées par le mouvement.

Le processus dure un certain temps ; dans la plupart des

---

1. A. Hasting, *A History of English Christianity, 1920-1985*, p. 36-37.
2. Recensement de 1930, t. 9, p. 58-59.
3. K.S. Latourette, *op. cit.*, t. 2, p. 98.
4. K.S. Latourette, t. 2, p. 183.

régions, il est pour l'essentiel achevé dès le début des années trente. En Prusse, le nombre des ordinations annuelles passe de 329 en 1890 à 134 en 1930[1]. Dans l'ensemble des Églises protestantes d'Allemagne, le nombre des confirmations plonge de 808 911 en 1920 à 447 695 en 1930[2].

Au lendemain de la Deuxième Guerre mondiale, le protestantisme a surtout des adhérents nominaux, comme le catholicisme dans les régions déchristianisées. L'assistance au service dominical atteint des niveaux spectaculairement bas : au Danemark, au cours des années cinquante, elle est de 5,7 % dans les districts ruraux ; en Suède, de 1,3 % ; en Finlande, de 2,9 %[3]. Entre 1880 et 1950, le protestantisme s'éteint en tant que puissance sociale. Dès 1930, il n'est plus dans la plupart des régions une force essentielle.

Cause primaire, causes secondaires

La cause primaire, essentielle, de la crise protestante des années 1880-1930 est certainement la révolution darwinienne, qui met en pièces le mythe fondateur de la Genèse. Cette attaque est beaucoup plus directe et brutale que la révolution newtonienne, qui changeait la structure de l'univers mais ne touchait pas à l'homme et au mystère de son origine. La théorie de la sélection naturelle est particulièrement dure pour le protestantisme, qui met la Bible au cœur de la pratique et de la réflexion religieuses. Détruire la Genèse, c'est semer le doute sur l'ensemble de la Bible et des Écritures saintes. C'est miner le protestantisme en son centre. Et pas seulement dans les pays calvinistes, où l'usage de l'Ancien Testament est une tradition ancienne, car en pays luthérien les « réveils » du XIXe siècle s'étaient assez largement appuyés sur la lecture de la Bible[4]. La révolution darwinienne menace beaucoup moins directement le catholicisme, qui refuse en pratique l'accès des fidèles aux Écri-

1. K.S. Latourette, t. 4, p. 254.
2. K.S. Latourette, t. 4, p. 253.
3. K.S. Latourette, t. 4, p. 313, 326 et 341. Le chiffre national de 2,7 % donné par Latourette pour la Norvège (p. 323) me paraît un peu bas compte tenu de l'existence d'une poche de résistance en Norvège occidentale.
4. E.G. Léonard, *Histoire générale du protestantisme*, t. 3, p. 170.

tures. La chronologie de la crise protestante, qui commence partout entre 1880 et 1910 de manière remarquablement uniforme, indique en elle-même qu'un facteur unique et universel est à l'œuvre. Ce facteur est tout simplement la publication de *L'Origine des espèces* en 1859. Parce que le monde protestant est alors totalement alphabétisé – si l'on met à part certains secteurs ouvriers et ruraux de la société anglaise –, la crise se propage avec une très grande rapidité et atteint très vite tous les milieux sociaux. Des facteurs secondaires permettent d'expliquer la légère avance de certaines régions, le retard de quelques autres.

Les pays de structure familiale nucléaire absolue et de tradition arminienne, comme l'Angleterre et la Hollande, sont touchés les premiers. Les données ne permettent pas de dire si la tradition religieuse ou la structure familiale est responsable de cette précocité relative.

L'arminianisme, né en zone calviniste, est particulièrement fidèle à la Bible, et donc spécialement vulnérable au darwinisme, mais on peut aussi estimer que la structure familiale de l'Angleterre et de la Hollande, *nucléaire absolue,* projette une image libérale de Dieu plus fragile que l'image autoritaire fabriquée par la famille souche d'Allemagne ou de Suède. Les facteurs religieux et familiaux jouent dans le même sens, il n'est pas possible de trancher.

L'analyse de structures familiales permet cependant de comprendre pourquoi la déchristianisation « protestante » prend la forme d'un abandon sans agressivité qui ne s'accompagne pas de sentiments antireligieux, au contraire de la première déchristianisation catholique, explicitement hostile aux prêtres et à Dieu.

L'égalitarisme de la structure familiale nucléaire égalitaire, typique des régions catholiques déchristianisées, expliquait l'hostilité à tout principe transcendant, le rejet de tout être de nature supérieure ou d'essence différente. En pays protestant, luthérien ou arminien, l'égalitarisme est absent de la structure familiale et par conséquent des attitudes métaphysiques. La famille souche suppose un inégalitarisme actif, la famille nucléaire absolue une indifférence marquée au principe d'égalité. Aussi la régression de la foi n'implique-t-elle dans leur cas aucun rejet de Dieu ou des prêtres. Dans les pays de tempérament libéral, comme l'Angleterre ou la Hollande, les individus déchristianisés abandonnent leur Église paisiblement. Mais en Suède et en Allemagne, ils cessent le plus souvent de croire et de pratiquer tout en restant nominalement membres des Églises d'État. En Angleterre et en Hollande, l'affaissement de la religion est un processus indolore. L'arminianisme admettait tellement l'autonomie de l'homme que la disparition théorique du Créateur n'y crée pas un vide et un manque. Les sectes arminiennes anglaises les plus radicales, et en particulier les quakers, plaçaient déjà dans l'esprit même des élus la lumière divine. L'arminianisme radical faisait descendre Dieu dans l'homme et supprimait toute transcendance véritable, toute autorité extérieure. La disparition de Dieu n'est qu'un petit pas en avant pour des groupes ayant une telle conception de la divinité. Elle ne peut en aucun cas déséquilibrer les esprits.

Dans les régions luthériennes de famille souche, la disparition de Dieu n'est pas indolore. La liquidation métaphysique d'un être tout-puissant et qui tenait l'homme dans sa main, que Nietzsche n'est pas le seul à percevoir, crée au contraire une angoisse réelle, le sentiment d'une perte irréparable. Crise morale dont on verra les effets dramatiques en Allemagne lors de la montée du nazisme, phénomène qui suit de très près la disparition du Dieu de Luther.

Révolution industrielle et déchristianisation en Angleterre

La révolution industrielle ne fixe pas les rythmes fondamentaux de la déchristianisation protestante, mais elle supprime la possibilité d'une réémergence. Le darwinisme détruit les croyances des élites ; la croissance des prolétariats industriels détruit le milieu populaire ancien, dans lequel aurait pu se réfugier la foi traditionnelle.

La non-coïncidence temporelle de la déchristianisation et de la révolution industrielle est une évidence. En 1851, l'unique recensement religieux de l'histoire britannique mesure l'assistance au service dominical. La Grande-Bretagne est déjà massivement industrielle[1]. Pourtant le niveau général de pratique

---

1. Pour une présentation générale du document, voir W.S.F. Pickering, « The 1851 religious census – a useless experiment ? ». Bonne cartographie des principaux résultats concernant l'Angleterre (sans le pays de Galles) dans J.D. Gay, *The Geography of Religion in England*, p. 266-320.

reste élevé, supérieur à 50 % dans la plupart des comtés, à une époque où elle est au-dessous de 20 % dans une bonne partie du Bassin parisien. C'est bien la diffusion de la révolution scientifique darwinienne qui décide du moment de la crise, qui commence une trentaine d'années plus tard. Un examen détaillé du recensement religieux de 1851 met cependant en évidence l'action déchristianisatrice de la révolution industrielle en milieu ouvrier (cartes 33 *a* et 33 *b*).

A cette date, les comtés les plus industriels comptent parmi les moins pratiquants : Derbyshire, Lancashire, Cheshire, Leicestershire, Northamptonshire, Staffordshire, Warwickshire, West Yorkshire, notamment (GBE 8, 19, 20, 23, 28 et partie de 34). Ils ne sont dépassés pour le manque d'assiduité que par certains comtés du Nord, comme le Westmorland, le Cumberland et le Northumberland (GBE 7 et 11), moins industriels, mais où la résistance catholique des XVIe et XVIIe siècles avait affaibli l'emprise du protestantisme et créé des conditions particulières favorables à l'indifférentisme religieux. Globalement, le coefficient de corrélation associant pratique religieuse et proportion de population industrielle ou commerçante est fort, égal à – 0,64 [1]. On observerait la même coïncidence en Écosse où l'Ouest industriel centré sur Glasgow est à la même époque moins pratiquant que l'Est plus traditionnel autour d'Édinbourg et Dundee [2]. L'examen du cas britannique montre cependant que la déchristianisation des masses ne suffit pas à entraîner un système religieux vers sa fin. Celle des élites non plus. Le cas du protestantisme anglais, comme celui du catholicisme français au XVIIIe siècle, montre qu'élites *et* masses doivent être déchristianisées, simultanément ou successivement, pour que l'ensemble du système religieux s'effondre. La morphologie économique – grande exploitation agricole ou entreprise industrielle – favorise l'indifférentisme populaire. Les révolutions scientifiques attaquent la religion par en haut, minant les croyances bourgeoises.

En Angleterre, la grande exploitation agricole, si frappante dans le paysage du Sud, n'a pas d'effets immédiatement visibles sur le niveau de pratique, au contraire de l'entreprise indus-

---

1. Pratique religieuse en 1851, profession en 1821.
2. M. Langton, R.J. Morris et coll., *Atlas of Industrializing Britain ;* pour les résultats du recensement religieux de 1851 concernant l'Écosse, p. 213.

trielle. Les comtés du Sud, très comparables au centre du Bassin parisien par la structure agraire, font apparaître en 1851 des niveaux de pratique religieuse relativement élevés (cartes 33 *a* et 34 *a*). Il faut analyser la nature même de la foi pour identifier un effet spécifique de la grande exploitation. Les nuances nombreuses du tempérament protestant anglais permettent une telle approche. Le recensement religieux de 1851 distingue les diverses confessions et permet en particulier d'opposer les anglicans (fidèles de l'Église établie) aux non-conformistes (membres de groupes innombrables dont les méthodistes, les baptistes, les congrégationalistes sont les plus importants). Or la foi non conformiste est plus intense, elle suppose un véritable engagement personnel. L'adhésion anglicane est un acte de *conformisme* social autant que de pratique religieuse. Et les zones de force de l'Église anglicane sont celles de grande exploitation (carte 34 *b*). Le prolétariat agricole du Sud, sans être rebelle à la religion comme le prolétariat industriel du Nord ou le prolétariat rural du Bassin parisien, est tiède, conformiste, plutôt que dévot. Comme on l'a vu, l'anglicanisme, religion faible et rurale, fléchit dès 1880, une bonne vingtaine d'années avant le non-conformisme, plus bourgeois et petit-bourgeois. Les mêmes nuances de comportement religieux pourraient être observées en Suède ou en Allemagne : même indifférentisme relatif du prolétariat industriel, même faiblesse du sentiment religieux chez les ouvriers agricoles de la Suède centrale ou de l'Allemagne du Nord.

Les décollages industriels de l'Allemagne, entre 1850 et 1870, de la Suède, entre 1870 et 1890, détruisent les fondements socio-économiques de la religion populaire [1]. Jamais, cependant, l'industrialisation n'imprime seule à la déchristianisation son rythme national. Parce qu'elle n'affaiblit le sentiment religieux que dans le prolétariat nouvellement créé. Mieux, parce qu'elle produit le plus souvent, dans un premier temps, une réactivation de la foi dans les strates sociales qui échappent à la prolétarisation. Confrontées à une vision possible de l'Enfer sur terre – l'usine ou la mine –, les classes sociales traditionnelles sont tentées de se redéfinir comme chrétiennes, en un sens augustinien et

---

1. Les dates de décollage sont celles proposées par W.W. Rostow dans *Les Étapes de la croissance économique*, p. 7.

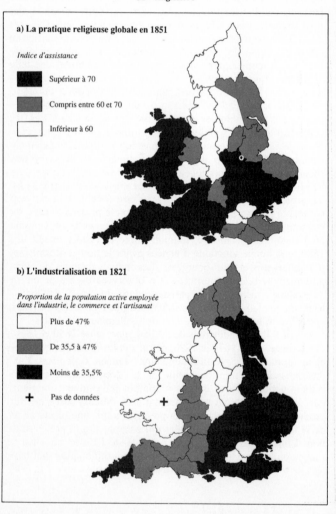

a) La pratique religieuse globale en 1851

Indice d'assistance

Supérieur à 70

Compris entre 60 et 70

Inférieur à 60

b) L'industrialisation en 1821

Proportion de la population active employée dans l'industrie, le commerce et l'artisanat

Plus de 47%

De 35,5 à 47%

Moins de 35,5%

+ Pas de données

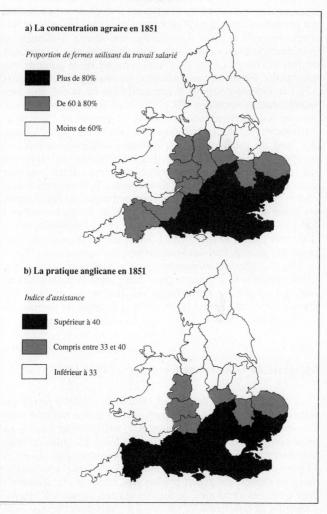

a) La concentration agraire en 1851

Proportion de fermes utilisant du travail salarié

- Plus de 80%
- De 60 à 80%
- Moins de 60%

b) La pratique anglicane en 1851

Indice d'assistance

- Supérieur à 40
- Compris entre 33 et 40
- Inférieur à 33

protestant : élues plutôt que damnées. Ce mouvement des artisans, des bourgeois vers la religion est d'ampleur variée, mais il
est partout sensible en pays protestant, *là où la révolution industrielle précède la crise darwinienne,* qui frappe finalement le
protestantisme au niveau des élites bourgeoises et non des
masses ouvrières. Le cas de l'Angleterre est de ce point de vue
exemplaire. La montée en puissance du non-conformisme, entre
1750 et 1850, correspond à une activation de la foi dans certaines couches sociales ; elle est un effet de l'industrialisation,
comme la déchristianisation ouvrière. La société subit une polarisation religieuse. Les prolétaires déqualifiés sont dans l'abîme.
Au bord du gouffre, ouvriers qualifiés, artisans, employés et
bourgeois trouvent dans l'idée d'élection divine une espérance
nécessaire. La géographie du non-conformisme anglais confirme
cette interprétation en termes de réaction à la révolution industrielle. Qu'il s'agisse du méthodisme ou du *dissent* traditionnel,
les zones de forte croyance, des Midlands au Yorkshire, bordent
par l'est les régions d'industrialisation et de déchristianisation
maximale (cartes 35 *a* et 35 *b*). L'anglicanisme prospère au contraire très au sud, loin des bouleversements économiques. Parce
qu'elle provoque simultanément *déclin et renforcement de la foi,*
l'industrialisation ne peut entraîner à elle seule la déchristianisation. La révolution scientifique, qui touche les élites et les
classes moyennes, définit quant à elle le moment de la crise, les
années 1880-1930, pour l'ensemble du monde protestant.

La survie du catholicisme harmonique (1900-1965)

La crise protestante des années 1880-1930 n'affecte pas ce qui
reste du monde catholique. Les régions où l'Église romaine avait
survécu à l'effondrement des années 1730-1800 sont encore, au
lendemain de la Deuxième Guerre mondiale, des pôles de fidélité au catholicisme. L'extinction du protestantisme donne à
l'Église catholique une sorte de monopole de la foi. L'effondrement du monde protestant produit une curieuse réunification :
pour quelques décennies, la foi des masses, lorsqu'elle existe,
s'identifie de nouveau à Rome. Mais il s'agit d'un christianisme
très minoritaire, qui ne tient plus que 30 % de l'Europe occiden-

tale, le reste du continent étant très largement déchristianisé. Ce catholicisme ultime est géographiquement morcelé, constitué de plusieurs blocs, véritables îles séparées par des mers d'indifférentisme religieux (carte 36).

L'île principale est centrale et massive : elle comprend le monde germanique méridional – Allemagne du Sud et Rhénanie, Autriche occidentale, Suisse centrale – prolongé au sud-est par la Vénétie et une partie de la Lombardie, au nord-ouest par la Belgique et les Pays-Bas méridionaux. Les autres îles sont moins impressionnantes par la taille. Un bloc ibérique mène du Pays basque français au Nord du Portugal, à travers la Vieille-Castille et le Leon. En France, l'Ouest breton, angevin et vendéen et la bordure sud-est du Massif central constituent deux autres noyaux de résistance. L'Est lorrain, alsacien, franc-comtois et savoyard, aussi fidèle que l'Ouest, se présente comme une extension du bloc central germanique. Le dernier pôle de résistance chrétienne est une île au sens strict : l'Irlande. Dans toutes ces régions, la pratique religieuse reste forte jusqu'au lendemain de la Deuxième Guerre mondiale, avec cependant des variations notables : une fidélité maximale peut être observée en Irlande avec plus de 90 % d'assistance à la messe dominicale, une pratique minimale en Allemagne avec juste 50 % en 1951. Mais dans toutes ces régions, la foi survit plus longtemps qu'ailleurs aux attaques conjuguées de la révolution scientifique et de la révolution industrielle.

Fondements anthropologiques de la résistance

Toutes les régions fidèles au catholicisme sont caractérisées par l'exploitation familiale dans le domaine agraire. Et l'on serait tenté dans un premier temps d'attribuer à ce facteur leur exceptionnelle résistance religieuse. Cependant, le bloc principal, centré sur le monde germanique, n'est plus entre 1930 et 1960 un monde rural. Les paysans qui y subsistent sont bien des propriétaires indépendants, mais le trait fondamental du paysage social, en ce cœur industriel de l'Europe, est la classe ouvrière. Et ce qui est frappant, dans cette zone centrale, c'est la persistance du catholicisme au sein du prolétariat. Au début des années cinquante, près de la moitié des ouvriers catholiques alle-

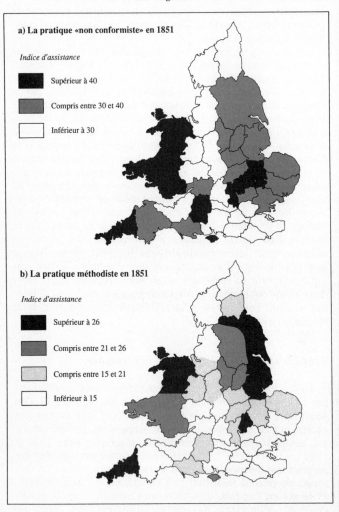

a) La pratique «non conformiste» en 1851

Indice d'assistance

Supérieur à 40

Compris entre 30 et 40

Inférieur à 30

b) La pratique méthodiste en 1851

Indice d'assistance

Supérieur à 26

Compris entre 21 et 26

Compris entre 15 et 21

Inférieur à 15

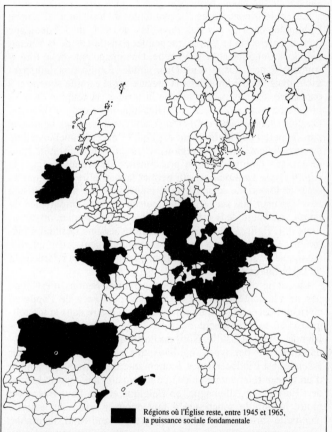

Régions où l'Église reste, entre 1945 et 1965,
la puissance sociale fondamentale

Version simplifiée de la carte 30 (la pratique religieuse catholique), la carte 36 évalue la
signification sociale de la pratique religieuse dominicale en tenant compte des niveaux de
développement économique. Dans la partie anciennement développée de l'Europe (Belgique,
Allemagne, France), un taux d'assistance à la messe dominicale de 30 à 40% est considéré
comme significatif d'une imprégnation catholique forte. Dans la partie moins avancée du
continent (Espagne, Portugal, Italie), le même niveau d'assistance de 30 à 40% n'est pas
considéré comme révélateur d'une puissance particulière de l'Église.

mands assistent régulièrement à la messe du dimanche[1]. Ici, le salariat ne tue pas la religiosité.

Les régions concernées relèvent toutes du type familial souche – complet dans le cas des Pays-Bas du Sud, de l'Allemagne méridionale et de la Suisse, incomplet dans le cas de la Rhénanie, de la Belgique et de la Vénétie. Une image paternelle forte y soutient donc l'image d'un Dieu solide. Explication indispensable mais insuffisante dans la mesure où la famille souche n'a pas sauvé, dans la même période historique, la religion de pays protestants comme la Suède, l'Allemagne du Nord ou l'Écosse. On doit évoquer aussi un renforcement des disciplines familiales par l'appareil de l'Église pour expliquer l'exceptionnelle solidité du catholicisme dans ces régions. C'est la combinaison de l'autoritarisme familial et de la prééminence du prêtre, typique du *catholicisme harmonique,* qui permet la survie de la religion au cœur de la période scientifique et industrielle. Le protestantisme ne s'appuyait que sur la famille, puisqu'il niait l'importance du prêtre ; à l'heure de la crise, il est privé de tout soutien organisationnel. L'Église catholique, au contraire, est une institution hiérarchisée et disciplinée dont la mécanique peut jouer un rôle autonome de soutien du conformisme religieux et de retardement de la désintégration.

La survie du catholicisme dans certaines régions n'est donc pas un phénomène simple. Partout, la puissance de l'appareil clérical, l'acceptation d'un rôle spécial du prêtre dans la vie religieuse et sociale jouent un rôle. Dans les régions rurales – Irlande, Vieille-Castille, Nord du Portugal, Ouest de la France – dominées par des types familiaux très variés, un autre facteur essentiel est l'indépendance économique qui permet le maintien d'un niveau relativement élevé de religiosité. Au cœur industriel de l'Europe, en Allemagne, en Belgique et aux Pays-Bas, c'est plutôt la famille souche qu'il faut évoquer, avec son autorité paternelle forte, même si ce qui reste du fond rural, favorable, joue un certain rôle.

Ce catholicisme des derniers jours est très différent du catholicisme tridentin, tel qu'il s'était redéfini contre le protestantisme.

---

1. A. Wahl, *Cultures et mentalités en Allemagne,* p. 41 ; mais la pratique est plus faible dans les milieux ouvriers de la région surindustrialisée de la Ruhr.

Entre 1560 et 1730, l'Église s'appuie surtout sur des régions dont les structures familiales dominantes sont de type nucléaire égalitaire. La métaphysique libérale et égalitaire de la théologie de Trente reflète les valeurs libérales et égalitaires de ce type familial dominant. Les régions de famille souche ou de famille nucléaire absolue qui restent dans l'orbite catholique sont minoritaires, 38 et 2 % respectivement. A partir de la première crise catholique, qui arrache à l'emprise de l'Église les zones dont la structure familiale est nucléaire égalitaire et où le système agraire est la grande exploitation, l'équilibre des forces anthropologiques bascule. A l'intérieur de la sphère restée catholique, au XIXe et au XXe siècle, la famille souche constitue désormais le type dominant. Elle occupe 70 % de l'espace, contre 25 % à la famille nucléaire égalitaire, associée à la propriété paysanne. Configuration ironique qui associe le catholicisme tardif au type familial autoritaire et inégalitaire qui avait si bien favorisé le protestantisme. Configuration normale dans la mesure où la famille souche, avec ses pères absolus, produit des images de Dieu autoritaires et solides. La famille souche est le soutien naturel de tous les systèmes religieux forts : au XVIe siècle, la foi la plus absolue est protestante ; au XXe siècle, elle est catholique.

Le voyage du catholicisme, de la famille nucléaire égalitaire vers la famille souche, n'est pas sans effet sur sa pratique sociale et sa théologie, qui sont véritablement déformées par le changement de terrain anthropologique.Tout au long du XIXe siècle, le catholicisme dérive dans un sens autoritaire. Le système métaphysique n'est pas explicitement modifié : mais la thématique favorise de plus en plus les principes d'ordre et de soumission. 1871 marque le point final de cette évolution : alors est proclamé le dogme de l'infaillibilité pontificale, qui cherche à faire du pape une image de Dieu sur terre [1].

---

1. Sur la notion de *catholicisme harmonique*, cf. *supra*, p. 147.

CHAPITRE VII

Le contrôle des naissances

Le contrôle des naissances est, avec l'alphabétisation et l'industrialisation, l'un des éléments essentiels de la modernité. Sa diffusion commence en Europe dès la fin du XVIIIe siècle. Mais son histoire n'est pas simple. La première nation touchée, la France, n'est pas la plus moderne. Elle est alors en retard sur l'Europe germanique et nordique pour l'alphabétisation, sur la Grande-Bretagne pour l'industrialisation. Vers 1980, l'association entre contrôle des naissances et niveau culturel est une évidence à l'échelle mondiale, puisque le coefficient de corrélation confrontant fécondité et alphabétisation des femmes est fort, égal à $-0,73$[1]. Mais entre 1770 et 1950, à l'intérieur du continent européen, la seule marche du taux d'alphabétisation ne permet pas d'expliquer tous les mouvements du taux de natalité.

Chronologie

L'histoire du contrôle des naissances est, comme celle de la déchristianisation, saccadée. Durant le dernier tiers du XVIIIe siècle, la France décroche : le taux de natalité commence à baisser dans les villes. A la Révolution correspond une accélération, la contraception se répandant dans les campagnes. Dès les années 1830-1835, le taux de natalité français passe au-dessous de la barre des 30 naissances annuelles pour 1 000 habitants[2]. Dans le reste de l'Europe, aucun changement n'intervient : les taux de natalité restent élevés, sans atteindre cependant les

1. E. Todd, *L'Enfance du monde*, p. 190.
2. P. Festy, *La Fécondité des pays occidentaux de 1870 à 1970*, p. 8.

niveaux caractéristiques du tiers monde des années 1950-1970.
L'existence d'âges au mariage très élevés permet déjà une certaine maîtrise de la fécondité, en retardant l'âge moyen à la procréation. Les taux de natalité sont dans l'ensemble stables, compris entre 30 et 38 pour 1 000 durant les trois premiers quarts du
XIXe siècle [1]. Cette situation européenne, combinant une révolution démographique française à une immobilité des comportements dans les autres pays, dure à peu près cent ans, jusqu'au dernier quart du XIXe siècle. Alors, l'Europe du Nord entre
en mouvement. A partir de 1880, les décrochages de la Grande-
Bretagne, des Pays-Bas, de la Belgique et de la Suisse sont
manifestes [2]. Les pays scandinaves, l'Allemagne et l'Autriche
font apparaître de légères baisses, non décisives. A partir des
années 1900-1910, la révolution démographique atteint de plein
fouet cette Europe centrale et nordique [3]. La vague atteint finalement l'Europe méditerranéenne : en Italie, en Espagne, au Portugal, le gros du décrochage démographique se produit entre 1920
et 1940. La périodisation parle d'elle-même : les révolutions
démographiques française et nord-européenne coïncident avec
deux crises religieuses majeures : le premier effondrement
catholique des années 1730-1800, la chute du protestantisme
entre 1880 et 1930.

Alphabétisation + déchristianisation = contraception

L'alphabétisation n'est qu'une première condition du développement du contrôle des naissances ; l'effondrement des
croyances religieuses semble un facteur presque aussi important.
Ces deux éléments explicatifs une fois mis en place, l'histoire
démographique de l'Europe, avec ses trois phases principales,
devient compréhensible.

Phase I : 1770-1830
La France est alors la seule nation d'Europe – au moins pour
ce qui concerne le Bassin parisien – à être simultanément *alpha-*

1. P. Festy, *op. cit.*, p. 8.
2. J.-C. Chesnais, *La Transition démographique*, p. 126.
3. J.-C. Chesnais, *op. cit.*, p. 129.

bétisée et *déchristianisée*. La hausse du niveau culturel permet la diffusion des connaissances. La disparition de l'Église catholique, dont la doctrine interdit toute intervention dans la mécanique naturelle de la procréation, donne aux individus la liberté nécessaire. Dès la fin du XVIIIe siècle, les Français considèrent, avec Diderot, qu'aucun Créateur ne surveille dans le détail leur vie quotidienne et surtout pas leur façon de faire l'amour. Ils cessent de croire en la réalité du péché originel, notion que l'Église associe très fortement à la sexualité et qui justifie sa répression. La déchristianisation désacralise l'amour physique, permet l'expérimentation individuelle en ce domaine et le développement du contrôle des naissances. Dans cette première phase, ni le Nord ni le Sud de l'Europe ne peuvent suivre la France. Au Nord, l'alphabétisation est plus avancée, mais le christianisme est intact. Or le protestantisme sacralise autant que le catholicisme la sexualité. Au Sud, de vastes zones déchristianisées existent dès 1800, en Espagne, au Portugal ou en Italie, mais le taux d'alphabétisation est trop bas ; l'ignorance et la passivité règnent.

Phase II : 1880-1930

L'Europe du Nord rejoint la France. Elle reste alphabétisée mais abandonne la foi chrétienne. La transition démographique commence. La chute du taux de natalité dans les pays protestants n'est pas sans effet sur le comportement démographique des pays catholiques du Nord. En Belgique, en Suisse centrale, dans le Sud des Pays-Bas, en Allemagne rhénane et méridionale, en Autriche, le taux de natalité fléchit, malgré la persistance d'un niveau élevé de pratique religieuse. Le même phénomène peut être observé en France, où les régions catholiques épargnées par la déchristianisation font apparaître, entre 1800 et 1900, des fécondités nettement inférieures à celles du reste du monde catholique. L'influence du comportement français majoritaire est sensible. Cependant, en France comme en Allemagne, vers 1900, les zones catholiques ont quand même des niveaux de fécondité supérieurs à ceux du reste du pays.

Phase III : 1920-1940

En Espagne, au Portugal, en Italie, c'est la diffusion tardive de l'alphabétisation qui déclenche le gros du processus de transition

démographique. Dans le Sud de ces trois pays, la déchristianisation était un phénomène ancien, dont le potentiel contracepteur
était désactivé par la faiblesse du niveau culturel. La carte 27,
qui situe dans l'espace et le temps le processus d'alphabétisation
européen, permet de constater que le seuil des 50 % d'hommes
alphabétisés n'est franchi par l'Italie et l'Espagne du Sud, par le
Portugal central, qu'entre 1900 et 1940. Les femmes, indispensables à toute diffusion de la contraception, n'ont vraisemblablement atteint ce stade qu'à partir de 1920 : la coïncidence est
donc parfaite. On peut noter dans ces pays, entre 1940 et 1965,
une surfécondité persistante des régions restées pratiquantes.

Le but de ce très court chapitre n'est pas d'étudier dans tous
ses détails le processus de diffusion du contrôle des naissances.
Il existe en effet sur le sujet une très vaste synthèse (menée sous
la direction d'Ansley Coale) dont l'approche est résolument spatiale et cartographique[1]. Le découpage de l'Europe utilisé est
très proche de celui que je propose. Certaines des réflexions
générales sur la transition démographique européenne – celle de
Ron Lesthaeghe en particulier – mettent bien en évidence les
interactions entre alphabétisation, déchristianisation (sécularisation selon la terminologie anglo-saxonne) et structures agraires[2].
On trouvera dans les divers travaux correspondant à la synthèse
de Princeton toutes les cartes nécessaires à une description des
phénomènes démographiques européens entre 1780 et 1960.

Transition démographique et transition idéologique

Les facteurs qui déclenchent le développement du contrôle
des naissances – déchristianisation et alphabétisation – ne se
contentent pas d'agir dans le domaine démographique. La perte

1. Voir l'ouvrage de synthèse par A.J. Coale et S.G. Watkins, *The
Decline of Fertility in Europe*. Le découpage administratif est très proche du
découpage en 483 unités que j'utilise, mais s'étale beaucoup plus loin, puisqu'il englobe l'Europe orientale et la Russie. On trouvera dans ce livre la
liste des monographies nationales qui sous-tendent la synthèse globale
(France, Italie, Portugal, Belgique, Russie, îles Britanniques).
2. Voir en particulier R. Lesthaeghe et C. Wilson, « Modes of production,
secularization and the pace of the fertility decline in Western Europe, 1870-
1930 », in A.J. Coale et S.C. Watkins, *op. cit.*, p. 261-292.

du sens religieux, l'apprentissage de la lecture affectent l'ensemble de la structure sociale, et en particulier la vie idéologique des pays et régions. Les conditions d'émergence des idéologies modernes sont en effet les mêmes que celles de la diffusion de la contraception. C'est pourquoi transition démographique et transition idéologique coïncident si bien dans le temps et dans l'espace.

TROISIÈME PARTIE

Mort de la religion, naissance de l'idéologie

La mort de la religion permet la naissance de l'idéologie. Les hommes remplacent instantanément l'image évanouie de la cité de Dieu par l'image nouvelle de la société idéale. A partir de 1789 se succèdent donc en Europe les vagues idéologiques, associées dans le temps et l'espace aux étapes de la déchristianisation : Révolution française, libéralisme, social-démocratie, communisme, fascisme, national-socialisme... Les métaphysiques sociales se substituent aux métaphysiques religieuses, les visions d'un idéal terrestre à celles d'un au-delà céleste. Mais la politique moderne n'échappe pas mieux que la religion traditionnelle aux déterminations de l'anthropologie. Les valeurs familiales structuraient en chaque lieu les grandes métaphysiques religieuses, organisant dans l'éternité le rapport de l'homme à Dieu, libéral ou autoritaire, et les relations des hommes entre eux, égalitaires ou inégalitaires. Les grandes métaphysiques politiques – les idéologies – reprennent les mêmes cubes élémentaires pour construire leurs cités idéales, sur terre cette fois. Le rapport du citoyen à l'État – qui remplace l'Éternel – sera libéral ou autoritaire ; les relations entre citoyens seront égalitaires ou inégalitaires.

La diversité des structures familiales permettait de comprendre l'émergence de systèmes religieux distincts et contradictoires : catholique, luthéro-calviniste, arminien... Elle permet aussi d'expliquer le développement d'idéologies très diverses et leur localisation dans l'espace européen. L'individualisme égalitaire, le libéralisme pur, la social-démocratie, le fascisme, le communisme, le national-socialisme ne peuvent être adoptés par un peuple comme idéologie dominante que si sa structure familiale l'autorise. A travers le tumulte des guerres,

civiles ou internationales, une géographie idéologique du conti-
nent se dessine, extraordinairement stable entre 1789 et 1965. A
partir du début du xxᵉ siècle, la généralisation du suffrage uni-
versel provoque l'expression systématique des tempéraments
idéologiques nationaux ou régionaux ; la cartographie électo-
rale permet alors de situer avec précision les idéologies dans
l'espace : variables disciplinées, fort peu aléatoires, celles-ci
viennent s'inscrire dans les espaces anthropologiques tradition-
nels, se greffant de façon sélective sur leurs analogues fami-
liaux.

Les systèmes anthropologiques locaux déterminent donc, suc-
cessivement, la structure des métaphysiques religieuses et celle
des métaphysiques politiques. La stabilité des structures fami-
liales dans le temps fait que les valeurs élémentaires imprimées
à la religion, puis à l'idéologie, sont en un lieu donné les
mêmes. Un système familial libéral et égalitaire produira au
xviᵉ siècle une métaphysique religieuse libérale et égalitaire,
puis, entre le xviiiᵉ et le xxᵉ siècle, une métaphysique idéologique
libérale et égalitaire. Un système familial autoritaire et inéga-
litaire produira au xviᵉ siècle une métaphysique religieuse auto-
ritaire et inégalitaire, au xxᵉ siècle une métaphysique idéolo-
gique autoritaire et inégalitaire. Tout observateur ignorant
l'existence de la détermination familiale mais observant la mort
de la religion, la naissance de l'idéologie et l'analogie de struc-
ture existant entre religion et idéologie, aura l'impression d'un
transfert direct des valeurs, du plan religieux vers le plan poli-
tique. Il croira voir le religieux modeler le politique, les dieux
autoritaires produire des États forts, les dieux libéraux encoura-
ger le parlementarisme. Le transfert observé est dans une large
mesure une illusion, qui résulte de la permanence d'un détermi-
nant fondamental, le système familial. Reste qu'en un lieu donné
la société idéale des politiques semble la cité de Dieu descendue
sur terre.

Quatre systèmes idéologiques

La combinatoire la plus élémentaire révèle l'existence de
quatre systèmes idéologiques fondamentaux, correspondant aux
quatre types familiaux occupant le continent et définis par les

deux couples de valeurs systémiques liberté/autorité et égalité/inégalité. Comme la famille, l'idéologie pourra être :

1. libérale et égalitaire, en région de famille nucléaire égalitaire ;

2. autoritaire et inégalitaire, en région de famille souche ;

3. autoritaire et égalitaire, en région de famille communautaire ;

4. libérale et non égalitaire, en région de famille nucléaire absolue.

A chacun des quatre systèmes familiaux doit correspondre un système idéologique et un seul. Si l'on regarde les traditions politiques nationales globalement, de l'extérieur et sur une longue période, l'hypothèse d'une relation simple entre famille et idéologie est immédiatement vérifiée. La France du Nord, majoritairement libérale et égalitaire sur le plan familial, produit aisément le couple idéologique « liberté-égalité ». Négatif anthropologique de la France, l'Allemagne, autoritaire et inégalitaire sur le plan familial, refuse le libéralisme et l'égalitarisme. L'Angleterre, dont le type familial dominant est libéral sans être égalitaire, affirme un individualisme absolu, c'est-à-dire indifférent au principe d'égalité. Aucun pays d'Europe occidentale n'étant absolument dominé par la famille communautaire, autoritaire et égalitaire, il appartiendra à la Russie d'exprimer le potentiel idéologique de ce quatrième type, sous la forme d'un totalitarisme de nuance égalitaire. La puissance relative de la famille communautaire en Italie permettra cependant d'examiner dans un pays occidental la production idéologique spécifique de ce système anthropologique.

Au niveau le plus général, l'idéologie se confond avec le tempérament politique national ou régional, et la relation entre système familial et système idéologique est d'une magnifique transparence. Cependant, lorsque l'on étudie historiquement les affrontements politiques internes à chacun des systèmes nationaux ou régionaux, le système idéologique se brouille ou plutôt se dédouble.

Nationalisme et socialisme

La désintégration de la cité chrétienne produit un vide méta-physique. Les hommes, séparés par la rupture du lien religieux, doivent être réunis à nouveau dans une société idéale, c'est-à-dire dans un groupe organisé selon les principes généraux et impersonnels de liberté ou d'autorité, d'égalité ou d'inégalité. Mais le groupe humain en question doit être défini, les limites de la cité nouvelle doivent être tracées. Deux constructions méta-physiques concurrentes émergent successivement en Europe, qui doivent finalement cohabiter et s'affronter. La cité nouvelle sera soit la Nation, soit la Classe. L'effacement de la conscience chrétienne provoque les montées en puissance successives ou simultanées de la conscience nationale et de la conscience de classe. Idéologies nationales et idéologies de classes émergent d'un même vide religieux, d'une même angoisse métaphysique.

Première expérience idéologique moderne, sortant du premier effondrement religieux, la Révolution française se contente d'une seule cité nouvelle, la nation. Ses idéaux de liberté et d'égalité valent certes pour la terre entière. Mais les limites de la société créée par ces principes sacrés seront celles de la nation. L'homme universel sera, dans un premier temps, fran-çais. Le premier des nationalismes modernes découle logique-ment de la première crise religieuse. La Révolution française, cependant, n'utilise pas, n'invente pas la deuxième cité idéale des temps modernes, la Classe. Elle définit bien sûr le tiers état contre la noblesse, mais affirme aussi que le tiers est la nation réelle. La société française de la fin du XVIII siècle peut se perce-voir, une fois la noblesse éliminée, comme une société faible-ment différenciée, à classe unique. Le monde préindustriel des petites villes ou des villages donne l'image d'une société fine-ment stratifiée plutôt que polarisée en classes. Paris, la capitale, immense à l'échelle de l'époque, est quand même une ville d'ar-tisans et de commerçants, assez homogène socialement. Seuls les ouvriers agricoles du Bassin parisien, véritables prolétaires ruraux, pourraient à la rigueur être considérés comme distincts de la masse paysanne, artisanale et bourgeoise qui constitue la nation. Dispersés dans leurs villages, ils ne peuvent constituer

*une classe autonome et visible de la structure sociale. La Révo-
lution française peut donc remplacer une métaphysique unitaire,
catholique, par une autre métaphysique unitaire, nationale.*

*La révolution industrielle fabrique partout un groupe humain
nouveau, dramatiquement dominé et exploité, séparé : le prolétariat. Elle crée les conditions objectives minimales d'un rêve
idéologique autre que national. Une deuxième cité idéale semble
possible : la classe ouvrière souffrante est appelée à régénérer
l'ensemble de l'humanité souffrante. Le prolétariat, vierge de
traditions, sorti du néant, devra fonder la société nouvelle. Il est
en fait lui-même la cité idéale. La métaphysique socialiste naît
au XIXᵉ siècle, comme la métaphysique nationale au XVIIIᵉ, également produite par le vide religieux. Le terme* socialiste *est ici
pris en son sens le plus général : projet de transformation de la
société affectant un rôle spécial à la classe ouvrière.*

*La présence d'un grand nombre de prolétaires réels n'est pas
nécessaire à la cristallisation du socialisme. En France, pays
précocement déchristianisé et suffisamment alphabétisé, l'apparition d'une thématique de classe est très rapide. Dès 1848, une
quinzaine d'années à peine après le début de l'industrialisation,
les premières doctrines socialistes apparaissent. L'effondrement
de la métaphysique religieuse est une condition d'émergence de
l'idéologie socialiste tout aussi importante que le processus
d'industrialisation. En Angleterre, à la même époque, dans un
pays où la classe ouvrière est presque majoritaire au sein de la
population active, le socialisme est encore inexistant. Mais, à
partir de 1880, l'effondrement général du protestantisme assure
la percée des socialismes anglais, allemand, suédois ou danois
sans que la puissance des divers mouvements « ouvriers » ait un
rapport direct avec l'ampleur de l'industrialisation.*

*L'effondrement de la métaphysique protestante, entre 1880 et
1930, permet une montée en puissance simultanée de l'idéologie
nationale. A partir de 1880, socialisme et nationalisme progressent de conserve. L'effacement de la cité chrétienne profite
à la fois à la conscience de classe et à la conscience nationale.
Les deux guerres mondiales permettront d'ailleurs de mesurer la
puissance supérieure du mythe national.*

*Reste qu'à partir de la révolution industrielle la déchristiani-
sation aboutit en chaque lieu à la définition de deux idéologies
concurrentes, l'une nationale, l'autre socialiste. Le nationalisme*

de la fin du xixe siècle n'est donc pas exactement celui de la Révolution française. Il n'occupe pas seul l'espace laissé vide par la religion, il le dispute au socialisme. Or le socialisme, même s'il devient parfois la métaphysique nouvelle des classes moyennes, se définit toujours comme une idéologie ouvrière et s'identifie aux dominés d'une société donnée. Le nationalisme, antisocialiste, devient donc malgré sa thématique unitaire une doctrine de classe, s'identifiant par effet de symétrie au monde des dominants.

Quatre nationalismes, quatre socialismes

La nation, la classe ouvrière définissent la limite extérieure de la société idéale, et non sa structure interne, qui reste détermi- née en chaque lieu par les valeurs du système familial. Là où domine la famille nucléaire égalitaire, le nationalisme sera libé- ral et égalitaire, tout comme le socialisme. En région de famille souche, nationalisme et socialisme seront autoritaires et inégali- taires. Même correspondance dans le cas des types familiaux nucléaires absolu et communautaire. Quatre couples nationa- lisme/socialisme se forment donc à l'époque contemporaine, s'affrontant à l'intérieur de chaque région ou nation, mais par- tageant des valeurs communes. Jamais le conflit entre idéologie nationale et idéologie socialiste ne permet à une tradition poli- tique de se dépasser. Aucun affrontement ne permet à l'Angle- terre d'échapper à son libéralisme, à l'Allemagne de devenir anti-autoritaire.

A ce stade de l'analyse, chacun des systèmes idéologiques peut être considéré comme la combinaison de deux méta- physiques sociales, antagonistes et complémentaires, dont l'une considère la nation et l'autre la classe ouvrière comme la cité idéale. On peut alors écrire :

système idéologique = idéologie nationale + idéologie socialiste.

Idéologies religieuses réactionnelles

Le dédoublement des systèmes idéologiques en idéologie nationale et en idéologie socialiste, considérant respectivement la nation et la classe comme groupe d'intégration fondamental, ne rend pas compte de la totalité de la segmentation idéologique de l'Europe des années 1789-1965. La métaphysique idéologique apparaît en effet pour remplacer la métaphysique religieuse là où elle s'effondre. Mais, entre 1789 et 1965, la religion ne meurt pas partout, et pas à la même époque selon qu'on est en pays protestant ou catholique. Le monde protestant résiste jusque vers 1880. Une partie du monde catholique fait mieux encore, survivant jusque vers 1965 et traversant donc intacte toute la période d'épanouissement des idéologies modernes. L'Église catholique doit donc se définir par rapport à la Révolution française, à la social-démocratie, au communisme, au fascisme, au nazisme, au libéralisme. Les catholiques, dont la métaphysique religieuse est intacte, n'ont en réalité pas besoin d'une métaphysique idéologique. L'essentiel reste pour eux l'organisation du futur céleste et non celle du futur social. Ils doivent néanmoins se situer dans les affrontements idéologiques de la période contemporaine. Ils sont contraints d'adopter une attitude concernant l'organisation idéale de la cité des hommes, économique et politique. Entre 1789 et 1965, le catholicisme engendre donc des idéologies que l'on peut qualifier de réactionnelles dans la mesure où elles ne naissent pas d'un besoin intrinsèque des populations croyantes, mais sont des réactions défensives aux constructions idéologiques fleurissant autour d'elles. L'idéologie religieuse réactionnelle n'est pas plus libérée des déterminations familiales que la religion ou l'idéologie pure. Le catholicisme tardif des années 1789-1965 survit en effet dans des zones anthropologiques très diverses : famille souche principalement, mais aussi famille nucléaire égalitaire et, dans une moindre mesure, famille nucléaire absolue et famille communautaire. Il ne parvient donc pas à produire une idéologie réactionnelle unique. La famille souche détermine deux formes spécifiques, le monarchisme autoritaire et la démocratie-chrétienne. Les autres types familiaux, moins importants par la *masse, auront plus de mal à définir des formes idéologiques précises mais laissent apparaître des réactions différenciées à la modernité idéologique.*

Entre 1789 et 1880, le protestantisme, toujours vivant, engendre aussi quelques idéologies religieuses réactionnelles, qui n'échappent pas plus que celles du catholicisme aux déterminants familiaux : elles sont libérales en Angleterre, autoritaires en Allemagne.

Les idéologies religieuses réactionnelles, préoccupées de défense morale autant que de réforme économique et sociale, sont souvent plus intéressées par la sexualité ou l'alcoolisme que par les moyens de production et d'échange. Elles ne sont ni de classe ni nationales. Elles doivent cependant, là où elles existent, se situer par rapport aux idéologies pures, nationales ou socialistes.

Chaque système idéologique peut désormais être décomposé en trois forces :

• une idéologie socialiste appuyée sur la notion de classe ;
• une idéologie nationale appuyée sur celle de nation ;
• une idéologie religieuse réactionnelle, dont la référence ultime est la cité de Dieu.

L'hypothèse familiale n'exclut donc pas la possibilité d'un pluralisme politique interne à chaque type anthropologique. D'un même système familial peuvent naître une, deux ou trois forces principales, dont l'affrontement définit la vie politique du pays ou de la région considérée. Mais toutes ces forces ont en commun les valeurs idéologiques fondamentales transmises par le système familial.

Les structures familiales déterminent quatre développements idéologiques séparés dans l'Europe des années 1789-1965, dont chacun correspond à l'un des quatre types familiaux et à son espace géographique. La famille nucléaire égalitaire, la famille souche, la famille communautaire, la famille nucléaire absolue produisent des histoires idéologiques parallèles mais distinctes. Le plus simple pour les comprendre est de les analyser séparément.

**L'heure des idéologies : déchristianisation et
alphabétisation**

*La disparition de la métaphysique religieuse ne détermine pas
à elle seule l'émergence des idéologies modernes. Pour s'identifier aux nouveaux systèmes de pensée, les peuples doivent avoir
atteint un niveau éducatif minimal, savoir lire et écrire. Plus
précisément, pour qu'une métaphysique sociale de remplacement puisse se répandre dans une société donnée, on doit y
observer une proportion d'hommes alphabétisés au moins égale
à 50 %. Le passage de ce seuil des 50 % d'hommes alphabétisés
est, avec la déchristianisation, une condition nécessaire de
l'idéologisation. Ensemble, déchristianisation et alphabétisation
constituent les conditions nécessaires et suffisantes du passage à
l'idéologie. Déchristianisation et alphabétisation peuvent coïn-
cider dans le temps, mais un certain décalage, dans un sens ou
dans l'autre, est la combinaison la plus commune. Trois figures
historiques peuvent être observées.*

*a) La déchristianisation et l'alphabétisation sont simulta-
nées. Dans la France du Bassin parisien, apprentissage de la
lecture et disparition de la métaphysique religieuse sont deux
phénomènes contemporains l'un de l'autre, qui passent de
conserve leurs seuils critiques respectifs vers le milieu du
XVIIIᵉ siècle. Le recrutement religieux plonge à partir de 1730-
1740 ; la barre des 50 % d'hommes alphabétisés est franchie
vers 1780. Première manifestation idéologique moderne, la
Révolution française peut éclater.*

*b) L'alphabétisation précède la déchristianisation. C'est le
cas de tous les pays protestants, où l'apprentissage de la lecture
est très avancé au XVIIᵉ siècle, mais où l'effondrement religieux
n'intervient qu'entre 1880 et 1930. Une période de latence de
deux siècles peut être identifiée, du début du XVIIIᵉ à la fin du
XIXᵉ siècle, durant laquelle des peuples fort alphabétisés restent
croyants sur le plan religieux et sont par conséquent réfractaires
à l'idéologie. L'Allemagne, les Pays-Bas, la Suisse protestante,
les pays scandinaves et la Grande-Bretagne se conforment à ce*

modèle. Dans l'ensemble de cette vaste sphère, c'est donc l'effondrement religieux qui marque le début de l'idéologisation, qui ne commence donc qu'à la fin du XIXᵉ siècle.

Les régions où le catholicisme survit à la crise des années 1730-1800, comme l'Allemagne du Sud, la Flandre, l'Irlande, l'Espagne du Nord, par exemple, se conforment à ce modèle, mais ne sortent de la phase de latence, alphabétisée mais préidéologique, que vers 1965. L'émergence d'idéologies modernes dans la majeure partie de l'Europe contraint cependant ces régions à produire de l'idéologie réactionnelle en abondance durant les années 1880-1965.

c) La déchristianisation précède l'alphabétisation. Dans certaines régions catholiques, la déchristianisation, totale ou partielle, est au contraire très précoce puisqu'elle intervient au XVIIIᵉ siècle, mais l'alphabétisation est tardive. Le seuil des 50 % d'hommes alphabétisés n'est atteint en Italie centrale que dans la deuxième moitié du XIXᵉ siècle, en Italie et en Espagne du Sud que dans la première moitié du XXᵉ siècle, dans le Portugal du Sud entre 1940 et 1970 (carte 27). Un deuxième type de latence peut être défini, une phase durant laquelle les populations n'adhèrent plus à une métaphysique religieuse mais pas encore à une métaphysique sociale. On peut parler d'un vide métaphysique, produisant, dans les populations concernées, un sentiment caractéristique d'abandon. C'est alors la hausse du taux d'alphabétisation qui déclenche l'idéologisation et entraîne dans ce cas une véritable reconstruction sociale et mentale, les populations passant du vide au plein métaphysique.

L'activation idéologique de l'Europe occidentale est donc un phénomène global, mais qui s'étale dans le temps. Sa chronologie combine, comme celle du contrôle des naissances, les décalages Nord/Sud du processus d'alphabétisation et le rythme saccadé de la déchristianisation. L'idéologisation commence dans la France du Nord dès le XVIIIᵉ siècle. La Révolution met l'Europe à feu et à sang, mais ne parvient pas à éveiller à l'idéologie les peuples protestants suralphabétisés de l'Europe du Nord. Suit une pause, qui couvre le gros du XIXᵉ siècle. Entre 1880 et 1900, les pays protestants, où la religion s'effondre, entrent dans l'âge idéologique. Très peu de temps après, dans les années 1920-1950, l'Espagne et l'Italie atteignent le stade de *la pleine activation idéologique. Le Portugal ne les suit vraiment qu'au début des années soixante-dix. Le gros du processus d'idéologisation européen est concentré sur les années 1880-1950, les cas français et portugais apparaissant, par leur précocité ou leur retard respectifs, comme relativement isolés. Entre 1880 et 1945, l'Europe parcourt effectivement une phase de démence idéologique, rythmée par deux guerres totales.*

CHAPITRE VIII

Liberté et égalité
France, Espagne, Italie du Nord et du Sud

La France

En août 1789, l'Assemblée nationale constituante affirme, par l'article premier de la Déclaration des droits de l'homme et du citoyen, que *« les hommes naissent et demeurent libres et égaux en droits »*. Elle précise : *« Les distinctions sociales ne peuvent être fondées que sur l'utilité commune*[1]. *»* Les notions de liberté et d'égalité appliquées au destin humain ne sont pas originales. La théologie du concile de Trente donnait déjà une définition du salut affirmant simultanément la liberté des hommes, capables de choisir par leurs actes entre l'Enfer et le Paradis, et leur égalité, réalisée par le sacrement du baptême[2]. Ce qui est nouveau, c'est le déplacement de ces concepts du domaine de l'au-delà vers le champ social. Avec la Révolution, les hommes cessent de se comporter comme si la structure de l'au-delà était la seule réalité, et la société une illusion. Durant les guerres de Religion, on se battait et on mourait pour affirmer, ou nier, l'égalité des chances d'accès au Paradis et l'autorité de Dieu dans le salut ; les hommes de la Révolution luttent pour l'égalité juridique terrestre et pour la liberté face à l'État. La noblesse, qui incarne l'idéal d'inégalité, et la monarchie absolue, celui d'autorité, sont les premières cibles concrètes du processus engagé en 1789.

La Révolution déplace donc la métaphysique catholique plus qu'elle ne la contredit. Elle l'épure même puisqu'elle la débarrasse de toute trace d'augustinisme. En 1789, les valeurs de

1. J. Godechot, *Les Constitutions de la France*, p. 33.
2. Cf. *supra*, p. 123-125.

liberté et d'égalité atteignent simplement le monde terrestre, après avoir été situées ailleurs. Mais l'idéal révolutionnaire reste une métaphysique, dans la mesure où il définit une essence humaine indépendante de la société concrète et présente, à peine moins abstraite que l'essence humaine affirmée par le concile de Trente. Comme le catholicisme, la Révolution définit un au-delà, qui n'est plus un ailleurs mais qui reste un futur. Une société composée d'hommes libres et égaux doit succéder à la société présente. Le couple « présent terrestre/futur métaphysique », si important pour l'analyse des systèmes religieux, garde son importance pour l'analyse du premier des systèmes idéologiques modernes. Homme idéal, société idéale : il est légitime et pratique de parler d'une métaphysique révolutionnaire, après avoir évoqué les métaphysiques catholique ou protestante.

L'existence d'une analogie de structure entre métaphysique catholique et métaphysique révolutionnaire – libérales et égalitaires l'une et l'autre – rend plus compréhensible un phénomène de coïncidence spatiale tout à fait fondamental : la Révolution française se développe en pays catholique. A l'intérieur de ce pays catholique, elle trouve son assise géographique première dans la région la plus farouchement catholique, à l'époque des guerres de Religion, le cœur du Bassin parisien [1].

Deux siècles séparent la Ligue de la Révolution, l'insurrection religieuse menée par des curés du bouleversement idéologique dirigé par les laïcs. Mais le basculement doctrinal – partiel puisque les valeurs de liberté et d'égalité sont toujours présentes – n'empêche pas une stabilité des régions concernées. On peut évoquer un mécanisme d'*endomorphose*, menant de la Ligue à la Révolution [2].

Certains éléments de la pratique ligueuse annoncent d'ailleurs la doctrine révolutionnaire, amorcent un glissement des idéaux de liberté et d'égalité du religieux vers le social. Au paroxysme des affrontements de la fin du XVIe siècle, la Ligue laisse suinter des tendances anti-aristocratiques et antimonarchiques [3]. Elle casse le parlement de Paris et fait fuir les nobles ; sa propagande

---

1. Cf. carte 23.
2. Sur la notion d'endomorphose, cf. *supra*, p. 78.
3. Sur ce point, voir A. Lebigre, *La Révolution des curés. Paris, 1588-1594*, p. 38-39, 187-190, 248-252.

régicide aboutit à l'assassinat de deux rois, Henri III puis Henri IV. Louis XVI ne fut pas la première victime royale de Paris.

Famille nucléaire égalitaire et métaphysique révolutionnaire

La continuité doctrinale du *libéralisme égalitaire théologique* au *libéralisme égalitaire idéologique* n'est pas l'effet d'un mouvement hégélien dans lequel des idées pures engendreraient d'autres idées pures, parentes mais distinctes. Un agent extérieur au domaine de la pensée consciente est responsable de la répétition des formes. Une structure latente et stable produit, successivement mais à deux siècles de distance, deux versions différentes d'un même libéralisme égalitaire. Entre 1588 et 1789, la structure familiale du Bassin parisien ne change pas. Il s'agit, aux deux dates, du même type nucléaire égalitaire, combinant libéralisme des relations parents-enfants et égalitarisme des rapports entre frères. La préexistence de cette structure familiale permettait d'expliquer l'acceptation de la métaphysique libérale et égalitaire du concile de Trente : l'image d'un Dieu libéral et d'hommes égaux à la naissance devant le salut convenait à des régions peuplées de pères libéraux et de frères égaux devant leurs parents. Symétriquement, la métaphysique protestante, affirmant l'existence d'un Dieu autoritaire et d'une inégalité de naissance des hommes devant le salut, s'imposait aux régions dominées par la famille souche, habitées par des pères autoritaires et des frères inégaux devant l'héritage.

Ce modèle explicatif, à peine modifié, permet de comprendre le succès ultérieur de la métaphysique révolutionnaire dans les régions de famille nucléaire égalitaire. Cette nouvelle métaphysique est aussi un reflet, mais social plutôt que religieux. L'image de l'État remplace celle de Dieu, l'égalité juridique des conditions se substitue à l'égalité créée par le baptême. La structure familiale continue de projeter son image épurée, transfigurée en idéologie comme elle l'avait été en théologie. Les hommes, libres face à leurs pères, doivent être libres face à l'État ; les frères, égaux dans la famille, doivent le rester dans la vie sociale. Si l'on passe du plan des principes à celui de l'action concrète, le libéralisme égalitaire de 1789 considère la monarchie absolue comme insupportable et les ordres d'Ancien Régime comme inadmissibles.

Les philosophes du XVIIIᵉ siècle sont parfaitement conscients de l'existence d'un lien entre structures familiales et conceptions politiques. Il s'agit à vrai dire d'un lieu commun culturel remontant au moins à Aristote, réactualisé dans les années 1680-1690 par la controverse Filmer/Locke[1]. Mais les penseurs français prérévolutionnaires n'ont aucune idée de la diversité et de la rigidité des structures familiales européennes. Ils construisent leurs modèles politiques et sociaux sur l'*a priori* d'une famille nucléaire égalitaire tellement universelle qu'elle n'a pas besoin de nom spécifique. Rousseau, dans le *Contrat social* (1762), se montre un anthropologue particulièrement précis : tous les éléments structurels de la famille nucléaire égalitaire sont mentionnés dès l'ouverture de l'ouvrage :

« *La plus ancienne de toutes les sociétés et la seule naturelle est celle de la famille. Encore les enfants ne restent-ils liés au père qu'aussi longtemps qu'ils ont besoin de lui pour se conserver. Sitôt que ce besoin cesse, le lien naturel se dissout. Les enfants, exempts de l'obéissance qu'ils devaient au père, le père exempt des soins qu'il devait aux enfants, rentrent tous également dans l'indépendance. ... La famille est donc si l'on veut le premier modèle des sociétés politiques : le chef est l'image du père, le peuple est l'image des enfants, et tous étant nés égaux et libres, n'aliènent leur liberté que pour leur utilité[2].* »

Diderot, à l'article « Autorité politique » de l'*Encyclopédie* (1751-1766), ne peut qu'affirmer aussi le caractère idéal de ce modèle familial pour les philosophes et pour la pensée dominante de son temps. « *Si la nature a établi quelque autorité, c'est la puissance paternelle : mais la puissance paternelle a ses bornes ; et dans l'état de nature elle finirait aussitôt que les*

---

1. Le premier des *Two Treatises of Government* de Locke, qui datent de 1690, est une attaque systématique du *Patriarcha* de Sir Robert Filmer (1680), qui cherche à déduire la légitimité de la monarchie absolue de l'inévitabilité de la puissance paternelle. Comme dans les textes ultérieurs des philosophes français, le postulat d'universalité d'*une* structure familiale particulière rend l'ensemble de la controverse absurde, irréel. Voir notamment le chapitre 2, de Locke, « Of paternal and regal power », p. 5-6.

2. Le *Contrat social*, p. 172-173.

enfants seraient en état de se conduire [1]. » Diderot, moins systématique et plus fin que Rousseau, met l'existence de la famille nucléaire au conditionnel, son caractère égalitaire n'est pas précisé. Il distingue implicitement la famille *en l'état de nature*, idéal philosophique, de la famille *réelle*, qui peut ne pas présenter toujours le libéralisme souhaité. Rousseau, en véritable idéologue, donne une formulation de type prophétique qui ne distingue pas la réalité du rêve, ce qui est de ce qui doit être.

L'image de Dieu dans la métaphysique révolutionnaire

La métaphysique révolutionnaire est loin d'être parfaitement laïcisée : tous ses éléments ne concernent pas l'organisation de la société. Elle n'anéantit pas toute représentation religieuse du monde et de l'homme. Dieu lui-même n'en est pas absent. Transformé en Être suprême (mais les protestants français l'avaient bien rebaptisé Éternel), il préside à l'émergence de l'idéologie nouvelle. La Déclaration de 1789 est sur ce point très claire. *« L'Assemblée nationale reconnaît et déclare, en présence et sous les auspices de l'Être suprême, les droits suivants de l'Homme et du Citoyen* [2]. *»* Dieu existe toujours, mais il n'agit plus. Sur le plan strictement religieux, la tendance centrale de la Révolution française est déiste : elle reconnaît l'existence d'un Être suprême, créateur du monde mais observateur passif de son mouvement (réglé par des lois scientifiques) et des actions des hommes (réglées par l'universelle raison). La position de ce Dieu sans pouvoir est évidemment intenable : la philosophie du XVIIIe siècle, puis l'action révolutionnaire des années 1789-1794, font apparaître des dérives répétées du déisme à l'athéisme, de l'existence à la non-existence de Dieu.

La véritable image du Dieu de 1789 n'est pas à rechercher dans un au-delà quelconque mais sur terre, au cœur de l'homme lui-même. L'idéologie révolutionnaire impose une divinisation de l'homme, dont le culte de la raison – individuelle et universelle – n'est qu'un aspect. Elle fragmente entre tous les hommes le divin plus qu'elle ne le supprime. C'est ce qu'a si bien

1. *Encyclopédie*, articles choisis, p. 257-258.
2. J. Godechot, *Les Constitutions de la France*, p. 33.

exprimé Edgar Quinet, en 1845, dans son cours sur *Le Christia-nisme et la Révolution française* : « *Après dix-huit siècles, l'homme commence enfin à déclarer que Dieu est descendu dans l'homme ; et cette conscience réfléchie de la présence de l'esprit divin crée un nouveau code des droits et des devoirs. La Révolu-tion, dès l'origine, promet d'être religieuse et universelle ; d'où cette première conséquence, que son esprit repousse tout ce qui peut diminuer la dignité intérieure du genre humain*[1]. »

Ce mouvement de la divinité vers le monde sensible est beau, mais il n'est pas nouveau. La métaphysique révolutionnaire n'est pas non plus ici absolument originale. Les sectes arminiennes anglaises les plus radicales, et en particulier les quakers, n'avaient pas une démarche très différente. Sans se préoccuper d'universel et de raison, elles cherchaient dans l'esprit des élus la lumière divine. Avant la Révolution, l'arminianisme radical fait descendre Dieu dans l'homme et supprime en pratique toute transcendance véritable, toute autorité extérieure à l'homme[2].

Ce qui distingue l'arminianisme protestant de l'idéologie révolutionnaire, c'est le caractère restreint, sélectif de son pro-cessus de divinisation de l'homme. Du côté anglais, seuls les élus sont divinisés, du côté français, tous les hommes, mieux, l'homme universel. Dans les deux cas, l'effacement de l'autorité transcendante de Dieu aboutit à une pulvérisation humaine de son image. Mais, en France, la dépouille du Créateur est parta-gée entre tous ; en Angleterre, par une partie des hommes seule-ment.

La proximité métaphysique de l'arminianisme radical et de la philosophie prérévolutionnaire était assez évidente aux penseurs du XVIIIe siècle. Les quatre premières lettres philosophiques de Voltaire sont consacrées aux quakers, dont il donne une descrip-tion affectueuse et ironique[3]. Mais la Manche fut aussi traversée dans l'autre sens : le plus grand des défenseurs anglais de la Révolution française, Paine, était de formation quaker[4].

Il est difficile de ne pas sentir, sous ces ressemblances et dif-

---

1. E. Quinet, *Le Christianisme et la Révolution française*, p. 270-271.
2. Cf. *supra*, p. 137.
3. *Lettres philosophiques*, p. 20-40.
4. Sur les origines quakers de Paine, voir E.P. Thompson, *The Making of the English Working Class*, p. 204.

férences entre métaphysiques française et anglaise, l'action inconsciente des systèmes familiaux dominant la France du Nord et l'Angleterre – famille nucléaire égalitaire et famille nucléaire absolue – avec leurs ressemblances et leurs différences. Dans les deux cas, le libéralisme de la relation parents-enfants assure un affaissement de l'autorité divine qui mène à sa fragmentation. Mais en France l'égalité des frères se reflète dans une égalité de répartition des attributs divins ; alors qu'en Angleterre l'indifférence au principe d'égalité typique de la famille nucléaire absolue empêche une telle extension à tous les hommes de la lumière céleste.

Il est donc inexact de présenter la Révolution comme attaquant la religion. Elle remplace en fait une religion qui s'éteint. Le vide créé par la déchristianisation des années 1730-1789 rend l'émergence de la métaphysique révolutionnaire inévitable. Privés de la cité de Dieu, les hommes éprouvent le besoin de construire une société idéale. Ce mécanisme de création par le vide permet d'ailleurs de comprendre le déphasage existant entre pensée révolutionnaire des années 1789-1794 et pensée philosophique des années 1740-1780. La pensée philosophique est inépuisable lorsqu'il s'agit de critiquer la religion, mais très pauvre lorsqu'il s'agit de réfléchir sur le futur social[1]. La pensée révolutionnaire veut construire une société idéale et, secondairement, remettre en ordre l'Église, déjà moribonde dans les régions centrales du pays.

Cette tentative de réorganisation, par les conflits qu'elle provoque, permet de situer les zones de développement de l'individualisme égalitaire dès l'époque révolutionnaire.

Géographie métaphysique de la France en 1791

La Constitution civile du clergé, adoptée par l'Assemblée le 12 juillet 1790, définit une Église coupée de Rome, et qui n'admet plus le rôle traditionnel du prêtre. Elle impose l'élection des curés par les citoyens dans les assemblées de district et des évêques par les mêmes citoyens dans les assemblées départe-

---

1. Sur les luttes des philosophes français contre l'Église, voir E. Cassirer, *La Philosophie des Lumières*, chap. 4, p. 193-262.

mentales. Sans être explicitement antireligieux, ce projet est une négation de l'idée même de transcendance. Il fait de l'Église un satellite des pouvoirs civils. Il met la société des hommes au-dessus de la cité de Dieu. Devant les hésitations du clergé, l'Assemblée exige des prêtres un serment de fidélité à la Constitution. Cet acte solennel est l'occasion d'un choix, qui débouche sur une véritable scission de l'Église de France. Près de 55 % des curés et vicaires paroissiaux jurent le serment, acceptant de faire descendre sur terre les idéaux de la cité de Dieu. 45 % refusent, préférant laisser dans l'au-delà leur cité idéale, accessible seulement par la mort. Le choix n'est pas aléatoire et permet de dessiner, pour l'année 1791, une véritable géographie métaphysique de la France (carte 38 b)[1]. La zone des acceptations recoupe presque parfaitement celle de la déchristianisation décrite par la sociologie religieuse vers 1950-1965. Elle se compose d'une vaste masse centrale, descendant en biais le long de l'axe Reims-Bordeaux, d'un pôle secondaire important comprenant la Provence et le Dauphiné, et d'un pôle secondaire mineur allant du département de l'Aude à celui des Hautes-Pyrénées en passant par l'Ariège. La masse centrale déchristianisée, dans le polygone Rouen-Amiens-Reims-Dijon-Blois, est bien une zone de famille nucléaire égalitaire, où l'extinction de la métaphysique libérale et égalitaire du concile de Trente ne peut mener qu'à l'émergence d'une autre métaphysique libérale et égalitaire, sociale et révolutionnaire.

La déchristianisation, cependant, ne coïncide pas absolument avec l'individualisme égalitaire. Dans les régions déchristianisées où le type familial dominant n'est pas la famille nucléaire égalitaire, on ne peut observer l'émergence idéologique des concepts de liberté et d'égalité. Symétriquement, dans les régions de famille nucléaire égalitaire où la déchristianisation ne se produit pas, une sensibilité positive à la thématique révolutionnaire est cependant manifeste.

---

1. Sur la géographie du serment constitutionnel, voir le livre fondamental de T. Tackett, *La Révolution, l'Église, la France*.

**La déchristianisation sans la famille nucléaire égalitaire :
Marche, Bourbonnais et Limousin**

Sur la bordure nord-ouest du Massif central, zone de
métayage et de grande exploitation, la déchristianisation est précoce et le serment constitutionnel facilement accepté[1]. Ces
régions ne poseront en pratique pas de problème à la Révolution.
Mais on ne peut en aucun cas les considérer comme individualistes égalitaires, acceptant pleinement l'idéologie de la Révolution française. Ces régions sont trop isolées et minoritaires pour
laisser apparaître, dès 1789 ou 1793, leur propre tempérament
idéologique. Elles ont au XVIIIᵉ siècle des taux d'alphabétisation
particulièrement bas, qui ne facilitent pas la mise en forme de
leurs préférences doctrinales. Leur spécificité idéologique écla-
tera pourtant, entre 1880 et 1930, par un choix idéologique *autoritaire et égalitaire*. Un mouvement communiste puissant, rural
autant qu'ouvrier, se répand alors dans la région, de la Dordogne
à l'Allier[2]. Phénomène normal : la famille communautaire partage dans cette zone le terrain anthropologique avec les types
souche et nucléaire égalitaire. La déchristianisation libère donc
un potentiel idéologique qui est parfois simultanément autoritaire et égalitaire, et non comme au cœur du Bassin parisien
simplement libéral et égalitaire.

**La famille nucléaire égalitaire sans la déchristianisation :
Lorraine et Franche-Comté**

Les cartes réalisées vers 1965 révèlent la permanence de la
pratique religieuse à l'est et au sud-est du Bassin parisien, dans
les zones de famille nucléaire égalitaire où la propriété paysanne
permet la survie du catholicisme[3]. La persistance d'une métaphysique religieuse libérale et égalitaire y empêche, simultané-

---

1. Sur les causes de la déchristianisation dans ces régions, voir le chapitre 6, p. 202-207.
2. Voir la carte européenne du communisme vers 1975, n° 57.
3. Sur les causes de la résistance religieuse dans ces régions, voir le chapitre 6, p. 202-207.

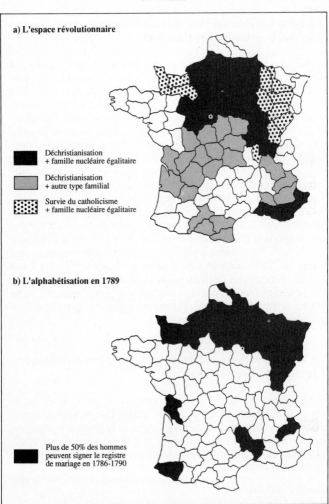

a) L'espace révolutionnaire

■ Déchristianisation
+ famille nucléaire égalitaire

▨ Déchristianisation
+ autre type familial

▩ Survie du catholicisme
+ famille nucléaire égalitaire

b) L'alphabétisation en 1789

■ Plus de 50% des hommes
peuvent signer le registre
de mariage en 1786-1790

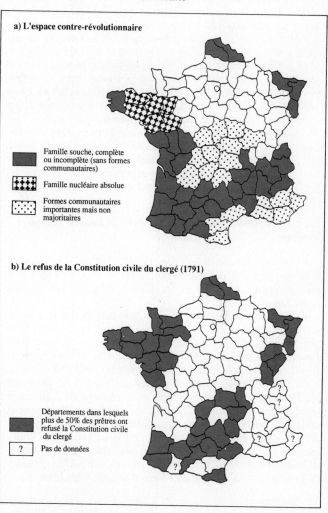

a) L'espace contre-révolutionnaire

Famille souche, complète ou incomplète (sans formes communautaires)

Famille nucléaire absolue

Formes communautaires importantes mais non majoritaires

b) Le refus de la Constitution civile du clergé (1791)

Départements dans lesquels plus de 50% des prêtres ont refusé la Constitution civile du clergé

? Pas de données

ment, un ralliement franc et une opposition brutale à la métaphysique sociale libérale et égalitaire de la Révolution. On n'observe pas une hostilité active à Paris dans ces régions restées catholiques. En fait, la plus grande partie de la Lorraine va jusqu'à accepter la Constitution civile du clergé. L'abbé Grégoire, chef de l'Église constitutionnelle, prêtre lorrain, incarne merveilleusement l'ambivalence de cette province, dont la métaphysique libérale et égalitaire hésite entre la terre et le ciel. Entre 1871 et 1890, lors de l'établissement de la IIIe République, à une époque où le pape exige encore une opposition sans faille à l'individualisme égalitaire, les catholiques lorrains sont républicains. Modérés, certes, mais républicains[1]. Leur attitude définit une idéologie religieuse réactionnelle que l'on peut baptiser *républicanisme chrétien*. Le terme *républicain* doit évoquer ici l'adhésion aux valeurs de liberté et d'égalité.

La Contre-Révolution : famille souche et famille nucléaire absolue

Le catholicisme ne définit donc pas seul la Contre-Révolution. L'amour du roi et des nobles doit, pour vivre, s'appuyer sur la métaphysique autoritaire et inégalitaire produite par certains types familiaux.

La famille souche, autoritaire et inégalitaire, est le support anthropologique idéal de la Contre-Révolution. L'autorité du père nourrit celle du roi et du noble. L'inégalité des frères rend l'acceptation des inégalités sociales naturelle. Globalement, la famille souche définit un idéal invincible de hiérarchie.

La famille nucléaire absolue n'est pas autoritaire. Mais son indifférence à l'égalité la coupe suffisamment de l'idéologie révolutionnaire française. Dans les régions de famille souche et de famille nucléaire absolue, les conditions d'émergence de l'individualisme égalitaire ne sont pas réalisées : les valeurs dominantes sont opposées à celles de la Révolution. Les paysans y défendront donc le roi et le noble, s'y révéleront parfois capables de mourir pour la défense de l'idéal d'inégalité des hommes.

---

1. Sur l'orientation républicaine de la Lorraine entre 1871 et 1890, voir F. Goguel, *Géographie des élections françaises sous la IIIe et la IVe République*, p. 18-33.

La géographie des soulèvements contre-révolutionnaires vérifie assez bien ce jeu d'hypothèse sur le potentiel contre-
révolutionnaire de la famille souche et de la famille nucléaire
absolue. Le fédéralisme de 1793, qui agite les grandes villes de
province, résulte moins de l'anticentralisme que de la prédominance sur la périphérie de l'ensemble français de structures
familiales non égalitaires, et parfois antilibérales.

Hors des grandes villes, les zones principales d'activité
contre-révolutionnaires sont au nombre de trois si l'on suit la
synthèse présentée par Jacques Godechot[1].

• Dans l'Ouest, le soulèvement de Vendée, qui s'étend au
Maine-et-Loire et à une partie de la Bretagne, commence dès
1793[2].

• Au Sud-Est, le long de la vallée du Rhône, se manifeste en
1795 une terreur blanche assez spectaculaire, qui suit d'assez
près la chute de Robespierre[3].

• Dans le Sud-Ouest toulousain se développe en 1799, c'est-
à-dire tardivement, une insurrection royaliste d'assez grande
ampleur mais de faible efficacité si on la compare au précédent
vendéen[4].

Les phénomènes les plus violents et les plus sanglants ne se
produisent pas au cœur des régions hostiles par nature à l'individualisme égalitaire, c'est-à-dire au centre des zones de famille
souche ou de famille nucléaire absolue, mais sur leurs fronts de
contact avec les zones anthropologiques dominées par les
valeurs révolutionnaires. La moins efficace des insurrections
royalistes a lieu dans le Sud-Ouest, au centre des régions de
famille souche les plus typiques du pays. Les affrontements sanglants de Vendée, de Lyon, de basse Provence se produisent
dans des zones où les systèmes de valeurs sont au contact, s'in-
terpénètrent géographiquement, là où les oppositions idéologiques s'incarnent dans des groupes humains distincts mais
proches. Là où l'on peut se haïr à vue. Ailleurs, l'homogénéité
relative des régions potentiellement contre-révolutionnaires
leur permet de pratiquer une résistance passive beaucoup moins

1. Voir J. Godechot, *La Contre-Révolution*.
2. J. Godechot, *op. cit.*, p. 230-247, 374-376.
3. J. Godechot, *op. cit.*, p. 267.
4. J. Godechot, *op. cit.*, p. 365-374.

douloureuse – en termes familiers, d'attendre la fin de l'orage.

La mentalité contre-révolutionnaire ne peut être considérée comme une idéologie au sens strict. Elle est typique de régions catholiques où la croyance en un au-delà métaphysique reste fondamentale. Il s'agit donc d'une idéologie religieuse réactionnelle. La Contre-Révolution se définit *contre* une véritable idéologie, l'individualisme égalitaire, né de la désintégration religieuse en région de famille nucléaire égalitaire. Mais, de façon caractéristique, le catholicisme réagit différemment selon qu'il survit en zone nucléaire égalitaire – cas de la Lorraine et de la Franche-Comté – ou en zone souche et nucléaire absolue, cas de l'Ouest et du Sud-Ouest. En région de famille nucléaire égalitaire, c'est un républicanisme modéré qui affleure ; en région de famille souche ou nucléaire absolue, le trait inégalitaire du système familial permet l'affirmation d'un sentiment monarchiste et d'une identité contre-révolutionnaire. Ce monarchisme est en France d'un genre nouveau : il émerge dans des provinces périphériques, traditionnellement hostiles au centralisme capétien. Il naît d'une affection pour l'autorité en général plutôt que de l'amour traditionnel pour la monarchie française. Il se définit négativement, contre le sentiment républicain, qui hérite, lui, des traditions centralisatrices de la monarchie capétienne.

La Révolution et le protestantisme

La métaphysique révolutionnaire, libérale et égalitaire, s'oppose terme à terme à la métaphysique protestante, autoritaire et inégalitaire. L'idéologie révolutionnaire tire ses valeurs fondamentales d'un type familial libéral et égalitaire ; la foi protestante, d'un système familial autoritaire et inégalitaire. Il n'est donc pas étonnant d'observer que la Révolution du XVIIIe siècle et la Réforme du XVIe siècle occupent des espaces opposés dans l'ensemble français. La Révolution s'épanouit au cœur du Bassin parisien, la Réforme prospère au Sud, le long d'un « arc occitan » La Rochelle-Montauban-Nîmes-Genève. La géographie des doctrines trahit leur antagonisme fondamental. La Révolution est cependant l'occasion d'une alliance que l'on peut qualifier de tactique. Parce qu'elle remplace le catholicisme, la Révolution semble l'attaquer ; cette hostilité apparente à l'Église

assure le ralliement des protestants à la Révolution, là où ils subsistent. Les bourgeois de La Rochelle et les paysans du Gard
soutiennent la République. Alliance contre nature si l'on s'en
tient à l'analyse des systèmes métaphysiques respectifs de la
Révolution et de la Réforme : aucune acrobatie conceptuelle ne
peut rendre compatibles l'homme neuf des Lumières, voué au
bonheur, à la liberté, à l'égalité, et l'homme pécheur de Calvin,
prédestiné avant même sa naissance au salut ou à la damnation.
Mais après les persécutions du règne de Louis XIV, la tentation
anticatholique est trop forte pour les survivants réformés. A travers toute l'Occitanie, ils appuient la République [1]. Ce soutien
est important dans la mesure même où le sud du pays, dominé
par la famille souche, s'affirme monarchiste. Les protestants
donnent à la Révolution quelques points d'appui indispensables
dans une vaste région qui lui est globalement hostile, empêchant
ainsi l'explosion du territoire à l'époque de la crise fédéraliste.

Pourquoi la France ?

La France n'est pas le seul pays européen où se trouvent largement représentées des structures familiales libérales et égalitaires et l'on peut légitimement se demander pourquoi elle fut,
plutôt que l'Italie, l'Espagne ou le Portugal, le lieu d'émergence
de l'idéologie individualiste égalitaire. Une comparaison du
poids relatif de la famille nucléaire égalitaire dans chacune des
nations « latines » aboutit à un résultat paradoxal : c'est en
France que sa masse relative est la plus faible, un peu moins de
40 % du total des systèmes familiaux, contre un peu plus de
40 % au Portugal, 50 % en Italie et 60 % en Espagne. Une hypothèse déterministe simple conduirait à « prédire » une explosion
révolutionnaire de « type français », se produisant d'abord en
Espagne, puis en Italie, enfin au Portugal et en France. On ne
peut donc rendre compte, par le seul modèle associant famille
nucléaire égalitaire et individualisme égalitaire, du mouvement
historique réel.

La premier facteur menant en France à une explosion révolu-

---

1. Sur la fidélité des protestants de La Rochelle à la Révolution, aux pires
moments de la Terreur, voir L. Maslow-Armand, *La bourgeoisie protestante
et la déchristianisation à La Rochelle* .

tionnaire précoce est l'avance culturelle. En 1789, le taux d'alphabétisation du Bassin parisien dépasse 50 % pour les hommes (carte 37 *b*). Plus au sud, seul le Piémont italien est aussi développé. L'Espagne n'atteindra ce stade qu'au XIXe siècle, le Sud des deux péninsules latines et le Portugal après 1900 seulement [1]. L'alphabétisation de masse n'est pas nécessaire à la déchristianisation, achevée dans le Sud espagnol, portugais ou italien dès la deuxième moitié du XVIIIe siècle, comme dans le Bassin parisien. L'alphabétisation de masse est par contre indispensable à l'émergence des idéologies modernes. Rêve social, la métaphysique idéologique doit faire rêver l'ensemble de la société. Proche de l'Europe du Nord développée, la France du Bassin parisien est mûre, en 1789, pour l'idéologie, à une époque où les sœurs latines croupissent dans l'analphabétisme.

Un deuxième facteur favorise l'affirmation violente des idéaux de liberté et d'égalité par la France du Nord : la résistance d'une périphérie nationale de tempérament autoritaire et inégalitaire. C'est le conflit même entre un centre libéral-égalitaire et une périphérie inégalitaire-autoritaire qui mène à l'explosion révolutionnaire, c'est-à-dire *à la mise en forme hystérisée des idéaux du centre*. On pourrait même soutenir qu'en 1789 le centre se défend contre les agressions du tempérament périphérique. La petite noblesse, qui prolifère au Sud-Ouest et à l'Ouest grâce à la famille souche, est largement responsable de la « réaction aristocratique » de la fin de l'Ancien Régime, qui exige pour les nobles un monopole des places d'officier dans l'armée. La noblesse du Bassin parisien, aristocratie richissime, peu nombreuse et d'ailleurs libérale, n'est pour rien dans cette réaction nobiliaire.Le tiers état du Nord, confronté à l'agression de la société d'ordre périphérique, doit affirmer sa propre idéologie. Et partir à la conquête de l'Hexagone. A l'époque du conflit, le Bassin parisien constitue l'essentiel de la partie développée du pays. La famille nucléaire égalitaire, qui l'occupe, est dans une situation temporaire de surpuissance idéologique. Les valeurs du Nord sont, à la fin du XVIIIe siècle, dopées par l'alphabétisation. Elles peuvent s'affirmer avec violence et efficacité. Mais l'expression idéologique, exceptionnellement claire, naît du conflit entre centre et périphérie.

1. Cf. carte 27.

En Espagne, en Italie, au Portugal, où les valeurs autoritaires et surtout inégalitaires sont beaucoup plus mal représentées qu'en France, l'affirmation violente des idéaux de liberté et d'égalité est moins nécessaire : le concept d'égalité juridique peut triompher sans bruit, la petite noblesse n'ayant dans aucun des pays latins du Sud un poids suffisant pour défendre le principe de la société d'ordres.

La négation de l'État

La famille nucléaire égalitaire n'encourage pas l'émergence d'une conception stable de l'État libéral. Le type de rapport entre parents et enfants, insistant sur l'indépendance des générations, favorise certes l'idéal d'un État minimal, reflet d'une autorité parentale faible. Mais le trait égalitaire du système familial, la stricte équivalence des frères, agit dans le domaine politique comme un dissolvant de l'autorité. L'égalitarisme entraîne le refus de toute transcendance, religieuse ou idéologique. Il accélère la déchristianisation en nourrissant une hostilité de principe à l'existence de Dieu, être par essence supérieur aux hommes. L'obsession de l'égalité empêche la stabilisation religieuse de la Révolution sur un point moyen, l'acceptation de l'Être suprême de Robespierre. Dès 1789, cependant, le politique plus que le religieux est le domaine fondamental : or c'est le principe même de la royauté que dissout le trait égalitaire du système familial. La monarchie constitutionnelle est compatible avec le trait libéral du tempérament idéologique, mais non avec sa caractéristique égalitaire : il ne peut exister, dans une nation où tous les hommes sont égaux, un être de nature différente, le roi, et ce même si les pouvoirs concrets du monarque sont nuls.

La famille nucléaire égalitaire nourrit une haine de l'autorité en soi, et non de tel ou tel type d'autorité. Ses valeurs, poussées jusqu'à leurs plus extrêmes conséquences, aboutissent à la négation de l'État plutôt qu'à une préférence pour l'État libéral. D'où les difficultés théoriques et pratiques des libéraux français du XIXe siècle qui n'arrivent pas à stabiliser la Révolution, que ce soit sous la forme d'une monarchie constitutionnelle ou d'une

république libérale[1]. L'instabilité politique de la France du
XIXᵉ siècle n'est pas l'effet d'un affrontement entre le centre du
pays, révolutionnaire, et sa périphérie, contre-révolutionnaire,
mais d'une incapacité du centre, libéral et égalitaire, à trouver
son équilibre. Les dérives révolutionnaires des années 1789-
1794, les insurrections parisiennes de 1830, 1848 et 1871 expriment une dynamique égalitaire de négation du pouvoir d'État.
L'idéologie « sans-culotte » est sur ce point parfaitement mûre
dès 1793 : elle place la souveraineté populaire dans les « sections », refusant la constitution d'un pouvoir d'État les transcendant, c'est-à-dire extérieur au quartier[2]. Cette doctrine, qui
refuse la légitimation d'une structure centrale d'autorité, l'État, a
un nom : l'anarchisme. La famille nucléaire égalitaire encourage
donc l'émergence d'un tempérament politique de type anarchiste.

   L'État, cependant, définit l'ordre social, et en particulier la
propriété. Or la famille nucléaire égalitaire, individualiste, favorise une conception particulièrement claire de la propriété. L'Assemblée constituante en fait l'un des droits de l'homme. L'État,
rejeté sur le plan affectif, est techniquement nécessaire à la
défense du droit de propriété. Aucune solution simple n'existe à
ce dilemme typique de toutes les régions de famille nucléaire
égalitaire, qui ont besoin d'un État libéral pour garantir la propriété individuelle, mais détestent toutes les manifestations
concrètes de l'autorité. En pratique, une oscillation permanente
entre dissolution anarchiste et réorganisation militaire peut être
observée dans la plupart des pays dominés par ce système
anthropologique. La mise en ordre nécessite souvent l'appel à
l'armée, institution spécialisée, hiérarchisée, îlot de discipline
dans une mer d'individualisme égalitaire incontrôlable. Le coup
d'État, succédant à une période d'anarchie civile, est caractéristique des systèmes idéologiques individualistes, et non des systèmes autoritaires. Bonaparte, général, auteur du premier coup
d'État de l'âge idéologique moderne, émerge de l'oscillation

   1. Tocqueville voit bien que c'est le principe égalitaire qui empêche une
stabilisation « à l'anglaise » du processus révolutionnaire. Mais il ne peut
savoir que l'égalité est inscrite dans le tissu anthropologique du Bassin
parisien et absente du système familial anglais.
   2. Sur les « tendances politiques de la sans-culotterie », voir A. Soboul,
Les Sans-Culottes, p. 101-134.

anarchisme/militarisme typique de la famille nucléaire égalitaire. Le coup d'État du 18 Brumaire est la contrepartie logique et nécessaire du tempérament sans-culotte. L'oscillation anarchisme/militarisme traverse toute l'histoire contemporaine de la France, tempérée par la présence stabilisatrice des valeurs périphériques autoritaire et/ou inégalitaire, capables, elles, de nourrir un véritable amour de l'État.

Vive la Nation !

L'amour de la nation qui se développe à l'époque révolutionnaire est d'une intensité remarquable, égalant celle des passions religieuses les plus fortes. Le terme de *nation*, obsessionnel dans la littérature politique des années 1789-1794, évoque alors très directement l'idée d'une communion mystique des citoyens qui vaut bien la communion chrétienne. Parallèle logique : la sanctification de la patrie naît du besoin de remplacer la foi catholique, dont la disparition déstabilise les esprits. Là conscience nationale naît de l'effondrement de la conscience chrétienne. La violence des sentiments exprimés fait que l'on peut parler de « nationalisme » révolutionnaire.

Ce nationalisme a les effets habituels de tous les nationalismes : des guerres de conquête dont la motivation n'est pas de type économique-rationnel mais idéologique (comme le remarque Schumpeter, les guerres rationnelles ne sont pas si nombreuses [1]). L'impérialisme révolutionnaire est légitimé par l'affirmation d'une supériorité intrinsèque du système national, en l'occurrence la Grande Nation.

Cette description du nationalisme français des années 1789-1815 n'épuise cependant pas le problème. Elle saisit le phénomène par l'extérieur, par ses causes et ses effets plutôt qu'en lui-même : l'idéologie nationale naît du vide religieux, elle projette la France contre l'Europe. Sa structuration interne découle, comme le reste de l'idéologie révolutionnaire, des valeurs portées par la famille nucléaire égalitaire, qui définissent un nationalisme absolument distinct d'autres nationalismes, produits

1. J. Schumpeter, *Impérialisme et classes sociales*, p. 41-45.

plus tard par la famille souche allemande ou par la famille nucléaire absolue anglaise.

Le nationalisme révolutionnaire est en effet indissociable d'une conception libérale et égalitaire qui considère tous les hommes, et non seulement les Français, comme libres et égaux. C'est au nom de l'homme universel que la France part à la conquête de l'Europe. L'égalité des frères, chère à la famille du Bassin parisien, se projette dans l'idéologie nationale en principe d'égalité des hommes et des peuples. Le nationalisme révolutionnaire est donc antiraciste. Il est, en pratique, assimilateur, l'équivalence des hommes permettant *a priori* d'étendre les limites du peuple français. Le libéralisme, autre composante du système, encourage l'adhésion individuelle à la nation, la « naturalisation », plutôt que l'intégration collective de peuples entiers. L'une des premières et des plus spectaculaires manifestations de ce nationalisme libéral et égalitaire est l'émancipation des juifs de France.

La question juive comme révélateur

Dans les sociétés européennes qui, pratiquantes ou non, sont toutes de tradition chrétienne, les juifs incarnent l'idée même de différence. L'idéologie nationaliste, lorsqu'elle affronte la question juive, c'est-à-dire la différence en soi, révèle donc avec une exceptionnelle clarté sa nature profonde. La Révolution française, premier des phénomènes idéologiques modernes, fournit le premier exemple de cristallisation idéologique de la question juive à l'intérieur de la première cristallisation nationaliste. L'émancipation des juifs « à la française » définit un nationalisme. La loi votée les 27 et 28 septembre 1791 suit la logique révolutionnaire : « *Tout refuser aux juifs comme nation, et tout leur accorder comme individus* [1]. »

La logique de l'homme universel guide l'Assemblée nationale. Confrontée à une communauté juive visible et séparée, en Lorraine, en Alsace, à Bordeaux ou à Avignon, elle refuse de

---

1. Cité par R. Hermon-Belot dans sa préface à la réédition de l'*Essai sur la régénération physique, morale et politique des juifs*, de l'abbé Grégoire, p. 31.

voir, simultanément, la différence et la collectivité. Les constituants n'acceptent que des individus, que rien ne doit distinguer des autres Français, si ce n'est une croyance religieuse rendue d'ailleurs insignifiante par la déchristianisation même. Le nationalisme s'exprime parfaitement dans le refus du droit à l'existence d'une *autre* nation. Le libéralisme aboutit à une description du juif comme individu plutôt que comme membre d'un groupe ; l'égalitarisme en fait un citoyen comme les autres.

L'universalisme révolutionnaire découle, comme l'universalisme catholique, du principe familial de l'égalité des frères, étendu par la métaphysique à l'ensemble des hommes. La variante nationale de la société idéale réduit et élargit simultanément la cité de Dieu. Le nationalisme sépare les Français des autres peuples d'Europe, mais il permet l'absorption immédiate de la communauté juive et, dans le futur, l'assimilation de tout individu, sans distinction de race ou de religion.

Il y a bien un nationalisme révolutionnaire qui met l'Europe à feu et à sang entre 1792 et 1815, mais ce nationalisme porte en lui-même les valeurs de liberté et d'égalité. D'où sa puissance d'expansion. La « Grande Nation », qui définit tous les hommes comme libres et égaux, n'est pas le plus antipathique de tous les rêves idéologiques européens.

Le dédoublement idéologique : socialisme et nationalisme

Jusqu'à la révolution de 1830 incluse, la nation rassemble les Français. Les idéologues rêvent d'une société unitaire de petits producteurs indépendants, libres et égaux entre eux. Les différences de classe sont perçues comme secondaires et surtout destinées, comme la misère, à disparaître grâce au « progrès ». La révolution industrielle détruit très vite cette représentation du futur socio-économique. Elle n'est en France impressionnante ni par son ampleur ni par sa rapidité, mais elle commence néanmoins, lentement, sous la monarchie de Juillet. L'existence de quelques mines et de quelques usines suffit à l'imagination des hommes : dès la révolution de 1848, dont le début semble pourtant une mauvaise reprise de celle de 1789, les concepts de lutte des classes et de socialisme apparaissent comme les composantes essentielles d'une nouvelle modernité idéologique. Les doctrines fleurissent, qui attendent du prolétariat, martyr et rédempteur, Christ à nouveau ressuscité, le salut de l'humanité. La première version française de cette attitude est plus sentimentale que dogmatique : « *Chapeaux bas devant la casquette, à genoux devant l'ouvrier* », expression typiquement quarante-huitarde d'une théorie de la lutte des classes qui n'a pas la patience d'attendre le développement réel du prolétariat. L'historien anglais Tony Judt montre, dans ses essais sur la gauche et le mouvement ouvrier français, à quel point l'émergence de la conscience de classe est en France trop rapide par rapport à celle de la classe concrète [1]. Si l'on pense aux artisans et petits bourgeois massacrés durant les journées de juin 1848, au terme d'une brève lutte entre le « socialisme » et l'armée, on devrait plutôt parler de « fausse conscience de classe ». Mais le besoin de définir le prolétariat comme groupe d'intégration idéal ne naît pas uniquement ou même fondamentalement du mouvement économique. L'identification à la classe, comme à la nation, est l'effet de la rupture du lien religieux entre les hommes et de la nécessité de reconstruire une cité idéale. Dès le milieu du XIXe siècle, l'existence d'une classe ouvrière minuscule, mais appelée à grossir, dans une région largement déchristianisée, le Bassin parisien, permet le rêve socialiste. En 1848, il est très divers, incohérent, et ne sort guère de Paris. C'est seulement à la fin du XIXe siècle et au début du XXe que le socialisme amorce, en France, son expansion réelle. La croissance industrielle qui commence avec le Second Empire donne de la substance à la classe ouvrière et, par conséquent, à l'image d'une société idéale fondée par le prolétariat. Le développement de l'industrie française se poursuit, régulier et lent, jusque vers 1968, date à laquelle la proportion de population active employée par le secteur secondaire atteint presque 40 % du total des actifs. Chiffre important mais qui signifie aussi que jamais le prolétariat n'aura dominé numériquement la nation, au contraire d'ailleurs des idéologies qui se réclament de lui, majoritaires en 1946 puis en 1981. Le socialisme séduit donc plus que la classe ouvrière.

La naissance du socialisme dédouble l'idéologie. Car l'alternative nationale subsiste. Deux cités idéales vont désormais s'af-

---

1. « Le mouvement ouvrier français au XIXe siècle », in *Le Marxisme et la gauche française*, p. 39-123.

fronter sur le terrain laissé vide par l'absence chrétienne. Le nationalisme cependant doit se transformer. Le socialisme, qui veut s'identifier à la classe ouvrière, oblige le nationalisme à une contre-identification bourgeoise. Le nationalisme devient donc une idéologie de droite, s'opposant à une idéologie de gauche, le socialisme. Ce phénomène de polarisation idéologique explique une transformation doctrinale bien connue des historiens français de la IIIe République, décrite comme *« le passage de gauche à droite du nationalisme* [1] *»*. Le modèle présenté dans ce livre confirme cette perception, mais non l'interprétation : le nationalisme ne passe pas véritablement de gauche à droite. Il cesse d'être une doctrine unitaire imaginant la nation comme une totalité indifférenciée, pour accepter l'idée d'une division de la société en classes et proposer une doctrine antisocialiste. Il devient de droite sans avoir jamais été de gauche, la structure idéologique de la France des années 1789-1830 n'ayant pas été de type dualiste. Une localisation des idéologies dans l'espace permet de mieux cerner le problème.

Entre 1789 et 1830, le centre du pays, le Bassin parisien, nucléaire égalitaire sur le plan familial, lutte contre la périphérie de l'Hexagone, autoritaire et inégalitaire. Mais ce centre est idéologiquement homogène, libéral, égalitaire, jacobin. Son nationalisme, centralisateur et expansionniste, n'est ni de droite ni de gauche : il est le rêve d'une société idéologiquement unitaire.

A partir de 1848, c'est le centre lui-même qui se dédouble idéologiquement, permettant les naissances presque simultanées du socialisme et du nationalisme. Mais pas de n'importe quel socialisme ou de n'importe quel nationalisme. La famille nucléaire égalitaire est toujours là, productrice des valeurs qui structurent les deux idéologies rivales.

L'anarcho-socialisme

Le premier socialisme français n'aime pas l'État. Implanté surtout dans la partie développée du pays, à Paris et dans la France du Nord, il doit construire une idéologie tenant compte

---

1. Voir par exemple R. Rémond, *Les Droites en France*, p. 149-168.

des valeurs libérales et égalitaires du type familial dominant la région. Le rejet de l'autorité marque l'organisation et la doctrine du socialisme des années 1880-1914. Son anarchisme viscéral le place, avec le sectionnalisme sans-culotte, dans la tradition révolutionnaire.

La dispersion groupusculaire du socialisme français des années 1880-1900, pulvérisé en sectes rivales et instables, est la première marque d'une inaptitude volontaire à l'organisation, typique de l'anarchisme. A la fin du siècle, on peut encore distinguer le Parti ouvrier socialiste révolutionnaire (allemaniste), le Comité révolutionnaire central (blanquiste), la Fédération des travailleurs socialistes (broussiste), trois groupes flous par l'organisation comme par la doctrine. Il y a aussi le Parti ouvrier français (guesdiste), qui présente, lui, un certain degré de structuration organisationnelle ou doctrinale. Guesde se réclame de Marx et est perçu comme un socialiste autoritaire, étatiste, s'opposant au socialisme libertaire des autres groupes. Mais il y a aussi et surtout un mouvement ouvrier totalement déconnecté du « socialisme » officiel, dont le choix anarchiste est clair et net : le syndicalisme révolutionnaire, qui domine la CGT (Confédération générale du travail). Cette doctrine affirme l'autonomie du mouvement syndical, proclamée par la charte d'Amiens en 1906, réponse anarchiste à l'unification socialiste de 1905 qui aboutit à la fondation de la SFIO. Le principe même de l'autonomie syndicale, qui refuse l'autorité des bureaucrates du parti, prône l'action directe et la grève, définit le mouvement ouvrier comme anarchiste.

L'ouvrier idéal de l'anarcho-socialisme français est un homme libre, qui nie l'autorité du patron, du bourgeois, du prêtre, mais refuse absolument de compter sur un parti discipliné ou sur l'État pour établir la justice sociale. Il ne hait pas l'État bourgeois mais l'État en soi, dans toutes ses manifestations. L'armée et la police, incarnations physiques de son autorité, déclenchent en particulier des réactions phobiques. On mesure ici la puissance du déterminant familial : la revendication d'égalité, par une classe exploitée et dominée, ne mène cependant pas à l'abandon des valeurs libérales. Il n'est pas question pour les ouvriers des années 1880-1914 de confier à un État ouvrier le soin de réaliser l'égalité des conditions sociales dans la cité idéale. Il faudra attendre les années 1920-1930 pour que cède cette composante libertaire du mouvement ouvrier français.

Géographie de l'anarcho-socialisme français

Les différentes tendances du mouvement socialiste français, telles qu'elles apparaissent à la veille de l'unification, ne se répartissent pas au hasard dans l'espace français. Les groupes les plus proches de l'anarchisme sont forts dans la capitale et dans le Bassin parisien. La formation la plus autoritaire marque une affinité particulière pour la périphérie de l'Hexagone, où les structures familiales, de type souche ou communautaire, comportent un trait autoritaire favorisant l'amour de l'organisation, du parti, de l'État, bref de toute structure permettant l'encadrement de l'individu. L'opposition entre allemanistes et guesdistes est particulièrement significative [1].

Le Parti ouvrier socialiste révolutionnaire (allemaniste) est proche des anarchistes purs : il est anti-autoritaire, glorifie l'ouvrier de base et la spontanéité. Il méprise les constructions doctrinales. Il est puissant à Paris, en banlieue et dans la partie est du Bassin parisien, entre les Ardennes, l'Yonne et la Côte-d'Or, c'est-à-dire dans la partie la plus industrialisée des régions de famille nucléaire égalitaire.

Le Parti ouvrier français (guesdiste), qui insiste sur l'importance du dogme et de l'organisation, est nettement implanté dans le Nord-Pas-de-Calais, le Midi et la région Rhône-Alpes, régions de famille complexe, où l'anti-individualisme est en quelque sorte naturel.

Les formes autoritaires du socialisme – social-démocratie et communisme, correspondant à des types familiaux comportant une relation autoritaire entre parents et enfants – seront étudiées en détail aux chapitres suivants, consacrés à la famille souche et à la famille communautaire. Mais on sent déjà ici, dans le cadre restreint de l'espace français, à quel point les déterminations anthropologiques définissent le contenu même de l'idéologie socialiste, qui se diversifie en fonction du terrain familial.

---

1. Pour des données sur l'implantation géographique des tendances socialistes à la veille de l'unification, voir C. Willard, *Socialisme et communisme français*, p. 59-82 ; et J. Droz et coll., *Histoire générale du socialisme*, t. 2, p. 186-187.

Le libéral-militarisme

L'émergence du socialisme provoque celle d'un nouveau nationalisme, s'identifiant au besoin d'ordre des classes moyennes. Le bonapartisme et le boulangisme sont les deux formes successives prises entre 1848 et 1914 par la nouvelle idéologie nationaliste des régions de famille nucléaire égalitaire. Le désir d'ordre doit cependant ruser avec le tempérament politique libéral et égalitaire porté par la famille. L'horreur de l'autorité, l'incapacité à s'organiser et le refus des doctrines rigides ne sont pas moins typiques de la droite et des classes moyennes que de la gauche et de la classe ouvrière dans le Bassin parisien. Il n'est donc pas question pour le nouveau nationalisme de s'incarner dans une structure partisane stable. Entre 1885 et 1900, la Ligue des patriotes, qui représente assez bien avec Déroulède cette nouvelle idéologie, n'est ni plus puissante ni plus efficace que les groupes socialistes et anarchistes dont elle reproduit à droite l'indiscipline. La déification de l'armée et du principe militaire permet cependant de contourner l'anarchisme latent de cette droite. En région de famille nucléaire égalitaire, cette institution spécialisée s'efforce d'inverser les tendances du tempérament local en prônant la hiérarchie et la discipline. Elle symbolise de plus un idéal nationaliste de prouesse guerrière. Dans le contexte d'une société inapte à la discipline, le rêve nationaliste et antisocialiste se fixe très vite sur l'armée ou plutôt sur l'imagerie militaire, représentation de l'ordre et de la gloire nationale.

Le bonapartisme et le boulangisme ne se débarrassent cependant pas de l'individualisme égalitaire du fond anthropologique. Ils glorifient le suffrage universel, dont la nécessité idéologique découle de l'existence d'individus égaux en droit. Ils réclament même une légitimation populaire directe du chef de l'exécutif par l'élection, le référendum ou le plébiscite. L'appel au sauveur prend ici une forme spécifique : le chef n'est pas l'incarnation humaine d'un principe, il est *l'individu* à l'état pur, expression ultime et perverse de l'individualisme du Bassin parisien. Comme tel, il est largement imprévisible dans ses actes, n'étant nullement tenu par les disciplines conjuguées d'une doctrine et d'un parti. Par le tempérament, le chef suprême du libéral-militarisme n'est pas si différent du militant de base de l'anarcho-socialisme, qui pense n'avoir « ni Dieu ni maître ».

Les préoccupations sociales du libéral-militarisme révèlent son origine antisocialiste. Tous les nationalismes de droite perçoivent, comme les socialismes, des antagonismes de classe ; mais au contraire des socialismes, les nationalismes veulent réintégrer le prolétariat à la nation plutôt qu'expulser de la nation les éléments non prolétariens. Pour les nationalismes de droite, la nation reste la cité idéale, devant remplacer la cité de Dieu ; mais il ne suffit plus, comme en 1789, de déclarer son existence, il faut construire son unité, contre la notion de classe glorifiée par les socialismes.

Situés à droite du spectre politique, bonapartisme et boulangisme conservent cependant l'essentiel des valeurs révolutionnaires. Leur nationalisme n'est en particulier pas ethnocentrique : il présuppose toujours l'existence d'un homme universel, dont le Français n'est que l'incarnation la plus parfaite. L'antisémitisme – qui trouble la société française au lendemain de la crise boulangiste des années 1887-1889, et qui mène à l'affaire Dreyfus des années 1894-1899 – vient d'ailleurs.

Géographie du libéral-militarisme français

Le coup d'État de Louis-Napoléon Bonaparte, réalisé le 2 décembre 1851, est suivi d'un plébiscite qui permet de situer, dans l'espace français, le soutien au neveu de Napoléon Ier. Et ce, malgré les conditions douteuses dans lesquelles fut tenue cette consultation électorale (carte 39 *a*).

Le Bassin parisien se détache clairement comme une zone d'approbation particulièrement massive, avec plus de 80 % de *oui* au référendum dans la plupart des départements. Au nord-est de cette zone, les *oui* sont encore plus nombreux, comptant pour 85 à 89 % des électeurs inscrits [1]. La proximité de la frontière dope le patriotisme, exaspère la sensibilité à la gloire militaire napoléonienne. Mais l'ensemble de la zone de soutien correspond assez bien au fond anthropologique nucléaire égalitaire.

---

1. Pour une analyse détaillée de la géographie électorale du bonapartisme voir F. Bluche, *Le Bonapartisme* ; pour le plébiscite de 1851, p. 274-276.

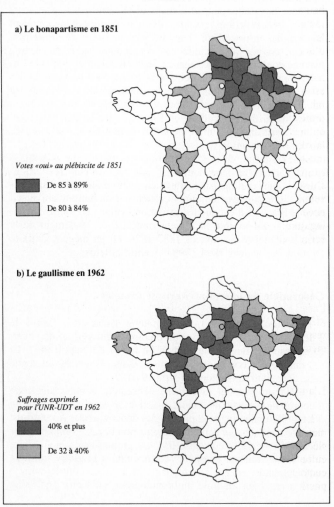

a) Le bonapartisme en 1851

Votes «oui» au plébiscite de 1851

- De 85 à 89%
- De 80 à 84%

b) Le gaullisme en 1962

*Suffrages exprimés
pour l'UNR-UDT en 1962*

- 40% et plus
- De 32 à 40%

Il n'est pas possible d'obtenir une géographie aussi précise du boulangisme, mouvement qui n'a pas abouti et dont la définition idéologique fut très rapidement perturbée par des alliances avec les conservateurs monarchistes, relevant d'une autre tradition et d'une autre géographie. Mais on peut affirmer que le boulangisme est d'abord et surtout un phénomène parisien, comme le nationalisme de la Ligue des patriotes[1]. L'épisode boulangiste est suivi d'une poussée nationaliste localisable sur le plan électoral. Aux élections municipales de 1900, la capitale bascule à droite, une droite dont le nationalisme violent n'est guère plus qu'une redéfinition antisocialiste du jacobinisme traditionnel de la capitale. Cette radicalisation de droite des vingt arrondissements est accompagnée par une radicalisation de gauche de la banlieue. A la même époque, des communes comme Saint-Denis s'installent dans une adhésion absolue au socialisme, dans sa version anarcho-socialiste. Le dédoublement idéologique est un phénomène global. Il faut parler de scission de la tradition idéologique parisienne plutôt que de glissement à droite. On peut écrire l'équation suivante :

nationalisme révolutionnaire →
anarcho-socialisme + libéral-militarisme.

La géographie du libéral-militarisme retrouve donc celle de l'anarcho-socialisme. Coïncidence normale : l'une et l'autre idéologies proviennent du même terrain familial, correspondent respectivement à des interprétations de droite et de gauche des mêmes valeurs libérales et égalitaires.

L'antisémitisme est ailleurs

Le développement de l'antisémitisme, qui agite mais ne submerge pas la vie politique française à l'extrême fin du XIXe siècle, est l'effet d'autres déterminations anthropologiques et culturelles. La haine du juif n'est pas produite par la tradition centrale et révolutionnaire du pays, mais par la tradition périphérique et monarchiste. A la veille de l'affaire Dreyfus, l'anti-

1. Pour des données géographiques sur la Ligue des patriotes, voir Z. Sternhell, *La Droite révolutionnaire*, p. 96-97, 106.

sémitisme est typiquement sécrété par les milieux catholiques de la périphérie. *La Croix* se prétend alors « le journal le plus anti-juif de France ». Vers 1898-1899, la Ligue antisémitique est beaucoup plus provinciale que parisienne ; elle est un négatif géographique de la Ligue des patriotes de Déroulède [1]. Opposi-tion inévitable : la Ligue des patriotes est greffée sur la famille nucléaire égalitaire et sur la tradition révolutionnaire ; la Ligue antisémitique, sur les familles souche et nucléaire absolue, qui portent, vers 1898, l'essentiel du catholicisme français. L'Église, universaliste à l'origine, n'est d'ailleurs pas en elle-même res-ponsable du développement de cet antisémitisme. C'est la famille souche qui, porteuse d'un trait inégalitaire, encourage une perception inégalitaire des rapports entre les peuples. L'iné-galité des frères se projette sur le plan idéologique en inégalité des hommes. La persistance de la pratique religieuse empêche en fait l'émergence, sur la périphérie de l'Hexagone, d'une idéolo-gie antisémite pleine et entière entraînant l'adhésion des popula-tions. Le potentiel anti-universaliste de la famille souche sera étudié en détail aux chapitres 9 et 10, consacrés à l'analyse des productions idéologiques de ce type anthropologique.

Mal développé, l'antisémitisme français est donc nettement périphérique, comme le sera l'Action française à partir du début du xxe siècle.

Les tentatives de collaboration antirépublicaine entre boulan-gistes patriotes et monarchistes antisémites expliquent les diffi-cultés de l'analyse. L'affaire Dreyfus fut une exceptionnelle occasion de fusion ou plutôt de télescopage entre les deux doc-trines : Dreyfus, officier et juif, pouvait servir à la cristallisation simultanée du militarisme boulangiste et de l'antisémitisme monarchiste. Cette collaboration mène cependant les deux droites radicales à un échec retentissant, effet de leur incompati-bilité de nature autant que de l'efficacité des républicains drey-fusards.

L'analyse géographique des phénomènes idéologiques montre ici sa puissance classificatrice et explicative. Deux idéologies de droite produites par des types familiaux distincts sont efficace-ment séparées par un pointage géographique : cas du libéral-

---

1. Pour des données géographiques sur la Ligue antisémitique, voir Z. Sternhell, *op. cit.*, p. 221-222.

militarisme (famille nucléaire égalitaire) et de l'antisémitisme (famille souche). En revanche, une idéologie de droite et une idéologie de gauche produites par le même type familial occupent la même position dans l'espace national : cas du libéral-militarisme et de l'anarcho-socialisme, également portés par la famille nucléaire égalitaire. Boulangisme et allemanisme coexistent dans le Bassin parisien. Les identifications de classe correspondant à ces deux doctrines permettent cependant de les dissocier à un niveau géographique plus fin que le département, au niveau de la commune par exemple. Le boulangisme fleurit dans les communes petites-bourgeoises, l'allemanisme dans les communes ouvrières. L'opposition entre Paris (libéral-militariste vers 1900) et sa banlieue industrielle (anarcho-socialiste) permet de séparer les créations idéologiques de droite et de gauche de la famille nucléaire égalitaire.

1930-1965, l'épanouissement du dualisme : anarcho-communisme et gaullisme

Jusqu'à la Première Guerre mondiale, le dédoublement idéologique opposant anarcho-socialisme et libéral-militarisme est violent mais incomplet. La majorité des électeurs du Bassin parisien reste fidèle à la tradition idéologique définie par la Révolution, sous la forme apaisée du républicanisme, dans ses variantes radicales ou modérées. Seule l'agglomération parisienne oppose une gauche socialiste à une droite nationaliste. L'industrialisation n'est qu'embryonnaire, la nation reste perçue par la majorité des électeurs comme unitaire. La poursuite entre les deux guerres du mouvement d'industrialisation conduit à l'épanouissement du système dualiste. Phénomène un peu compliqué par une nécrose de l'anarcho-socialisme.

La scission de Tours de 1920 mène à la naissance du Parti communiste, organisme centralisé qui ne peut en aucun cas être considéré comme une émanation de l'idéal anarchiste, mais qui absorbe néanmoins la tradition anarcho-socialiste. Les bastions les plus solides du PCF ne sont pas situés dans le Bassin parisien, mais sur la bordure nord-ouest du Massif central et sur la façade méditerranéenne, où il se greffe sur des structures familiales communautaires et sur des traditions guesdistes. Mais le communisme séduit aussi la classe ouvrière du Bassin parisien, dont l'adhésion au PCF est manifeste dès l'époque du Front populaire, en 1936. Au lendemain de la Deuxième Guerre mondiale, le Parti communiste domine l'ensemble de la gauche dans le Bassin parisien, éliminant à son profit une partie de la tradition anti-autoritaire [1]. Le communisme retrouve les valeurs égalitaires de l'anarchisme, mais non son tempérament libéral. On doit donc parler de nécrose partielle d'une tradition, par extinction des valeurs libérales. La grande industrie semble responsable de la dérive autoritaire du mouvement ouvrier. L'asservissement aux chaînes de production rend la notion même de liberté inaccessible aux ouvriers nouveaux et l'on peut comprendre le réalignement exclusif du prolétariat parisien sur les valeurs égalitaires. Mais l'affirmation du principe d'autorité est très fragile. Le PCF se définit certes comme une structure totalitaire étouffant les manifestations spontanées de sa base ; il établit un strict contrôle de ses cellules et de son syndicat (la CGTU puis la CGT). Il ne parvient cependant pas à transformer les pratiques militantes ouvrières. Entre 1936 et 1968, période de domination communiste « absolue » sur le milieu ouvrier parisien, ni le PCF ni la CGT ne sont capables de déclencher une grève efficace. Les grands mouvements revendicatifs restent de type spontanéiste ; le syndicat et le parti courent, conformément à la tradition, derrière les décisions de la base. On ne peut donc parler de disparition du tempérament idéologique anarcho-socialiste : le PCF, machine organisée et disciplinée, ne parvient nullement à contrôler la vie sociale dans le Bassin parisien. On verra à quel point il se distingue, de ce point de vue, du Parti communiste italien, qui a, lui, trouvé son analogue familial strict, communautaire, en Italie centrale. Le caractère imparfait de l'adhésion communiste dans le Bassin parisien éclate entre 1978 et 1988 : en quelques consultations électorales, le PCF est pulvérisé. Sa puissance n'aura duré que deux courtes générations.

Au lendemain de la Deuxième Guerre mondiale, le socialisme, sous la forme hybride de l'anarcho-communisme (organisation communiste posée sur un tempérament idéologique qui

1. Pour une géographie électorale détaillée du communisme français, voir E. Todd, *La Nouvelle France*, p. 159-168, et H. Le Bras et E. Todd, *L'Invention de la France*, p. 343-365.

reste au fond anarchiste), finit donc par dominer globalement la gauche dans l'ensemble du Bassin parisien. Cette expansion du socialisme aboutit, par effet de symétrie, à l'épanouissement du nationalisme. Il s'agit d'un libéral-militarisme tranquille, n'ayant aucunement besoin d'un coup d'État militaire réel pour parvenir au pouvoir. Le gaullisme se satisfait d'images de grandeur militaire et nationale. En 1962, l'UNR-UDT, seul parti alors fidèle au général de Gaulle, triomphe au cœur du Bassin parisien, dans les régions de famille nucléaire égalitaire (carte 39 *b*). Le gaullisme définit un sauveur, le légitime au suffrage universel direct ; il rêve de grandeur nationale, il a des préoccupations sociales. Il est le boulangisme achevé et ne présente comme tel que peu d'intérêt doctrinal. Mais il réussit là où le boulangisme a échoué. Le premier général avait séduit la ville de Paris ; le deuxième répète cet exploit mais étend sa conquête au Bassin parisien, base plus sûre pour contrôler l'ensemble du système national.

La raison profonde du succès gaulliste, c'est la puissance adverse du mouvement socialiste et sa nécrose autoritaire. La polarisation du système idéologique correspondant à la famille nucléaire égalitaire s'achève au lendemain de la Deuxième Guerre mondiale. Le rêve d'une cité idéale « ouvrière » atteint entre 1946 et 1968 son apogée. Le contre-rêve d'une nation réintégrant la classe ouvrière suit très logiquement. Le gaullisme est un effet, involontaire mais inévitable, du socialisme. Le caractère nécrosé, communiste, du socialisme en question assure la prééminence du gaullisme, l'orientation à droite du Bassin parisien entre 1958 et 1981. Totalitaire, le PCF contredit la tendance libérale des régions de famille nucléaire égalitaire. Les classes moyennes inférieures choisissent donc l'identification à la nation plutôt qu'au prolétariat. Une partie de la classe ouvrière elle-même préfère la nation à la classe : dès 1958, le gaullisme prend des voix ouvrières au PCF. Pour être prolétaire, on n'en est pas moins égalitaire et libéral dans le Bassin parisien.

Le communisme français est une idéologie totalitaire, antilibérale. Mais le système idéologique global constitué par l'affrontement du gaullisme et du communisme ne peut être considéré comme antilibéral, parce que sa partie gauche est minoritaire. La rançon de la nécrose communiste du libéralisme de gauche, c'est l'affaissement de la gauche, preuve de l'activité persistante du trait « libéral » du système anthropologique. L'affrontement gaullisme/communisme ne contredit donc pas le modèle d'un conflit fondamental entre anarcho-socialisme et libéral-militarisme en région de famille nucléaire égalitaire.

Le cas français est imparfait : l'existence de systèmes familiaux périphériques comprenant des traits simultanément autoritaires et égalitaires atténue la pureté du modèle. Des formes familiales communautaires permettent la stabilisation du Parti communiste sur la bordure nord-ouest du Massif central, sur la façade méditerranéenne, et renforcent par là même certains traits autoritaires du mouvement socialiste français. Il faut se tourner vers l'Espagne, où la prééminence de la famille nucléaire égalitaire est beaucoup plus nette, pour observer dans toute sa pureté l'affrontement entre anarcho-socialisme et libéral-militarisme.

L'Espagne

La géographie familiale de l'Espagne est beaucoup plus simple que celle de la France. Au Nord, de la Galice à la Catalogne, une longue bande de famille souche suit la cordillère Cantabrique et le piémont pyrénéen. Au Centre et au Sud, la famille nucléaire égalitaire domine le territoire. Dans quatre provinces du Sud-Ouest, correspondant au bassin du Guadalquivir, des formes égalitaires mais présentant quelques traits autoritaires peuvent être identifiées [1]. La zone nucléaire égalitaire pure (qui constitue 60 % du territoire, et non 40 % comme en France) peut être décomposée en deux sous-ensembles. Au Nord, une région de propriété paysanne et de forte pratique religieuse coïncide avec l'Espagne ancienne du Leon et de la Vieille-Castille. Au Sud et à l'Est, une zone plus vaste de très grande exploitation et de faible pratique religieuse recouvre l'ancienne Espagne musulmane du milieu du XIe siècle. Les espaces anthropologiques sont mieux découpés qu'en France, où les systèmes intermédiaires et flous sont nombreux, particulièrement entre la Loire et le Massif central. Dans le cas de l'Espagne, le passage de la famille

1. Voir *supra*, chap. 1, p. 67-71.

40 – Espagne : le fond anthropologique et religieux

Famille souche

Famille nucléaire égalitaire

Traces matrilinéaires et communautaires

● Pratique religieuse supérieure à 40% vers 1970

souche (très minoritaire) à la famille nucléaire égalitaire est net ;
le passage de la propriété paysanne à la grande exploitation également (carte 40). L'histoire permet d'expliquer la clarté du
découpage anthropologique : les diverses zones correspondent
en effet aux étapes successives de la Reconquête chrétienne de
l'Espagne musulmane.

Une tradition libérale et égalitaire

Dès le début du XIXᵉ siècle, c'est-à-dire à l'époque même de la
lutte contre Napoléon, les élites espagnoles laissent apparaître le
comportement libéral et égalitaire caractéristique du type anthropologique dominant, la famille nucléaire égalitaire [1]. Les masses
analphabètes ne participent pas alors à l'élaboration des projets
politiques. Mais les Cortes réunis à Cadix finissent par élaborer
la Constitution de 1812, qui définit une monarchie constitutionnelle et envisage l'établissement du suffrage universel. Ce
système ne se stabilise pas mieux que celui prévu par la Constitution française de 1791, qui s'efforce elle aussi d'établir une
monarchie constitutionnelle. L'image du roi ne peut survivre en
système libéral égalitaire. Toutes les tentatives espagnoles de
stabilisation du modèle sombrent dans l'anarchie, en l'absence
d'une dérive égalitaire d'origine populaire. Paradoxalement,
l'armée incarne alors, simultanément, les principes d'ordre et de
désordre. La série des coups d'État militaires réalisés au nom du
libéralisme commence en 1820. C'est encore un *pronuncia-
miento* qui impose, en 1868, le suffrage universel. En l'absence
d'un pouvoir stable et reconnu, l'entrée en scène de l'armée
semble inévitable, même si ses officiers restent en majorité des
individus éclairés croyant aux vertus de la liberté et de l'égalité.
Vers la fin du XIXᵉ siècle, l'émergence idéologique des masses
enfin alphabétisées ne change pas fondamentalement les données du problème : la famille nucléaire égalitaire produit une
autorité politique à la fois faible et détestée. Le libéralisme de la
relation parents-enfants favorise une conception minimale du
pouvoir. L'égalitarisme de la relation entre frères conduit au
rejet de ce pouvoir qui, bien que faible, transcende les individus.

1. Sur le libéralisme espagnol de la première moitié du XIXᵉ siècle, voir
P. Letamendia, *Les Partis politiques en Espagne*, p. 11-16.

Activation idéologique

L'Espagne, dont le processus d'alphabétisation est beaucoup plus tardif que celui de la France, n'atteint le stade de la pleine activation idéologique qu'au xxᵉ siècle. Le seuil des 50 % d'hommes alphabétisés est franchi par le Bassin parisien au xviiiᵉ siècle, par l'Espagne du Nord au xixᵉ, par l'Espagne du Sud entre 1900 et 1940. Ce niveau d'alphabétisation est nécessaire à la mise en forme idéologique des valeurs familiales d'une région donnée : il permet l'adhésion des masses aux doctrines nouvelles. L'Espagne exprime donc ses valeurs idéologiques beaucoup plus tard que la France, sa moitié sud étant elle-même en retard sur sa moitié nord. Les premiers signes d'activité idéologique populaire peuvent être identifiés au Nord vers 1830, au Sud vers 1870. L'émergence pleine et entière des idéologies espagnoles doit être située dans les années 1900-1930.

A cette date, l'Espagne n'est encore qu'une grande nation rurale, les trois quarts de sa population vivant de l'agriculture. Un début d'industrialisation peut être observé au Nord : en Catalogne, des activités de transformation se développent dès la première moitié du xixᵉ siècle, au Pays basque et dans les Asturies une industrie lourde apparaît à la fin du xixᵉ siècle. Le surdéveloppement relatif des systèmes périphériques encourage les séparatismes basque et catalan. Entre 1870 et 1930, le prolétariat espagnol proprement dit est un corps assez largement mythique. Comparable à la France des années 1780-1790 sur le plan économique et culturel, l'Espagne des années 1860-1930 aurait dû produire une idéologie nationale unitaire plutôt que des doctrines insistant sur la lutte des classes. L'existence d'un prolétariat agricole particulièrement massif et exploité au Sud favorise cependant l'émergence rapide d'idéologies de classes, c'est-à-dire socialiste et nationaliste. Le couple anarcho-socialisme/libéral-militarisme domine très vite le jeu politique espagnol.

L'anarchisme triomphant

Le Sud, le Centre et l'Est du pays sont vers 1870 déchristianisés depuis un siècle au moins, le Nord restant pratiquant. Une émergence idéologique au sens strict ne peut avoir lieu que dans les régions où la désintégration religieuse a créé un vide, et par conséquent le besoin d'une nouvelle cité idéale. La société rêvée sera de type anarchiste. L'Espagne est en effet la seule nation d'Europe où la forme dominante prise par le socialisme (au sens le plus étendu du concept, « idéologie affectant à la classe ouvrière un rôle particulier dans la construction de la cité nouvelle ») est vers 1900 l'anarchisme pur. Entre 1869 et 1873, les Espagnols prennent parti pour Bakounine contre Marx lorsque s'affrontent, au sein de la Ire Internationale, socialisme libertaire et socialisme autoritaire [1]. Leur contribution théorique au débat est insignifiante, mais leur contribution pratique est immense. Au début des années 1870 se développent un anarchisme ouvrier catalan et un anarchisme rural andalou.

L'anarchisme espagnol refuse le compromis. Il nie la nécessité d'un système politique coiffant la société et recommande l'abstentionnisme électoral. Ses tendances ouvrières sont assez classiques mais plus violentes qu'en France. L'action spontanéiste débouche sur le terrorisme autant que sur la grève. L'assassinat de patrons et l'incendie d'églises sont aussi ou plus importants que la fondation de coopératives de production. L'anarchisme rural andalou est par contre original. Millénariste, il aboutit à la constitution d'une quasi-religion. L'anarchisme du Sud veut l'autonomie absolue du village (le *pueblo*), le partage des terres, l'élimination de la religion, la rédemption de l'individu par la science et l'éducation. Il condamne les courses de taureau, l'alcool et le tabac. Il prêche l'amour libre mais rejette la débauche. En 1918 comme en 1880, l'insurrection typique d'un village anarchiste prend la forme d'un retrait du monde préparant au millénium. Les ouvriers agricoles se mettent en grève,

---

1. Voir sur la suprématie anarchiste, J. Droz et coll., *Histoire générale du socialisme*, t. 2, p. 308-309. En 1873, les marxistes espagnols ont du mal à faire vivre un journal, à cette date les bakouninistes ont trente périodiques.

le *pueblo* coupe ses relations avec le monde extérieur et attend [1]... L'anarchisme espagnol est donc un antiléninisme ; il est l'inefficacité révolutionnaire incarnée. La reprise en main d'un village isolé par l'armée ou la garde civile n'est jamais difficile. Mais parce qu'il est l'expression de valeurs anthropologiques stables, cet anarchisme résiste à l'expérience de l'échec. Le syndicat anarchiste, la CNT, fondé en 1911, l'emporte longtemps de façon écrasante sur le syndicat socialiste rival, l'UGT. En 1920, la CNT a 700 000 adhérents contre 240 000 à l'UGT [2].

Géographie de l'anarcho-socialisme espagnol

Très typé idéologiquement, l'anarchisme espagnol est facile à localiser géographiquement. La carte qu'en propose J. Vicens Vives dans son *Atlas de historia de España* décrit la zone de tradition anarchiste, qui suit la côte méditerranéenne de l'Andalousie à la Catalogne. Pour l'essentiel, il s'agit d'une région de famille nucléaire égalitaire et de grande .exploitation rurale (carte 41 *a*). Les provinces de famille nucléaire égalitaire et de grande exploitation situées plus à l'intérieur des terres – Nouvelle-Castille, Estrémadure – sont moins touchées, effet sans doute de la très faible densité de leur population rurale [3]. Les provinces où la famille nucléaire égalitaire est associée à la propriété paysanne – Vieille-Castille, Leon – restent catholiques pratiquantes et ne sont par conséquent pas concernées par le phénomène d'idéologisation.

L'existence d'un anarchisme ouvrier puissant en Catalogne ne contredit pas la loi associant famille nucléaire égalitaire et anarchisme, bien que le fond anthropologique de la Catalogne rurale soit de type souche, autoritaire et inégalitaire. La formation de la classe ouvrière catalane résulte d'un mouvement migratoire continu prenant sa source dans les régions de famille nucléaire égalitaire situées plus au sud. La famille nucléaire égalitaire peut

1. Très belle description de l'anarchisme andalou dans E.J. Hobsbawm, *Primitive Rebels*, p. 81-86.
2. P. Letamendia, *op. cit.*, p. 21.
3. Pour la carte des densités de population rurale, voir V. Zalacain, *Atlas de España y Portugal*, p. 46.

41 – Espagne

a) L'anarchisme

Régions de forte tradition anarchiste

b) Le Parti socialiste en 1977-1979

Suffrages exprimés pour le PSOE : moyenne des élections générales de 1977 et 1979

Plus de 35%   De 31 à 35%

être considérée comme le système familial dominant du prolétariat de Barcelone entre 1880 et 1930.

L'anarchisme recommande l'abstentionnisme et n'a donc pas d'expression électorale officielle. L'anarcho-socialisme espagnol est donc représenté, sur le plan électoral, par un parti socialiste de type « latin » assez classique. Le PSOE (Parti socialiste ouvrier espagnol) combine dès l'origine incapacité organisationnelle et révolutionnarisme verbal ; il est très proche par la forme et le comportement de ses frères du Bassin parisien. Son socialisme est de tempérament libéral, répugnant au fond à l'étatisation de la société. Entre 1931 et 1936, le PSOE est le plus important des partis de la gauche espagnole, qui inclut également des « radicaux » nombreux et divisés. En 1936, dans la Chambre du Front populaire, le PSOE a 88 députés, la Gauche républicaine 79, l'Union républicaine 34 ; le Parti communiste, avec 14 députés, est la plus insignifiante des forces de gauche, phénomène normal dans un pays de tempérament libéral[1]. La géographie électorale du PSOE est très stable. L'épisode franquiste n'affecte en rien son implantation majoritaire dans la partie centrale et méridionale du pays, qui réémerge, intacte, à la fin des années soixante-dix. Aux élections générales de 1977 et 1979, le PSOE est puissant dans les régions de famille nucléaire égalitaire et de grande exploitation (carte 41 *b*). Sa seule base au Nord est la région industrielle des Asturies, où domine le type souche : on pourrait sans difficulté évoquer un tempérament politique spécifique du prolétariat des Asturies, en particulier des capacités de discipline et d'organisation tout à fait étonnantes dans un contexte espagnol. La puissance de l'organisation ouvrière des Asturies lors des insurrections de 1934 est, en un sens, l'exception qui confirme la règle d'inefficacité de l'anarcho-socialisme espagnol[2].

1. P. Letamendia, *op. cit.*, p. 27.
2. G. Hermet, *L'Espagne de Franco*, p. 28-29.

L'émergence du libéral-militarisme (1923-1936)

En Espagne comme ailleurs, la naissance du socialisme entraîne celle d'un nationalisme de droite. Plus spécifiquement, l'émergence de l'anarcho-socialisme conduit à celle du libéral-militarisme. Dans un pays rongé par le désordre, le rêve d'ordre d'une droite aussi peu douée que la gauche pour l'organisation se fixe sur l'armée. Au début des années vingt, l'armée espagnole n'adhère plus au libéralisme traditionnel[1]. La pulvérisation de l'autorité de l'État fait de l'institution militaire un pôle de discipline. La dictature du général Primo de Rivera, qui se met en place en 1923 avec l'accord du roi Alphonse XIII, est déjà une tentative de remise en ordre militaire d'une société civile désorganisée. Le désir d'ordre se manifeste par une répression accentuée des activités anarchistes. Le nationalisme, composante nécessaire de l'idéologie libérale-militariste, s'exprime par un centralisme revigoré et donc par une tentative de mise au pas des autonomismes catalan et basque. Ce centralisme de droite assure une dérive vers la gauche des autonomismes, même au Pays basque, région de forte imprégnation catholique. La transformation du corps des officiers supérieurs en un petit parlement qui décide, à la majorité, de la nécessité ou de l'inutilité d'un coup d'État assure la persistance d'un libéralisme fondamental à l'intérieur même du système militaire.

Entre 1900 et 1930 se met en place, dans la partie déchristianisée de l'Espagne, le couple idéologique typique des régions de famille nucléaire égalitaire : anarcho-socialisme contre libéral-militarisme. Si l'on s'en tient à l'analyse des régions déchristianisées, l'affrontement est inégal. La polarisation de la structure sociale assure une prééminence stable de la gauche. L'omniprésence d'un prolétariat agricole misérable, l'absence d'une classe moyenne nombreuse empêchent que s'établisse, entre 1900 et 1930, le relatif équilibre observable dans le Bassin parisien. Sur le plan électoral, la gauche est en Espagne centrale et méridionale toujours majoritaire.

---

1. P. Letamendia, *op. cit.*, p. 23.

Leon et Vieille-Castille : une idéologie catholique réactionnelle

Au Nord de la péninsule, le catholicisme survit, entre 1750 et 1965, en région de famille nucléaire égalitaire et de propriété paysanne, comme en Lorraine, Franche-Comté ou Lombardie. Les populations de ces régions, sécurisées par la persistance d'une métaphysique religieuse intacte, n'ont pas besoin d'une idéologie de type moderne. L'activation idéologique du reste de la péninsule contraint cependant le catholicisme local à une redéfinition politique. Le Leon et la Vieille-Castille doivent produire une *idéologie religieuse réactionnelle*. Et parce que le terrain familial est libéral et égalitaire, l'idéologie réactionnelle en question ne peut être autoritaire et inégalitaire. Effectivement, les forces politiques qui apparaissent à l'époque de la république, entre 1931 et 1936, ne peuvent en aucune manière être décrites comme fascisantes ou monarchistes. La CEDA (Confédération espagnole des droites autonomes), fondée en 1933, et qui domine la droite parlementaire espagnole à la veille de la guerre d'Espagne grâce à ses députés de Leon et de Vieille-Castille, accepte la république[1]. Son nom suggère assez son absence de tempérament autoritaire. En termes de doctrine, les hommes de la CEDA ne sont pas si différents des républicains modérés et catholiques de l'Est de la France, qui relèvent du type républicain-chrétien. Mais ils doivent affronter une gauche dont l'anticléricalisme est hystérique, dépassant tout ce qui avait pu être observé durant la Révolution française. Dans l'Espagne des années 1900-1930, incendier une église ou assassiner un prêtre est une activité politique presque banale. Le point culminant du militantisme antireligieux est sans aucun doute atteint en Catalogne en 1936 : les anarchistes déterrent systématiquement les cadavres de religieuses, pour démontrer aux populations leur état normal de décomposition et par conséquent l'insignifiance du clergé[2]. Cette hystérie antireligieuse dramatise le conflit entre

1. Très bonne présentation des droites à la veille de la guerre d'Espagne dans l'article consacré à ce pays par Stanley Paine dans le recueil de H. Rogger et E. Weber, *The European Right*, p. 168-207.
2. Cf. B. Lincoln, « Revolutionary exhumations in Spain, July 1936 », in

modérés catholiques d'une part, radicaux, socialistes et anarchistes d'autre part, sans que cette radicalisation implique la définition d'une idéologie politique autoritaire. Une telle idéologie réactionnelle autoritaire existe en Espagne, mais elle est très minoritaire et surtout localisée hors des régions de famille nucléaire égalitaire. Le carlisme, qui a 15 députés dans la Chambre de 1936, contre 101 à la CEDA, est typique des régions de famille souche [1]. Il est l'exception autoritaire qui vérifie la règle d'un catholicisme plutôt libéral de tempérament.

La famille souche et le carlisme

Dès les années 1820-1830, les régions de famille souche du Nord de la péninsule produisent leur propre idéologie religieuse réactionnelle, autoritaire et inégalitaire, caractéristique d'un système anthropologique de type souche. Les régions concernées sont encore catholiques et n'ont pas besoin d'une idéologie. Mais elles doivent se défendre contre les agressions idéologiques qui commencent à venir du Centre et du Sud du pays. Le coup d'État militaire libéral de 1820 déclenche une première réaction des régions de famille souche. Le rêve d'une monarchie autoritaire, opposée à la monarchie constitutionnelle qui semble se mettre en place, se répand chez les paysans de l'extrême Nord de la péninsule, comme il s'était répandu chez les paysans des régions de famille souche de la périphérie française à l'époque de la Révolution. Le premier soulèvement monarchiste autoritaire se produit en 1822. A cette époque, le libéralisme égalitaire du Sud s'incarne uniquement dans l'action des élites ; les masses méridionales sont inertes. Mais au Nord, ce sont les masses qui se lèvent pour défendre l'idéal d'une monarchie intégrale (carte 42 *b*). La Navarre et la Catalogne sont particulièrement touchées. Le niveau de développement culturel plus élevé du Nord – il approche le seuil d'alphabétisation de 50 % qui permet l'activation idéologique – assure aux valeurs de hiérarchie une surpuissance temporaire, hors de proportion avec l'impor-

---

Comparative Studies in Society and History, vol. 27, n° 2, avril 1985, p. 241-259.
1. Pour les données parlementaires, P. Letamendia, *op. cit.*, p. 27.

42 – Espagne

a) Zones nationalistes en 1936

▓ Régions tenues par les insurgés au début du soulèvement	● Villes isolées où le coup d'État réussit

b) Le carlisme

▓ Régions de tradition carliste majoritaire	
▓ Régions d'influence carliste	▒ Régions à dominante libérale

tance réelle de la famille souche dans l'ensemble espagnol. A partir du soulèvement populaire antilibéral de 1833 qui agite les provinces basques, la Navarre, l'Aragon et la Catalogne, le carlisme prend sa forme définitive et son nom. A la mort de Ferdinand VII, les carlistes se déclarent partisans de Charles, frère du roi défunt, contre Isabelle, sa fille. Le coup d'État militaire de 1868, qui aboutit à l'établissement du suffrage universel, déclenche une nouvelle guerre carliste. Mais à cette date l'alphabétisation du Sud a progressé et l'ensemble du pays s'achemine vers l'activation idéologique ; le carlisme perd déjà de son importance relative. Il prend son poids « réel » d'idéologie réactionnelle correspondant à un système anthropologique périphérique et minoritaire. A la veille de la guerre d'Espagne, les carlistes restent très agités et violents, mais ils font figure de groupuscule.

La guerre d'Espagne

Lorsque s'ouvre la guerre d'Espagne, les idéologies politiques autoritaires pouvant être décrites comme « monarchistes » ou « fascisantes » sont insignifiantes. Les carlistes continuent de décliner. Les fascistes d'imitation, admirateurs de Mussolini ou de Hitler, organisés dans la Phalange (créée, comme la CEDA, à la veille des élections de 1933), constituent un autre groupuscule. Son existence facilitera l'obtention par Franco de l'aide allemande et italienne. Mais la guerre d'Espagne ne naît pas, comme l'affrontement qui oppose en France Révolution et Contre-Révolution, d'un conflit entre systèmes de valeurs opposés. En France, un système libéral et égalitaire combat son négatif autoritaire et inégalitaire. En Espagne, le conflit est interne au système libéral et égalitaire. Les régions de famille souche, autoritaires et inégalitaires, sont marginales et se partagent d'ailleurs à peu près également entre les deux camps. Les Asturies, le Pays basque et la Catalogne choisissent le camp républicain ; la Galice, la Navarre et la partie nord de l'Aragon, le camp nationaliste (carte 42 *a*). C'est le conflit entre anarcho-socialisme et libéral-militarisme, dramatisé par le facteur religieux, qui aboutit à l'une des guerres civiles les plus coûteuses en vies humaines de l'histoire de l'Europe ; de 600 000 à 1 million de morts selon les estimations. Le déroulement des événements et leur localisation dans l'espace permettent de saisir la signification du conflit. Entre 1931 et 1936, la IIe République espagnole sombre dans l'anarchie. L'État se décompose. Classiquement, l'armée incarne l'espoir momentané d'une remise en ordre. La droite attend des militaires qu'ils se substituent à l'État défaillant. Au lendemain de la victoire électorale du Front populaire, l'armée tente un coup d'État, qui échoue, très logiquement, dans la plus grande partie du pays. Dans les régions de famille nucléaire égalitaire du Centre et du Sud, la gauche est, en Espagne, structurellement dominante. L'histoire se serait arrêtée à cet échec s'il n'avait pas existé, en Leon et en Vieille-Castille, une région dominée par le catholicisme, que le Front populaire ne contrôle pas, *et qui donne un territoire à l'insurrection militaire.* Au lendemain du coup d'État, les nationalistes ne tiennent que ces régions catholiques du Nord, plus les villes de Cordoue, Séville, Grenade et Cadix. Une présence militaire spécifique assure le contrôle du Maroc espagnol. Libéral-militarisme et catholicisme républicain de la CEDA fusionnent, soudés par l'antimilitarisme et l'anticatholicisme de l'anarcho-socialisme plutôt que par une réelle communauté d'aspirations. Les interventions allemande et italienne, l'aide soviétique donnent à ce conflit, absolument hispanique à l'origine, une coloration internationale : les questions du fascisme et du communisme semblent posées. Mais la vérité de la guerre est espagnole : conflit entre l'anarchisme et l'Église, entre l'anarchisme et l'armée. Le régime franquiste, militaire et catholique, montrera durant la Deuxième Guerre mondiale son indifférence totale aux problématiques hitlérienne ou mussolinienne. La guerre d'Espagne naît de la désintégration de l'autorité politique plutôt que d'une aspiration des masses à une autorité forte. Elle est typique d'une nation où dominent lourdement des structures familiales libérales et égalitaires, fortement productrices d'anarchie et d'une aspiration contraire à l'ordre militaire. Ce qui distingue l'Espagne de la plupart des pays d'Amérique latine, où l'oscillation anarchie/militarisme définit l'essentiel de la tradition politique, c'est l'existence d'une zone libérale et égalitaire mais catholique, jusqu'à 1965 du moins. En Amérique latine, la famille nucléaire égalitaire coïncide toujours avec une pratique religieuse insignifiante, comme en Andalousie. Le conflit entre religion et irréligion donne sa nuance dramatique à la situation espagnole. L'affrontement entre métaphysique sociale anarchiste et métaphysique religieuse catholique ne correspond pas à une opposition des valeurs, libérales et égalitaires dans les deux cas, mais à une différence d'interprétation sur la localisation, terrestre ou céleste, de ces valeurs. Les catholiques conçoivent un au-delà céleste libéral et égalitaire ; les anarchistes, un futur terrestre libéral et égalitaire.

Italie septentrionale et méridionale

La famille nucléaire égalitaire n'occupe pas dans l'espace italien une position centrale. Elle domine le Nord et le Sud de la péninsule, la Sicile et la Sardaigne. Au Centre de la botte, un bloc massif de famille communautaire couvre l'Émilie-Romagne, la Toscane, les Marches et l'Ombrie, tronçonnant les systèmes nucléaires égalitaires en deux régions séparées. Au Nord, la famille nucléaire égalitaire coïncide souvent avec un système de propriété paysanne, plus nettement au pied des Alpes que dans la plaine du Pô ; au Sud, elle correspond souvent à un système de grande exploitation particulièrement spectaculaire, de type latifundiaire comme en Andalousie. Le Nord reste, entre 1750 et 1965, relativement catholique, la Lombardie étant cependant plus pratiquante que le Piémont. Au Sud, la déchristianisation est ancienne et massive, comme dans la plupart des systèmes anthropologiques combinant famille nucléaire égalitaire et grande exploitation. La famille souche, incomplète, n'occupe que la Vénétie, au contact de la vaste zone germanique de famille autoritaire et inégalitaire. L'Italie est donc le plus égalitaire des pays latins. Ses types familiaux nucléaire et communautaire ont en commun une composante égalitaire qui couvre 85 % du territoire global. (Les cartes décrivant le cas de l'Italie, nᵒˢ 58 à 61, sont au chapitre 11, consacré à la famille communautaire.)

Les deux visages du socialisme italien : 1891-1914

Dès sa fondation en 1891, le Parti socialiste italien est double. Il mêle une tendance anarchisante, liée au mouvement ouvrier piémontais ou lombard, à une tendance autoritaire surorganisée, centrée sur les ligues paysannes d'Émilie-Romagne [1]. Le socialisme piémontais et lombard s'appuie sur la classe ouvrière déchristianisée de régions où le type anthropologique dominant est la famille nucléaire égalitaire. On y trouve, comme dans la France du Bassin parisien, une prééminence du tempérament anarcho-socialiste, avec toutes ses composantes : glorification de l'autonomie ouvrière, de l'action spontanée des masses, de la grève, tendances qui s'épanouissent durant les grandes grèves du lendemain de la Première Guerre mondiale, à Turin notamment, dans le secteur automobile. Mais en Émilie-Romagne, le socialisme rencontre la paysannerie et surtout la famille communautaire, avec sa composante autoritaire. Il cesse d'être anarchiste de tempérament, manifestant dès la fin du XIXᵉ siècle une puissance d'organisation, une capacité de discipline tout à fait remarquables. C'est déjà l'image du futur Parti communiste italien qui se dessine dans ces régions, bien avant la victoire bolchevique de 1917. Le communisme italien sera étudié en détail au chapitre 11, consacré aux productions idéologiques de la famille communautaire.

La position dominante du socialisme autoritaire de l'Italie centrale infléchit dès la fin du XIXᵉ siècle l'histoire idéologique du Sud de la péninsule.

La gauche méridionale entre anarchisme et communisme : 1893-1965

L'Italie méridionale est un double anthropologique de l'Espagne méridionale. On y trouve la même famille nucléaire égalitaire, la même grande exploitation agricole, la même déchristia-

---

1. Sur les deux tendances initiales du socialisme italien, voir J. Droz et coll., *Histoire générale du socialisme*, t. 2, p. 258.

nisation précoce et la même alphabétisation tardive. L'activation idéologique commence une vingtaine d'années plus tard en Sicile qu'en Andalousie, mais il s'agit d'une nuance. C'est à partir de 1889 que s'organisent les premiers *fasci* siciliens, associations de paysans contestataires. Des troubles agraires massifs culminent en 1893 [1]. Les ouvriers agricoles de l'Italie méridionale ne développent cependant pas une pratique et une théorie anarchistes de type andalou. Ils sont immédiatement encadrés par des socialistes venus du Nord et adhèrent assez vite, nominalement, à une doctrine de type socialiste autoritaire. Après la Deuxième Guerre mondiale, le Parti communiste italien domine le socialisme rural du Sud, comme il domine le prolétariat des banlieues ouvrières de Naples [2]. Le phénomène est assez semblable à celui que l'on peut observer en France dans le Bassin parisien entre 1920 et 1965. Le Parti communiste s'installe comme force dominante de la gauche en région de famille nucléaire égalitaire. Comme dans la banlieue parisienne, l'adhésion autoritaire est superficielle et n'aboutit pas à la création locale d'un parti discipliné contrôlant les syndicats, les ouvriers ou les paysans. Mais l'étiquette communiste arrive néanmoins à s'imposer. La négation apparente du principe libéral, inscrit dans la structure anthropologique, aboutit au même résultat que dans le Bassin parisien des années 1945-1965 : *une domination permanente de la droite qui reprend à son compte la défense du libéralisme. L'atrophie du libéralisme de gauche produit une atrophie de la gauche elle-même.* L'Italie du Sud vote continûment à droite entre 1946 et 1990, au contraire de l'Espagne méridionale, qui est de gauche avant l'établissement comme après la disparition du régime franquiste. Le PSOE assume pleinement la tradition libérale, anarchisante, espagnole et domine donc logiquement les régions de forte polarisation sociale. En Italie du Sud, une gauche majoritairement libérale pourrait, au contraire du Parti communiste italien, gagner régionalement des élections.

---

1. J. Droz, *op. cit.*, p. 265.
2. Le prolétariat vote à 55 % communiste vers 1958 dans la banlieue industrielle de Naples, à Castellamare di Stabia par exemple, cf. F. Ferrarotti et coll., *La piccola citta,* p. 90. Pour le socialisme rural, E.J. Hobsbawm, *Primitive Rebels*, p. 93-107.

Nationalisme et mafia

Le nationalisme qui se définit au Sud de la péninsule italienne et en Sicile, vers la fin du XIXe siècle, est assez largement un régionalisme tourné contre le Nord. A partir des annexions de 1860, les efforts du gouvernement central pour unifier le pays, en particulier pour lever des impôts sur l'ensemble du territoire, radicalisent au Sud et en Sicile la méfiance à l'égard de l'État typique de toutes les régions de famille nucléaire égalitaire. Les tendances anarchisantes de la société civile sont poussées à l'extrême et mènent à la négation pure et simple de l'État, à la prolifération d'un banditisme de coloration nationaliste, à une délinquance généralisée. Les sociétés locales du Sud refusent d'admettre la présence d'une administration centrale. En Andalousie et dans le Bassin parisien, où la famille nucléaire égalitaire mine l'autorité de l'État, l'administration concrète est quand même une production locale, endogène au système. L'Andalousie et le Bassin parisien appartiennent au pôle central et dominant de la nation. A Naples, en Calabre ou en Sicile, la famille nucléaire égalitaire produit la même hostilité de principe à l'égard de l'État. Mais l'administration est de plus perçue comme un corps étranger, né au Piémont plutôt que localement. Le rejet de l'État et de sa loi devient une obligation morale nourrie par un véritable « nationalisme » local, par un régionalisme particulièrement radical.

Les organisations de type Mafia naissent en Sicile – et sous d'autres noms à Naples ou en Calabre – de l'inexistence d'un État reconnu et de l'aspiration des populations à un minimum d'ordre, dans une société sans loi. Il s'agit évidemment d'un ordre parallèle, délinquant, s'appuyant sur des réseaux personnels de protection plutôt que sur des règles impersonnelles définissant les droits et les devoirs des citoyens. Un devoir négatif définit l'organisation sociale : l'administration officielle ne doit avoir accès à aucune information concernant les individus. Mais la Mafia veut l'ordre, un ordre fondé sur la stabilité des clientèles et l'inexistence de l'État : un ordre *ultralibéral* et *personnalisé*.

La dialectique du désordre et de l'ordre qui permet l'épanouissement de la Mafia est donc assez semblable à celle qui mène dans le Bassin parisien ou en Espagne à l'amour de l'armée, incarnation du principe de discipline dans une société anarchique. Il n'est pas abusif de considérer la Mafia sicilienne comme un équivalent fonctionnel de l'armée espagnole. Mieux, comme un substitut. La fixation symbolique sur l'ordre militaire n'est pas possible en Italie du Sud, où l'armée évoque la domination piémontaise plutôt que la gloire nationale.

La montée en puissance du socialisme agraire ne peut donc mener en Sicile à la contre-définition d'un libéral-militarisme de droite. Elle aboutit à l'épanouissement, à la solidification, à l'institutionnalisation de la Mafia, qui soude les classes moyennes siciliennes en un vaste réseau défensif, capable de protéger ses membres, simultanément, contre l'État italien et contre le socialisme [1].

L'appartenance de la Mafia à la droite est un peu masquée par le *régime fasciste*, qui lutte contre elle au nom des valeurs autoritaires, la Mafia s'alignant quant à elle sur les positions du Parti libéral. En 1924, la coalition libéralisme-Mafia arrive encore à contenir à Palerme la pression fasciste. Mais au lendemain de la Deuxième Guerre mondiale, le nationalisme original de la Mafia est clairement de droite : des bandes armées de mafiosi massacrent, en 1944 et en 1947, des paysans communistes [2].

Le suffrage universel – entre 1912 et 1921, puis après 1948 – permet, dans le Sud de la péninsule et en Sicile, l'épanouissement du clientélisme. Des réseaux informels, liés ou non à des structures mafieuses, contrôlent les électorats populaires. Avant le fascisme, le clientélisme assure, assez logiquement, le pouvoir de députés de nuance libérale (et parfois monarchistes bourboniens, c'est-à-dire hostiles à la monarchie piémontaise). Au lendemain de la Deuxième Guerre mondiale, l'alignement de droite de la région se traduit par un vote superficiellement démocrate-chrétien, *en l'absence de prêtres et de pratique religieuse* [3]. En réalité, la mécanique du clientélisme fonctionne toujours mais pénètre la démocratie-chrétienne, qui incarne alors, à l'échelle

1. Sur le lien entre Mafia et classes moyennes, voir E.J. Hobsbawm, *op. cit.*, p. 30-52.

2. E.J. Hobsbawm, *op. cit.*, p. 47 pour l'élection de Palerme, p. 45 pour les massacres antisocialistes.

3. Pour l'absence de prêtres, voir la carte 31.

de la péninsule, la lutte contre le communisme. Le vote reste au Sud hautement personnalisé, expression d'un individualisme forcené du tempérament politique et social. A gauche comme à droite, les électeurs méridionaux jouent avec les idéologies de discipline que sont le communisme et la démocratie-chrétienne. Derrière l'apparence des partis, ils cherchent les hommes. La technique du scrutin de liste italien, qui autorise l'électeur à indiquer une préférence personnelle pour tel ou tel candidat, permet de mesurer avec précision l'individualisme sudiste. En 1958, par exemple, la proportion d'électeurs utilisant la possibilité du vote préférentiel (individualisé) était, au Nord, selon les districts, de 14 à 22 %, au Centre, de 16 à 30 %, au Sud, de 32 à 51 %, en Sicile et Sardaigne, de 42 à 51 %. La proportion d'électeurs démocrates-chrétiens utilisant la préférence variait entre 14 et 31 % au Nord, entre 51 et 60 % dans les îles. La proportion d'électeurs communistes faisant de même était de 9 à 20 % au Nord, de 39 à 51 % dans les îles [1]. L'uniformité de façade des grandes structures partisanes déguise sans les effacer les tempéraments régionaux. L'individualisme méridional italien accepte les étiquettes partisanes pour mieux les pervertir. Il ne perturbe pas trop le fonctionnement global du Parti communiste italien, fortement installé en Italie centrale. Il réussit par contre à détourner de son sens originel le terme *démocratie-chrétienne*, couvrant de ce voile pudique la mécanique clientéliste qui fonctionne au Sud de la péninsule et dans les îles, régions abandonnées depuis bien longtemps par toute religion vivante.

Le champ des possibles

Les expériences historiques française, espagnole, italienne sont évidemment distinctes. Les niveaux de développement des zones concernées sont très inégaux : si l'on considère le critère de l'alphabétisation comme essentiel, on doit admettre que le Sud des péninsules ibérique et italienne compte deux siècles de retard sur le Bassin parisien. Cet écart historique peut être saisi dans bien d'autres domaines : degrés d'industrialisation, niveaux de vie notablement différents à toutes les époques. Pour tous les

1. A.S. Zuckerman, *The Politics of Faction*, p. 66.

paramètres, le Bassin parisien appartient à l'Europe développée du Nord, l'Andalousie et la Sicile à l'Europe attardée du Sud. De cet écart de développement découlent quelques différences essentielles. La grande brutalité des mécanismes socio-économiques en Andalousie ou en Sicile explique en particulier le niveau très élevé de la violence politique dans ces régions. Réciproquement, la richesse de la France du Nord colore le tempérament politique du Bassin parisien d'une nuance plus aimable, encore que les événements des années 1789-1871 y prélèvent aisément leur livre de chair.

Les différences ne doivent pas masquer certaines ressemblances, qui dérivent du fond anthropologique commun aux trois pays latins, la famille nucléaire égalitaire[1]. On peut identifier des analogies de structure, particulièrement évidentes lorsque l'on centre l'analyse sur le rapport de l'individu à l'État, mieux, sur l'antagonisme entre l'individu et l'État.

Anarchisme, socialisme libertaire ou libéral, communisme superficiel et fragile (hors de l'Italie centrale) : autant d'expressions parentes d'un même type *anarcho-socialiste* défini par le tempérament individualiste égalitaire, qui oppose un individu idéal et abstrait à un État perçu comme néfaste, par essence et non seulement parce qu'il est bourgeois.

Bonapartisme, boulangisme, gaullisme, franquisme, clientélisme à façade démocrate-chrétienne, et pourquoi pas, Mafia : autant d'expressions, très diverses il est vrai, de l'aspiration à l'ordre dans une société naturellement désordonnée, rongée par l'individualisme égalitaire. L'ordre est militaire et essentiellement symbolique dans le cas du bonapartisme, du boulangisme ou du gaullisme ; il est militaire et sauvage dans celui du franquisme. L'ordre est civil, parallèle et personnalisé dans le cas du clientélisme (version douce) et de la Mafia (version sauvage). Toutes ces formes idéologiques de droite, nationalistes et antisocialistes dans des styles très variés cherchent dans un individu unique la solution au problème du déchaînement individualiste. Un général, un chef de faction, un parrain devient le sauveur. Ce chef ne s'appuie pas sur un parti clairement structuré, même si

---

1. Le Portugal, très fragmenté sur le plan familial, est étudié en détail au chapitre 11, consacré aux productions idéologiques de la famille communautaire.

des réseaux humains stables sont identifiables à un moment donné. La *bande*, plus que le parti, est la forme organisationnelle correspondant à ce type idéologique.

A gauche comme à droite, du côté du socialisme comme du nationalisme, on n'observe jamais, en système anthropologique nucléaire égalitaire, un parti solide, une idéologie structurée déifiant l'État ou le parti. Cette résistance même à l'ordre crée une impression de diversité : les forces politiques nées de l'individualisme égalitaire n'éprouvent pas un besoin profond d'unification théorique à l'échelle européenne, au contraire des forces disciplinées qui s'épanouissent dans les régions où le système familial comporte un trait autoritaire.

De l'optimisme à l'introversion idéologique

Une différence essentielle oppose les idéologies ibériques et sud-italiennes à leurs analogues françaises, à la fois évidente et difficile à saisir. La production idéologique du Bassin parisien est nettement optimiste, celles de l'Andalousie ou de la Sicile sont indéniablement dépressives. La Révolution française se pense immédiatement universelle et conquérante, née pour le bonheur de l'humanité. On ne peut en dire autant des idéologies du Sud italien ou ibérique, qui présentent un caractère spontanément introverti et semblent nées pour l'échec. La Mafia est une forme évidemment régressive d'organisation sociale, destructrice de la civilisation et de la morale. Mais l'anarchisme andalou lui-même, idéologie pourtant normale et morale, et qui croit en l'homme nouveau, laisse apparaître une surprenante tendance à l'introversion, au repliement villageois ; son adhésion à l'abstentionnisme ne le mène pas très loin d'un refus mafieux de l'État et des formes civilisées de l'action politique. La pauvreté des régions méridionales de l'Europe ne suffit pas à expliquer le caractère dépressif, régressif des formes idéologiques qui s'y développent entre la fin du XIXᵉ siècle et le milieu du XXᵉ. La Scandinavie est en 1880 plus pauvre encore (même si elle est totalement alphabétisée) et ne laisse apparaître aucun de ces traits dépressifs. L'histoire religieuse et culturelle de l'Italie et de l'Espagne méridionales permet seule d'expliquer cette désespérance idéologique. Dans ces régions, la foi religieuse s'ef-

fondre dès le XVIIIe siècle dans une société largement analphabète. Durant un siècle et demi au moins, les populations concernées vivent en état d'abandon spirituel, parce que l'idéologie n'y
succède pas immédiatement à la religion. Dans le Bassin
parisien, la chute du catholicisme est immédiatement suivie de
l'émergence d'une idéologie nouvelle. Le passage quasi instan-
tané de la métaphysique religieuse à la métaphysique révolutionnaire donne aux populations l'impression d'une irrésistible
marche en avant de l'humanité. Dans l'extrême Sud du monde
latin, au contraire, la perte du sens religieux crée des populations
perdues, démoralisées, dans tous les sens du mot. Une certaine
amoralité sociale se développe dans le vide métaphysique.
Lorsque l'alphabétisation permet enfin dans ces régions une
reconstruction idéologique, la démoralisation et parfois l'amoralité sont en place, établies comme des structures et des comportements stables, capables d'influencer le développement des
idéologies.

CHAPITRE IX

Autorité et inégalité
1. L'Allemagne

L'homme universel, né libre et égal à tous, ne séduit pas l'Allemagne[1]. Après quelques hésitations, les philosophes d'outre-Rhin mettent en forme l'idéal opposé d'un homme germanique, né soumis, mais supérieur aux autres, reproduisant en fait dans ses conceptions morales et politiques la préférence immuable de la famille souche pour l'autorité des pères et l'inégalité des frères. L'homme universel des philosophes français reproduisait la préférence de la famille nucléaire égalitaire pour l'indépendance des fils et l'égalité des frères.

Les *Discours à la nation allemande* de Fichte constituent le premier acte de cette réaction anti-universaliste et anti-individualiste. En 1806, alors que les troupes de Napoléon défilent dans Berlin, Fichte définit contre les idéaux révolutionnaires français une essence germanique indestructible et supérieure, inscrite dans la langue allemande :

« *La première tâche que nous nous sommes imposée, et qui consistait à rechercher le caractère fondamental qui sépare les Allemands des autres peuples d'origine germanique, se trouve ainsi remplie. La différence remonte aux premières ramifications de la souche primitive : l'Allemand continue à parler une*

---

1. Pour une présentation générale des attitudes allemandes vis-à-vis de la Révolution française, voir R.R. Palmer, *1789, les révolutions de la liberté et de l'égalité,* chap. 9 : « Allemagne : la révolution, donnée philosophique », p. 269-288. Palmer oppose la passivité politique des populations allemandes à l'activité philosophique intense suscitée par la Révolution française. On trouvera un résumé des premières attitudes de Fichte, favorables à la Révolution, dans ce chapitre. *La Révolution française vue par les Allemands* est un très bon choix de textes, traduits et commentés par Joël Lefebvre, qui résument les attitudes des intellectuels allemands en tenant compte du déroulement chronologique des événements.

langue vivante, puisant toujours des forces à la source ori-
ginelle, tandis que la langue des autres peuples germaniques ne
vit qu'en surface, et ses racines sont mortes. C'est là que réside
pour nous toute la différence : la vie d'un côté, la mort de
l'autre, sans nous préoccuper de la valeur intrinsèque que pré-
sente par ailleurs la langue allemande. Entre la vie et la mort,
aucune comparaison n'est possible, et l'une possède, par rap-
port à l'autre, une valeur infinie[1]*. »*

Les autres peuples germaniques, ou néo-romains, sont bien
entendu les Français, les Italiens, les Espagnols, c'est-à-dire des
Francs, Lombards et Wisigoths ayant perdu leur langue, germanique, dans leur processus de fusion avec les populations
locales. La *langue*, élément central du mécanisme anti-universaliste, différenciateur, définit aussi un anti-individualisme. Pour
les philosophes des Lumières, le langage articulé est une aptitude des individus, l'un des composants de la raison humaine.
Pour Fichte, l'individu n'existe pas : la *langue*, être collectif
mais autonome, parle à travers les individus.

« On devine sans peine l'énorme influence qu'exerce sur le
développement humain d'un peuple la structure de sa langue, de
cette langue qui accompagne, limite et anime l'individu jusque
dans les profondeurs les plus intimes de sa pensée et de son vou-
loir, qui fait de l'agrégat humain parlant cette langue une com-
munauté dirigée par une même intelligence[2]*. »*

Le peuple allemand, supérieur aux autres, agit comme un
unique être vivant. Les hommes ne sont ni égaux ni libres.

Hegel reprend très vite le flambeau et, sans jamais être explicitement hostile à la Révolution française, donne cependant une

---

1. *Discours à la nation allemande*, p. 119-120. Je reprends la traduction
de S. Jankélévitch à un détail près. La traduction du mot *Stamm* par *race* me
paraît déformer l'esprit du texte, ou en tout cas sa perception par un lecteur
français moderne. *Race* évoque aujourd'hui une notion biologique et idéologique directement associée au nazisme. Son utilisation crée un parallélisme
exagéré entre doctrine fichtéenne de la *nation* et définition hitlérienne du
Volk (peuple). J'ai préféré la traduction littérale par *souche*, qui s'emploie en
allemand comme en français (n'en déplaise à Fichte, qui ne croit pas à la
possibilité de passer d'une langue dans l'autre), que l'on parle de peuples, de
végétaux ou de structures familiales. (Les *Stämme* du peuple allemand sont
les groupes primitifs saxons, bavarois, franconiens, etc.) Pour le texte allemand, p. 72 de l'édition Felix Meiner Verlag.
2. *Discours à la nation allemande*, p. 120.

description détaillée de son négatif idéologique, autoritaire et inégalitaire. Dans ses *Leçons sur la philosophie de l'histoire*, qui datent des années 1822-1831, Hegel réaffirme l'existence d'une mission germanique spécifique, dont la première manifestation est la Réforme protestante.

« *La pure intériorité de la nation germanique a été le terrain véritablement propre à l'affranchissement de l'esprit ; les nations latines, au contraire, ont au plus profond de leur âme, dans la conscience de l'esprit, conservé la division ; issues du mélange du sang romain et du sang germain, elles gardent toujours encore en elles-mêmes cette* hétérogénéité[1]. »

Le sang succédant à la langue fichtéenne comme principe différenciateur qui assure la perpétuation des inégalités n'est pas un concept d'une folle originalité. C'est l'application systématique des concepts d'autorité et d'inégalité à la description interne de la société idéale qui fait tout l'intérêt du modèle hégélien. Dans les *Principes de la philosophie du droit* (1821), l'idéal d'autorité conduit à l'amour de l'État (l'expression n'est pas trop forte), le rêve d'inégalité à une hiérarchisation des classes.

Pour Fichte, l'inégalité des hommes produit une inégalité des peuples, mais elle ne se prolonge pas en une inégalité des Allemands entre eux. Au contraire, le premier des *Discours* donne une vision absolument unitaire de la nation :

« *Il ne nous reste qu'à mettre la nouvelle éducation à la portée de tous les Allemands, sans exception, c'est-à-dire à faire en sorte que cette éducation ne soit pas celle d'une classe mais celle de la nation dans son ensemble*[2]. »

C'est la composante terrestre, égalitaire du protestantisme réclamant l'éducation de tous qui ressurgit ici.

Dans les *Principes de la philosophie du droit,* Hegel ne s'intéresse pas du tout à l'éducation des masses ; il insiste par contre sur la nécessaire division de la société en ordres *(Stände)*, dont la réunion, et non celle des individus, constitue la nation, le peuple ou l'État. Hegel ne se contente pas des ordres traditionnels de l'Ancien Régime. Paysans et propriétaires fonciers sont réunis dans une classe « substantielle », l'ordre militaire constitue une « classe du courage » *(der Stand der Tapferkeit)*. Mais la classe

1. *Leçons sur la philosophie de l'histoire,* p. 322.
2. *Discours..., op. cit.,* p. 73.

préférée de Hegel est sans conteste la « classe universelle », au service de l'État, les fonctionnaires. La répartition des hommes en catégories sociales immuables est une application du principe d'inégalité [1]. La suprématie de l'État, incarnation de l'universel, n'empêche pas qu'il soit servi par un groupe d'hommes spécifiques, différents par fonction, si ce n'est par nature, des autres hommes.

L'État est littéralement divinisé : « *En tant que réalité effective de la volonté substantielle, réalité qu'il possède dans la conscience de soi particulière élevée à son universalité, l'État est le rationnel en soi et pour soi. Cette unité substantielle est un but en soi, absolu et immobile, dans lequel la liberté atteint son droit le plus élevé, de même que ce but final possède le droit le plus élevé à l'égard des individus dont le devoir suprême est d'être membre de l'État* [2]... *L'État est la volonté divine prise comme Esprit actuellement présent, qui se déploie pour devenir la figure réelle et l'organisation d'un monde* [3]. »

Nous sommes ici assez loin de l'État libéral français ou anglais, mal nécessaire, construit pour protéger la liberté des individus et résultant d'ailleurs d'un contrat entre ces individus [4]. La prose hégélienne donne un très bel et précoce exemple de changement de sens du mot *liberté (Freiheit...)*. Pour les penseurs (et pour les peuples) français et anglais, la liberté est un droit individuel, s'exprimant par des libertés concrètes de circulation, d'expression, de mœurs. Hegel retrouve, lui, la liberté de Luther, principe transcendant échappant aux individus, compulsion intérieure de ne suivre qu'une direction donnée, la bonne. Chez Luther, c'est la liberté de Dieu qui s'exprime à travers les hommes ; chez Hegel, c'est la liberté de l'État qui anime les individus. Le mot *raison (Vernunft)* subit une déformation parallèle. Pour les penseurs français, la raison est une faculté des individus. Pour Hegel, la raison est un principe transcendant, animant l'État mais non les individus [5].

---

1. *Principes de la philosophie du droit*, p. 310, 312, 326 pour la description des *Stände*.
2. *Principes...*, *op. cit.*, p. 258.
3. *Principes...*, *op. cit.*, p. 272.
4. Critique de la notion de contrat par Hegel, *Principes...*, *op. cit.*, p. 59.
5. Ce qui caractérise fondamentalement la représentation hégélienne de la société, c'est que les concepts d'État, de raison, de liberté, de peuple ne sont

Une analyse superficielle des *Principes de la philosophie du droit* pourrait amener à considérer Hegel comme un successeur de Luther parmi d'autres, respectueux des croyances fondamentales du christianisme et voulant le contrôle de l'Église par l'État, dans la grande tradition protestante. Ce parallélisme entre luthéranisme et hégélianisme est une illusion qui témoigne de la grande prudence verbale et de l'immense habileté tactique de Hegel. Luther soumettait certes l'Église à l'État, mais à un État dont le prince était très directement soumis à Dieu. Pour Hegel, l'Église n'existe plus vraiment, l'État est Dieu.

En attendant la déchristianisation : l'Allemagne entre 1800 et 1880

Fichte et Hegel préparent les matériaux dont les intellectuels et les masses allemandes auront besoin pour construire leurs idéologies. Ils transcrivent en valeurs idéologiques abstraites les valeurs familiales du fond anthropologique. L'inégalité des frères devient inégalité des hommes, des peuples, des classes. L'autorité des pères devient autorité de l'État. Plus généralement, la soumission des fils est convertie en soumission des hommes à certaines forces les dépassant : l'État, la raison, la langue, le sang, le destin, en attendant la race. Fichte et Hegel réagissent contre l'individualisme égalitaire français. Mais en 1830, comme en 1806, il est encore trop tôt pour que les peuples d'Allemagne ou d'Autriche adhèrent à des idéologies de type moderne. Ils n'ont pas besoin d'une cité terrestre idéale. Leurs métaphysiques religieuses sont intactes, en pays protestant comme en pays catholique. La cité de Dieu, autoritaire et inégalitaire dans le monde protestant, point trop définie dans les régions catholiques de famille souche, suffit à leur tranquillité d'esprit. Les efforts des élites bourgeoises et intellectuelles pour imiter la Révolution française de 1848 n'aboutissent qu'à la pro-

---

pas logiquement distincts, mais dans une large mesure interchangeables, parce qu'ils sont tous construits *négativement* (dialectiquement ?) contre la notion d'individu. S'efforçant de détruire la même chose, ils deviennent la même chose.

duction d'un feu de paille[1]. La déchristianisation est un préalable nécessaire à la naissance des idéologies. Elle commence en Allemagne après l'unité nationale réalisée par la Prusse en 1870-1871. Mais la disparition de la cité céleste entraîne alors, comme dans la France du milieu du XVIII siècle, la construction immédiate d'une société idéale de remplacement, de deux sociétés idéales plutôt. La France du Bassin parisien, société traditionnelle au moment de sa déchristianisation, avait, dans un premier temps, produit une idéologie nationale unitaire, monde rêvé de citoyens libres et égaux. Dans un deuxième temps, l'industrialisation avait abouti à une scission du système idéologique, en une composante *socialiste* et une composante *nationaliste de droite,* anarcho-socialisme et libéral-militarisme s'affrontant sur le terrain commun de la liberté et de l'égalité. L'Allemagne n'a pas de premier stade, unitaire, de l'idéologie : déchristianisation et industrialisation s'y produisent simultanément. A vrai dire, l'industrialisation est l'un des deux facteurs fondamentaux de la déchristianisation, qui touche d'abord la classe ouvrière des régions protestantes. Le système idéologique allemand naît double, simultanément socialiste et nationaliste de droite. La glorification du prolétariat permet la construction d'un rêve socialiste, la peur du prolétariat mène à la construction d'un rêve concurrent de réintégration. Mais les deux idéologies, socialiste et nationaliste, nées pour se combattre, partagent les mêmes valeurs d'autorité et d'inégalité. Elles aiment l'État. Elles acceptent le principe de l'inégalité des hommes, avec résignation dans le cas du socialisme, avec enthousiasme dans le cas du nationalisme.

La déchristianisation, qui ne touche que l'Allemagne protestante, commence avec la croissance de la classe ouvrière dès les années 1870. Elle atteint les classes moyennes dans les années 1880. Elle devient statistiquement très sensible à partir de 1890, se manifestant alors par un effondrement brutal du

---

1. Le non-développement idéologique de l'Allemagne est parfaitement perçu par Marx dans *L'Idéologie allemande* (1845-1846). Mais sur le plan explicatif, Marx rate l'essentiel, le rôle moteur de la déchristianisation, qu'il ne peut concevoir que comme un effet de l'industrialisation. L'industrialisation joue un rôle, mais elle n'est pas le seul facteur de déchristianisation. La France de 1789 s'en passe fort bien pour entrer en crise religieuse et idéologique.

nombre des vocations religieuses et de la pratique dominicale[1].

Comme toute prophétie, la parole nietzschéenne est surtout une bonne perception du présent. C'est en effet en 1882 que son « Insensé » nous annonce, dans *Le Gai savoir*, la mort de Dieu :

« *Où est Dieu, cria-t-il, je vais vous le dire ! Nous l'avons tué, vous et moi ! Nous sommes tous ses meurtriers ! Mais comment avons-nous fait cela ? Comment avons-nous pu vider la mer ? Qui nous a donné l'éponge pour effacer l'horizon tout entier ? Qu'avons-nous fait à désenchaîner cette terre de son soleil ? Vers où roule-t-elle à présent ? Vers quoi nous porte son mouvement ? Loin de tous les soleils ? Ne sommes-nous pas précipités dans une chute continue*[2] *?... »*

La mort de Dieu crée en Allemagne une angoisse particulière, qui n'avait pas son équivalent dans la France du XVIIIe siècle. La perte du sens religieux est toujours une épreuve psychologique. Mais on trouve dans le texte de Nietzsche, reflet fidèle de l'inquiétude métaphysique allemande des années 1870-1890, l'idée d'une perte irréparable, d'une vie impossible, et surtout un magnifique sentiment de culpabilité. Par comparaison, l'annonce française de la mort de Dieu, antérieure d'un bon siècle, est plaisante. On trouve chez Diderot, à côté d'une inquiétude métaphysique réelle, une certaine satisfaction à l'idée d'être débarrassé de la surveillance divine de la vie quotidienne. Pour les Français du XVIIIe siècle, la mort de Dieu, c'est aussi la disparition du péché originel et la possibilité de faire l'amour comme ils l'entendent, c'est-à-dire pour le plaisir[3]. Autant d'avantages que d'inconvénients. Dans l'Allemagne des années 1890-1914, comme dans la France des années 1789-1810, la mort de Dieu amène une modification des conduites sexuelles et un développement du contrôle des naissances. La chute de la fécondité

1. Cf. *supra*, p. 229-230.
2. *Le Gai savoir*, p. 149.
3. Qu'on compare Diderot à Nietzsche : « Sur le portrait qu'on me fait de l'Être suprême, sur son penchant à la colère, sur la rigueur de ses vengeances, sur certaines comparaisons qui nous expriment en nombres le rapport de ceux qu'il laisse périr à ceux à qui il daigne tendre la main, l'âme la plus droite serait tentée de souhaiter qu'il n'existât pas. L'on serait assez tranquille en ce monde, si l'on était bien assuré que l'on n'a rien à craindre dans l'autre : *la pensée qu'il n'y a point de Dieu n'a jamais effrayé personne*, mais bien celle qu'il y en a un, tel que celui qu'on me peint » (*Pensées philosophiques*, IX, p. 35).

allemande est particulièrement rapide et brutale entre 1910 et
1930 [1]. Mais on ne peut qu'être frappé du syndrome de terreur et
de culpabilité qui accompagne, dans l'Allemagne protestante, la
disparition du Créateur. Ce syndrome a des causes parfaitement
précises.

Modernité urbaine et destruction du ménage souche

En système familial nucléaire, le processus d'industrialisation
et d'urbanisation n'affecte pas la structure du ménage. L'idéal
d'indépendance adulte interdit la corésidence de parents et d'enfants mariés dans le cadre même de la vie traditionnelle. A la
famille nucléaire correspond donc une structure simple du
ménage qui comprend au plus deux générations. L'installation
en ville ne change rien aux habitudes des populations pratiquant
cet idéal nucléaire : le ménage simple à deux générations est parfaitement adapté au mode de vie urbain.

Cette translation indolore de la campagne vers la ville n'est
pas caractéristique de la famille souche. Au contraire. L'association de trois générations sous un même toit, qui a sa justification
économique à la campagne, perd tout sens pratique en milieu
urbain. Quel que soit l'attachement aux valeurs d'autorité et
d'interdépendance des générations, le ménage doit exploser en
ville : même en région de famille souche, le *ménage* à deux
générations est typique du mode de vie urbain. Le recensement
allemand de 1970 permet de mesurer cette désintégration du
ménage, qui ne correspond pas à une mutation des valeurs, mais
révèle une adaptation raisonnable aux conditions économiques.
En 1970, la proportion de ménages comprenant au moins trois
générations était, chez les paysans indépendants *(selbständige)*,
de l'ordre de 30 % ; chez les travailleurs de l'industrie, de 4 % ;
chez les salariés du commerce et des services, de 3,5 %. De
façon caractéristique, les ouvriers agricoles font apparaître un

---

1. Le taux de natalité allemand passe de 35 ‰ en 1910 à 15 ‰ vers 1930.
L'Allemagne réalise en vingt ans une transformation des conduites sexuelles
qui prend cent trente ans à la France puisqu'elle s'y étale sur les années
1800-1930. Pour les courbes de natalité française et allemande, voir
J.-C. Chesnais, *La Transition démographique*, p. 223 et 231.

taux intermédiaire de 10 %[1]. Ces chiffres ne disent rien des valeurs familiales : ils indiquent simplement qu'en ville, ces valeurs, si elles se perpétuent, cessent de s'incarner dans la constitution de ménages à trois générations. En milieu urbain disparaît la sécurité de la famille close. L'individu n'est pas seul s'il est marié. Mais il n'est plus sous l'autorité directe et matérielle de son père. Dans la phase de transition menant de la campagne vers la ville, c'est-à-dire durant la période de l'exode rural, qui atteint son maximum d'intensité en Allemagne entre 1870 et 1929, la désintégration du ménage crée une anxiété d'un type particulier, un sentiment d'abandon par Dieu, si bien évoqué par Nietzsche. Mais, bien entendu, c'est la destruction du père charnel qui crée l'angoisse et mène au regret du père métaphysique. La déchristianisation, et à vrai dire l'ensemble du processus de naissance des idéologies, se produit en Allemagne dans ce contexte de destruction du ménage souche, phénomène qui crée un vide, un manque spécifique. Élevé au cœur d'un idéal d'autorité, l'individu entre, seul, dans un mode de vie urbain qui interdit la réalisation matérielle de son idéal familial. Le ménage ne sécurise plus l'individu. L'État, le parti vont devoir l'absorber pour lui rendre sa tranquillité d'esprit.

La social-démocratie allemande

Le socialisme allemand progresse au rythme de la déchristianisation, au point que les deux phénomènes – l'un idéologique, l'autre religieux – semblent n'en constituer qu'un. La social-démocratie allemande naît officiellement en 1875, au congrès de Gotha, de la fusion de deux groupuscules : l'Association générale des travailleurs, de tendance lassallienne, et le Parti ouvrier social-démocrate d'Allemagne, plus proche du marxisme[2]. L'existence du suffrage universel permet de suivre, à partir de 1871, l'irrésistible ascension de cette social-démocratie, la plus puissante d'Europe à la veille de 1914. Le gros de sa croissance

1. Recensement de 1970, vol. 8 : *Bevölkerung in Haushalten*, p. 64-66. Nombre de ménages de type A1 divisé par total des ménages de type A1, A2, A3, A4 et des ménages d'une personne.
2. *Allgemeiner deutscher Arbeiterverein et Sozialdemokratische Arbeiterpartei Deutschlands*.

intervient entre 1887 et 1912, période durant laquelle elle passe de 10 à 35 % des suffrages exprimés. La social-démocratie ne décolle donc réellement qu'à partir du moment où la déchristianisation s'accélère, c'est-à-dire vers la fin des années 1880.

Les chiffres décrivant la progression nationale et globale de la social-démocratie allemande ne donnent cependant qu'une représentation imparfaite du processus en cours. Avant 1914, la croissance suit la déchristianisation : elle est par conséquent particulièrement massive dans les régions protestantes, où la pratique religieuse s'effondre ; elle est faible dans celles où la religion (c'est-à-dire le catholicisme) résiste (carte 43). La zone industrielle de la Ruhr, catholique, n'est pas une forteresse sociale-démocrate. C'est en Saxe, en Hesse, à Berlin, dans le cœur développé et densément peuplé de l'Allemagne *protestante*, que se produit l'essentiel de la montée en puissance de la social-démocratie. Dans ces régions, le pourcentage de suffrages exprimés socialistes dépasse souvent la majorité absolue. En 1903, en Saxe, la social-démocratie obtient 59 % des voix et vingt-deux sièges sur vingt-trois ; à Berlin, 67 % des voix et cinq sièges sur six. Dans ces régions, elle n'est pas seulement un parti puissant, elle est un parti dominant.

Domination étrange. Car à côté des élections aux Reichstag, réalisées au suffrage universel direct (et au scrutin majoritaire à deux tours), existent dans le royaume de Prusse et en Saxe

La social-démocratie allemande (1877-1912)			
Élections au Reichstag			
Pourcentage des suffrages exprimés			
1877	7,1	1893	23,3
1878	7,7	1898	27,2
1881	6,1	1903	31,7
1884	9,7		
1887	10,1	1907	28,9
1890	19,7	1912	34,8
Source : J. Rovan, *Histoire de la social-démocratie allemande*, p. 115.			

d'autres modes de scrutin qui ôtent à la social-démocratie tout pouvoir régional. En Prusse persiste le suffrage à *trois classes,* qui répartit les électeurs en trois catégories numériquement inégales élisant chacune un nombre égal de députés [1]. Dans chaque circonscription, le prolétariat est tout entier dans la classe III. La classe I ne contient que quelques centaines de personnes, l'élite des hauts fonctionnaires et de la noblesse. La Saxe met en place en 1896 un système analogue permettant de neutraliser la représentation des villes et par conséquent des ouvriers.

A la veille de 1914, la social-démocratie est puissante au niveau national, sans être majoritaire, puisqu'elle ne recueille qu'un peu plus du tiers des voix. En Allemagne protestante, la social-démocratie, souvent majoritaire, est exclue du pouvoir par un système qui assure en fait la perpétuation des États d'Ancien Régime et donc de la société d'ordres. Le grand parti ouvrier ne constitue que la représentation d'un ordre parmi d'autres, le prolétariat, que l'on désigne de plus en plus souvent dans l'Allemagne impériale par l'expression « quatrième État [2] ».

Autorité et organisation

Par le programme d'Erfurt de 1891 plus encore que par celui de Gotha de 1875, la social-démocratie se définit comme marxiste. Elle accepte la théorie des crises cycliques du capitalisme. Elle attend de la croissance numérique du prolétariat la submersion de la société bourgeoise. Elle se définit comme parti ouvrier, instrument d'une classe. Elle veut la socialisation des moyens de production et d'échange. Mais très vite la querelle du révisionnisme brouille les cartes doctrinales. Dès 1898,

1. Dans sa dernière version, c'est-à-dire à partir de 1893, le système prussien définit les classes par la fortune. Le revenu fiscal de l'État est divisé en trois tiers. Les contribuables payant le tiers supérieur de ce revenu ont droit au tiers des élus ; ceux qui payent le deuxième tiers de la recette fiscale à un autre tiers des élus ; ceux qui payent le troisième tiers, inférieur, de la recette fiscale, mêlés aux non-imposables, ont droit à un troisième tiers. Le vote n'est pas secret. En 1913, la classe I contient 4,5 % du corps électoral ; la classe II, 15,7 % ; la classe III, 79,8 %. Pour plus de détails sur ce système, voir S. Suval, *Electoral Politics in Imperial Germany*, p. 233-234.

2. Voir la lettre de Theodor Fontane citée par G. Craig dans *Germany, 1866-1945*, p. 269, exemple d'idéalisation du « quatrième État ».

43 – Allemagne : social-démocratie, antisémitisme et Zentrum en 1898

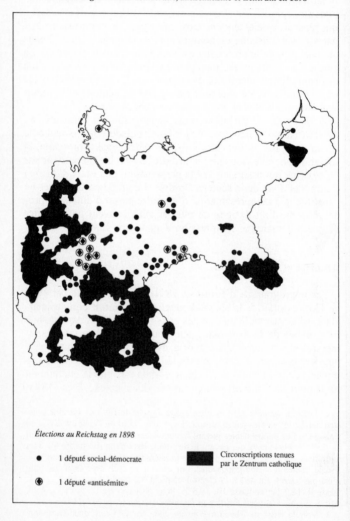

Élections au Reichstag en 1898

●   1 député social-démocrate

◉   1 député «antisémite»

▮   Circonscriptions tenues
par le Zentrum catholique

44 – Allemagne : le nazisme en juillet 1932

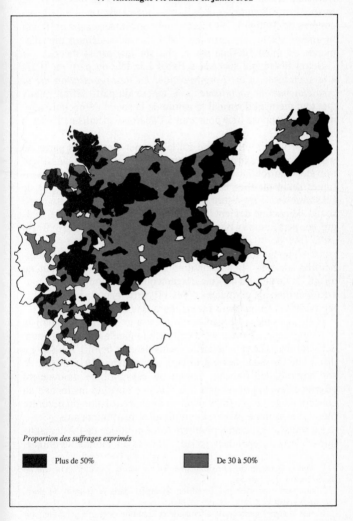

Proportion des suffrages exprimés

Plus de 50%   De 30 à 50%

Bernstein s'attaque aux fondements théoriques du marxisme, au matérialisme historique, à la notion même de révolution[1]. Au congrès de Stuttgart, ses thèses sont condamnées sans qu'il soit lui-même exclu. A partir de 1900, la social-démocratie allemande est mieux définie par sa pratique que par sa théorie.

Selon Ebert, qui succède à Bebel à la tête du parti en 1913, « *le socialisme, c'est l'organisation. La désorganisation est la pire ennemie du socialisme*[2] ». L'amour du parti définit mieux que tout élément doctrinal la nature de la social-démocratie allemande et l'oppose trait pour trait à l'anarcho-socialisme parisien ou andalou.

Le Parti social-démocrate est le premier des grands partis de masse d'origine extraparlementaire, pour reprendre la classification de Maurice Duverger qui distingue les organisations politiques selon qu'elles naissent au Parlement ou à l'extérieur de l'Assemblée, c'est-à-dire dans la société elle-même. Le Parti social-démocrate devient très vite une prodigieuse machine, malgré les persécutions bismarckiennes des années 1878-1890. En 1912, il a 1 700 000 adhérents, possède une centaine de journaux, s'appuie sur des syndicats puissants et contrôle d'innombrables sociétés ou associations culturelles, se consacrant au chant, au théâtre ou à l'encouragement de la lecture. Il paie plusieurs milliers de permanents. Ses 110 parlementaires du Reichstag pèsent politiquement moins lourd que sa bureaucratie.

Cette aptitude à l'organisation n'est que la version socialiste d'une aptitude générale de la culture allemande à l'organisation, dérivant du principe d'autorité inclus dans la famille souche. La discipline familiale devient discipline partisane. Au contraire de ses homologues français, italien ou espagnol, le mouvement ouvrier allemand développe très vite une hostilité instinctive au concept de grève générale, perçu comme incarnation du désordre plutôt que comme expression d'un idéal révolutionnaire[3].

La social-démocratie, première force politique de l'Allemagne impériale, est cependant isolée. Elle est un monde autonome,

1. Sur la querelle du révisionnisme, voir J. Droz, *Histoire générale du socialisme*, t. 2, p. 40-51.

2. Opinion rapportée par Friedrich Stampfer dans le journal du parti, *Vorwärts* ; voir G. Craig, *op. cit.*, p. 403.

3. Sur la social-démocratie allemande et la notion de grève générale, voir J. Droz, *op. cit.*, p. 51-56.

séparé, rejeté par le reste de la société allemande. On comprend que les socialistes, « révolutionnaires » durant les années 1875-1890, aient été combattus par Bismarck ; on comprend moins facilement la position tout à fait spéciale du Parti social-démocrate, devenu réformiste, dans l'Allemagne des années 1900-1914. Ce mouvement discipliné accepte la société telle qu'elle est et se consacre à l'amélioration des conditions de vie locales du prolétariat. Il ne se bat plus guère que pour exiger des modifications raisonnables du système fiscal. Il accepte finalement la monarchie, l'armée et l'expansion coloniale ; il vote, en 1913, des impôts nouveaux permettant le financement de dépenses militaires. Il aspire à l'intégration mais il ne s'intègre pas [1]. Les autres forces politiques continuent de le traiter en paria du système social wilhelmien. A la même époque, les socialistes français sont beaucoup moins puissants (la SFIO recueille en 1914 deux fois moins de suffrages : 17 % des voix) et continuent de prêcher la subversion de l'ordre bourgeois, mais ils font indiscutablement partie du système culturel français. Ils ont le soutien de nombreux intellectuels, alors que les sociaux-démocrates allemands sont tenus à l'écart des universités du Reich. C'est l'absence du concept d'homme universel qui rend difficile l'intégration pleine et entière de l'ouvrier et de son expression politique, le social-démocrate.

Inégalité des hommes et conscience de classe

L'idéal français d'homme universel, égal à tous les autres hommes, transpose sur le plan idéologique la valeur familiale exigeant l'égalité des frères. Le refus de l'homme universel, caractéristique de la culture allemande, découle d'un trait inégalitaire du système familial germanique, l'inégalité des frères étant convertie en inégalité des hommes. En France, l'ouvrier n'est que l'une des incarnations successives de l'homme universel. Cette perception rend l'adhésion du prolétariat à l'idéologie socialiste plus difficile parce qu'elle contredit, *a priori*, l'idée

---

1. C'est pour décrire cette situation ambiguë que Günther Roth a développé le concept d'intégration négative dans son ouvrage *The Social Democrats in Imperial Germany*.

d'une mission spéciale de la classe ouvrière. Les prolétaires sont des hommes, parmi d'autres hommes. La notion d'homme universel explique assez bien une certaine faiblesse de la conscience de classe dans le système idéologique français. Elle explique aussi la bonne intégration des ouvriers au système politico-culturel national. Au pays de l'homme universel, les prolétaires sont comme les bourgeois des citoyens, capables d'aimer la république.

En Allemagne, au contraire, l'idéal de différenciation des hommes joue simultanément en faveur d'une bonne conscience de classe et d'une mauvaise intégration du prolétariat. Le rêve marxiste d'un ouvrier se percevant comme prolétaire, plutôt que comme homme en général, est plus facile à réaliser. Mais l'acceptation par la société de ce prolétaire en tant que citoyen ordinaire est plus difficile. Il s'agit d'une mécanique idéologique d'ensemble : les classes moyennes allemandes participent puissamment à l'épanouissement de la conscience de classe ouvrière en percevant le prolétariat comme étant d'essence différente.

Les valeurs d'autorité et d'inégalité portées par la famille souche créent donc un équilibre idéologique très particulier, une intégration purement verticale de la société. Les groupes sociaux, séparés par leurs différences, acceptent parallèlement l'autorité de l'État. Le rêve hégélien d'une société composée de groupes sociaux cloisonnés, réunis par l'État, est réalisé par l'Allemagne impériale. Il s'agit d'une version moderne, industrielle de la société d'ordres, l'ordre prolétarien se juxtaposant à la noblesse, aux paysans, aux bourgeois. Le maintien en Prusse du suffrage à trois classes représente une négation parfaite de la Révolution française. En 1789, les états généraux français, désignés selon un système à trois classes – noblesse, clergé, tiers état –, se convertissent en Assemblée nationale, en adoptant, à la suite du doublement du tiers état, le vote par tête. En Allemagne, l'isolement de la social-démocratie, et peut-être aussi son consentement secret, empêchent une évolution de ce type, qui suppose l'existence d'un idéal d'égalité des hommes.

Le *réformisme,* consubstantiel à l'idéologie sociale-démocrate, découle logiquement de cette acceptation du principe de l'inégalité des hommes et des classes. L'inégalité réelle constatée dans la société capitaliste n'est pas au fond ressentie comme intolérable par les sociaux-démocrates. Ceux-ci ne remettent pas en question l'existence d'une position spécifique de la classe ouvrière dans la structure sociale. Dans la mesure où les hommes n'ont pas à être égaux, les rêves de bouleversement, de révolution deviennent sans objet. L'amélioration des conditions de la vie ouvrière, à l'intérieur d'une structure sociale différenciée, devient le véritable, le seul objectif. Le réformisme social-démocrate n'est pas l'effet d'une mollesse caractérielle particulière des dirigeants ou des militants mais d'une détermination anthropologique, conséquence ultime de l'inégalitarisme inscrit dans la structure familiale de type souche. En un sens, le réformisme révèle la nature inégalitaire du message social-démocrate.

C'est au contraire le trait égalitaire des idéologies anarcho-socialiste et communiste qui implique leur positionnement révolutionnaire. L'aspiration à l'égalité, inscrite dans l'égalité des frères en système familial nucléaire égalitaire ou communautaire, rend la perception des inégalités objectives de la structure sociale absolument inacceptable. La révolution, destruction de l'ordre établi, devient indispensable.

Le nationalisme ethnocentrique

L'idéologie nationaliste allemande naît « de droite », contemporaine de la social-démocratie, autre produit idéologique du processus de déchristianisation. Le nationalisme marque cependant toujours un temps de retard sur le socialisme. D'abord, bien sûr, parce qu'il correspond à un réflexe défensif antisocialiste et présuppose l'existence de la menace dont il est censé protéger l'Allemagne. Mais aussi parce que la déchristianisation progresse plus vite dans la classe ouvrière que dans les classes moyennes : l'idéologisation du prolétariat est donc en avance sur celle de l'aristocratie et de la bourgeoisie, petite ou grande. Le décalage n'est que de quelques années. La social-démocratie décolle réellement entre 1887 et 1903, le pangermanisme s'épanouit entre 1900 et 1914.

Le nationalisme allemand prend immédiatement une forme spécifique, anti-universaliste. Il insiste sur l'existence d'une essence germanique définissant une mission spécifique du Reich. Le message fichtéen se répand. Le danger pour l'Europe vient de ce que l'Allemagne est effectivement en train de devenir la première puissance du continent. Elle passe de 46 à 63 millions d'habitants entre 1880 et 1908. Son industrie l'emporte largement sur celle de la Grande-Bretagne. Le rêve semble devenir réalité. En 1893, est fondée la Ligue pangermaniste (Alldeutscher Verband), association, groupe de pression représenté dans les principaux partis politiques de la coalition gouvernementale après 1900[1]. L'aspiration au leadership européen et mondial mène l'Allemagne à se brouiller avec la Russie, puis avec la Grande-Bretagne. La construction d'une flotte de guerre capable de contester l'hégémonie navale britannique est au centre de la nouvelle politique extérieure. Les pangermanistes perçoivent l'Empire britannique comme la première puissance mondiale, celle dont il faut prendre la place. La France, déjà vaincue en 1870, n'est plus prise au sérieux. La Russie, dont la croissance démographique et industrielle est correctement perçue, n'est considérée que comme une menace à long terme. Une association d'encouragement à la politique navale, la Flottenverein, dramatise le conflit avec la Grande-Bretagne. L'aptitude culturelle à l'organisation se manifeste autant du côté nationaliste que chez les socialistes. A la veille de la guerre de 1914, la Ligue navale a plus de 300 000 adhérents[2]. La montée en puissance de l'idéologie nationaliste est sensible sur le plan intérieur. Le caractère simultanément antagoniste et complémentaire des idéologies sociale-démocrate et pangermaniste apparaît clairement lors des élections de 1907, à l'occasion desquelles le chancelier von Bülow impose une thématique nationaliste. Les élections « hottentots » ont lieu dans un climat d'affrontement colonial et d'opposition avec l'Angleterre. Or l'appel au nationalisme permet effectivement au gouvernement de bloquer un temps la croissance socialiste. Le Parti social-démocrate tombe de 31,7 à 28,9 % des suffrages exprimés. Sa progression reprend cependant en 1912. L'idéologie nationaliste, dont le centre de gravité est situé dans les classes moyennes, court derrière l'idéologie

---

1. Cf. P.G.J. Pulzer, *The Rise of Political Antisemitism in Germany and Austria*, p. 229. Entre 1894 et 1914, 60 députés au Reichstag appartiennent à la Ligue pangermaniste : 15 antisémites, 9 conservateurs, 8 membres du Reichspartei, 28 nationaux-libéraux. Le livre de Pulzer est, en général, d'une qualité exceptionnelle.

2. S. Suval, *Electoral Politics in Imperial Germany*, p. 35.

socialiste, dont le centre de gravité est situé dans la classe ouvrière, déjà massivement déchristianisée.

Le nationalisme allemand, idéologie de droite, est tout entier défini, sur le plan extérieur comme sur le plan intérieur, par son refus du concept d'homme universel, par une croyance fondamentale en l'inégalité des hommes. Ce différencialisme, tourné vers l'étranger, mène à la perception d'une infériorité française, russe ou anglaise. Dirigé vers l'intérieur de la société allemande, le différencialisme mène à la perception d'une infériorité ouvrière et, bien entendu, juive. Les structures de ce nationalisme ethnocentrique apparaissent avec une clarté particulière lorsqu'il est confronté à la question juive, qui pose de façon théorique le problème de la différence, ou de la non-différence, entre les hommes.

L'antisémitisme

La définition de l'homme germanique aboutit à la contre-définition du juif, incarnation négative des vertus allemandes. Au milieu des années 1870, Wilhelm Marr invente le mot *antisémitisme*. Son best-seller, *Der Sieg der Judentums über das Germanentum* (« La Victoire de la judéité sur la germanité »), atteint douze éditions en six ans[1]. En 1879 est fondée l'Antisemiten Liga, première association politique à faire de la haine du juif sa motivation essentielle[2]. L'émergence de l'antisémitisme marque la mutation du nationalisme de l'âge doctrinal, représenté par Fichte ou Hegel, à l'âge idéologique, qui se caractérise par l'adhésion de larges masses à l'idéal d'inégalité des hommes. On aurait du mal à trouver chez Hegel une dénonciation de la nature malfaisante du juif. Au contraire, les *Principes de la philosophie du droit* contiennent une défense de l'idée d'émancipation[3]. L'effondrement de la foi chrétienne est nécessaire à la diffusion de l'idéologie antisémite moderne. La religion chrétienne, protestante ou catholique, établit trop bien la parenté du juif et du chrétien. La mort de Dieu entraîne celle du

1. Cf. Pulzer, *op. cit.,* p. 49.
2. Pulzer, *op. cit.,* p. 51.
3. *Principes de la philosophie du droit*, p. 275, 340.

Christ, c'est-à-dire de ce juif qui donna à l'Europe sa religion. Le lien théorique entre juifs et non-juifs se défait. L'identification de différences ethniques, biologiques devient possible. Le darwinisme ne se contente pas de détruire la croyance en l'Ancien Testament et en la Genèse, il aboutit pour les idéologies racistes des années 1880-1914 à la notion de concurrence des espèces. Les juifs ne sont plus un peuple élu qui se trompe (vision chrétienne), mais une espèce (une race) à la fois inférieure et menaçante. Le livre de Marr est justement décrit par Pulzer comme du « *Darwin à six sous* [1] ».

Après la première fièvre des années 1870, les années 1880 représentent une phase de latence, l'antisémitisme politique restant berlinois. Mais, en 1887, le premier député antisémite est élu au Reichstag. Il y en a 5 en 1890, 16 en 1893, point culminant, 13 seulement en 1898 (carte 43). Par la suite, les étiquettes deviennent moins claires. Ou plutôt l'antisémitisme cesse d'être une doctrine spécifique pour devenir le patrimoine commun de la droite allemande. Dès 1892, le Parti conservateur déclare, dans le premier paragraphe de son « programme de Tivoli » : « *Nous combattons l'envahissante et décomposante influence juive sur notre vie populaire* [2]. » A partir de 1900, l'antisémitisme n'est plus nulle part parce qu'il est partout. En 1913, le Syndicat des employés de commerce (Deutschnationales Handlungsgehilfenverband, DHV) précise par une addition à ses statuts qu'il n'accepte pas « *les juifs et tous ceux qui appartiennent à des nations ou à des races consciemment antithétiques de la germanité* [3] ». A cette époque, le DHV a 148 000 membres contre 12 380 au syndicat social-démocrate rival.

Particulièrement intéressante est l'auto-identification des classes moyennes à l'aryanité pure, qui entraîne les rejets parallèles de l'ouvrier et du juif, deux êtres différents et inférieurs. Le monde des employés, à la fois salariés et déchristianisés, est particulièrement vulnérable à l'idéologie antisémite. Les rejets parallèles des ouvriers et des juifs par les classes moyennes aboutissent à une solidarité objective : la social-démocratie devient effectivement le parti des ouvriers et des juifs. Entre

1. Pulzer, *op. cit.,* p. 49.
2. Pulzer, *op. cit.,* p. 119.
3. Pulzer, *op. cit.,* p. 220-221.

1871 et 1884, les 14 juifs élus au Reichstag comprennent 3 libéraux de droite, 8 libéraux de gauche et 3 sociaux-démocrates. A
partir de 1890, presque tous les parlementaires juifs appartiennent à la social-démocratie [1].

Antisémitisme contre social-démocratie

Antagonisme et complémentarité sont les concepts qui, combinés, décrivent le mieux les rapports entre antisémitisme et
social-démocratie dans la culture allemande des années 1870 à
1914. La social-démocratie est la forme allemande de la poussée
socialiste. L'antisémitisme concentre et résume les tendances les
plus dures du nationalisme allemand. Social-démocratie et antisémitisme naissent successivement du processus de déchristianisation. L'antagonisme et la complémentarité peuvent être saisis
dans le temps et dans l'espace.

Dans le temps, les poussées antisémites suivent celles de la
social-démocratie. La première phase antisémite suit, dans la
deuxième moitié des années 1870, la fondation de la social-
démocratie. La relative stagnation socialiste entre 1877 et 1885
ralentit la progression de l'antisémitisme. Le décollage socialiste
des années 1887-1893 mène à la première émergence politique
et parlementaire de l'antisémitisme. La social-démocratie atteint
23,3 % des voix ; les groupes antisémites obtiennent 16 députés,
mais, il faut le noter, seulement 2,9 % des suffrages. Par la suite,
la généralisation du sentiment antisémite dans la droite allemande correspond à la stabilisation de la social-démocratie
comme force dominante de la gauche.

Dans l'espace, la relation de complémentarité et d'antagonisme n'est pas moins frappante. Les zones de croissance de
l'antisémitisme électoral que sont la Hesse, la Saxe, la Thuringe
et Berlin sont aussi celles du développement de la social-
démocratie, même si l'antisémitisme ne parvient à l'emporter
que sur les franges de la région d'influence sociale-démocrate.
Sur les 16 sièges antisémites de 1893, 8 sont situés en Hesse, 6
en Saxe et les 2 autres en Prusse à l'est de l'Elbe [2]. En 1903, la

---

1. Pulzer, *op. cit.,* p. 260.
2. Pour tout ce qui concerne les élections de 1893, voir Pulzer, *op. cit.,*
p. 121-123.

puissance de la social-démocratie élimine de Saxe la représentation antisémite, comme elle avait empêché beaucoup plus tôt le succès des candidats antisémites à Berlin. Mais, en 1907, la campagne nationaliste aboutit à une chute sociale-démocrate et à une poussée antisémite. C'est en Hesse, zone où la social-démocratie est forte mais non hégémonique (39,3 % des voix en 1912), que la représentation parlementaire antisémite parvient à se maintenir [1]. On ne peut cependant qu'être frappé par l'antisémitisme de la droite saxonne, qui fleurit dans une région où les juifs constituent à peine 0,25 % de la population. Le paradoxe est à l'échelle de l'Allemagne : dans ce pays dont la droite est en 1914 rongée par l'antisémitisme, il y a moins de 1 % de juifs. L'insignifiance quantitative de la question juive n'empêchera pas l'émergence du nazisme. Entre 1928 et 1932, l'antisémitisme devient le facteur structurant fondamental du nationalisme allemand. A la veille de 1914, il n'est encore qu'un élément important mais secondaire.

Échec de l'antisémitisme français

L'antisémitisme est, entre 1875 et 1914, un phénomène d'échelle européenne, trouvant partout des intellectuels adeptes du darwinisme social, heureux de déceler les signes de la nouvelle lutte des races. Mais, là où n'existe pas le terrain anthropologique idéal – c'est-à-dire la famille souche, qui encourage une

1. Je reproduis un tableau de Pulzer comparant les performances électorales sociales-démocrates et antisémites en Saxe et en Thuringe. La relation de complémentarité est saisissante.

| | Nombre de députés | |
	Antisémites	Sociaux-démocrates
1898	3	16
1903	1	29
1907	6	8
1912	1	27

On trouvera une bonne présentation des rapports de forces entre partis politiques à la fin de l'époque wilhelmienne dans J. Bertram, *Die Wahlen zum deutschen Reichstag vom Jahre 1912.*

vision inégalitaire de la vie sociale –, la doctrine ne prend pas, ne devient pas idéologie. De plus, là où la famille souche reste neutralisée par une croyance religieuse intacte, l'antisémitisme ne prend pas non plus. L'absence de conditions anthropologiques et religieuses favorables explique l'échec de l'antisémitisme en France, malgré le caractère spectaculaire de l'affaire Dreyfus. L'examen de la mécanique antisémite *à l'échelle européenne* révèle à quel point cet épisode de la vie politique française fut un effet de mode, conséquence temporaire d'une obsession française de l'époque : le besoin irrépressible d'imiter l'Allemagne, vainqueur de la guerre de 1870. L'agitation antisémite française a toujours cinq à dix ans de retard sur l'agitation antisémite allemande. Les premières fièvres se manifestent à Berlin vers la fin des années 1870, à Paris vers le milieu des années 1880. Le premier pic politique est atteint en Allemagne en 1893 ; en France, l'activité de la Ligue antisémitique culmine au moment de l'affaire Dreyfus vers 1898. Après 1900, le phénomène régresse en France pour s'installer en Allemagne. La seule origine du mot *antisémitisme*, inventé en Allemagne, impliquait une avance allemande[1]. Mais c'est surtout le contraste final entre l'échec français et le succès allemand qui est révélateur. L'Allemagne protestante est une région de famille souche en voie de déchristianisation et présente donc un terrain favorable à la diffusion de l'idéologie antisémite. En France, le cœur du système national repose sur la famille nucléaire égalitaire, qui continue de reproduire les valeurs de liberté et d'égalité, c'est-à-dire l'idéal d'un homme universel. La périphérie française est occupée par la famille souche, mais une famille souche neutralisée par un catholicisme toujours puissant. L'antisémitisme devra se contenter de milieux intellectuels provinciaux et déchristianisés. Les masses lui échappent. Comme dans la partie catholique de l'Allemagne, où le Zentrum (parti catholique), mené par son leader Windthorst, brise la tentation antisémite.

---

1. Voir par exemple sur ce point Z. Sternhell, *La Droite révolutionnaire*, p. 177.

Zentrum catholique et démocratie-chrétienne

La naissance des idéologies modernes, social-démocratie et nationalisme ethnocentrique, est l'effet du processus de déchristianisation, qui ne touche entre 1870 et 1914 que la partie protestante de l'Allemagne. L'existence de ces forces nouvelles oblige cependant les régions où la foi religieuse est intacte, c'est-à-dire en pratique le monde catholique, à une redéfinition. Une « *idéologie religieuse réactionnelle* » émerge, la démocratie-chrétienne [1].

Dès 1870, l'unification de l'Allemagne par la Prusse protestante conduit les catholiques minoritaires à s'organiser, dans un but qui n'est au départ que de défense confessionnelle. En mars 1871, les premières élections nationales, au suffrage universel direct, amènent au Reichstag 57 députés catholiques, membres du parti du centre, le Zentrum. Formation religieuse et régionale, le Zentrum brise l'offensive anticatholique bismarckienne, le Kulturkampf. En 1874, le Zentrum obtient 91 députés. La Prusse protestante renonce à réduire le catholicisme allemand du Sud et de l'Ouest. Ce conflit est ancré dans le passé : il oppose un monde protestant, où la pratique religieuse commence seulement à faiblir, à un monde catholique absolument solide. L'effondrement du protestantisme, la montée de la social-démocratie et du nationalisme ethnocentrique transforment de l'extérieur le Zentrum, qui, de parti catholique, devient parti démocrate-chrétien. Confrontés à la concurrence idéologique des socialistes et des nationalistes, qui proposent deux visions possibles de la cité terrestre idéale, les catholiques allemands doivent redéfinir leur conception de la politique. Ils persistent dans l'affirmation de la primauté d'une cité céleste mais doivent élaborer un programme de transition concernant la gestion de la cité terrestre : la démocratie-chrétienne relève le défi jeté au catholicisme traditionnel par les idéologies. Social-démocratie et nationalisme ethnocentrique naissent symétriquement, expressions de gauche et

---

1. On trouvera une présentation générale de l'histoire de la démocratie-chrétienne en Europe dans le livre de Jean-Marie Mayeur, *Des partis catholiques à la démocratie chrétienne, xixe-xxe siècles*.

de droite des valeurs d'autorité et d'inégalité portées par la famille souche. La démocratie-chrétienne, qui s'épanouit sur le même terrain, n'échappe pas à ces déterminations anthropologiques. Elle ne se développe pleinement que dans les pays catholiques où domine la famille souche. Tôt confronté aux idéologies modernes et à la question ouvrière, le catholicisme allemand joue un rôle décisif dans l'élaboration de l'idéal démocrate-chrétien. Mais il appartient au pape Léon XIII de définir par l'encyclique *Rerum novarum*, en 1891, les aspects fondamentaux de la doctrine.

Publiée en 1891, au moment où la social-démocratie dépasse le seuil de 20 % des voix et devient un parti majeur en Allemagne, l'encyclique *Rerum novarum* sur la « condition des ouvriers » est d'abord un texte antisocialiste [1]. Son plan est clair. Première partie : « Un faux remède, le socialisme ». Deuxième partie : « Le vrai remède », avec « 1. Le rôle de l'Église », « 2. Le rôle de l'État ». Troisième partie : « Le rôle des organisations ouvrières ». Léon XIII définit un antisocialisme *antiindividualiste,* qui nie certes la nécessité des solutions étatistes radicales, mais réclame l'intervention de superstructures sociales diverses dans la vie des individus : l'Église, bien sûr, mais aussi, dans le contexte nouveau d'exploitation de la classe ouvrière, l'État et les organisations professionnelles. L'État chrétien doit respecter la propriété privée et l'autonomie de la famille, mais l'intervention réclamée par Léon XIII est en un sens plus étendue que celle de l'État social-démocrate, puisqu'elle s'étend au domaine des mœurs et de la religion. L'encyclique donne une liste détaillée des domaines d'action privilégiés du bon État :

« *C'est pourquoi, s'il arrive que les ouvriers, abandonnant le travail ou le suspendant par des grèves, menacent la tranquillité générale ; que les liens naturels de la famille se relâchent parmi les travailleurs ; qu'on foule aux pieds la religion des ouvriers en ne leur facilitant point l'accomplissement de leurs devoirs envers Dieu ; que la promiscuité des sexes ou d'autres excitations au vice constituent dans les usines un péril pour la moralité ; que les patrons écrasent les travailleurs sous le poids de fardeaux iniques ou déshonorent en eux la personne humaine par des conditions indignes et dégradantes ; qu'ils attentent à*

---

1. J'utilise l'édition Bonne Presse de *Rerum novarum*, 1956.

leur santé par un travail excessif et hors de proportion avec leur âge et avec leur sexe ; dans tous les cas, il faut absolument appliquer dans certaines limites la force et l'autorité des lois. Les droits, où qu'ils se trouvent, doivent être religieusement respectés, et l'État doit les assurer à tous les citoyens, en prévenant ou en vengeant leur violation... Toutefois, dans la protection des droits privés, il doit se préoccuper d'une manière spéciale des faibles et des indigents. Que l'État se fasse donc, à un titre tout particulier, la providence des travailleurs, qui appartiennent à la classe pauvre en général [1]. »

L'association ouvrière succède, dans une perspective chrétienne, aux confréries, congrégations et ordres religieux. Elle mène directement au syndicalisme chrétien, même si le mot n'apparaît pas.

« Le sort de la classe ouvrière, telle est la question qui s'agite aujourd'hui... les ouvriers chrétiens la résoudront facilement par la raison si, unis en sociétés et obéissant à une direction prudente, ils entrent dans la voie où leurs pères et leurs ancêtres trouvèrent leur salut et celui des peuples [2]. »

Rerum novarum dessine l'image d'une société intégrée verticalement par un État agissant sous le contrôle de l'Église. Elle refuse la lutte des classes mais accepte pleinement le principe de l'inégalité terrestre des hommes.

« Il est impossible que, dans la société civile, tout le monde soit élevé au même niveau. Sans doute c'est là le but que poursuivent les socialistes ; mais contre la nature tous les efforts sont vains. C'est elle en effet qui a établi parmi les hommes des différences aussi multiples que profondes : différences d'intelligence, de talent, d'habileté, de santé, de forces ; différences nécessaires d'où naît spontanément l'inégalité des conditions [3]. »

Autorité, inégalité, intégration de l'individu : le monde de la famille souche n'aura aucun mal à accepter cette doctrine. Les pays catholiques dont la structure familiale est de type libéral et égalitaire n'y parviendront pas.

Le « catholicisme social » défini par Léon XIII n'est pas très

1. *Rerum novarum*, p. 30.
2. *Rerum novarum*, p. 46.
3. *Rerum novarum*, p. 16.

différent du « protestantisme social » – si l'on peut dire – mis en application par Bismarck durant les dernières années de vie du luthéranisme prussien. Le nouveau Reich allemand impose aux patrons et aux ouvriers l'assurance maladie dès 1883, l'assurance accident dès 1884, l'assurance vieillesse dès 1889. Le développement de l'économie allemande, spectaculaire entre 1880 et 1900, ne prend pas la forme anglaise ou française d'un capitalisme sauvage et individualiste. L'État encourage, guide, encadre, sécurise. L'amour de l'État n'est pas exclusivement social-démocrate, le rêve d'une société verticalement intégrée n'est pas seulement démocrate-chrétien. La famille souche, autoritaire et inégalitaire, domine l'ensemble de la culture allemande, ses valeurs hiérarchiques sont celles de toutes les classes et de toutes les subcultures. Les conflits entre groupes ne remettent pas l'autorité et l'inégalité en question. Les rivalités entre fonctionnaires prussiens, catholiques rhénans ou bavarois, sociaux-démocrates saxons ou hessois n'aboutissent jamais à la définition d'une idéologie libérale.

Géographie du Zentrum

La géographie du Zentrum reproduit à la perfection celle du catholicisme allemand (carte 43). Aux élections de 1903, par exemple, il recueille 19,7 % des voix dans l'ensemble du Reich, mais 54,2 % en Rhénanie, 40,4 % en Westphalie, 43,2 % en Bavière, 40,7 % dans le pays de Bade, contre 0,6 % en Saxe, 0,6 % dans le Schleswig-Holstein, 0,7 % en Brandebourg[1]. En pays protestant, le Zentrum n'existe pas. En pays catholique, il est un parti dominant, contre lequel les autres forces politiques ont beaucoup de mal à s'affirmer. Entre 1903 et 1912, le Zentrum faiblit un peu (16,4 % des suffrages en 1912), mais il reste à la veille de la guerre de 1914 le deuxième parti du Reich, après les sociaux-démocrates[2].

En 1912, sociaux-démocrates et catholiques du Zentrum

1. J. Bertram, *Die Wahlen zum Deutschen Reichstag vom Jahre 1912,* p. 206 pour les résultats régionaux de l'élection de 1903.
2. J. Bertram, *op. cit.,* p. 207 pour les résultats régionaux de l'élection de 1912.

constituent les deux forces les plus stables du système politique, avec leurs organisations de masse, leurs syndicats, leurs associations culturelles diverses et variées. Ils ne sont pas alliés : en théorie, le Zentrum est plutôt dans la coalition gouvernementale, la social-démocratie hors de l'ordre bourgeois. Mais ensemble ils recueillent plus de la moitié des suffrages exprimés, 51,2 % en 1912. Ces deux forces ont beaucoup en commun. Elles partagent, comme toutes les forces idéologiques allemandes, les valeurs élémentaires de la famille souche. Elles sont de plus relativement modérées, dans l'adhésion aux valeurs nationalistes en particulier. Rapprochés par la crise de 1918, l'effondrement du Reich et le premier échec du nationalisme, sociaux-démocrates et catholiques constitueront l'axe central de la république de Weimar.

Sur l'axe gauche-droite, le Zentrum occupe, comme son nom l'indique, une position centriste entre 1870 et 1933. Sa doctrine présente simultanément des aspects de droite et de gauche. Son refus théorique du conflit de classe rapproche le catholicisme politique du nationalisme, qui rêve aussi d'une société intégrée, hiérarchisée mais unie. Dans le cas du nationalisme des années 1880-1914, la notion d'intégration des classes n'est cependant qu'un rêve sans substance. Le catholicisme réussit, au contraire, dans les régions qu'il domine, à réunir et maintenir soudés ouvriers, paysans, employés et bourgeois. La réalisation pratique de l'idéal de solidarité des classes mène curieusement à un rapprochement avec la social-démocratie ; le mouvement catholique comprend en effet une branche ouvrière importante. Rapprochés par leurs préoccupations économiques, ouvriers sociaux-démocrates et ouvriers chrétiens ont des intérêts communs. Le caractère centriste de la démocratie-chrétienne tient cependant à des raisons encore plus profondes, indépendantes de la structure socio-économique objective. La démocratie-chrétienne n'est ni de gauche ni de droite, parce qu'elle est *ailleurs.* Pour un catholique convaincu, l'essentiel reste l'organisation de la cité céleste, non celle de la société terrestre. La démocratie-chrétienne n'est pas une idéologie au sens strict. Elle n'est qu'une idéologie religieuse réactionnelle, rendue nécessaire par la naissance de la social-démocratie et du nationalisme ethnocentrique.

Le nazisme : achèvement et dépassement du nationalisme ethnocentrique

L'émergence du nazisme est souvent présentée comme le résultat de la conjonction de deux types de désarroi. D'abord, le trouble engendré par la défaite et l'effondrement de la monarchie traditionnelle ; ensuite, la panique conjoncturelle déclenchée par la grande crise économique de 1929. Le caractère déterminant du chômage, qui prive 6 millions d'Allemands d'emploi régulier vers 1930, n'est pas niable. Mais on aurait tort de considérer l'accession au pouvoir du Parti national-socialiste des travailleurs allemands (NSDAP) et de Hitler comme l'effet de ces deux facteurs seulement. L'histoire comparative la plus simple et la plus directe montre en particulier l'insuffisance d'une interprétation strictement économiste : l'existence d'une masse de 10 millions de chômeurs permit, aux États-Unis, le triomphe de Roosevelt, c'est-à-dire d'une politique réformiste ne mettant nullement en question les principes de la démocratie libérale. Rendu possible par la crise économique mondiale, le nazisme s'inscrit aussi dans une continuité idéologique allemande indiscutable. Il trouve en Allemagne les fondements anthropologiques et religieux indispensables à son développement. Il est le point d'aboutissement de l'idéologie nationaliste ethnocentrique, qu'il dépasse même par certains aspects importants. Le nazisme interprète de la manière la plus démente les valeurs d'autorité et d'inégalité portées par la famille souche, en les fixant sur la notion de *race,* le terme étant pris dans son acception biologique.

L'autoritarisme implique ici une absorption de l'individu par la race, catégorie transcendante. Le caractère extrémiste du concept de race vient de ce que l'appartenance à ce groupement échappe complètement à la conscience et à la volonté. La soumission à Dieu, à l'État, au noble, à l'Église supposait une acceptation consciente minimale. L'hypothèse d'un être génétiquement déterminé détruit la possibilité théorique d'une rébellion de l'individu. La théorie hitlérienne subordonne donc l'État à la race :

« *La notion fondamentale, c'est que l'État n'est pas un but,*

*mais un moyen. Il est bien la condition préalable mise à la for-
mation d'une civilisation humaine de valeur supérieure, mais il
n'en est pas la cause directe. Celle-ci réside exclusivement dans
l'existence d'une race apte à la civilisation. Même s'il se trou-
vait sur la terre des centaines d'États modèles, au cas où
l'Aryen, qui est le pilier de la civilisation, viendrait à disparaître, il n'y aurait plus de civilisation correspondant, dans
l'ordre spirituel, au degré qu'ont atteint les peuples de race
supérieure* [1]. »

Dans cette représentation, l'inégalité des hommes découle de
l'existence des races, dont certaines, comme les Slaves et les
juifs, sont réputées inférieures, et d'autres, comme les Aryens,
sont considérées comme supérieures. La continuité, du pangermanisme au nazisme, est évidente sans être absolue. Le nazisme
aboutit en pratique à la définition banale d'un homme allemand
supérieur aux autres Européens, mais nié en tant qu'individu,
soumis absolument à cette entité supérieure qu'est l'Allemagne.
Mais d'importantes différences théoriques entre nazisme et pangermanisme doivent être soulignées. Le radicalisme autoritaire
et inégalitaire mène le nazisme au-delà d'une déification de l'Allemagne, de son peuple et de son État. Le personnage positif
central du délire hitlérien n'est pas l'Allemand mais l'Aryen,
encore plus soumis à sa race que l'Allemand à son État. Le
nazisme réalise à l'extrême le potentiel autoritaire et inégalitaire
de la famille souche, mais en le désincarnant, en le détachant de
tout support historique et culturel concret. Car si les Allemands
existent en tant que peuple, les Aryens constituent, eux, une
catégorie mythique sur le plan racial. Le terme *aryen,* la notion
de race absolutisent les idéaux d'autorité et d'inégalité. Le radicalisme de ces concepts mythologiques permet de dissocier leur
application de la réalité allemande : tout Allemand n'est pas un
Aryen, supérieur à tous les non-Allemands. L'Allemagne elle-
même devra être épurée de ses malades, de ses fous, de ses
homosexuels. Simple incarnation du principe d'aryanité, l'Allemagne, une fois vaincue par la coalition des races inférieures, ne
devra pas être sauvée. Entre 1943 et 1945, l'Allemagne est l'une
des victimes du nazisme. Hitler, par la guerre à outrance, s'efforce de la mener au tombeau. Il n'est pas nationaliste au sens

---

1. Hitler, *Mein Kampf,* p. 389.

traditionnel du terme. Il mène l'idéal d'inégalité des hommes au-delà du concept de nation.

Le nazisme universalise l'idéologie inégalitaire. Il permet l'apparition, dans des pays non germaniques, libres ou occupés, d'adeptes de la doctrine qui, sans être allemands, s'identifient à l'aryanité. La haine du juif facilite cette internationalisation de l'idéal d'inégalité. Le juif est partout, il incarne en tout lieu l'être inférieur, le principe malfaisant qu'il faut détruire ; surtout, étant le contraire de l'Aryen, il définit négativement la race dominante.

Problèmes de chronologie : déchristianisation et nazisme

Entre 1890 et 1914, l'antisémitisme est important sans être dominant. Il se présente comme une frange extrême du nationalisme pangermaniste. Il n'a pas encore réellement pris son autonomie. Il y a loin des 2 à 3 % recueillis par les candidats antisémites entre 1890 et 1914 aux 37,4 % recueillis par le NSDAP aux élections du 31 juillet 1932 [1]. Le rythme de la déchristianisation allemande permet de comprendre les phases successives de la montée en puissance de l'idéologie antisémite. Le déclin de la pratique religieuse commence en milieu ouvrier protestant dans les années 1870-1880 ; il atteint les classes moyennes vers 1880. En 1914, cependant, la déchristianisation est loin d'être achevée dans l'Allemagne protestante elle-même. Le luthéranisme est affaibli sans être mort, particulièrement dans les classes bourgeoises. Le déclin de la religion entraîne la croissance des idéologies sociale-démocrate et nationaliste ethnocentrique. Mais, en 1914, l'Allemagne n'est encore qu'à mi-parcours. C'est entre 1918 et 1930 que la déchristianisation s'achève, menant l'ensemble des classes moyennes à l'incroyance, les paysans comme les bourgeois ou les catégories nouvelles d'employés salariés. C'est à ce moment, et à ce moment seulement, que l'idéologisation du pays peut atteindre son point culminant : le nazisme, réalisation ultime des idéaux d'autorité et d'inégalité, triomphe

1. Pour les résultats électoraux des partis au niveau national sous la république de Weimar, voir G. Castellan, *L'Allemagne de Weimar,* p. 117 ; et H. Ménudier, *Système politique et élections en République fédérale d'Allemagne,* p. 194.

lorsque finit de disparaître le Dieu de Luther, dans un climat d'anxiété religieuse aggravé qui donne à l'époque son atmosphère de fin du monde. La crise économique de 1929 déclenche une crise politique de type raciste parce qu'elle intervient dans un pays où les valeurs familiales définissent des idéaux d'autorité et d'inégalité, au moment même où les classes moyennes échappent au cadre sécurisant de la religion traditionnelle. Quelques chiffres permettent de vérifier cette coïncidence chronologique. Le nombre des « confirmations » protestantes chute de 808 000 à 447 000 entre 1920 et 1930[1]. Le déclin de la fécondité, effet immédiat de la disparition des croyances religieuses, mène le taux de natalité de 25 ‰ en 1918 à 15 ‰ en 1930[2].

Géographie électorale du nazisme

Né dans la phase terminale d'une crise religieuse, le nazisme électoral s'inscrit naturellement dans une géographie de type religieux. En juillet 1932, quand culmine sa puissance électorale, le NSDAP est important dans l'ensemble de l'Allemagne[3]. Mais s'il recueille 20 à 25 % des voix en pays catholique, il dépasse le plus souvent 30 % en pays protestant, et même assez fréquemment 50 % (carte 44). Globalement, la carte du nazisme triomphant est la carte du protestantisme. La coïncidence est particulièrement frappante si l'on se contente de cartographier les performances électorales nazies en milieu rural[4].

Le succès du nazisme dans les zones rurales protestantes, de structure socio-économique traditionnelle, permet de bien isoler le facteur religieux, l'importance capitale du processus de déchristianisation. Les zones rurales du Schleswig-Holstein, par exemple, peuplées de paysans moyens et indépendants, votent national-socialiste à 64 % en juillet 1932[5]. On ne peut, dans ce

---

1. K.S. Latourette, *Christianity in a Revolutionary Age,* t. 4, p. 253.
2. J.-C. Chesnais, *La Transition démographique,* p. 231.
3. Le NSDAP régresse légèrement entre les élections de juillet et de novembre 1932, de 37,4 à 33,1 % des suffrages exprimés.
4. Sur le nazisme rural, voir C.P. Loomis et J.A. Beegle, « The spread of German nazism in rural areas ».
5. C.P. Loomis et J.A. Beegle, article cité, p. 732.

cas, interpréter le désarroi des paysans en termes purement économiques, même si la baisse des prix agricoles entame sérieusement les revenus ruraux. C'est bien la perte du sens religieux qui met ce monde traditionnel en folie.

La solidité du catholicisme définit les seules véritables zones de résistance à la pénétration nazie. Le NSDAP s'affirme donc comme un négatif géographique du Zentrum. Dans la région de Cologne et d'Aix-la-Chapelle, très catholique, le NSDAP ne recueille en juillet 1932 que 20,2 % des suffrages, contre 40,5 % au Zentrum. En Basse-Bavière, les nazis obtiennent 20,4 % des voix, contre 48 % au Bayerische Volkspartei, groupe catholique bavarois associé au Zentrum[1]. Il serait cependant absurde de tirer d'un examen superficiel des cartes l'idée que le protestantisme prédispose au nazisme et que la doctrine catholique immunise. La naissance du luthéranisme est certes associée au développement d'un prénationalisme allemand, tourné contre l'universalisme romain. Mais le nationalisme religieux de Luther ne conduit pas au-delà d'une glorification de l'Allemagne. Il ne mène pas au-delà de l'antisémitisme chrétien traditionnel. Ce qu'avait parfaitement vu Hitler lui-même :

« *Le protestantisme agit donc toujours au mieux des intérêts allemands tout autant qu'il est question de moralité ou de développement intellectuel nationaux ou de la défense de l'esprit allemand, de la langue allemande et aussi de la liberté allemande : tout cela se confond, en effet, avec les principes mêmes sur lesquels il s'appuie ; mais il combat aussitôt de la façon la plus hostile toute tentative de sauver la nation de l'étreinte de son ennemi le plus mortel, parce que son point de vue sur les juifs est plus ou moins fixé d'avance dans ses dogmes[2].* »

C'est l'effondrement de la foi protestante qui rend possible l'antisémitisme de masse. La géographie du nazisme reproduit celle du protestantisme parce que le protestantisme, plus fragile que le catholicisme, s'effondre plus tôt, entre 1880 et 1930.

---

1. Pour les données régionales concernant les élections sous la République de Weimar, voir A. Milatz, *Wähler und Wahlen in der Weimarer Republik*.
2. *Mein Kampf*, p. 116-117.

Les mutations de la droite allemande : 1870-1933

L'histoire électorale de la social-démocratie et du Zentrum n'est pas d'une grande complexité, malgré l'élimination par Hitler des deux partis entre 1933 et 1945. Ils constituent, entre 1880 et 1990, des mouvements stables et identifiables, même si le couple démocratie-chrétienne/social-démocratie, qui domine la vie politique de la République fédérale d'Allemagne, est beaucoup plus puissant que le couple social-démocratie/Zentrum des premières années du IIe Reich. Les zones de force de la social-démocratie des années 1960-1970, situées en Allemagne du Nord, apparaissent dès 1900 comme des régions d'implantation privilégiée. Les bastions les plus puissants de la Christlich-Demokratische Union (CDU), à l'Ouest et au Sud, apparaissent déjà sur les cartes du Zentrum des années 1880-1912. Social-démocratie et démocratie-chrétienne sont identifiables d'un bout à l'autre de la période, la continuité des deux organisations et des deux implantations électorales n'étant que temporairement brisée par le régime nazi.

L'histoire politique de la droite nationaliste allemande est beaucoup moins simple. Ses partis se forment et se défont ; son électorat hésite, saute d'une doctrine à l'autre. Les déplacements partisans de l'électorat nationaliste déterminent à vrai dire assez largement le cours de l'histoire allemande.

Sous l'Empire, trois groupes principaux se partagent la clientèle électorale nationaliste et antisocialiste : les conservateurs, les nationaux-libéraux, les progressistes (ou libéraux de gauche). Ces trois formations constituent le noyau de la coalition gouvernementale. La présence d'une terminologie libérale ne doit pas faire illusion : en 1914, les « libéraux » allemands sont parfaitement dégagés de l'influence originelle des libéralismes anglais et français. Ils sont intégrés au système impérial, ayant en particulier accepté le principe de la non-responsabilité parlementaire du gouvernement, attitude qui, par définition, les disqualifie en tant que libéraux.

Après 1918, l'électorat nationaliste de droite se perpétue à travers trois formations principales : le Deutschnationale Volkspartei (DNVP), dont le noyau originel correspond au parti conservateur ; le Deutsche Volkspartei (DVP), qui correspond aux nationaux-libéraux ; et le Deutsche Demokratische Partei (DDP), qui continue la tradition des « progressistes » et accepte, au contraire du DNVP et du DVP, la république de Weimar. A ces trois forces principales doit être ajoutée une multitude instable de groupuscules extrémistes.

Sur le plan électoral, la montée du nazisme correspond essentiellement à une absorption par le NSDAP de la clientèle de toutes les forces de droite.

Entre 1928 et juillet 1932, le Parti national-socialiste passe de 2,6 à 37,3 % des suffrages exprimés. Le DNVP tombe de 14,2 à 5,9 % ; le DVP de 8,7 à 1,2 % ; le DDP de 4,9 à 1 % ; les groupuscules combinés tombent de 13,9 à 3 %. Ensemble, ces groupes passent de 41,7 à 11,1 % des voix, soit une chute de 30,6 %, qui explique à elle seule l'essentiel de la poussée nazie de + 34,7 %. Entre 1928 et juillet 1932, le Zentrum, avec son satellite bavarois (le Bayerische Volkspartei), est remarquablement stable ; il augmente même légèrement, de 15,2 à 15,7 % du total des voix, exprimant ainsi la relative imperméabilité du catholicisme au nazisme. Le SPD (Sozialdemokratische Partei Deutschlands) perd 8,2 % du corps électoral, puisqu'il tombe de 29,8 à 21,6 % [1]. On peut estimer cependant que, sur ces 8,2 % de chute, 3,7 % expliquent la progression du Parti communiste (de 10,6 à 14,3 % des voix), et qu'un maximum de 4 % passent au NSDAP. Selon ces calculs très approximatifs (et en faisant l'hypothèse d'un report parfait de toutes les voix perdues par le DNVP, le DVP, le DDP et les groupuscules sur le NSDAP), la social-démocratie aurait quand même cédé 13 % de son électorat au national-socialisme. La résistance du SPD n'est donc pas aussi remarquable que celle du Zentrum. Phénomène qui paraît tout à fait normal lorsque l'on sait que le NSDAP chasse de préférence en terre protestante. Le SPD est implanté en région protestante, le Zentrum est à l'abri en pays catholique.

Le nazisme unifie donc toutes les tendances partisanes du nationalisme allemand. Il dépasse les vieux clivages sociaux qui entretenaient la fragmentation de l'idéologie nationaliste : il absorbe nobles et paysans « conservateurs », employés « démo-

---

1. D'après les chiffres donnés par H. Ménudier, *Système politique et élections en République fédérale d'Allemagne*, p. 194.

crates » et bourgeois « libéraux », éliminant l'ensemble de la terminologie politique française et anglo-saxonne, importée entre
1789 et 1870. Le nationalisme ethnocentrique remplace tout.
Hitler parvient aussi à réaliser un peu ce que les vieux partis de
droite n'avaient pas réussi du tout, c'est-à-dire à séduire quelques ouvriers.

Au contraire des conservateurs ou des libéraux, le Parti national-socialiste des travailleurs allemands ne traite pas les ouvriers
en parias de la société allemande. Poussant au maximum l'idéal
d'inégalité à travers l'antisémitisme, le nazisme ne s'intéresse
pas à la différenciation des hommes par l'économie. C'est ainsi
qu'il parvient à affaiblir, mais non à détruire, la social-
démocratie allemande.

Après la guerre : puissance de la démocratie-chrétienne

La coupure de l'Allemagne en zones occidentale et soviétique
modifie les équilibres idéologiques. L'Allemagne de l'Est est
intégralement taillée dans la partie protestante du pays. L'Allemagne de l'Ouest récupère une partie de la sphère protestante et
la presque totalité du catholicisme allemand [1]. Les protestants,
qui ne pratiquent plus leur religion, et les catholiques, qui restent
fidèles à leur Église, constituent deux masses démographiquement comparables à l'intérieur de l'Allemagne occidentale. En
République fédérale cesse la prépondérance écrasante de la tradition protestante. Le découpage des frontières donne mécaniquement, dès 1949, un poids relatif nouveau au Zentrum.
Rebaptisée CDU-CSU [2], redéfinie comme interconfessionnelle,
la démocratie-chrétienne allemande part à la conquête de la
République fédérale. La CDU-CSU récupère les électorats de
droite du Nord et du Centre protestant du pays, que la chute du
nazisme avait laissés disponibles.

---

1. Seul le catholicisme silésien est abandonné.
2. CDU : Christlich-Demokratische Union ; CSU : Christlich-Soziale
Union.

La social-démocratie de 1918 à 1972

La Première Guerre mondiale conduit, en Allemagne comme dans la plupart des pays du continent, à une scission du mouvement socialiste. Le radicalisme d'une aile gauche s'affirme d'abord comme volonté de paix, puis par une adhésion à l'Internationale communiste. L'insurrection spartakiste de 1919, réprimée par Noske, ministre de l'Intérieur social-démocrate, avec l'aide de corps francs d'extrême droite, aboutit à l'établissement d'une inimitié durable entre sociaux-démocrates et communistes. Affaibli par la scission, le SPD reste cependant, et de très loin, le parti dominant de la gauche allemande. En 1928, aux élections générales précédant la crise économique de 1929, le SPD recueille 29,8 % des suffrages exprimés contre 10,6 % au KPD (Kommunistische Partei Deutschlands). Au cœur même de la crise économique et idéologique du début des années trente, le KPD ne parvient pas à l'emporter sur le SPD. 14,3 % de voix communistes et 21,6 % de voix sociales-démocrates en juillet 1932 ; 16,9 % de voix communistes et 20,4 % de voix sociales-démocrates en novembre 1932[1]. La répression nazie ne permet pas de suivre l'évolution ultérieure du rapport des forces. La facilité avec laquelle toute influence communiste est éliminée d'Allemagne de l'Ouest après 1949 montre cependant que la poussée communiste du début des années trente n'était qu'une fièvre temporaire, une déviation par rapport aux tendances idéologiques profondes de la société allemande.

La radicalisation du socialisme allemand entre 1930 et 1932 n'est en réalité qu'une réaction défensive à la poussée nazie. L'hystérisation de la droite nationaliste conduit à une certaine hystérisation de la gauche socialiste[2]. La géographie électorale

1. G. Castellan, *L'Allemagne de Weimar,* p. 117.
2. Je suis conscient du caractère hétérodoxe de cette interprétation : le nazisme est souvent présenté comme une réaction à la menace rouge. Le communisme est ici considéré comme une réaction défensive de la gauche devant la menace nazie. Les faits sont là, la croissance du NSDAP est indépendante de celle du communisme, et surtout disproportionnée. Entre 1928 et 1930, la crise économique fait passer le NSDAP de 2,6 à 18,3 % des voix, et le KPD de 10,6 à 14,3 %. En juillet 1932, le KPD est toujours à 14,6 % des voix, le NSDAP atteint 37,4 %.

du KPD est d'ailleurs remarquablement atypique. Seule de toutes les géographies idéologiques allemandes, elle échappe au clivage religieux. SPD et NSDAP manifestent un tropisme protestant. Le Zentrum est l'expression politique du catholicisme. Les bastions temporaires du communisme sont soit protestants comme Berlin, la Saxe et la Thuringe, soit catholiques comme la Ruhr. Cette géographie définit bien le KPD comme un parti ouvrier : il dépasse 16 % des suffrages dans toutes ces provinces parce qu'elles constituent le cœur industriel de l'Allemagne, avec les prolétariats particulièrement massifs de la Ruhr et de la Saxe. La contrepartie de cette poussée communiste en milieu ouvrier, c'est cependant la nazification symétrique d'une partie du prolétariat allemand. On ne peut donc parler d'un remplacement de la social-démocratie par le communisme au sein du monde ouvrier. Même en période de crise économique suraiguë, l'idéologie n'échappe pas aux déterminations de l'anthropologie. Nulle part en Allemagne n'existe le type familial communautaire, autoritaire et égalitaire permettant une franche adhésion aux valeurs communistes. L'adhésion au KPD ne peut donc concerner qu'une minorité aliénée, coupée de la valeur dominante d'inégalité qui permet au phénomène nazi de s'épanouir dans les autres secteurs de la société.

Au lendemain de la Deuxième Guerre mondiale, la social-démocratie est débarrassée de la concurrence communiste par l'interdiction du KPD. Les performances électorales dérisoires du DKP, parti communiste autorisé à partir de 1972, suggèrent d'ailleurs que le communisme aurait de toute façon disparu d'Allemagne occidentale. Entre 1972 et 1983, par exemple, le DKP oscille entre 0,2 et 0,3 % des suffrages exprimés [1]. Cependant, le nouveau découpage de l'Allemagne ne favorise pas le SPD, qui abandonne à l'Allemagne de l'Est ses bastions les plus puissants de Saxe, de Thuringe et de Berlin, c'est-à-dire une partie importante de la zone protestante. Malgré l'absence de concurrence communiste, les premières performances électorales de la social-démocratie d'après guerre sont médiocre : 29,2 % des voix en 1949, 28,8 % en 1953, 31,8 % en 1957. La démocratie-chrétienne règne : avec 50,2 % des voix en 1957, elle a fini de

1. H. Ménudier, *Système politique et élections en République fédérale d'Allemagne*, p. 195.

digérer l'électorat de droite des zones protestantes[1]. La faiblesse sociale-démocrate n'est à ce stade que l'effet mécanique du découpage des frontières. Dans toutes les circonscriptions de tradition protestante du Nord et du Centre de l'Allemagne occidentale – en Schleswig-Holstein, en Hanovre, en Hesse –, le SPD retrouve très vite ses scores traditionnels, qu'il s'agisse du vote social-démocrate de 1912 ou du total des voix socialistes et communistes de 1928, avec des scores dépassant le plus souvent 40 % des suffrages. Mais le SPD retrouve aussi sa faiblesse traditionnelle en pays catholique : en 1950, l'Église reste, en Allemagne, parfaitement vivante. Le SPD récupère néanmoins les résultats de la percée communiste dans la Ruhr du début des années trente, ce qui lui donne enfin une réelle assise politique dans une région *ouvrière et catholique*.

A partir de 1960, le SPD progresse, dépasse son niveau de force traditionnel en Allemagne occidentale : il atteint 36,2 % des suffrages en 1961 ; 45,8 % en 1972[2]. Le gros de sa croissance s'effectue en pays catholique, à l'Ouest et au Sud. Cette marche en avant n'est que la continuation logique de la montée en puissance du socialisme durant les années 1880-1912. Alors, la social-démocratie progressait dans le sillage de la déchristianisation protestante. Entre 1960 et 1972, l'avancée plus modérée du SPD suit de très près l'amorce de déchristianisation perceptible en zone catholique. De 50 % en 1953, l'assistance moyenne à la messe dominicale tombe lentement à 39 % en 1968. Le recul du catholicisme est lent ; les progrès de la social-démocratie le sont aussi. Le mouvement n'arrivera d'ailleurs pas à son terme en Allemagne du Sud, le SPD n'y franchissant en général pas la barre de 40 % des suffrages exprimés.

Le système idéologique allemand

La déchristianisation de l'Allemagne rythme donc l'émergence des idéologies modernes, social-démocratie et nationalisme ethnocentrique, formes du socialisme et du nationalisme correspondant spécifiquement aux valeurs d'autorité et d'inégalité portées par la famille souche. La démocratie-chrétienne,

---

1. H. Ménudier, *op. cit.,* p. 195.
2. H. Ménudier, *op. cit.,* p. 195.

idéologie religieuse réactionnelle qui se définit pour résister à la social-démocratie et au nationalisme ethnocentrique, n'échappe pas non plus aux déterminations anthropologiques et aux valeurs de la famille souche. Les grandes forces idéologiques qui naissent et s'épanouissent dans l'espace allemand entre 1870 et 1932 ne sont jamais libérales ou égalitaires. Leur anti-individualisme est toujours manifeste. L'échec du libéralisme allemand, thème historiographique classique, a pour cause fondamentale l'incapacité de la famille souche à nourrir des idéaux qui lui sont contraires.

A gauche, à droite, au centre, les forces idéologiques allemandes finissent toujours par engendrer de vastes machines intégratrices. Les partis de masse – SPD, Zentrum, NSDAP – sont entourés d'une constellation d'organisations professionnelles ou culturelles satellites. Spontanément, la fidélité partisane produit en Allemagne des « sous-sociétés », verticalement intégrées, qui réalisent, dans le contexte d'une société et d'une économie modernes, l'idéal de la société d'ordres d'Ancien Régime. Ordre social-démocrate des ouvriers, ordre démocrate-chrétien des catholiques, ordre nazi des classes moyennes protestantes vers 1930. Le rapport des forces entre les trois grandes idéologies qui se partagent l'espace allemand n'est pas stable. Avant 1900, la social-démocratie semble appelée à dominer l'ensemble du système ; entre 1928 et 1933, c'est le nationalisme ethnocentrique qui l'emporte, éliminant par la terreur l'ensemble des autres forces. La réapparition, au lendemain de la guerre, d'une social-démocratie très semblable à elle-même et d'une démocratie-chrétienne triomphante malgré un traumatisme culturel sans précédent, témoigne de la stabilité des idéologies. La conjoncture, nationale ou internationale, peut modifier, perturber parfois, le rapport des forces entre les trois idéologies majeures ; elle ne parvient jamais à faire sortir de lui-même le système global, à produire autre chose qu'une domination de l'Allemagne par l'ensemble « social-démocratie + démocratie-chrétienne + nationalisme ethnocentrique ». Au lendemain de la Deuxième Guerre mondiale, le Parti libéral, le FDP, reste une force d'appoint nécessaire à certaines coalitions ; il ne dépasse jamais 12,8 % des suffrages exprimés entre 1949 et 1970 [1].

1. H. Ménudier, *op. cit.*, p. 195.

Rien ne permet d'ailleurs d'affirmer *a priori* que l'électorat du Parti libéral d'après guerre est plus authentiquement libéral que celui du groupe « national-libéral » d'avant 1914, qui s'aligne sans effort, entre 1928 et 1932, sur les positions nationales-socialistes.

Le destin politique de l'Allemagne fédérale des années 1949-1970 présente un intérêt théorique tout particulier pour la science politique. Le redécoupage du système étatique permet une vérification quasi expérimentale de l'autonomie anthropologique des idéologies. Ni la superstructure étatique ni le jeu national des partis ne parviennent à détruire les fondements régionaux, religieux et familiaux, de l'idéologie. Coupées de la partie orientale de l'Allemagne, qui inclut le centre historique de l'Empire, les régions de la République fédérale retrouvent en gros leurs alignements de 1928 ou de 1912. La seule modification importante est la disparition du nationalisme ethnocentrique, que l'occupant allié n'aurait pas toléré. L'État n'est donc pas l'espace naturel de vie de l'idéologie. Lorsque l'on coupe en deux l'État, l'idéologie, coupée en deux, continue de vivre et de s'exprimer là où l'existence des libertés politiques le permet. Formellement, la structure spatiale de l'idéologie est assez proche de celle d'une « culture cellulaire » qui, séparée en deux parties, continue de fonctionner. L'unité de vie et de reproduction de l'idéologie est bien sûr la famille, mieux, un groupement local de familles. La segmentation de l'État ne perturbe cette organisation de base qu'aux alentours de la frontière et dans les capitales. Dans l'ensemble, le tissu familial survit très bien à une telle opération chirurgicale et sa survie entraîne celle de l'idéologie locale.

L'un des traits frappants de la géographie idéologique de l'Allemagne est sa relative simplicité, particulièrement lorsqu'on la compare à celles de pays comme la France, l'Espagne ou l'Italie. Un seul type anthropologique occupe l'espace allemand, la famille souche, un peu moins nette en Rhénanie que dans le reste du pays, il est vrai. Mais on ne trouve nulle part de type franchement opposé, comme la famille nucléaire égalitaire, la famille communautaire ou la famille nucléaire absolue. La simplicité idéologique de l'Allemagne découle de cette simplicité anthropologique. En France, en Espagne, en Italie, où le type dominant est la famille nucléaire égalitaire, des systèmes familiaux minoritaires mais importants peuvent être observés dans l'espace national. En France, la famille souche surtout, mais aussi la famille communautaire et la famille nucléaire absolue. En Espagne, la famille souche, moins massive qu'en France, mais non négligeable cependant, puisqu'elle correspond aux minorités régionales basque, catalane et galicienne. En Italie, c'est la famille communautaire, massive et centrale, qui, de l'Émilie à l'Ombrie, brise l'homogénéité anthropologique du pays. Ces hétérogénéités créent, en France, en Espagne, en Italie, de véritables conflits entre valeurs.

Dans ces nations hétérogènes sur le plan anthropologique, l'émergence des systèmes idéologiques modernes, à trois composantes (socialisme + nationalisme + idéologie religieuse réactionnelle), crée un jeu extrêmement complexe, dans lequel chaque zone anthropologique produit *son* socialisme, *son* nationalisme et *son* idéologie religieuse réactionnelle. On voit donc apparaître des systèmes nationaux incluant six, neuf ou douze idéologies majeures, selon que les espaces nationaux comprennent deux, trois ou quatre types familiaux. Rien de tel en Allemagne, où l'homogénéité du fond anthropologique réduit le jeu des idéologies à l'affrontement de trois forces principales, partageant les mêmes valeurs d'autorité et d'inégalité. La répartition des composantes dans l'espace allemand – sociale-démocrate, nationaliste ethnocentrique, démocrate-chrétienne – peut donc être expliquée par le jeu de deux facteurs simples. D'abord et surtout, le clivage religieux originel, opposant régions protestantes et catholiques. Ensuite, la différenciation économique, certaines régions étant entre 1900 et 1960 plus industrielles et plus urbanisées que d'autres. Facteur religieux et facteur socio-économique expliquent l'essentiel des variations idéologiques à l'intérieur de l'espace allemand.

La social-démocratie, la démocratie-chrétienne, le mouvement nazi ont surtout des géographies de type religieux. Le communisme des années 1919-1933 a une géographie de type économique.

Une telle simplicité est rare en Europe. Elle est dans une certaine mesure surprenante. L'Allemagne, qui réalisa tardivement son unité, est en général présentée comme diverse et fragmentée. La persistance de micro-États jusqu'à une date tardive aurait dû encourager une différenciation politique. Une telle représentation est logique si l'on croit à une certaine autonomie du politique, à l'importance du rôle de l'État dans la construction des doctrines et des idéologies. Pour qui croit à l'importance du fait familial dans la détermination des idéologies, l'homogénéité politique allemande n'est pas une surprise : elle est un simple reflet de son unité familiale, anthropologique.

L'omniprésence de la famille souche permet en revanche d'expliquer en partie la fragmentation tardive du système étatique, entre le Moyen Age et 1871. La valeur d'inégalité portée par ce type anthropologique favorise une perception différenciée de l'humanité : le principe d'inégalité des frères, transformé en idéal d'inégalité des hommes, conduit à définir des différences « essentielles » entre Allemands et non-Allemands, entre juifs et Aryens, entre ouvriers et bourgeois, entre nobles et bourgeois. Elle implique aussi une attention suraiguë aux différences entre Bavarois, Saxons et Franconiens. Un certain amour de la micro-différence régionale peut être observé en Allemagne, qui explique assez bien la tendance du système étatique à se décomposer en unités provinciales. Situation paradoxale : un type familial uniforme encourage la perception de différences dans une culture remarquablement homogène, sur le plan familial en tout cas. Ce paradoxe permet cependant de comprendre pourquoi la fragmentation étatique n'empêcha pas l'émergence, après l'unité, de forces idéologiques massives et nationalement homogènes. La social-démocratie, la démocratie-chrétienne, le nationalisme ethnocentrique sont en Allemagne des forces d'échelle nationale. L'existence du Bayerische Volkspartei (devenu CSU) associé au Zentrum (devenu CDU) est l'exception, une demi-exception plutôt, qui confirme très bien la règle. Le nationalisme ethnocentrique eut un peu plus de mal que les autres idéologies à réaliser son unité nationale. L'obsession du peuple, du *Volk,* impliquait une certaine ambiguïté quant à la définition du « niveau national » idéal, et une certaine rivalité entre le nationalisme ethnocentrique et ce qu'il faut bien appeler le « régionalisme ethnocentrique ». Mais le NSDAP s'affirme en 1932 comme une force nationale, dont la géographie dépend d'autres forces nationales (religieuses surtout, parfois économiques) plutôt que de l'existence de particularismes locaux ou régionaux.

Le système idéologique allemand fondamental, avec ses trois

composantes – sociale-démocrate, nationaliste ethnocentrique, démocrate-chrétienne –, est donc assez simple. Dérivé des idéaux portés par la famille souche, il n'est pas réellement spécifique de l'Allemagne. D'autres nations européennes, plus petites comme la Suède, la Belgique, la Suisse, l'Autriche, l'Irlande, ou même infra-étatiques comme la Catalogne, le Pays basque et le pays de Galles, sont dominées par des types souches. La famille produisant partout les mêmes effets idéologiques, il ne sera pas nécessaire pour analyser leurs systèmes idéologiques d'utiliser de nouveaux concepts. Social-démocratie, nationalisme ethnocentrique, démocratie-chrétienne restent dans tous ces cas les éléments idéologiques fondamentaux constituant le système idéologique. Le changement d'échelle de la nation, qui de très puissante devient petite ou minuscule, implique évidemment un changement de mode d'expression du nationalisme ethnocentrique, qui d'offensif devient défensif.

CHAPITRE X

Autorité et inégalité
2. Les petites nations : Suède, Autriche, Belgique, Suisse, Irlande

Le système idéologique allemand, qui combine social-démocratie, nationalisme ethnocentrique et démocratie-chrétienne, ne s'arrête pas aux frontières de l'Allemagne. Il n'est pas spécifique d'un pays, d'une nation, d'une langue, mais d'un type anthropologique, la famille souche, dont la carte européenne définit un vaste espace idéologique dans lequel s'affrontent, au xxᵉ siècle, les mêmes trois grandes forces.

En Suède, en Belgique, en Autriche, en Suisse, en Irlande, en Écosse, au pays de Galles, en Catalogne, au Pays basque, dans le Sud-Ouest de la France, le Nord du Portugal ou le Nord-Est de l'Italie, la famille souche produit le même système idéologique. Le plus simple, pour vérifier la relation générale entre famille souche et système idéologique de type « allemand », est de cartographier à l'échelle européenne la social-démocratie, le nationalisme ethnocentrique et la démocratie-chrétienne vers 1975 (cartes 45, 46, 47). Sans être parfaite, la coïncidence est frappante. La combinaison de ces forces idéologiques redessine, avec quelques bavures exprimant des phénomènes locaux de diffusion de l'idéologie, la carte de la famille souche. Chacune des sphères idéologiques, prise séparément, semble incluse dans l'espace anthropologique autoritaire et inégalitaire. Le rapport d'inclusion est excellent dans le cas du nationalisme ethnocentrique (carte 46) et de la démocratie-chrétienne (carte 47). Il est un peu moins bon dans celui de la social-démocratie (carte 45) ; cette imperfection découle d'un isolement imparfait de la variable « social-démocratie » plutôt que d'une association atténuée entre la social-démocratie et la famille souche. Les cartes de la démocratie-chrétienne et du nationalisme ethnocentrique sont réalisées à partir d'une définition étroite et

45 – L'Internationale socialiste vers 1975

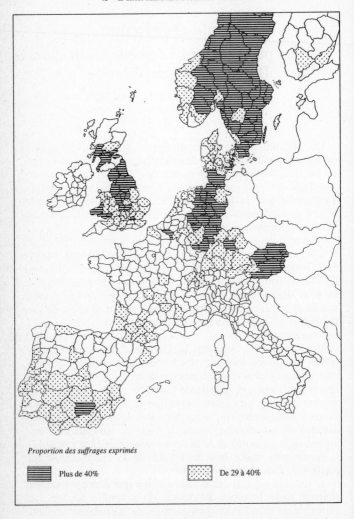

Proportion des suffrages exprimés

Plus de 40%

De 29 à 40%

46 – La revendication ethnocentrique vers 1975

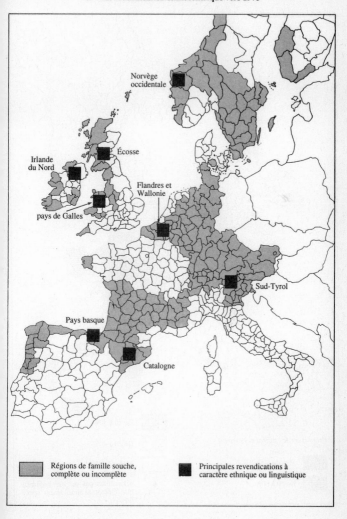

Norvège
occidentale

Écosse

Irlande
du Nord

Flandres et
Wallonie

pays de Galles

Sud-Tyrol

Pays basque

Catalogne

Régions de famille souche,
complète ou incomplète

Principales revendications à
caractère ethnique ou linguistique

47 – La démocratie-chrétienne vers 1975

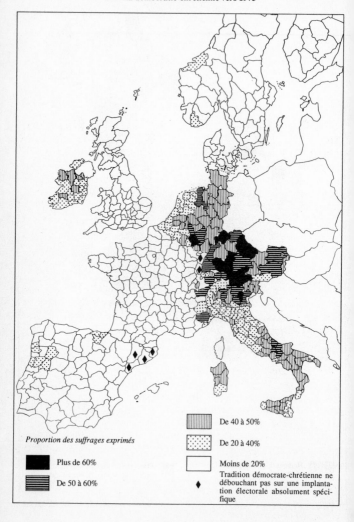

Proportion des suffrages exprimés

Plus de 60 %

De 50 à 60 %

De 40 à 50 %

De 20 à 40 %

Moins de 20 %

♦ Tradition démocrate-chrétienne ne débouchant pas sur une implantation électorale absolument spécifique

satisfaisante de ces concepts. La carte décrivant la social-démocratie représente l'ensemble des partis composant la IIe Internationale, « socialiste ». Elle mêle donc les variantes sociale-démocrate, anarcho-socialiste et travailliste du phénomène socialiste, ne laissant à vrai dire hors de son champ de définition que le communisme. Elle révèle néanmoins l'association entre famille souche et social-démocratie, parce que la social-démocratie constitue la partie la plus stable et la plus puissante de la IIe Internationale. Idéologie fortement structurée, la social-démocratie a pour caractéristique fondamentale, lorsqu'elle existe, une implantation électorale stable. L'anarcho-socialisme (examiné au chapitre 8) et le travaillisme (au chapitre 12) correspondent à des systèmes anthropologiques libéraux et sont beaucoup plus instables sur le plan organisationnel ou électoral. C'est la raison pour laquelle, lorsqu'on réalise la carte du « socialisme » de la IIe Internationale, c'est surtout la social-démocratie qui apparaît.

Les bastions les plus solides de la IIe Internationale sont, vers 1975, la Suède, l'Allemagne du Nord, l'Autriche, le pays de Galles, effectivement dominés par la famille souche. L'Écosse, l'Angleterre du Nord, la Norvège, également visibles sur la carte, ne correspondent que partiellement à ce type anthropologique.

Le « nationalisme ethnocentrique » est ici défini comme la somme des revendications politiques à justification « ethnologique ». Le catalogue des revendications ethniques de l'Europe des années 1970-1975 – écossaises, galloises, irlandaises, flamandes, wallonnes, basques, catalanes, sud-tyroliennes, norvégiennes de l'Ouest – s'inscrit rigoureusement dans l'espace défini par la famille souche. Ne sont mentionnés sur la carte 46 que les mouvements « ethniques » ayant réalisé quelques performances électorales, ce qui disqualifie bien sûr l'autonomisme corse.

La carte de la démocratie-chrétienne présente la relation d'inclusion la plus saisissante. Sont ici combinés les résultats électoraux de tous les mouvements appartenant à l'Internationale démocrate-chrétienne au milieu des années soixante-dix. A partir d'un épicentre situé en Bavière, la démocratie-chrétienne semble étendre son influence sur l'Autriche, la Suisse, l'Allemagne du Nord, les Pays-Bas du Sud, la Belgique, l'Italie du Nord-Est.

Hors de ce bloc principal, qui correspond bien au noyau central de la famille souche européenne, la démocratie-chrétienne peut être observée en Irlande, au Nord du Portugal, au Pays basque, en Catalogne, en Alsace, toutes régions de famille souche. Le cas de la démocratie-chrétienne italienne, mentionné au chapitre 8, est la seule imperfection de la carte : celle-ci ne coïncide avec la famille souche qu'en Vénétie. Vers 1975, la démocratie-chrétienne italienne n'est plus de type classique. Elle est une vaste coalition de factions soudées par l'anticommunisme plutôt que par le catholicisme. Ses innombrables tendances, le plus souvent libérales et anarchisantes, n'existent pas dans les partis organisés et disciplinés que sont la CDU allemande, le Parti populaire autrichien, les sociaux-chrétiens belges. Pour dessiner la carte vraie de la démocratie-chrétienne italienne, il faut remonter à son origine au lendemain de la Première Guerre mondiale. Alors, le Parti populaire italien (PPI) de Sturzo apparaît bien comme une force démocrate-chrétienne classique. Aux élections de novembre 1919, le PPI n'apparaît nullement comme un parti dominant, puisqu'il n'obtient que 20,6 % des suffrages exprimés, malgré le soutien pontifical [1]. Il n'est très puissant, à la manière du Zentrum allemand, des chrétiens-sociaux autrichiens ou des catholiques belges, avec plus de 30 % des voix, que dans le coin nord-est de la péninsule, entre Venise, Brescia et la frontière autrichienne, c'est-à-dire dans la seule région du pays qui puisse être considérée comme occupée par des structures familiales de type souche (carte 48).

La carte de la démocratie-chrétienne européenne vérifie de façon particulièrement saisissante l'explication anthropologique de l'idéologie, parce qu'elle correspond beaucoup mieux à la famille souche qu'à la pratique religieuse catholique. Comme l'écrit Jean-Marie Mayeur, *« sur la carte des partis catholiques dans l'Europe d'avant 1914, trois États figurent par une même absence : la France, l'Espagne, l'Italie [2] »*. Absence étonnante lorsqu'on pense à la relation entre catholicisme et latinité. Absence logique si l'on accepte l'idée d'une association spécifique des partis catholiques, puis de la démocratie-chrétienne, à

---

1. J.-M. Mayeur, *Des partis catholiques à la démocratie-chrétienne*, p. 112-113.

2. J.-M. Mayeur, *op cit.*, p. 83.

48 – Italie : la démocratie-chrétienne en 1919

Provinces dans lesquelles le Parti populaire italien a obtenu plus de 30% des suffrages exprimés en 1919

la famille souche. Dans les régions latines de forte pratique religieuse, catholiques mais de famille nucléaire égalitaire, comme la Lorraine, l'Espagne du Nord ou la Lombardie, l'idéologie n'est pas démocrate-chrétienne mais libérale ou anarchisante, version catholique modérée.

Suède

L'idéologisation de la Suède reproduit, avec une grande perfection, celle de l'Allemagne du Nord. Dans les quelques décennies qui suivent l'établissement du suffrage universel, la social-démocratie y atteint une position de prééminence indiscutable. A ce stade, le parallélisme des histoires idéologiques ne fait que refléter la similitude des terrains anthropologiques et religieux. En Suède, comme en Allemagne du Nord, domine la famille souche, autoritaire et inégalitaire. Dans les deux régions, la même religion luthérienne s'effondre, dans la même phase du développement européen, c'est-à-dire entre 1880 et 1930, emportée par le darwinisme et l'industrialisation. La Suède apparaît également, comme l'ensemble de l'Allemagne, totalement alphabétisée au moment où le suffrage universel est institué.

Le décollage de la social-démocratie suédoise est un peu plus tardif que celui de son homologue allemande. La Suède, en effet, n'adopte le suffrage universel (masculin) qu'en 1911, quarante ans après le IIe Reich allemand[1]. Les sociaux-démocrates suédois rattrapent cependant très vite leur léger retard historique. Au contraire de la social-démocratie allemande, qui n'émerge que lentement, avec 3,3 % des voix en 1871, 10,1 % en 1887, la social-démocratie suédoise semble naître adulte ou tout du moins adolescente. Dès 1911, à l'occasion des premières élections tenues au suffrage universel, elle obtient 28,5 % des suffrages exprimés. Sa croissance est ralentie par la Première Guerre mondiale ; mais, dès 1924, elle atteint 41,1 % des voix et, en 1932, 45,8 %. Elle parvient alors au pouvoir, avec l'appui

1. La Suède adopte le suffrage universel pour les deux sexes en 1921.

du Parti agrarien. La suprématie sociale-démocrate s'établit : 50,6 % des exprimés en 1936, 54,2 % en 1940. Ces performances exceptionnelles résultent en partie de la réussite de la politique économique sociale-démocrate, qui maîtrise localement la dépression mondiale par une intervention de l'État ne devant rien à la théorie keynésienne. Entre 1944 et 1968, le Parti social-démocrate perd sa majorité absolue. Oscillant entre 45 et 50 % des suffrages exprimés, il peut cependant compter sur l'abstention d'un Parti communiste marginal recueillant 3 à 5 % des voix et, surtout, sur l'impuissance d'une opposition divisée. Il garde donc le pouvoir, jusqu'à 1976. La stabilité de l'électorat social-démocrate suédois, qui s'exprime dans le cadre d'un ordre institutionnel immuable, échappant aux deux guerres mondiales, est tout à fait remarquable. Sa taille, cependant, n'a rien d'exceptionnel. La domination sociale-démocrate en Suède ressemble en tout point à la prééminence de la social-démocratie dans l'Allemagne protestante à la veille de la Première Guerre mondiale. Même les variations régionales sont comparables et correspondent à des différences de structures socio-économiques équivalentes. En 1903, le SPD allemand recueille 59 % des voix en Saxe, région surindustrialisée, 44 % dans le Schleswig-Holstein, zone rurale d'exploitation familiale [1]. Il est donc puissant partout mais n'atteint la majorité absolue que là où existe un prolétariat important. En Suède aussi, la morphologie économique définit des zones de domination absolue et de puissance relative. Le retard industriel du pays et son homogénéité socio-économique mettent cependant la classe ouvrière en position secondaire comme facteur déterminant des différences régionales. Le groupe qui peut donner au Parti ouvrier social-démocrate suédois la majorité absolue est encore, vers 1930, le prolétariat agricole. Les salariés ruraux sont nombreux au Nord du pays, surtout lorsque l'on inclut les bûcherons, composante essentielle de la force de travail du secteur primaire dans ce pays de forêts. Au Sud-Ouest de la Suède, la présence d'une paysannerie moyenne et indépendante solide, assez semblable à celle du Schleswig-Holstein, empêche la social-démocratie d'atteindre la majorité absolue des voix. Cette géographie originale

---

1. Pour les données régionales concernant l'Allemagne en 1903, voir J. Bertram, *Die Wahlen zum Deutschen Reichstag vom Jahre 1912,* p. 206.

49 – Suède : la social-démocratie en 1968

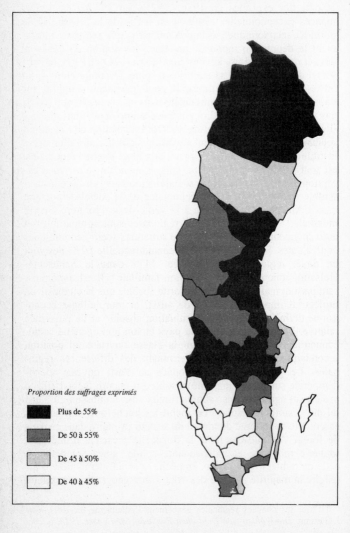

Proportion des suffrages exprimés

■ Plus de 55%

▨ De 50 à 55%

▨ De 45 à 50%

□ De 40 à 45%

a) Les salariés agricoles en 1960

*Proportion dans la population active
agricole masculine*

Plus de 50%

De 40 à 50%

De 30 à 40%

Moins de 30%

b) L'industrie en 1970

*Proportion de la population active
masculine employée dans l'industrie*

Plus de 45%

De 40 à 45%

De 35 à 40%

Moins de 35%

persiste au-delà de l'histoire des classes sociales : en 1968, le prolétariat agricole est devenu insignifiant et la classe ouvrière est aussi nombreuse au Sud-Ouest qu'au Centre, mais la carte de la social-démocratie continue de refléter celle des systèmes agraires anciens (cartes 49, 50 *a*, 50 *b*). Le Parti ouvrier dépasse 50 % des exprimés dans toutes les régions où dominait le salariat rural, il oscille entre 40 et 50 % dans les régions d'exploitation familiale. Dans les années 1970-1979, le coefficient de corrélation associant vote social-démocrate et proportion d'ouvriers agricoles dans la population active du secteur primaire reste de l'ordre de + 0,80, c'est-à-dire très élevé[1]. Dans cette nation absolument rurale jusque vers 1880, les paysans ne cessent de constituer la majorité de la population active que vers 1910. La carte politique garde longtemps la trace de ces origines agraires.

L'effondrement du système religieux mène, en Suède comme en Allemagne du Nord, à l'émergence d'une croyance de remplacement, d'une cité terrestre idéale capable de remplacer la cité céleste disparue. Les doctrines et les pratiques militantes des sociaux-démocrates suédois et allemands diffèrent peu. Le mouvement allemand est en parole un peu plus révolutionnaire, puisque le Parti ouvrier social-démocrate suédois fait l'économie d'une adhésion à la phraséologie marxiste. Mais le goût de l'organisation, la puissance des syndicats amis et alliés, et une pratique absolument réformiste se retrouvent des deux côtés de la Baltique. On peut seulement noter en Suède une position particulièrement forte du mouvement coopératif et une hostilité déclarée à la consommation d'alcool. L'amour de l'État est le même. Les traditions étatiques suédoises n'ont d'ailleurs rien à envier à celles de la Prusse. Le principe d'autorité, inscrit dans la structure familiale, nourrit l'étatisme social-démocrate, comme il avait favorisé, trois siècles plus tôt, l'émergence d'une solide bureaucratie, s'appuyant en Suède sur les pasteurs luthériens plutôt que sur la noblesse[2]. L'inégalité des frères conduit à l'in-

---

1. Vote social-démocrate en 1979, ouvriers agricoles en 1960.
2. A l'occasion de recherches sur les systèmes familiaux de la Suède méridionale, j'ai eu l'occasion de travailler sur des registres de population du début du XIXᵉ siècle. L'enregistrement des mouvements individuels – entrées et sorties des paroisses – par le pasteur y apparaît d'une méticulosité extraordinaire. Ces documents évoquent l'encadrement exceptionnel des populations préindustrielles de la Suède. Leur examen est une bonne vaccination

différence au principe d'égalité des hommes et permet, en Suède comme en Allemagne, l'acceptation de la monarchie. En pays social-démocrate peut exister un être spécial, le roi, dépourvu de pouvoir mais reconnu différent des autres par essence. Incarnation terrestre du rêve social-démocrate, la Suède du xxᵉ siècle démontre la compatibilité du principe monarchique et de l'idéal social-démocrate, compatibilité que l'histoire allemande des années 1900-1914 laissait soupçonner. Reste à expliquer le succès historique de la social-démocratie suédoise et l'échec de la social-démocratie allemande. Les raisons de la divergence doivent être cherchées hors des social-démocraties elles-mêmes, les différences de structure, d'idéologie, d'implantation entre les deux mouvements étant à l'origine relativement secondaires. C'est à droite, du côté des adversaires, que peuvent être identifiés les facteurs expliquant l'effondrement de la social-démocratie allemande entre 1918 et 1933, l'épanouissement de la social-démocratie suédoise durant la même période.

Échec allemand, succès suédois : nationalisme et classes moyennes

Le premier développement du SPD allemand entre 1871 et 1890 conduit très vite à une réaction défensive des classes moyennes, qui définissent, contre la social-démocratie, une idéologie nationaliste de droite. L'effondrement religieux de la fin du xixᵉ siècle mène donc en Allemagne à l'émergence successive de deux idéologies, la social-démocratie puis le nationalisme ethnocentrique dans ses divers avatars, pangermaniste, antisémite, nazi. Le dogme de la supériorité intrinsèque de l'Allemagne tient en échec celui de la rédemption par la classe ouvrière. Cette mécanique dualiste, qui aboutit aux affrontements des années 1918-1933, est impossible en Suède, pour deux raisons.

---

contre toute croyance en un totalitarisme spécifique de la social-démocratie suédoise, qui aspirerait à contrôler dans le détail la vie des citoyens. Ce type de contrôle semble bien établi en Suède vers 1820, plus d'un siècle avant la prise du pouvoir par le Parti social-démocrate. Nous avons là une preuve spectaculaire de la continuité « autoritaire » de l'histoire sociale suédoise.
    Pour une rapide description de ces registres, voir E. Todd, *Seven Peasant Communities in Pre-Industrial Europe*, p. 21-22.

D'abord, parce que la Suède est une petite nation, peuplée de 5 millions d'habitants vers 1900, contre 60 millions à l'Allemagne. Le développement d'une idéologie nationaliste agressive y est inconcevable. Les classes moyennes suédoises, au contraire de leurs homologues allemandes, ne peuvent fantasmer sur la conquête du monde. L'analyse du cas suédois permet de saisir, par contraste, la véritable spécificité du cas allemand. L'Allemagne n'est pas mieux douée que d'autres pays de famille souche pour le nationalisme ethnocentrique, mais sa taille, sa puissance rendent possible le développement d'une idéologie agressive insistant sur l'infériorité de certains peuples, de certaines races. Il y a là un phénomène de masse critique, n'ayant rien à voir avec le type familial ou l'intensité du processus de déchristianisation. Une Suède de 60 millions d'habitants aurait vraisemblablement développé un nationalisme ethnocentrique conquérant, certain de l'infériorité des non-Suédois. La famille souche nourrit pourtant en Suède un sentiment de différence entre les hommes, entre les peuples, qui mène logiquement à la définition d'un *neutralisme* très solide. Le neutralisme semble la forme naturelle du nationalisme ethnocentrique *dans un petit pays indépendant.* Il est une négation douce du monde extérieur, parfaitement tolérable, mais qui ne refuse pas moins que l'ethnocentrisme agressif le principe de l'homme universel. Forme spécifique du nationalisme, le neutralisme ne peut en aucune manière gêner la social-démocratie. Ethnocentrisme d'une nation faible, il s'accorde merveilleusement au message ouvrier de défense des faibles à l'intérieur du pays. Le couple idéologique « social-démocratie + neutralisme » laisse les classes moyennes suédoises sans idéologie de rechange, les rêves de la classe ouvrière s'accordant à ceux de la nation.

Un deuxième facteur contribue au désarmement idéologique des classes moyennes et de la droite suédoise, leur faiblesse quantitative à l'aube de l'âge idéologique. Vers 1900, la Suède est encore un pays rural à l'armature urbaine assez faible. Sous l'Ancien Régime, la noblesse, premier ordre du royaume, y est déjà numériquement fragile, moins de 0,5 % de la population en 1718[1]. La paysannerie, composante reconnue de la société d'ordres, a sa propre représentation au Riksdag. Dans la phase

---

1. Cf. J.-P. Labatut, *Les Noblesses européennes,* p. 12.

d'émergence idéologique, la droite ne trouve en Suède aucun support socio-économique solide et massif. En Allemagne, au contraire, petits nobles (micro-junkers), bourgeois et artisans donnent d'emblée au nationalisme de droite une assise sociale ; le contrôle idéologique de la paysannerie par ces divers groupes lui assure une base de masse. En Suède, la paysannerie échappe dès les années 1917-1932 au contrôle du Parti conservateur. Elle forme son propre parti, « agrarien », qui, au moment décisif, choisit l'alliance sociale-démocrate dans une coalition rouge-verte associant tous les travailleurs manuels.

Le modèle socialiste suédois : égalitarisme ou société d'ordres ?

Au pouvoir de façon ininterrompue durant quatre décennies, la social-démocratie suédoise a pu, mieux que toute autre, incarner son idéologie dans une réalisation terrestre. L'intervention de l'État s'y exprime surtout par une pression fiscale directe très élevée. Le droit de propriété, industrielle notamment, étant respecté, le modèle suédois fait donc coexister des services sociaux abondants et des grandes entreprises privées à vocation exportatrice et multinationale. Le plus frappant, dans ce système, est que la toute-puissance historique du socialisme, l'interventionnisme constant de l'État depuis 1932 n'y aboutissent à aucun dérapage marxiste, à aucune tentative d'extension totalitaire du secteur public, de liquidation des classes bourgeoises. Le trait autoritaire du système culturel – familial et idéologique – explique la puissance de l'État ; son trait inégalitaire explique la survie du capitalisme bourgeois. La pensée sociale-démocrate, ou simplement suédoise, accepte la coexistence d'*êtres* sociaux de nature différente. Le pouvoir social-démocrate accepte le roi, il s'accommode aussi fort bien de la permanence d'une bourgeoisie. Le pouvoir, non l'existence, est refusé au roi et aux capitalistes. Ce qui retient le socialisme suédois de franchir la limite séparant le socialisme démocratique du communisme, c'est qu'il n'est pas égalitaire, n'a pas la passion de l'homogénéité sociale, n'est pas hétérophobe. La présence au pouvoir du parti de la classe ouvrière n'implique pas la destruction des partis bourgeois, au contraire. La structuration idéologique de la vie politique suédoise insiste lourdement sur la nécessité de l'affrontement entre le Parti ouvrier social-démocrate et les partis bourgeois, qui contribuent ainsi, à leur manière, à la définition de l'ouvriérisme social-démocrate.

Cet inégalitarisme est troublant parce qu'il met le « supérieur » économique en situation de « dominé » politique, mais il est la conséquence normale d'un système idéologique qui accepte l'existence d'êtres sociaux divers.

L'écrasement de l'échelle des revenus par la fiscalité est à tort interprété comme le signe d'un égalitarisme viscéral. Il ne touche que l'extérieur des êtres, leur niveau de vie, non leur essence. Une réponse égalitaire authentique au problème de la différenciation économique ne serait pas fiscale. L'égalitarisme, qui aspire à réduire les êtres à un dénominateur commun, peut, comme en Union soviétique, les transformer tous en fonctionnaires de l'État ou, comme dans la théorie anarchiste, les déifier tous, rêvant les individus indépendants de l'État, coopérateurs ou propriétaires. Le système suédois, au contraire, accepte la diversité des statuts économiques. Cette diversité est un préalable nécessaire à l'écrasement des différences matérielles par la fiscalité. La relative égalité des revenus suédois n'est d'ailleurs pas l'effet d'une volonté spécifiquement sociale-démocrate. L'égalité matérielle est une tradition suédoise : les différences de niveau de vie n'ont jamais été spectaculaires dans cette société rurale très alphabétisée. La Suède ne peut trouver dans son passé l'image d'une société opposant une paysannerie misérable à une classe moyenne ignoblement épanouie. L'Ancien Régime suédois combinait égalité relative des niveaux de vie et acceptation des différences de statut. Il peut être rétrospectivement défini comme une société d'ordres à substrat matériel égalitaire. La représentation autonome de la paysannerie aux états du royaume résume ces deux aspects : elle définit les valeurs centrales d'une société d'Ancien Régime qui accepte l'existence d'une essence paysanne, différente des essences noble ou cléricale, avec un statut et des droits. D'une certaine façon, la cité sociale-démocrate des années 1950-1970 n'est qu'une translation industrielle de ce modèle rural. Le Parti social-démocrate représente l'ordre ouvrier, dominant les autres partis, qui expriment les aspirations des ordres non ouvriers. La pression fiscale reproduit l'égalité matérielle des campagnes suédoises des XVIIe-XIXe siècles et du système urbain sous-développé de l'époque.

La phase de transition des années 1920-1940, durant laquelle l'ordre ouvrier l'emporte sur tous les autres, porté par l'industrialisation, est particulièrement intéressante. Elle permet de montrer à quel point les partis politiques suédois sont les héritiers des ordres d'Ancien Régime. Entre 1920 et 1932, la crois-

	Communistes	Sociaux-démocrates	Libéraux	Agrariens (Centre)	Conservateurs
1911		28,5	40,2		31,3
1914-1		30,1	32,2		37,7
1914-2		36,4	26,9		36,7
1917	8,1	31,1	27,6	8,5	24,7
1920	6,4	29,6	22,0	14,1	27,8
1921	7,8	36,2	19,1	11,0	25,8
1924	5,1	41,1	16,9	10,8	26,1
1928	6,4	37,1	15,9	11,2	29,4
1932	9,1	45,8	12,9	15,5	25,8
1936	8,5	50,6	14,2	15,8	19,3
1940	3,6	54,2	12,1	13,7	15,9
1944	10,3	46,7	12,9	13,6	15,9
1948	6,3	46,1	22,8	12,4	12,3
1952	4,3	46,1	24,4	10,7	14,4
1956	5,0	44,6	23,8	9,4	17,1
1958	3,4	46,2	18,2	12,7	19,5
1960	4,5	47,8	17,5	13,6	16,5
1964	5,2	47,3	17,0	13,2	13,7
1968	3,0	50,1	15,0	16,1	13,9
1970	4,8	45,3	16,2	19,9	11,5
1973	5,3	43,6	9,4	25,1	14,3
1976	4,8	42,7	11,1	24,1	15,6
1979	5,6	43,2	10,6	18,1	20,3
1982	5,6	45,6	5,9	15,5	23,6
1985	5,4	44,7	14,2	12,4	21,3
1988	5,9	43,7	12,2	11,4	18,3

Suède : élections à la chambre basse du Riksdag (1911-1988)
Proportion des suffrages exprimés (en %)

Source : L. Lewin, B. Jansson, D. Sörbom, *The Swedish Electorate 1887-1968,* p. 146-148.
Annuaires statistiques de la Suède pour la période 1970-1988.

sance de la classe ouvrière organisée assure la montée en puissance du Parti social-démocrate. Mais les paysans aussi s'auto-définissent politiquement, par la fondation du Parti agrarien, qui atteint en 1932 le score de 15,5 % des exprimés. Durant cette période décisive, le Parti conservateur représente les classes moyennes urbaines, et sa faiblesse (26 % des voix) est leur faiblesse. Le Parti libéral, en décomposition continue puisqu'il tombe de 40,2 à 12,9 % des exprimés entre 1911 et 1932, ne représente aucune classe particulière : hérité d'une phase antérieure au suffrage universel, né de l'influence anglo-française, il se décompose, laminé comme en Allemagne, par le trait autoritaire de la famille souche. Le système politique qui apparaît dans la Suède des années trente reflète assez bien le système socio-économique. Ouvriers, paysans, bourgeois ont leur parti. Ils sont trois ordres, dont la nécessaire collaboration définit le système suédois. Mais l'ordre ouvrier est le premier du royaume.

L'Autriche

Petit pays de langue allemande et de famille souche, l'Autriche produit, au xxe siècle, un système idéologique de type classique, dont les trois forces caractéristiques sont la social-démocratie, le nationalisme ethnocentrique et la démocratie-chrétienne. Les particularités locales de l'imprégnation religieuse aboutissent cependant à la domination de deux des trois idéologies : la social-démocratie et la démocratie-chrétienne. Le nationalisme ethnocentrique, prenant ici la forme inévitable du pangermanisme, court d'échec en échec électoral entre 1907 et 1983.

Globalement, l'Autriche des années 1900-1965 reste un pays catholique pratiquant, dans lequel la foi a résisté aux crises religieuses du xviiie siècle et des années 1880-1930. La région avait cependant été assez largement touchée par la réforme protestante au xvie siècle [1]. La Contre-Réforme catholique n'avait pas éli-

---

1. *Atlas zur Kirchengeschichte*, p. 73.

miné toute dissidence religieuse. La trace du protestantisme est encore nette au recensement de 1934, sous forme de minorités, sur les marches orientales et sud-orientales du pays, au Burgenland, en Carinthie et, dans une moindre mesure, en Styrie (carte 51 *b* ; A1, 2, 6). Vers 1950, au Sud-Est du pays, la pratique religieuse, sans être négligeable, n'est jamais très élevée, puisqu'elle n'atteint pas 30 % d'assistance à la messe dominicale (carte 30). Au XXᵉ siècle, le protestantisme n'est plus que résiduel ; il survit cependant négativement par un affaissement structurel du catholicisme, qui a souvent réussi à le détruire sans parvenir à le remplacer. La situation religieuse des provinces sud-orientales de l'Autriche, dominées par la famille souche comme le reste du pays, mais où le catholicisme ne s'est jamais complètement remis des crises du XVIᵉ siècle, est très semblable à celle du Sud-Ouest français. Le long de la vallée de la Garonne, on observe vers 1950-1960 la même famille souche, les mêmes minorités protestantes résiduelles, la même pratique catholique de niveau moyen.

Austro-marxisme et sociaux-chrétiens

En 1889 est fondé à Hainfeld le Parti social-démocrate ouvrier, dont l'action s'inscrit au départ dans le cadre multinational de la double monarchie des Habsbourg. Vocabulaire marxiste, pratique réformiste : l'austro-marxisme ne se distingue du cousin allemand que par une proportion un peu plus élevée de théoriciens brillants, contribution de la culture viennoise fin de siècle à l'histoire du socialisme. Le développement de la social-démocratie entraîne, mécaniquement, celui d'une idéologie de droite concurrente. Le Mouvement populaire social-chrétien (Christlichsozialen Volksbewegung) de Karl Lüger, antisocialiste, antilibéral, antisémite, semble un instant une préfiguration du nazisme, mais se contente très vite de devenir l'une des démocraties-chrétiennes les plus puissantes d'Europe. Que s'est-il passé ? A l'origine, le Mouvement, viennois, fleurit en milieu urbain déchristianisé. Lorsque Lüger est élu maire de Vienne en 1897, son parti représente un nationalisme de droite, dont la thématique majeure est antisémite. Il combat la social-démocratie mais remplace aussi une religion catholique *locale-*

51 – Autriche

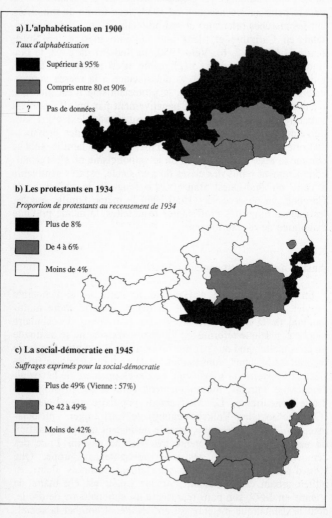

a) L'alphabétisation en 1900

Taux d'alphabétisation

- Supérieur à 95%
- Compris entre 80 et 90%
- ? Pas de données

b) Les protestants en 1934

Proportion de protestants au recensement de 1934

- Plus de 8%
- De 4 à 6%
- Moins de 4%

c) La social-démocratie en 1945

Suffrages exprimés pour la social-démocratie

- Plus de 49% (Vienne : 57%)
- De 42 à 49%
- Moins de 42%

ment moribonde. Il définit une cité idéale de remplacement, ni socialiste ni chrétienne. Par la suite, la pénétration de la province autrichienne par le Mouvement social-chrétien conduit à l'absorption de régions où le catholicisme est intact ou tout du moins suffisamment puissant pour produire sa propre idéologie réactionnelle. Globalement, la tendance démocrate-chrétienne l'emporte, le parti fondé par Karl Lüger ne sera finalement qu'une démocratie-chrétienne particulièrement réactionnaire, fortement colorée d'antisémitisme mais non pangermaniste. La mutation initiale du Mouvement social-chrétien est un échec significatif du nationalisme ethnocentrique, le premier en Autriche d'une longue liste. La situation de demi-déchristianisation (ou de demi-christianisation) de l'Autriche du xxᵉ siècle ne laisse pas assez d'espace social à l'idéologie nationaliste. La social-démocratie remplit la plus grande partie d'un espace déchristianisé s'organisant autour de deux pôles, la classe ouvrière, les provinces orientales et sud-orientales (carte 51 *c*). La démocratie-chrétienne tient le monde catholique, avec ses deux pôles, les classes moyennes et rurales, les provinces de l'Ouest. Dès l'établissement du suffrage universel en 1907, une situation de duopole s'établit.

Les deux camps *(Lager)*

Aux élections de 1907, les populations allemandes de la partie occidentale de la double monarchie (Cisleithanie) accordent 42 % de leurs suffrages aux sociaux-chrétiens, 30 % aux sociaux-démocrates, 5,3 % aux pangermanistes, le reste aux agrariens et à divers types de progressistes. Le duopole « démocratie-chrétienne/social-démocratie » apparaît donc instantanément, toutes les autres forces politiques étant laminées par l'irruption des masses dans la vie politique. Le libéralisme bourgeois du xixᵉ siècle s'efface encore plus vite qu'en Allemagne. Très vite, sociaux-chrétiens et sociaux-démocrates définissent deux subcultures indépendantes et concurrentes. La réduction de l'Autriche à sa partie proprement allemande en 1918 laisse face à face chrétiens et socialistes. Dans les deux camps, le parti n'est que le point central d'une nébuleuse organisationnelle combinant associations de jeunes et de femmes, syn-

Élections législatives autrichiennes (1907-1986)
Proportion des suffrages exprimés (en %)

	Sociaux-démocrates	Démocrates-chrétiens	Pangermanistes	Communistes
1907	30	42	5	
1911	29	53	18	
1919	41	36	18	
1920	36	42	17	
1923	40	45	13	
1927	42	48	7	
1930	41	36	22	
1945	45	50	–	5
1949	39	44	12	5
1953	42	41	11	5
1956	43	46	7	4
1959	45	44	8	3
1962	44	45	7	3
1966	43	48	5	1
1970	48	45	6	1
1971	50	43	6	1
1975	51	43	5	1
1979	51	42	6	1
1983	48	43	5	1
1986	43	41	10	1

Sources : pour 1907, W.A. Jenks, *The Austrian Reform of 1907*, p. 179-187 (Allemands de Cisleithanie) ; pour 1911-1979, M.A. Sully, *Political Parties and Elections in Austria*, p. 3 ; pour 1983 et 1986, *Statistisches Handbuch für die Republik Österreich*, 1988.

dicats, ligues, groupements culturels, organes de presse. Chacun des *Lager* intègre complètement l'individu ; il est une « société en soi [1] ». La famille souche, avec ses valeurs d'autorité et d'iné-galité, semble développer partout cette tendance à l'apparition de subsociétés différentes, rivales, parallèles. La machine

---

1. Sur la notion de *Lager,* voir M.A. Sully, *Political Parties and Elections in Austria,* p. 2.

sociale-démocrate suédoise, le SPD et le Zentrum allemands, le Parti nazi définissent tous des subcultures verticalement intégrées.

Le système suédois contient *une seule* société de ce type, le système allemand *trois*. Le modèle autrichien n'est pas impair mais pair : il met face à face *deux* subcultures et définit une polarisation aiguë. L'auto-organisation des deux mondes y est poussée plus loin qu'ailleurs. Dans le contexte troublé et violent des années 1918-1930, la polarisation aboutit à la constitution de deux armées rivales, *Heimwehr* du côté catholique, *Schutzbund* du côté socialiste. Le processus de séparation sociale atteint ainsi son terme logique, la puissance militaire donnant à chacun des deux camps une allure d'État indépendant.

Ensemble, sociaux-chrétiens et sociaux-démocrates contrôlent 77 à 85 % de l'électorat durant l'entre-deux-guerres. Rebaptisés « populistes » et « socialistes » au lendemain de la Deuxième Guerre mondiale, ils continuent de tenir entre 83 et 95 % de l'électorat[1]. La stabilité des deux forces sur longue période est tout à fait remarquable : ni l'explosion de l'Empire austro-hongrois en 1918, ni l'Anschluss (c'est-à-dire le rattachement à l'Allemagne) en 1938 ne semblent capables d'ébranler durablement les alignements politiques. Les idéologies sont, il est vrai, solidement assises sur des fondements anthropologiques et religieux stables. Quelques oscillations peuvent être décelées : poussée temporaire sociale-démocrate en 1918, affaiblissement démocrate-chrétien en 1930, passage d'une domination démocrate-chrétienne entre 1907 et 1930 à un presque équilibre entre 1945 et 1970, puis à une prééminence sociale-démocrate. Mais globalement le système tient. D'autant qu'avec le temps les valeurs sociales des deux camps se rapprochent : au conflit haineux des années 1920-1934 succède, entre 1945 et 1966, une grande coalition.

---

2. Sozialistische Partei Österreichs (SPÖ) et Österreichische Volkspartei (ÖVP).

L'entre-deux-guerres et l'échec du nazisme

Au lendemain de la Première Guerre mondiale, démocrates-chrétiens et sociaux-démocrates collaborent un temps à l'établissement de la Ire République. A partir de 1920, les catholiques, les *noirs,* dont la majorité n'est que relative, gouvernent avec le consentement des pangermanistes, partisans du rattachement à l'Allemagne. Ces derniers, avant 1930, ne dépassent jamais 18 % des suffrages exprimés, malgré des conditions particulièrement favorables. Personne ne croit alors à la viabilité du nouvel État autrichien, à sa *Lebensfähigkeit* comme on dit à l'époque. Le pangermanisme se présente comme une solution raisonnable. Les sociaux-démocrates, jusqu'à la prise du pouvoir par Hitler, sont favorables à l'Anschluss, qui signifierait pour eux un rattachement à la grande social-démocratie allemande.

Le catholicisme est encore trop solide. Le pangermanisme ne peut s'épanouir. La crise économique mondiale, qui frappe l'Autriche presque aussi violemment que l'Allemagne, ne parvient pas à assurer un véritable décollage du nationalisme ethnocentrique.

L'Autriche, dont le développement industriel est comparable à celui de la Suède à la veille de la crise, a 15 % de chômeurs en 1930, 20 % en 1931, 26 % en 1932, 29 % en 1933, 26 % encore en 1934 [1]. Les sociaux-chrétiens régressent certes de 48 à 36 % des suffrages exprimés entre les élections de 1927 et de 1930. Les sociaux-démocrates se maintiennent à 41 %. Les pangermanistes, qui s'alignent progressivement sur les positions nazies, n'atteignent cependant que 22 % des voix en 1930, toutes tendances confondues. Les sociaux-chrétiens, menacés, mais bénéficiant de leur position centriste dans le jeu politique, réagissent au péril nazi : en mars 1933, c'est-à-dire au moment même où Hitler prend le pouvoir en Allemagne, le chancelier Dollfuss liquide le système parlementaire autrichien et installe une dictature très originale, s'appuyant simultanément sur l'Église et les groupes paramilitaires de la Heimwehr. Il interdit très vite le Parti nazi autrichien et ouvre pour ses militants des camps de

1. BIT, *Annuaire des statistiques du travail 1937,* p. 40.

détention[1]. Le pouvoir se tourne aussi contre les sociaux-démocrates, dont un soulèvement improvisé est écrasé en février 1934[2]. En juillet 1934, la dictature sociale-chrétienne résiste à une tentative de coup d'État nazi[3]. Dollfuss est assassiné, mais Schuschnigg, qui lui succède, poursuit sa politique de résistance à Hitler. Son seul soutien extérieur est alors le régime fasciste italien. La résistance autrichienne à Hitler ne cesse que lorsque Mussolini, finalement engagé dans l'axe Berlin-Rome, lâche Schuschnigg. L'Autriche est alors envahie militairement par l'armée allemande. Mais, jusqu'au bout, la puissance relative du catholicisme autrichien, de ses formations politiques et paramilitaires empêche une prise du pouvoir par le nazisme local.

En Autriche, comme en Bavière ou en Rhénanie, les performances du nazisme restent insuffisantes, jusqu'à la prise externe du pouvoir par le NSDAP, pour assurer une domination locale du nationalisme ethnocentrique.

Après la Deuxième Guerre mondiale : le pseudo-parlementarisme

Après la Deuxième Guerre mondiale, sociaux-démocrates et démocrates-chrétiens définissent ensemble un nouveau système politique, fondé sur le partage des pouvoirs et la collaboration. Des élections libres fixent le poids relatif de chacun des deux partis dominants. Les postes officiels sont répartis proportionnellement aux performances électorales. Le président est socialiste, le chancelier populiste. Une toute-puissante Commission de parité, où sont représentées les chambres de commerce et d'agriculture, contrôlées par la démocratie-chrétienne, la Chambre du travail et les formations syndicales, tenues par la social-démocratie, décide de l'essentiel de la politique économique, en particulier de la politique des prix et des salaires[4]. La négociation entre les deux forces du duopole aboutit à faire du Parlement une simple chambre d'enregistrement. La bonne

1. Cf. B. Jelavich, *Modern Austria,* p. 197.
2. B. Jelavich, *op. cit.,* p. 201.
3. B. Jelavich, *op. cit.,* p. 205-206.
4. Sur la mécanique du pouvoir dans l'Autriche des années 1945-1966, voir M.A. Sully, *Political Parties...,* p. 20-30.

entente entre les deux grands partis permet l'émergence, entre 1945 et 1966, d'un véritable État corporatiste, par fusion des idéaux chrétiens d'assistance sociale et des principes marxistes d'interventionnisme étatique. La dictature sociale-chrétienne des années 1934-1938 avait essayé de mettre en place un État corporatiste inspiré des principes contenus dans deux encycliques, *Rerum novarum* et *Quadragesimo anno*[1]. Paradoxalement, entre 1945 et 1966, le respect des procédures libérales et démocratiques n'empêche pas la mise en place d'un système dans lequel les institutions corporatives pèsent plus lourd que le Parlement. La composante autoritaire du système familial engendre une société qui accepte pleinement le principe d'intégration verticale.

La Belgique

Les structures familiales dominantes en Belgique représentent une version imparfaite, atténuée, « molle », du type souche. Les principes d'autorité parentale et d'inégalité des frères sont identifiables, mais ne se manifestent pas par des applications rigoureuses. Dans le cadre de la société traditionnelle, la cohabitation de parents et d'enfants mariés constitue une phase temporaire de quelques années, précédant l'installation d'un ménage autonome du jeune couple. Sur le plan religieux, la Belgique reste durant les années 1730-1965 un pays de pratique catholique relativement forte. En 1950, l'assistance à la messe est encore égale à 50 %[2]. Durant la Révolution, les Français, qui ont envahi ces « Pays-Bas autrichiens », doivent déjà compter avec la religiosité intacte des populations locales[3]. La Belgique apparaît alors, comme la périphérie de l'Hexagone français – départements du Nord et du Pas-de-Calais en particulier –, imperméable à la vague de déchristianisation. On peut cependant localiser, dans la structure sociale du XIXᵉ siècle, une petite bourgeoisie franco-

1. B. Jelavich, *op. cit.,* p. 302-303 sur le corporatisme des années trente.
2. L. Voyé et coll., *La Belgique et ses dieux,* p. 194.
3. J. Godechot, *La Grande nation,* p. 396-398.

phone, francophile et par conséquent très influencée par la conception française de la laïcité.

La révolution industrielle est, en Belgique, précoce et massive, de type britannique. Dès la première moitié du XIXᵉ siècle, le charbon, le fer et le textile modifient en profondeur le paysage de la Wallonie, c'est-à-dire de la partie francophone du pays. Entre 1900 et 1930, la Belgique, au contraire de la Suède ou de l'Autriche, est une société industrielle arrivée à maturité. En 1929, l'industrie emploie en Belgique 48 % de la population active, contre seulement 32 % en Suède et 33 % en Autriche. La première vague d'industrialisation engendre une classe ouvrière assez largement déchristianisée. La partie francophone du pays, avec ses classes moyennes laïcisantes et son prolétariat déchristianisé, apparaît donc, à partir des années 1880-1900, comme une zone de faiblesse du catholicisme.

La Flandre constitue, au contraire, un bastion absolument intact de l'Église jusqu'à 1965. L'industrialisation, beaucoup plus tardive, beaucoup moins sauvage, étalée sur les années 1880-1930, n'y a pas entamé les croyances religieuses ouvrières. En 1950, la pratique religieuse est de 60 % en Flandre, de 41 % en Wallonie [1].

Les parties flamande et wallonne du pays diffèrent par la langue, par le niveau de religiosité, mais non par le type de structure familiale. La zone de force maximale de la famille souche est vraisemblablement située le long d'un axe central nord-est/sud-ouest, entre la ville néerlandaise de Maastricht et la ville française de Lille. C'est dire qu'en Limbourg, Brabant, Hainaut, elle traverse des régions indifféremment néerlando-phones et francophones. Cet axe central se prolonge aux Pays-Bas, dans les provinces du Nord-Brabant, de « Limburg » et de Gueldre ; en France, dans la partie centrale des départements du Nord et du Pas-de-Calais [2]. Cette « traînée » géographique, autoritaire et inégalitaire, correspond à l'avancée occidentale

---

1. Cf. K. Hill, « Belgium : political change in a segmented society », p. 39.

2. Pour le dessin infradépartemental des structures familiales de type souche dans le Nord et le Pas-de-Calais, voir la carte réalisée au niveau cantonal pour l'ensemble de la France dans H. Le Bras et E. Todd, « Mountains, rivers and the family : comments on a map from the 1975 French census », p. 382.

extrême de la zone de famille souche centrée sur l'Allemagne.
Le type souche s'affaiblit à mesure qu'on s'approche des provinces franchement maritimes ou que l'on entre dans les
Ardennes belges, proche des Ardennes françaises où la famille
est, sans compromis, de type nucléaire égalitaire.

Suffrage universel, démocratie-chrétienne et social-démocratie

Le suffrage universel « pur et simple » est établi en 1919,
après une assez longue période intermédiaire de suffrage censi-
taire, puis de suffrage universel plural, affectant deux voix à
diverses catégories de citoyens, aux pères de famille en particulier. En Belgique comme en Autriche, le suffrage universel
permet le développement du système idéologique typique des
régions de famille souche où la pratique religieuse est globalement forte mais présente des zones d'affaissement en milieu
ouvrier. Un Parti social-démocrate absolument classique émerge,
contré par une démocratie-chrétienne dont le classicisme n'est
pas moindre. Une spécificité belge, par rapport aux mondes politiques suédois, allemand ou autrichien, doit être notée : la permanence d'un véritable courant libéral. Le caractère mou de la
structure familiale autoritaire, les influences culturelles de la
France et de l'Angleterre, deux nations de forte tradition libérale
qui ont tenu l'État belge sur les fonts baptismaux en 1830,
expliquent cette survie du libéralisme vrai. De 1919 à 1965,
cependant, catholiques et socialistes dominent la vie idéologique
par leur masse.

Ensemble, ils ne recueillent jamais moins de 61 % des voix
(en 1936), mais peuvent atteindre 82 % (en 1950). Ces deux
forces idéologiques constituent comme ailleurs deux subcultures
indépendantes et rivales. Une tonalité paisible et consensuelle du
système interdit cependant les affrontements violents de type
autrichien. Dès 1830, la vie idéologique belge fait apparaître un
sens remarquable de la négociation. Il y a d'abord, au lendemain
de l'indépendance acquise sur les Pays-Bas, le compromis,
« monstrueux » pour l'époque, entre catholiques et libéraux. Par
la suite, le moindre risque de subversion révèle une remarquable
aptitude à l'union sacrée des socialistes, catholiques et libéraux,

qui aboutit, par exemple, à l'écrasement rapide du mouvement rexiste entre 1936 et 1939. On doit, pour comprendre ce sens du compromis, garder à l'esprit le caractère un peu incertain des formes familiales, qui nuance la détermination anthropologique associant famille souche et segmentation idéologique.

	Catholiques	Libéraux	Socialistes	Communistes	Nationalistes flamands	Nationalistes wallons	Rex
1919	37,0	17,6	36,7		3,9		
1921	39,4	18,2	35,1		3,5		
1925	38,6	14,7	39,4	1,7	3,9		
1929	38,1	16,5	35,8	2,7	5,9		
1932	39,1	14,3	37,8	2,8	5,6		
1936	28,8	12,4	32,4	6,3	7,1		11,5
1939	32,7	17,4	30,5	5,4	7,9		4,4
1946	44,7	10,5	31,6	12,7			
1949	43,6	15,2	29,7	7,5			
1950	47,7	11,2	34,5	4,7			
1954	41,4	12,2	37,3	3,6	·2,2		
1958	46,5	11,0	35,8	1,9	2,0		
1961	41,5	12,3	36,7	3,0	3,5		
1965	34,4	21,6	28,3	4,6	6,7	2,3	
1968	31,7	20,9	28,0	3,3	9,8	5,9	
1971	30,0	16,4	27,3	3,1	11,1	11,3	
1974	32,3	15,2	26,7	3,2	10,2	10,2	
1977	35,9	14,4	26,8	2,7	9,7	7,3	
1978	36,2	16,3	25,4	3,3	7,0	7,2	
1981	26,5	21,5	25,1	2,3	9,8	4,2	
1985	29,2	21,0	28,3	1,2	7,9	1,2	
1987	27,5	21,0	30,5	0,9	8,1	1,2	

Belgique : élections à la Chambre des représentants (1919-1987)
Proportion des suffrages exprimés (en %)

Sources : E. Witte et J. Craeybeckx, *La Belgique politique de 1830 à nos jours*, p. 167 et 264 ; *Annuaire statistique de Belgique* pour 1985 et 1987.

Fondé en 1885, le Parti ouvrier belge (POB) se définit comme marxiste en théorie et réformiste en pratique. Par ses coopératives, ses maisons du peuple, ses syndicats, ses associations culturelles, il se veut société totale, capable de satisfaire les aspirations les plus diverses de ses membres. Cette social-démocratie s'installe, avec un maximum de puissance, dans les secteurs sociaux déchristianisés, c'est-à-dire dans la classe ouvrière de Wallonie. Comme toute force sociale-démocrate fleurissant en zone de famille souche et de déchristianisation relativement avancée, le POB fait en Wallonie figure de parti dominant : 42 à 51 % des voix entre 1919 et 1936, 45 à 47 % entre 1950 et 1961. Sur le plan sociopolitique, la Wallonie ressemble beaucoup à la Suède ou à l'Allemagne de tradition protestante.

| | **Belgique : les deux hégémonies** Proportion des suffrages exprimés (en %) | |
	Les catholiques en Flandre	*Les socialistes en Wallonie*
1919	47,8	51,0
1921	49,3	48,7
1925	48,5	50,9
1929	44,6	47,5
1932	47,2	48,6
1936	37,3	41,8
1939	40,7	38,8
1946	56,2	36,7
1949	54,4	39,3
1950	60,4	45,1
1954	52,0	48,2
1958	56,5	46,8
1961	50,9	47,1
1965	43,8	35,7
1968	39,0	35,1
1971	37,8	35,0

Source : E. Witte et J. Craeybeckx, *La Belgique politique de 1830 à nos jours*, p. 159 et 267.

La naissance de la social-démocratie oblige très vite le catholicisme à une réaction de type démocrate-chrétien. Le Parti catholique, né entre 1815 et 1830 pour résister à la pression protestante néerlandaise, se transforme progressivement en démocratie-chrétienne. En conformité avec l'esprit de *Rerum novarum*, le catholicisme belge engage le combat avec les sociaux-démocrates pour le contrôle de la classe ouvrière. En Flandre, où la pratique religieuse est forte, il l'emporte sans effort. Vers 1968 encore, 46 % des ouvriers y votent démocrate-chrétien, contre 34 % seulement social-démocrate. En Wallonie, par contre, 63 % des ouvriers votent socialiste et 18 % catho-

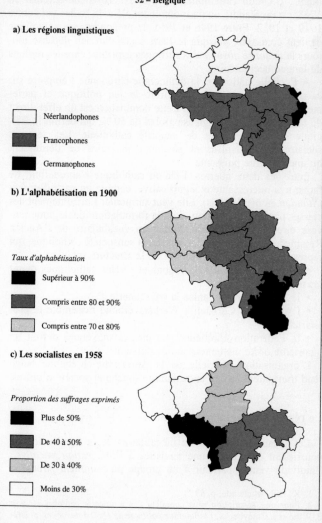

52 – Belgique

a) Les régions linguistiques

- Néerlandophones
- Francophones
- Germanophones

b) L'alphabétisation en 1900

Taux d'alphabétisation

- Supérieur à 90%
- Compris entre 80 et 90%
- Compris entre 70 et 80%

c) Les socialistes en 1958

Proportion des suffrages exprimés

- Plus de 50%
- De 40 à 50%
- De 30 à 40%
- Moins de 30%

lique[1]. L'Union catholique, rebaptisée Parti social-chrétien en 1945, est en Flandre un parti dominant. 45 à 48 % des voix entre 1919 et 1932. Entre 1946 et 1961, la prépondérance catholique devient écrasante, puisque le Parti social-chrétien dépasse toujours la majorité *absolue* des suffrages exprimés dans les régions de langue néerlandaise.

A l'échelle nationale, la démocratie-chrétienne l'emporte sur la social-démocratie. Elle contrôle le jeu politique et parlementaire entre 1919 et 1960. Cette domination est un effet direct du taux de pratique religieuse global de 50 %, qui définit la Belgique comme un pays de majorité catholique. Les secteurs sociaux déchristianisés et sociaux-démocrates ne définissent qu'une minorité puissante.

Entre les deux guerres, l'Union catholique s'autodéfinit, de façon très intéressante et significative, comme un parti d'*ordres* (*Standen* en néerlandais). Elle veut surmonter l'affrontement des classes par une association, dont la formulation idéologique renvoie directement et explicitement au vocabulaire de l'Ancien Régime[2]. Quatre ordres constituent la subsociété catholique, qui représente en Flandre l'essentiel de la structure sociale :

• la Fédération des associations et cercles catholiques réunit les notables bourgeois ;
• le Boerenbond organise la paysannerie ;
• l'Allgemeen Christelijk Werkersverbond rassemble le prolétariat ;
• la Fédération chrétienne des classes moyennes définit un quatrième ordre, nettement moins puissant.

L'organisation officielle de la démocratie-chrétienne belge rend transparent le lien entre famille souche et société d'ordres.

Le régionalisme ethnocentrique

Les idéaux autoritaires et inégalitaires de la famille souche nourrissent en général une tendance à l'*intégration négative* : l'individu veut appartenir à un groupe puissamment structuré,

---

1. K. Hill, article cité, p. 83.
2. Pour une description plus complète des « ordres » catholiques, voir E. Witte et J. Craeybeckx, *La Belgique politique de 1830 à nos jours*, p. 202-203.

mais qui se définit contre d'autres groupes. Le trait autoritaire du système familial implique l'anti-individualisme, l'absorption de l'individu par le groupe. Le trait inégalitaire favorise le sentiment de la différence entre les hommes, entre les groupes. Le concept d'*intégration négative,* utilisé par Günther Roth pour décrire la situation de la classe ouvrière et de la social-démocratie dans l'Allemagne impériale, me semble applicable à bien des situations idéologiques ou religieuses créées par un système anthropologique de type souche [1]. L'*intégration négative* peut caractériser une communauté religieuse (majoritaire ou minoritaire), une catégorie socio-économique (la classe ouvrière par exemple), un groupe ethnique (ainsi le *Volk* au *sens* allemand, par rapport au reste de l'humanité). Ces trois types d'intégration négative correspondent aux trois « possibles » idéologiques de l'époque moderne : idéologie socialiste, idéologie nationaliste de droite, idéologie religieuse réactionnelle. En Belgique, les idéologies socialiste (social-démocratie) et religieuse réactionnelle (démocratie-chrétienne) occupent l'essentiel du terrain. Le catholicisme est trop puissant, entre 1900 et 1965, pour que se manifeste pleinement le potentiel autoritaire et inégalitaire dans le domaine du nationalisme. L'intégration négative par l'ethnie est étouffée par l'Église ou par la classe. Pourtant, les conditions objectives d'une telle intégration ethnique sont loin d'être mauvaises en Belgique : l'existence de deux groupes linguistiques, Flamands et Wallons, crée une possibilité *a priori* d'identification à un groupe particulier. La situation n'est pas idéale dans la mesure où aucun des deux groupes considérés ne peut, de façon réaliste, aspirer à la suprématie mondiale. La Wallonie, dès qu'elle s'autodéfinit contre la Flandre, par la langue, se transforme logiquement en un appendice extrêmement minoritaire de l'ensemble français, qui n'adhère pas, lui, à une conception ethnocentrique du nationalisme. L'ombre de l'homme universel pèse lourdement sur la Wallonie, inhibant le développement d'une idéologie ethnocentrique cohérente. Du côté de la Flandre, le développement d'un nationalisme ethnocentrique est également gêné par l'appartenance à une communauté linguistique dont l'espace ne s'arrête pas à la frontière

1. Dans *The Social-Democrats in Imperial Germany.* Cf. *supra,* p. 319-320.

belge. A l'échelle européenne, la Flandre, néerlandophone, n'est qu'une prolongation linguistique des Pays-Bas, où les valeurs autoritaires et inégalitaires de la famille souche ne dominent d'ailleurs pas le paysage idéologique. En Belgique, les conditions objectives de développement du nationalisme ethnocentrique sont donc à la fois excellentes et médiocres. Flamands et Wallons peuvent s'identifier comme adversaires réciproques, séparés par la langue, symétriquement poussés à l'intégration négative ethnique par un système familial de type souche, présent des deux côtés de la frontière linguistique. La situation de résidu linguistique, partagée par la Flandre et la Wallonie perturbe cette belle situation d'affrontement.

Dans le cas allemand, la grande taille de la communauté ethnique permettait l'épanouissement d'un nationalisme ethnocentrique de type agressif, conquérant. Dans le cas de la Suède, la petite taille et l'indépendance du pays autorisaient une manifestation neutraliste du nationalisme ethnocentrique. En Flandre et en Wallonie, la petite taille des ethnies et leur non-indépendance encouragent le développement d'un *nationalisme ethnocentrique défensif.* L'ethnie ne peut que se définir comme un groupe faible, menacé de submersion linguistique et culturelle. Il s'agit d'un phénomène tout à fait général. Le nationalisme ethnocentrique d'un groupe adhérant aux valeurs de la famille souche, mais minoritaire dans un ensemble national complexe, prend la forme d'un nationalisme ethnocentrique défensif. On serait tenté de parler d'un *régionalisme ethnocentrique.* La famille souche produit aussi ce genre d'effet au Pays basque espagnol ou en Catalogne. Le caractère ironique de la situation belge est que chacun des deux groupes régionaux, flamand et wallon, a pu tour à tour se sentir menacé de submersion par l'autre. Entre 1830 et 1900, les élites francophones dominent la Belgique, et c'est le camp flamand qui peut se sentir persécuté, menacé d'assimilation linguistique. Au lendemain de la Deuxième Guerre mondiale, c'est le pays wallon qui doit se sentir attaqué par une offensive de type démographique : la fécondité élevée de la Flandre, très catholique, transforme la Wallonie, plus laïque et contraceptrice, en région minoritaire [1].

---

1. Les cantons wallons constituent 42 % du corps électoral en 1919, 34 % en 1954. Les cantons bruxellois passent de 11 à 13 %. Les cantons flamands

L'expansion linguistique de la francophonie bruxelloise permet, il est vrai, et pour de longues années, la persistance d'une inquiétude flamande. Cette double inquiétude crée les conditions objectives d'un double régionalisme ethnocentrique. Cependant, le régionalisme ethnocentrique est une idéologie dont le plein développement n'est possible que dans une société complètement déchristianisée. Entre 1900 et 1965, la montée en puissance des régionalismes ethnocentriques n'est pas réellement possible en Belgique : on peut seulement saisir le travail sourd du régionalisme *à l'intérieur* des forces idéologiques dominantes, socialistes et surtout catholiques. Dans la première moitié du xxᵉ siècle, les « ordres » populaires de l'Union catholique sont de tendance flamingante, particulièrement l'ordre paysan, le Boerenbond. L'universalisme catholique modère, canalise la revendication flamingante. La Wallonie se perçoit alors encore comme dominante et ne peut que revendiquer le maintien du *statu quo*.

La crise des années trente est l'occasion d'une première fièvre, qui se manifeste par le développement simultané de plusieurs mouvements idéologiques de droite échappant à l'emprise catholique : nationalisme flamand et rexisme. Aux élections générales de 1936, le VNV (Vlaamsch National Verbond) recueille en Flandre 7,9 % des voix ; en 1932, 13,3 % ; en 1939, 15,1 %. La croissance de cet autonomisme est interrompue par la guerre. Les nationalistes flamands collaborent avec l'occupant nazi et se donnent mauvaise réputation. Entre 1945 et 1961, la démocratie-chrétienne réabsorbe l'électorat nationaliste flamand.

En Wallonie, un mouvement politique météore, le rexisme, autoritaire, un peu antisémite, peu clair dans sa définition du nationalisme, se présente comme la contrepartie francophone du VNV, même s'il ne recueille pas moins de 7,1 % des voix en Flandre en 1936. A la même date, il atteint 15,8 % des suffrages exprimés en Wallonie. Ces fièvres nationalistes ou autoritaires sont encouragées par les succès du fascisme italien, du nazisme allemand, par la hausse du taux de chômage aussi qui atteint 19 % dans l'industrie en 1934[1]. La relative solidité du catholi-

---

de 47 à 52 %, voir De Smet et coll., *Atlas des élections belges 1919-1954*, p. 93.

1. BIT, *Annuaire des statistiques du travail 1937*, p. 63.

cisme belge interdit cependant toute dérive durable des classes moyennes. Dès 1939, le rexisme s'effondre. Globalement, VNV et rexisme, qui se partagent par un accord le territoire belge en 1937, n'atteignent jamais ensemble plus de 18,6 % des voix (en 1936)[1]. La dissociation nationaliste ne peut arriver à maturité. Les deux grands partis, démocrate-chrétien et social-démocrate, restent des structures nationales, unitaires, dont l'organisation rassemble Flamands et Wallons. Il faut attendre l'effondrement définitif du catholicisme, à partir de 1965, pour que le nationalisme ethnocentrique devienne une force majeure du système idéologique belge, se manifestant non seulement par une réémergence des groupes autonomistes, mais par une scission des deux forces principales, catholique et socialiste, selon des critères ethniques et linguistiques.

La Suisse

La Confédération helvétique est, pour les trois quarts, un pays de langue et de civilisation allemandes. En 1960, 74,4 % des Suisses parlaient l'allemand, 20,2 % le français, 4,1 % l'italien et 1 % le rhéto-romanche (carte 53). La prépondérance germanique apparaît encore plus forte si l'on ne considère pas l'état actuel de la Confédération, achevé, mais l'histoire de sa formation. Les trois cantons originels de Schwyz, Uri et Unterwald, associés dès 1291, sont tous germanophones. La vague d'adhésion des années 1351-1352, avec Zurich, Berne, Lucerne, Zoug et Glaris, est également de langue allemande. L'élargissement de l'association helvétique à Fribourg et Soleure en 1481, à Bâle, Schaffouse et Appenzell au début du XVIe siècle, ne mène toujours pas hors de la sphère germanique. C'est tardivement, à l'époque de la Réforme protestante, que l'expansion diplomatique et militaire de Berne permet l'annexion d'un espace francophone. Le passage au protestantisme de Genève, du pays de Vaud et de la région de Neuchâtel se fait sous influence bernoise.

1. Cf. J.-M. Étienne, *Le Mouvement rexiste jusqu'en 1940*, p. 179-180 pour le texte complet de cet accord, incluant les fautes d'orthographe.

Comme le reste de la sphère allemande, la Suisse est divisée par la Réforme protestante. Les cantons urbains et avancés suivent Zurich et Berne dans la voie d'une Réforme particulièrement radicale, celle de Zwingli. Les cantons les plus ruraux ou les plus traditionalistes choisissent la fidélité au catholicisme. Les plus anciens cantons suisses – Schwyz, Uri et Unterwald – appartiennent à ce noyau dur du catholicisme maintenu, situé en Suisse centre-orientale (carte 54 *a*). Le Tessin italien, placé sous l'influence du canton d'Uri, reste donc dans l'orbite de l'Église catholique, à la différence de la majorité des zones francophones[1].

Le clivage religieux divise le monde germanophone en deux parties inégales. Le protestantisme, majoritaire, s'appuie sur les zones les plus urbaines, les plus peuplées et, finalement, les plus industrielles. Le catholicisme, minoritaire, est placé en situation défensive. Mais paradoxalement cette division établit, dans l'ensemble de la Confédération, un système équilibré à trois pôles. Le pôle dominant, et par conséquent centralisateur, correspond à la Suisse *germanophone protestante,* centrée sur Berne et Zurich. Les deux pôles dominés sont respectivement la Suisse *germanophone catholique* et la *Suisse francophone mais de majorité protestante*. Ensemble, germanophones catholiques et francophones (protestants et secondairement catholiques) peuvent bloquer, ou tout du moins modérer, les aspirations centralisatrices du cœur allemand et protestant du système.

Groupes linguistiques et religieux en Suisse (en 1941)		
Germanophones protestants	47 %	
Germanophones catholiques	28 %	
Francophones	20 %	{ 13 % protestants 7 % catholiques
Italophones	3 %	catholiques
Autres	1 %	

Source : *Statistisches Jahrbuch der Schweiz,* 1944.

1. Les francophones du Jura bernois, du canton de Fribourg et du Valais restent cependant catholiques.

53 – Suisse : les régions linguistiques

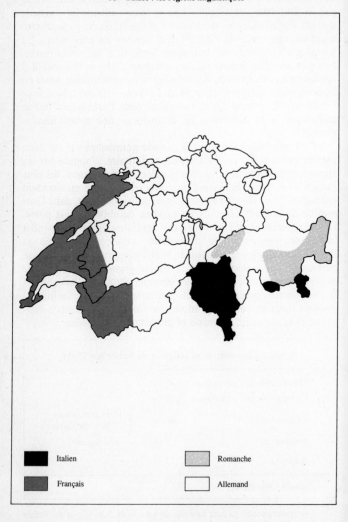

Italien

Français

Romanche

Allemand

Au contraire de ce que l'on peut observer en Belgique, où le clivage linguistique ne recoupe aucun clivage anthropologique, Suisse romande et Suisse allemande diffèrent sur le plan des structures familiales. Le type caractéristique de la partie germanique du pays est la famille souche, comme en Allemagne du Sud ; celui de la partie francophone du pays est la famille nucléaire égalitaire, comme dans la Franche-Comté voisine.

Dès le début du XIXe siècle, la Suisse entame une révolution industrielle qui suit de très près celle de la Grande-Bretagne. Le modèle helvétique préfère cependant le développement d'une industrie qualifiée. Dépourvu de matières premières mais riche d'une population suralphabétisée, la Suisse choisit, au contraire de la Grande-Bretagne, la production de biens sophistiqués : textile de qualité, chimie, horlogerie et, très vite, machines-outils. En 1880, la Suisse apparaît aux côtés de la Belgique et de la Grande-Bretagne comme une zone très industrielle [1]. Vers 1930, l'industrie occupe en Suisse 45 % de la population active, presque autant qu'en Belgique.

Le système idéologique suisse se constitue donc sur un terrain connu : famille souche, alphabétisation précoce, clivage religieux, démarrage industriel. Toutes ces variables se retrouvent dans l'Allemagne des années 1870-1930. L'existence d'une minorité francophone, l'incapacité du pôle protestant germanophone à contrôler complètement le système national sont, par contre, deux aspects qui éloignent la Suisse du modèle allemand. Ils permettent d'expliquer la survie facile du fédéralisme helvétique et certaines particularités des idéologies suisses, qu'il s'agisse de la social-démocratie ou du nationalisme ethnocentrique.

La social-démocratie helvétique

Fondé en 1888, le Parti socialiste suisse (Sozialdemokratische Partei en allemand) se présente très vite sur le plan organisationnel et doctrinal comme une social-démocratie classique de type allemand, à peine moins marxiste que celle de Berlin ou de

1. Cf. *supra,* carte 28.

Vienne . La pratique réformiste est la même, le sérieux organisationnel et la discipline règnent. Les valeurs de la famille
souche – autorité et inégalité – fonctionnent en Suisse alémа-
nique aussi bien que dans les grands pays allemands. Mais en
zone romande, où domine une structure familiale nucléaire égalitaire, la social-démocratie se dilue au contact des valeurs libérales et égalitaires du fond anthropologique. L'ordre partisan fléchit. Les militants paient moins régulièrement leurs cotisations [2].
Un certain révolutionnarisme verbal trahit l'influence de l'égalitarisme. Le monopole social-démocrate sur le mouvement
ouvrier s'atténue. On peut identifier dans le canton de Neuchâtel
des traditions anarchistes, parentes de celles du Jura français.
Proudhon était après tout franc-comtois. Il existe de plus en
Suisse romande un parti communiste, faible mais dont l'influence électorale n'est pas comme en Suisse alémanique insignifiante. En 1975, le POP (Parti ouvrier populaire, en fait le
parti communiste) recueille 10,7 % des voix dans le canton de
Vaud, 9,8 % dans celui de Neuchâtel, 18 % à Genève. Dans le
monde germanophone, le PDA (Partei der Arbeit, le même parti
communiste) n'atteint 4,6 % des voix que dans le canton de
Bâle-Ville, mais ne dépasse jamais ailleurs 1,8 % [3]. Le communisme romand se combine localement à des traditions libertaires ; il exprime la composante égalitaire du communisme plutôt que sa tendance autoritaire. Les traditions libertaires de la
Suisse romande entraînent un taux d'abstention nettement plus
élevé qu'en Suisse alémanique [4].

La montée en puissance de la social-démocratie helvétique
coïncide, dans le temps, avec le déclin de la pratique religieuse
protestante. Dès l'entre-deux-guerres, les bastions les plus
solides du *Sozialdemokratische Partei* sont situés dans la partie
germanophone et *protestante* de la Suisse, dans les cantons de

1. On trouvera un exposé détaillé des programmes successifs du Parti
socialiste suisse dans F. Masnata, *Le Parti socialiste et la tradition démocratique en Suisse*, p. 107-113.
2. Sur la fragilité organisationnelle du socialisme romand, voir F. Masnata, *op. cit.*, p. 27.
3. Source : *Les Élections au Conseil national 1979*, Office fédéral de la
statistique, p. 63.
4. Sur l'abstentionnisme en Suisse, voir J. Rohr, *La Suisse contemporaine*, p. 122-125.

a) Les religions

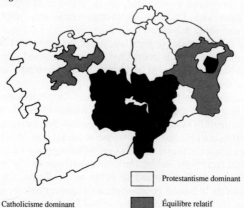

Catholicisme dominant

Protestantisme dominant

Équilibre relatif

b) Social-démocratie et démocratie-chrétienne en 1935

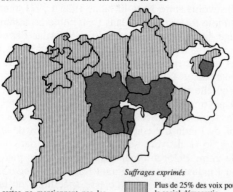

NB : Ces cartes ne mentionnent pas les germanophones des cantons du Valais, de Fribourg et des Grisons. Elles intègrent par contre les francophones du Jura bernois.

Suffrages exprimés

Plus de 25% des voix pour la social-démocratie

Plus de 48% des voix pour la démocratie-chrétienne

Berne, Zurich, Argovie, Schaffhouse, Glaris, Appenzell (Rhodes-Extérieures, c'est-à-dire la partie protestante de ce canton, subdivisé à la suite de la Réforme). Dans la partie catholique de la Suisse alémanique, où la pratique religieuse reste forte jusque vers 1965, la social-démocratie ne s'impose pas comme une force majeure[1].

En Suisse romande, le Parti socialiste est important dans les cantons de Genève et de Neuchâtel, mais correspond, sur le plan du tempérament et de la doctrine, à une variante anarcho-socialiste du mouvement ouvrier.

En région protestante germanophone, la social-démocratie domine la gauche tout au long du XXe siècle. Mais elle ne contrôle nullement le système politique régional dans son ensemble. Le Sozialdemokratische Partei suisse n'atteint pas le niveau de puissance caractéristique du SPD en Allemagne du Nord, de la social-démocratie en Suède, du SPÖ autrichien en Carinthie ou en Styrie, ou du Parti socialiste belge en Wallonie. La social-démocratie de la Suisse germanophone et protestante ne dépasse 40 % des voix de façon régulière, entre 1925 et 1971, que dans le canton de Schaffhouse. A Zurich, elle n'atteint 40,2 % qu'une fois, en 1935, et retombe à partir de 1947 au-dessous de 30 %. A Berne, elle évolue entre 30 et 40 %, de 1925 à 1971, n'atteignant 40,5 % qu'une fois en 1947. Dans l'ensemble protestant et germanophone helvétique, le Sozialdemokratische Partei oscille entre 25 et 35 % des voix. On est loin des 40 à 55 % typiques des autres régions européennes de famille souche et de déchristianisation avancée. Cette relative faiblesse est d'autant plus surprenante qu'elle intervient dans un milieu puissamment industriel : 40 à 46 % de voix sociales-démocrates (entre 1955 et 1971) dans le canton de Schaffhouse, ce n'est pas beaucoup pour une région où l'industrie emploie, vers 1970, 57 % de la population ; 30 à 35 % de voix sociales-démocrates dans le canton d'Argovie entre 1925 et 1963, c'est au fond très peu pour un canton où l'industrie occupe durant toute la période 55 % des actifs. On peut parler d'une faiblesse spécifique de la social-démocratie suisse.

La puissance de l'idéologie nationaliste concurrente, née elle-

1. Tableau complet des résultats de la social-démocratie helvétique par canton, depuis 1925, dans *Les Élections au Conseil national, op. cit.*, p. 72.

même de la déchristianisation, et qui prend en région de famille souche la forme du nationalisme ethnocentrique, met la social-démocratie en situation minoritaire.

L'ethnocentrisme suisse entre nationalisme et régionalisme

La force exceptionnelle de l'ethnocentrisme suisse vient de ce qu'il s'appuie simultanément sur le sentiment national et sur la fidélité cantonale. Il est double : les images de la Confédération helvétique et du canton représentent deux versions du même idéal d'autonomie. Le principe de différence, nourri par celui d'inégalité des frères, permet l'affirmation de deux particularismes, qui cessent de se concurrencer dès que la Confédération atteint son point d'équilibre entre 1848 et 1874[1]. Sur le plan national, l'ethnocentrisme de ce petit pays s'exprime, comme en Suède, par une affirmation stricte de neutralité. Le principe de différence s'exprime par un retrait du monde. Le foisonnement des attachements cantonaux reproduit sur le plan régional ce retrait du monde.

Dans le système politique, l'ethnocentrisme est exprimé par plusieurs forces partisanes, qui descendent presque toutes du radicalisme des années 1840-1880. Les radicaux suisses s'identifient au processus de construction de la Confédération. A l'origine, le radicalisme suisse est très proche du « national-libéralisme » allemand, beaucoup plus centralisateur et anticlérical que libéral au sens français ou anglais du concept. Le radicalisme suisse est libéral au sens allemand : il veut *la liberté de l'État* face à l'Église de Rome. En 1847, les radicaux suisses mènent contre les cantons catholiques regroupés dans le Sonderbund une véritable guerre qui permet l'établissement de la Confédération helvétique moderne[2].

Freisinnig-demokratische Partei et Schweizerisches Volkspartei finissent par représenter, au terme d'une histoire organi-

---

1. La Constitution fédérale de 1848 établit un véritable État central. En 1874 intervient la dernière grande réforme constitutionnelle centralisatrice. Sur la Constitution helvétique, voir E. Bonjour et coll., *A Short History of Switzerland*, p. 267-273 et 302-309.
2. Excellente description idéologique du radicalisme suisse dans D.L. Seiler, *Partis et familles politiques*, p. 356-357.

sationnelle mouvementée, le gros de la tradition radicale. (Le Schweizerisches Volkspartei comprend en particulier une tradition agrarienne.) La fragmentation du Parti radical, centraliste, permet au nationalisme d'incarner aussi les aspirations des cantons.

Une fois l'État central solidement établi, le principe de l'autonomie cantonale devient un mythe fonctionnel sur lequel peut s'appuyer l'idéologie de l'autonomie helvétique. La liberté du canton face à la Confédération garantit la liberté de la Suisse face au monde et, surtout, face à l'Europe. Dans un pays où la décentralisation fonde sur le plan théorique l'indépendance de l'État neutre, il est naturel d'observer une fragmentation du Parti centraliste. Dans sa forme divisée, le mouvement radical peut exprimer simultanément les principes complémentaires du centralisme et de l'autonomie cantonale.

Ensemble, les divers courants issus du radicalisme, exprimant les deux niveaux de l'ethnocentrisme, atteignent partout en Suisse alémanique 50 % des voix, plus de 60 % dans les deux cantons fondamentaux, centralisateurs par excellence, de Berne et de Zurich.

Le neutralisme est, en Suisse comme en Suède, la forme la plus caractéristique du nationalisme ethnocentrique, produit de la famille souche dans une petite nation. Dans les deux cas, le sentiment national se combine à une identification au « petit », au « faible ». Dans le cas de la Suède, l'image de la petite nation se confond avec celle de la classe exploitée, le prolétariat. La social-démocratie absorbe et utilise l'idéal neutraliste. En Suisse, l'image de la petite nation se mêle à celle du petit canton, menacé d'absorption par la collectivité globale. Le canton se substitue donc à la classe ouvrière comme image de la faiblesse. Cette fixation sur le groupe local explique l'impuissance relative de la social-démocratie suisse. L'idéal d'intégration à la classe ouvrière est à toutes les époques concurrencé par celui d'appartenance au canton. Le principe d'intégration négative typique des cultures politiques dérivées de la famille souche, qui associe les individus mais sépare les groupes, identifie en Suisse le groupe local comme différenciateur idéal [1].

---

1. Sur le concept d'intégration négative, voir p. 320-321, 381.

La Suisse romande face à l'*Homo helveticus*

La Suisse romande accepte, sans les suivre réellement, les tendances idéologiques définies par le cœur germanophone et protestant du système. Dans les cantons de Vaud, de Genève, de
Neuchâtel, le Parti radical exprime un véritable tempérament
individualiste. Il est d'ailleurs concurrencé dans ces trois cantons
par un Parti libéral qui recueille, vers 1975, 14 à 22 % des voix
selon le lieu[1]. La fidélité cantonale est assez faible en Suisse
romande, l'indifférence relative des citoyens aux élections
locales s'y exprime par une participation électorale beaucoup
moins forte qu'en Suisse alémanique[2]. L'idéal typiquement
nationaliste ethnocentrique de neutralité n'est pas majoritaire en
zone francophone comme il l'est en zone germanophone. Le
référendum, institution particulièrement helvétique, est un très
bel instrument d'analyse politologique qui permet de mesurer les
différences d'attitude entre régions romandes et alémaniques sur
des problèmes précis. Or le refus de participer aux institutions
internationales est toujours plus fort en Suisse alémanique. En
1920, par exemple, c'est le vote massif de la Suisse romande
pour l'adhésion qui fait entrer la Suisse à la Société des
Nations[3]. Le monde francophone ne réussira pas à rééditer cet
exploit lors de la création de l'ONU.

Installée par ses structures familiales égalitaires dans une solide
croyance en l'homme universel, la Suisse romande n'adhère
pas pleinement au mythe national d'un *Homo helveticus* spécifique. Le comportement des Suisses romands est particulièrement intéressant sur le plan théorique parce qu'il concerne
l'une des deux populations européennes dont les structures familiales sont égalitaires et la religion protestante, l'autre étant la
population finnoise. Dans les cas romand et finnois, le protestantisme – avec sa doctrine de l'inégalité des hommes, sauvés ou
damnés – a été imposé par la conquête à des groupes régionaux
ignorant le principe familial de l'inégalité des frères et n'ayant

1. *Les Élections au Conseil national 1979, op. cit.,* p. 63.
2. Sur l'abstentionnisme, voir note 4, p. 388.
3. E. Bonjour et coll., *op. cit.,* p. 359.

par conséquent aucune prédisposition à l'inégalitarisme métaphysique. Or, ce qui apparaît en Suisse romande dans le domaine idéologique, lorsque le système religieux s'effondre, c'est l'égalitarisme des structures familiales et non l'inégalitarisme particulièrement dur de la métaphysique calviniste. Libéralisme égalitaire, anarcho-socialisme, zeste de communisme, adhésion aux institutions universelles : l'essentiel de la tradition politique « française » (c'est-à-dire *nucléaire égalitaire*) se retrouve en Suisse romande, une fois le calvinisme effacé. Cet exemple démontre la prééminence des structures familiales dans le processus de détermination des idéologies modernes, et le caractère secondaire, passager, des valeurs religieuses. Le même schéma logique pourra être observé dans le cas de la Finlande : le luthéranisme imposé par la Suède n'y efface pas l'égalitarisme de la famille communautaire finnoise. On verra donc apparaître un Parti communiste important dans cette région de tradition luthérienne.

La démocratie-chrétienne helvétique

Le système idéologique de la Suisse alémanique inclut la troisième composante typique de toutes les régions de famille souche où le catholicisme survit jusque vers 1965 : la démocratie-chrétienne. Le Christlichdemokratische Partei est, dans presque tous les cantons catholiques, un parti dominant [1]. Entre les deux guerres, il recueille en général 50 % des suffrages dans les cantons de Lucerne, Schwyz et Zoug [2]. Dans les cantons moins industriels d'Obwald, Nidwald et Appenzell Rhodes-Intérieures, le Parti démocrate-chrétien recueille le plus souvent 75 à 98 % des voix durant la même période. Le vote exprime alors autant l'unité du canton que la foi catholique. Seul Uri, qui avait, comme les autres cantons catholiques, appartenu au Sonderbund, dévie de cet alignement sans faille : entre 1925 et 1975, il donne de 75 à 99 % des voix au Parti radical-démocratique.

1. Fondé en 1912 en tant que parti national, le Parti catholique s'appelle Konservative Volkspartei jusqu'à 1957, puis Konservativ-Christlichsoziale Partei et enfin Christlichdemokratische Partei.

2. *Les Élections au Conseil national, op. cit.*, p. 70.

L'unanimisme est ici typique d'un canton catholique où la religion chrétienne soude les classes sociales et empêche l'émergence de conflits économiques. Mais l'alignement radical évoque une adhésion au principe centraliste, qu'explique peut-être la situation géographique du canton d'Uri, marche frontière de la germanité, au contact du monde italien représenté ici par le Tessin. Dans les cantons de Fribourg et du Valais, profondément catholiques et où les germanophones constituent le tiers de la population, la démocratie-chrétienne est également puissante puisqu'elle recueille en général plus de 60 % des suffrages.

Sur l'échiquier politique helvétique, la démocratie-chrétienne occupe une position centriste parce qu'elle prône la collaboration des classes. Dans le monde protestant, les partis autres que la social-démocratie doivent se définir comme antisocialistes et sont par conséquent plus marqués à droite.

Harmonie suisse et désaccords belges

La coexistence de populations de langues différentes ne semble pas poser à la Confédération helvétique des problèmes insurmontables. Germains et Latins semblent avoir défini en Suisse une situation d'équilibre. On ne peut en dire autant de la Belgique, où Flamands et Wallons s'affrontent de plus en plus durement au cours du xxe siècle. Contraste paradoxal pour un spécialiste des structures familiales : Flamands et Wallons ne diffèrent en rien par cet aspect fondamental de l'organisation anthropologique, Suisses alémaniques et romands sont porteurs de systèmes familiaux différents, opposés par les principes. Flamands et Wallons sont ethnologiquement plus semblables qu'A-lémaniques et Romands. Flamands et Wallons ont un système familial de type souche, de nuance un peu molle. Les Suisses germanophones ont un système souche pur et dur, absolument allemand. Les Suisses romands sont proches, sur le plan familial, des Francs-Comtois ou des habitants du Bassin parisien. Wallons et Flamands, séparés par la langue mais semblables en tout point, s'affrontent. Alémaniques et Romands de Suisse, opposés point par point, se supportent, avec un certain enthousiasme. Le paradoxe se résout si l'on accepte l'idée que la famille souche nourrit la perception de différences, d'incompatibilités réelles ou mythiques, et que la famille nucléaire égalitaire encourage la croyance en un homme universel, semblable à lui-même en tout lieu et toute civilisation. En Belgique, Flamands et Wallons, prisonniers des valeurs inégalitaires de la famille souche, se perçoivent comme différents, ils s'affrontent. En Suisse, la situation n'est pas symétrique. Les germanophones, conditionnés par la famille souche, perçoivent certainement les francophones comme différents ; ils considèrent, après tout, les Allemands de RFA comme différents ! La perception de cette différence ne crée pas le sentiment paranoïaque d'une menace romande, parce que les francophones ne représentent dans la Confédération qu'une petite minorité, le cinquième de la population. L'attitude de la Suisse romande est au fond la clé de l'harmonie helvétique : conditionnée par les valeurs égalitaires de son type familial, elle croit en l'homme universel et peut par conséquent refuser de voir les différences objectives entre germanophones et francophones. Elle peut donc accepter sans angoisse sa situation de minorité. C'est l'absence du nationalisme ethnocentrique en Suisse romande qui permet le miracle helvétique.

L'Irlande

La famille souche domine l'Irlande, avec plus de netteté toutefois sur la périphérie de l'île. Dans la dépression centrale, la structuration verticale, autoritaire, des ménages paysans est moins nette et l'on peut supposer la présence de formes nucléaires, assez mal définies il est vrai [1]. La république d'Irlande – partie de l'île indépendante depuis décembre 1921 – reste au lendemain de la Deuxième Guerre mondiale le pays le plus profondément catholique d'Europe occidentale. L'assistance à la messe dominicale n'y est pas, jusque vers 1965, de 50 à 60 % comme dans les régions très pratiquantes du continent, mais bien de 90 %. Par sa force, le catholicisme irlandais est une

---

1. Cf. *supra*, p. 51 et 55.

exception, un cas limite. Il imprègne la totalité de la vie culturelle et sociale.

Cause et effet de la catholicité triomphante, le pays reste profondément rural jusqu'à une date avancée. En 1966, l'industrie n'emploie que 28 % de la population active[1].

Le phénomène le plus étonnant de l'histoire irlandaise est cependant la dépopulation. A partir de la grande famine des années 1845-1848, la population diminue régulièrement, par émigration. Sur le territoire de l'actuelle République se trouvaient, en 1841, 6 millions et demi d'habitants ; en 1961, la population ne compte plus que 2 800 000 individus. L'arrêt du flot migratoire permet à nouveau la croissance de la population depuis le début des années soixante. On attribue souvent à ce phénomène un certain fatalisme de la société irlandaise. L'émigration évacue en effet systématiquement les éléments les plus dynamiques d'une société. A cette échelle, elle éteint la dynamique sociale. L'Irlande du xxᵉ siècle n'est cependant pas un pays sous-développé sur le plan culturel. Le taux d'alphabétisation est élevé dès le début du siècle, égal à 86 % au recensement de 1901.

La vie idéologique de l'Irlande moderne est considérée par les politologues comme un petit mystère. Aucun clivage idéologique sérieux n'oppose réellement les deux principaux partis du pays, le Fianna Fail (« les combattants du destin ») et le Fine Gael (« la famille des Irlandais »). Un Parti travailliste minuscule, le plus faible des mouvements sociaux-démocrates européens, représente à lui seul la totalité de la vie idéologique « moderne » du pays. Les analyses sociologiques et géographiques montrent en effet qu'aucune variable classique ne permet de prédire, avec un niveau décent de probabilité, le choix par les Irlandais du Fianna Fail ou du Fine Gael. L'appartenance de classe, en particulier, n'est pas un bon déterminant même si le Fine Gael est un peu plus bourgeois et urbain. Seul le mini-travaillisme fait exception. Son électorat comprend une proportion élevée d'ouvriers agricoles ou industriels. Seulement, bien sûr, l'écrasante majorité des ouvriers votent pour le Fianna Fail ou même le Fine Gael. Une expression de J.H. Whyte, reprise par la plupart des auteurs récents sur le sujet, résume l'émer-

1. BIT, *Annuaire des statistiques du travail 1973*, p. 125.

55 – Irlande

a) Le Labour Party en 1973

Proportion des suffrages exprimés

 Plus de 20%

 De 15 à 20%

 De 10 à 15%

De 5 à 10%

Moins de 5%

✛ Ulster

b) L'industrie en 1971

Proportion de la population active employée dans l'industrie

 Plus de 30%

 De 25 à 30%

✛ Ulster

c) Les salariés agricoles en 1971

Proportion de salariés dans la population active agricole masculine

 Plus de 30%

 De 20 à 30%

✛ Ulster

56 – Irlande

a) La langue gaélique en 1851

Proportion de la population parlant le gaélique

▤ De 50 à 70%

▥ De 25 à 40%

✚ Ulster

b) Le Fianna Fail en 1973

Proportion des suffrages exprimés

■ Plus de 50%

▥ De 45 à 50%

⠂ Moins de 45%

✚ Ulster

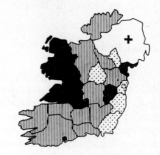

c) Le Fine Gael en 1973

Proportion des suffrages exprimés

■ Plus de 40%

▤ De 35 à 40%

▥ De 30 à 35%

⠂ De 25 à 30%

✚ Ulster

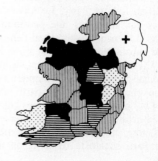

veillement des politologues : en Irlande, on trouve « *une poli-tique sans base sociale* [1] ». Au fond, la vie politique irlandaise est surtout « pré-idéologique ».

Le catholicisme surpuissant de l'Irlande implique la présence d'une métaphysique religieuse particulièrement solide qui rend la naissance des idéologies modernes superflue. *Le plus fort des catholicismes, le plus faible des socialismes :* là est l'équation fondamentale du système idéologique irlandais. Le rêve ouvrier est inutile à une telle société. Le rêve nationaliste aussi. Affirma-tion paradoxale dans le cas d'une nation qui eut tellement de mal à obtenir son indépendance. Pourtant, les faits sont là : au-delà d'affirmations purement verbales concernant l'unité nécessaire de l'île, le plus « nationaliste » des partis irlandais, le Fianna Fail, ne fait rien pour réaliser l'union avec le Nord. Parce que l'union, en réalité, ne fait pas l'affaire de l'Église catholique.

Le socialisme étouffé

Le Parti travailliste irlandais (Irish Labour Party) existe depuis 1912 et dispose d'une représentation parlementaire continue depuis 1922. Né sous influence anglaise, il peut cependant être considéré comme un parti social-démocrate de type classique. Sa seule spécificité idéologique, par rapport aux social-démocraties suédoise, autrichienne, allemande et belge, est de ne pas incarner localement un idéal de laïcité. Le catholicisme pénètre même l'Irish Labour Party. Le travaillisme irlandais ne fournit donc pas aux individus une possibilité d'intégration totale. Il n'est pas, à la manière des social-démocraties du continent, une Église de substitution. Avec un score électoral moyen de 11 % entre 1923 et 1969, il est nettement plus faible que toutes les autres social-démocraties du monde catholique. On compte un score moyen de 43 % pour le parti autrichien entre 1919 et 1971, de 34 % pour le parti belge entre 1919 et 1971. La social-démocratie irlandaise est même plus faible que celle de la Flandre, puisque, dans cette partie très catholique de la Belgique, le Parti socialiste recueille en moyenne 27 % des voix entre

1. J.H. Whyte, « Ireland : politics without social bases » ; expression reprise par M. Gallagher, *Political Parties in the Republic of Ireland*, p. 1.

	Pratique religieuse et vote social-démocrate dans quatre régions européennes	
	Pratique religieuse vers 1950	*Score social-démocrate (moyenne des années indiquées)*
Autriche	35 %	43 % (1919-1971)
Wallonie	40 %	43 % (1919-1971)
Flandre	60 %	27 % (1919-1971)
Irlande	90 %	11 % (1923-1969)

1919 et 1971. On voit très bien, à partir de ces quatre cas, à quel point la puissance de la social-démocratie est une fonction inverse de la pratique religieuse.

Le Parti travailliste n'a donc pas réussi à devenir le parti de la majorité du prolétariat irlandais.

Il est cependant un parti de classe, dans la mesure où sa base électorale et géographique est quand même fonction de la masse locale du prolétariat. En 1973 par exemple, l'Irish Labour Party dépasse 10 % des suffrages exprimés sur un territoire continu comprenant le Sud et l'Ouest de l'île, entre Cork et Dublin. Ces régions sont bien celles où l'on peut trouver le prolétariat, industriel ou rural, le plus nombreux (cartes 55 *a, b, c*). Le déterminant socio-économique du vote travailliste est faible puisque la majorité des ouvriers irlandais ne votent pas pour le Parti travailliste.

La démocratie-chrétienne au pluriel

Face à cette social-démocratie minuscule, le système idéologique irlandais devrait comprendre un nationalisme ethnocentrique également minuscule et une démocratie-chrétienne surpuissante. Si l'on analyse les thèmes de la vie politique et sociale irlandaise, tout entière dominée par le respect de l'Église et de ses préceptes en matière de divorce, de contraception, d'avortement, c'est bien ce que l'on observe. Le système des partis cependant ne reflète pas cette thématique à dominante idéo-

Irlande : les élections au Dáil (1923-1987) Proportion des suffrages exprimés (en %)			
	Fianna Fail	*Fine Gael* *(Cumann na nGaedheal)*	*Labour*
1923		39,0	10,9
1927 juin	26,1	27,5	12,6
1927 septembre	35,2	38,7	9,1
1932	44,5	35,3	7,7
1933	49,7	30,5	5,7
1937	45,2	34,8	10,3
1938	51,9	33,3	10,0
1943	41,9	23,1	15,7
1944	48,9	20,5	8,8
1948	41,9	19,8	8,7
1951	46,3	25,8	11,4
1954	43,4	32,0	12,1
1957	48,3	26,6	9,1
1961	43,8	32,0	12,0
1965	47,7	34,1.	15,4
1969	45,7	34,1	17,0
1973	46,2	35,1	13,7
1977	50,6	30,5	11,6
1981	45,3	36,5	9,9
1982 février	47,2	37,3	9,1
1982 novembre	45,2	39,2	9,4
1987	44,1	39,2	6,4
Source : P. Mair, *The Changing Irish Party System* (tableau 1.1).			

logico-religieuse. Au lieu d'une démocratie-chrétienne énorme et triomphante affrontant un micro-nationalisme, on peut identifier deux partis qui ont toutes les caractéristiques de partis démocrates-chrétiens, sauf le nom, et qui, ensemble, absorbent l'essentiel de la faible aspiration au nationalisme ethnocentrique. Cette discordance entre système idéologique et système des partis tient à la position spéciale du catholicisme dans la culture irlandaise.

Le catholicisme irlandais est, face au protestantisme britannique, le trait central de l'identité nationale. Il est donc normal d'observer plus qu'ailleurs une absorption du nationalisme par le catholicisme, ces deux concepts se confondant dans le contexte irlandais. L'absolue puissance du catholicisme, religion tellement incontestée qu'elle pénètre jusqu'au Parti travailliste, rend superflue l'existence d'un parti spécifique qui défendrait la religion. En d'autres termes, l'idéologie démocrate-chrétienne est tellement puissante en Irlande qu'elle peut se permettre de se diviser en deux branches partisanes rivales, affirmant leurs nuances sur des points secondaires, comme le nationalisme par exemple.

Sur le plan de la politique intérieure, économique et sociale, Fianna Fail et Fine Gael semblent des jumeaux identiques. Même respect de la propriété privée et des lois du marché, mais aussi même acceptation de l'intervention étatique dans le domaine économique, par des nationalisations ou des subventions[1]. Cette conception mixte de la vie économique est typique de toutes les démocraties-chrétiennes. Dans sa forme intellectuellement la plus élaborée, il s'agit de *l'économie sociale de marché* chère au chancelier allemand (CDU) Ludwig Erhard. Comme tous les partis démocrates-chrétiens, Fianna Fail et Fine Gael sont des partis interclassistes, au contraire des mouvements sociaux-démocrates qui s'appuient de façon privilégiée sur la classe ouvrière, ou des mouvements nationalistes qui représentent particulièrement bien les classes moyennes. L'acceptation des directives de l'Église dans le domaine des mœurs complète heureusement ce tableau de deux démocraties-chrétiennes concurrentes. Le Fine Gael, historiquement plus proche de la *hiérarchie* catholique, appartient officiellement à l'Internationale démocrate-chrétienne[2]. Mais ce sont les électeurs du Fianna Fail qui expriment la fidélité la plus grande au dogme catholique. En 1983 par exemple, 80 % des partisans du Fianna Fail sont en faveur d'un amendement anti-avortement de la Constitution, contre 61 % seulement de ceux de Fine Gael et 48 % de ceux du Parti travailliste[3]. En somme, le Fianna Fail, plus populiste, exprime avec une certaine brutalité les aspirations du peuple catholique. Le Fine Gael porte, quant à lui, la marque d'une certaine modération bourgeoise. En 1969, cepen-

---

1. Voir notamment M. Gallagher, *op. cit.*, p. 141.
2. P. Letamendia, *La Démocratie-chrétienne*, p. 83.
3. M. Gallagher, *op. cit.*, p. 36-37.

dant, les deux siamois de la politique irlandaise se partageaient équitablement le soutien des classes moyennes supérieures (*upper* et *upper middle class*). Le Fine Gael n'apparaît très faible, par rapport à son score national moyen, que chez les ouvriers non qualifiés. L'interclassisme du Fine Gael est donc moins parfait que celui du Fianna Fail. Ces nuances de composition sociale de deux partis à vocation interclassiste rappellent un peu celles qui opposent les branches flamande et wallonne de la démocratie-chrétienne belge. En Flandre, les « ordres » paysan, ouvrier et bourgeois s'équilibrent au sein du Parti social-chrétien. En Wallonie, l'ordre bourgeois domine nettement le système catholique, parce que la classe ouvrière, largement fidèle au Parti ouvrier belge, a fait défection.

Irlande : préférences électorales des groupes socio-économiques (1969) Selon les résultats d'un sondage (en %)			
	Fianna Fail	**Fine Gael**	**Labour**
Classes supérieures et moyennes supérieures	37	37	10
Classes moyennes inférieures	48	26	15
Ouvriers qualifiés	40	21	27
Ouvriers non qualifiés	43	14	28
Agriculteurs (moyens et gros)	38	46	2
Agriculteurs (petits)	53	26	5
Ensemble de la population	43	25	18

Source : J.H. Whyte, *Ireland : Politics Without Social Bases,* p. 631.

Sur le plan socio-économique, une certaine complémentarité du Fine Gael et du Parti travailliste peut être constatée, la sous-représentation ouvrière de l'un correspondant à la surreprésentation de l'autre, particulièrement sur la côte est autour de Dublin. Le Fianna Fail domine le système politique depuis sa stabilisation au début des années trente. Entre 1932 et 1982, son score moyen est de 46,3 %, celui du Fine Gael de 31,0 %. Sur les cinquante années allant de 1932 à 1982, le Fianna Fail est au pouvoir durant trente-neuf ans. Les coalitions associant Fine Gael et travaillistes durent en général assez peu. Leur insuccès est en un sens compréhensible : complémentaires en termes arithmétiques, Fine Gael et Labour Party le sont aussi sur le plan social. Mais cette complémentarité implique une opposition entre un Fine Gael de nuance bourgeoise et un Labour Party nettement ouvrier.

Le nationalisme introuvable

La question du nationalisme structure l'opposition symbolique entre Fianna Fail et Fine Gael. Le Fianna Fail est officiellement l'héritier de ceux qui refusèrent par radicalisme le traité de 1921 avec la Grande-Bretagne, exigeant l'indépendance immédiate plutôt que le maintien dans la mouvance britannique avec le statut de dominion. Une guerre civile oppose en 1921-1922 partisans et adversaires du traité. Les modérés, favorables à l'acceptation l'emportent, et leur parti, le Cumann na nGaedheal, gouverne l'Irlande du Sud jusqu'en 1932, date à laquelle les indépendantistes de De Valera, les « républicains », l'emportent et constituent le gouvernement. Ils réalisent alors l'indépendance de l'Irlande et affirment sa neutralité. Le Fianna Fail est l'arme politique de ces républicains. Le Fine Gael est l'héritier direct du Cumann na nGaedheal. Le clivage partisan repose sur un souvenir historique. Le Fianna Fail se veut parti des purs et durs, s'efforçant de projeter sur le Fine Gael une image d'irrésolution et de sympathie pour la Grande-Bretagne. Le Fianna Fail est partisan d'un apprentissage obligatoire de la langue gaélique par les jeunes Irlandais. Le Fine Gael est effectivement opposé à une telle mesure et accepte mieux le caractère anglophone de l'Irlande. La question de la réunion de l'Ulster à la république d'Irlande montre le caractère vide du nationalisme de nuance Fianna Fail. Au-delà des paroles, l'action du parti dominant pour la réunification est, entre 1950 et 1980, à peu près nulle. Pourquoi ? Parce que la question religieuse l'emporte sur la question nationale. La récupération de l'Ulster, dont la population est en majorité protestante, obligerait la République à se redéfinir comme État laïque. La Constitution de 1937, promulguée sous De Valera, est d'inspiration catholique et reconnaît à l'Église de Rome une « position spéciale [1] ». L'Église préfère une Irlande du Sud tronquée, mais catholique homogène, à une Irlande réunifiée et hétérogène sur le plan religieux. L'immobilisme du Fianna Fail (et des partis politiques irlandais en général) concernant la réunification vient de ce qu'en Irlande la religion passe avant la nation.

Cas spécial en Europe, l'Irlande n'échappe cependant pas au système idéologique produit par la famille souche, par ses valeurs d'autorité et d'inégalité. La surpuissance locale du catholicisme y permet seulement une discordance entre le système idéologique et le système des partis. Le système idéologique juxtapose une toute-puissante aspiration démocrate-chrétienne, une micro-social-démocratie et un micronationalisme ethnocentrique. Le système des partis combine deux forces politiques de type démocrate-chrétien exprimant elles-mêmes le nationalisme ethnocentrique, et une petite social-démocratie pénétrée de catholicisme.

L'expression par des partis de type démocrate-chrétien d'un nationalisme ethnocentrique secondaire n'est pas un phénomène réservé à la seule Irlande. On peut l'observer dans la Flandre des années 1920-1965. On peut aussi l'identifier au Pays basque espagnol ou dans le Sud-Tyrol italien.

Le Parti nationaliste basque (PNV), le plus ancien des groupes autonomistes basques, est officiellement un parti démocrate-chrétien. Le Parti populaire du Sud-Tyrol, qui représente les germanophones intégrés à la République italienne, appartient aussi à la constellation démocrate-chrétienne. Dans ces deux cas, le catholicisme exprime et étouffe à la fois la revendication nationaliste. Il se présente comme l'organe de défense d'un groupe ethnique qui se perçoit comme menacé mais agit aussi comme modérateur de l'aspiration ethnocentrique radicale, qui affirme la spécificité absolue du peuple en question. La déchristianisation des années soixante-dix provoque dans ces deux régions, comme en Belgique, la montée en puissance d'un nationalisme ethnocentrique virulent, authentique.

1. M. Gallagher, *op. cit.,* p. 36.

Famille souche et continuité temporelle

Le trait commun le plus frappant des systèmes idéologiques dérivés de la famille souche est sans conteste la continuité temporelle. Les trois grandes forces qui les constituent – social-démocratie, nationalisme ethnocentrique et démocratie-chrétienne – manifestent dans tous les pays concernés une résistance réellement stupéfiante aux altérations du temps, aux modifications de l'environnement – économique, social, diplomatique, militaire. Les séries électorales évoquent une continuité saisissante des partis et de leur puissance relative. La Suède n'en finit pas de voter social-démocrate, tout comme la Wallonie ou la partie orientale de l'Autriche. La Flandre et la partie occidentale de l'Autriche n'échappent jamais à la démocratie-chrétienne. L'Irlande, année après année, choisit le Fianna Fail, obstination d'autant plus spectaculaire que le parti en question n'a pas de doctrine évidente et stable. Les régions allemandes ou suisses manifestent une égale constance. Le Nord et le Centre de la République fédérale restent sociaux-démocrates, le Sud et l'Ouest démocrates-chrétiens, malgré la crise nationaliste ethnocentrique des années 1900-1945, malgré le passage d'un régime totalitaire meurtrier, capable de massacrer les hommes mais non les idéologies. En Suisse alémanique aussi, radicalisme, démocratie-chrétienne et social-démocratie représentent des forces stables.

La famille souche produit cette stabilité. Avant même les valeurs d'autorité et d'inégalité, la continuité temporelle est son obsession majeure. La famille souche définit un lignage, un groupe humain qui doit se perpétuer à travers le temps, échapper, par ses règles strictes et logiques, à la mort des individus. Cette obsession de la continuité temporelle se retrouve naturellement dans le domaine idéologique. La fidélité au passé est une valeur majeure qui cristallise, fige le système idéologique, une fois qu'il est constitué. Indépendamment de leur contenu théorique, la social-démocratie et la démocratie-chrétienne bénéficient de l'attachement au passé des populations dont le système familial traditionnel est de type souche.

Dans le cas du nationalisme ethnocentrique, le lien entre

l'idéologie et la notion de continuité est explicite. Des trois composantes du système idéologique associé à la famille souche, le
nationalisme ethnocentrique est apparemment le moins stable, le
plus difficile à identifier. Dans le cas de l'Allemagne, sa viru-
lence mène à la guerre et à l'élimination de l'idéologie raciste
par la force militaire alliée. Dans les petits pays de famille
souche, l'ethnocentrisme devient neutralisme, rejet doux du
monde et des autres. Moins visible, intermittent dans ses expressions partisanes, le nationalisme ethnocentrique est cependant
plus proche que la social-démocratie ou la démocratie-chrétienne du principe de continuité temporelle caractéristique de la
famille souche. Le passé et la persistance dans le temps fondent
en effet le peuple idéal du nationalisme ethnocentrique. Émer-
geant d'un temps immémorial, voulant survivre dans les siècles
des siècles, ce peuple lignée n'est qu'une projection grandiose
de la famille souche elle-même.

CHAPITRE XI

Communauté
Italie centrale, Finlande, Portugal méridional

L'Europe occidentale n'est pas le lieu d'étude idéal des productions idéologiques de la famille communautaire, qui combine autoritarisme de la relation parents-enfants et égalitarisme du rapport entre frères. Type le plus massif à l'échelle planétaire, la famille communautaire n'est qu'un élément anthropologique secondaire sur la frange ouest du bloc eurasiatique. La famille communautaire exogame – autoritaire, égalitaire et excluant de plus la possibilité de mariages entre cousins – domine la Russie, la Serbie, la Bulgarie, la Hongrie, l'Albanie, la Mongolie, la Chine, le Vietnam, l'Inde du Nord[1]. Elle est également cactéréristique de bien des peuples sibériens comme les Samoyèdes, les Ostiaks, les Vogouls, les Toungouses, les Ghiliaks, les Bouriates, et de certains peuples d'Asie centrale comme les Kazakhs.

La famille communautaire exogame définit sur un planisphère un bloc compact, dont le centre de gravité est situé quelque part entre la Chine et l'URSS, et dont la carte ressemble tellement à celle du communisme qu'elle révèle à elle seule la relation fondamentale associant famille et idéologie. Seule l'Inde du Nord, communautaire sur le plan familial mais peu propice au communisme (si l'on met de côté le cas du Bengale-Occidental), échappe à la relation associant communautarisme familial et développement d'un communisme endogène à l'époque contemporaine. Certaines spécificités de la structure familiale indo-aryenne permettent d'ailleurs d'expliquer cette déviation[2].

1. Pour la carte mondiale de ce type familial, voir E. Todd, *La Troisième planète. Structures familiales et systèmes idéologiques,* planche hors texte.
2. Comme l'âge du mariage exceptionnellement bas. Sur ce point, voir E. Todd, *op. cit.,* p. 59-61.

57 – Le communisme vers 1975

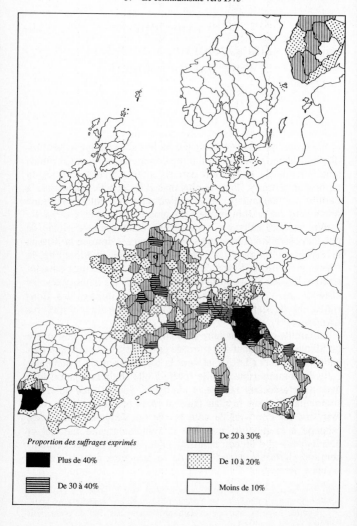

Proportion des suffrages exprimés

Plus de 40%

De 30 à 40%

De 20 à 30%

De 10 à 20%

Moins de 10%

En Europe occidentale, la famille communautaire ne domine réellement aucune nation, elle n'est importante que dans des régions : en Italie centrale, dans quelques départements français sur la bordure nord-ouest du Massif central et, sous forme altérée, matrilinéaire, au Sud du Portugal. En Finlande, où elle représente la forme anthropologique originelle proprement finnoise, la famille communautaire a été atténuée par les valeurs différentes des colons suédois, culturellement dominants du XIVᵉ au XVIIIᵉ siècle.

La famille communautaire de l'Europe de l'Ouest, très minoritaire, peut néanmoins procurer au politologue de vives satisfactions théoriques. La tenue d'élections libres dans la plus grande partie de la zone – dans sa totalité depuis l'effondrement des régimes franquiste et salazariste – permet de vérifier à un niveau géographique fin l'existence de la relation associant famille communautaire et communisme. Formes communautaires et communisme sont suffisamment rares en Europe occidentale pour que la coïncidence des deux phénomènes n'en soit que plus frappante. A l'ouest du rideau de fer, le communisme n'est en effet réellement important, dans les années soixante-dix, qu'en Italie, surtout dans la partie centrale du pays, en Finlande, au Sud du Portugal et en France, particulièrement sur la bordure nord-ouest du Massif central, ensemble de régions où la présence de formes familiales communautaires est attestée à l'époque préindustrielle. Le communisme n'échappe réellement à la famille communautaire qu'au cœur du Bassin parisien, où il représente une version radicalisée mais fragile de la tradition révolutionnaire, en terrain nucléaire égalitaire.

Globalement, la comparaison des cartes 8 et 57, décrivant respectivement la famille communautaire et le communisme des années 1970, révèle une correspondance d'autant plus saisissante que les deux variables représentent des types ultraminoritaires.

Une idéologisation tardive

La montée en puissance des idéologies correspondant à la sphère anthropologique communautaire n'intervient pas avant le début du XXᵉ siècle.

En Finlande, pays luthérien alphabétisé dès le XVIIIᵉ siècle, c'est la déchristianisation qui donne le signal de l'idéologisation. La disparition de la métaphysique religieuse commence vers 1880 ; dès 1907, un socialisme exceptionnellement massif émerge sur le plan électoral.

En Italie centrale, dans la partie nord-ouest du Massif central, dans le Sud du Portugal, la déchristianisation est un phénomène ancien, remontant au milieu du XVIIIe siècle. C'est donc l'alphabétisation qui déclenche l'idéologisation. L'Italie centrale et le Limousin n'atteignent les 50 % d'hommes alphabétisés qu'entre 1850 et 1900. L'idéologisation ne peut s'effectuer qu'une fois ce stade passé, c'est-à-dire à l'extrême fin du XIXe siècle ou au début du XXe. Dans ces deux régions, le premier quart du XXe siècle est donc, comme en Finlande, la période décisive du développement de l'idéologie.

Au Sud du Portugal, l'alphabétisation est extrêmement tardive puisque le seuil des 50 % n'est franchi qu'entre 1940 et 1970. L'idéologisation, qui correspond en pratique à la « Révolution des œillets », doit donc attendre les années soixante-dix.

Les régions de famille communautaire d'Europe occidentale n'appartiennent pas, au début du XXe siècle, à la partie fortement industrialisée du continent. Pourtant, vers 1900, le mythe ouvrier est déjà installé à l'échelle continentale. La société industrielle arrive à maturité en Grande-Bretagne, la social-démocratie allemande s'impose comme la force politique la plus massive et la plus cohérente d'Europe. L'éveil idéologique des peuples de Finlande, d'Italie centrale, de la partie nord-ouest du Massif central, plus tard du Sud du Portugal, est donc de type socialiste. Dans ces nations et régions majoritairement rurales, le rêve d'une société ouvrière idéale remplace l'image disparue de la cité de Dieu. On n'observe pas, comme dans la France du Nord au XVIIIe siècle, une phase unitaire de l'idéologie, durant laquelle une *nation* qui n'est ni de droite ni de gauche, ni bourgeoise ni ouvrière, remplace l'au-delà métaphysique du système religieux. Immédiatement s'opposent, dans les régions de famille communautaire, une idéologie socialiste s'identifiant à la classe ouvrière et un nationalisme de droite prétendant ramener le pays à l'unité sociale mais s'identifiant aux aspirations des classes moyennes. L'idéologie socialiste typique des régions dominées par la famille communautaire est le communisme. A ce communisme s'oppose, presque instantanément, un nationalisme de droite, qui n'échappe cependant pas aux valeurs fondamentales de la famille communautaire : le fascisme naît officiellement en Italie, mais on en trouve des traces significatives dans la Finlande des années 1917-1944.

Ce dualisme immédiat du système idéologique, qui comprend une composante socialiste et une composante nationaliste, rapproche l'histoire politique des régions de famille communautaire de celle des régions de famille souche. En Suède, par exemple, l'idéologisation, totale ou partielle, suit l'industrialisation (facteur de déchristianisation) et se trouve donc immédiatement dédoublée par la concurrence entre rêves ouvrier et bourgeois, socialiste et nationaliste. Ce qui distingue l'histoire idéologique des régions de famille communautaire de celle des régions de famille souche, c'est l'insignifiance des idéologies religieuses réactionnelles. En Allemagne, en Autriche, en Belgique, la persistance dans certaines zones d'un catholicisme dominant conduit à l'émergence d'une démocratie-chrétienne souvent majoritaire, réaction d'une métaphysique religieuse intacte à l'agression des idéologies sociale-démocrate et nationaliste ethnocentrique. En pays de famille communautaire, la déchristianisation n'est pas absolue mais est néanmoins beaucoup trop avancée pour que se manifeste une idéologie religieuse réactionnelle spécifique.

Importance de la révolution russe

Le premier développement de l'idéologie socialiste en Finlande, en Italie centrale ou sur la bordure nord-ouest du Massif central français ne permet pas l'apparition d'un communisme distinct des courants alors dominants que sont la social-démocratie et l'anarcho-socialisme. La faiblesse de la famille communautaire en Europe occidentale exclut la possibilité d'une émergence autonome et spontanée de l'idéologie communiste. Les régions concernées sont trop petites, trop dominées culturellement pour affirmer leurs propres valeurs, leurs idéologies spécifiques face à celles des systèmes anthropologiques dominants que sont la famille souche et la famille nucléaire égalitaire. La prédisposition au communisme se manifeste seulement, avant 1917, par une surpuissance et un radicalisme tout à fait remarquables du mouvement socialiste. L'anarcho-syndicalisme de l'Italie centrale (particulièrement en Émilie) semble entre 1900 et 1914 sur le point de définir une nouvelle idéologie. Il se distingue de l'anarcho-syndicalisme français ou de l'anarchisme espagnol par une capacité organisationnelle stupéfiante, le contraire de l'anarchie en vérité[1]. Mais il faut attendre la révolution bolchevique pour que cristallise, en Italie centrale comme dans toutes les autres régions de famille communautaire d'Europe occidentale, une affection spécifique pour le communisme. En Russie règne une variante particulièrement spectaculaire de la famille communautaire, à l'échelle d'une nation continent. Le bolchevisme, qui finit par prendre le nom de communisme, définit enfin la forme idéale du socialisme adapté aux valeurs de la famille communautaire. Au début des années vingt, la fondation de la IIIe Internationale permet enfin à l'Émilie, à la Toscane, au Limousin, au Berry, au Bourbonnais, à l'Alentejo, à la Finlande, de se situer à la perfection dans le concert des idéologies socialistes. Toutes ces régions révèlent finalement une affection spécifique pour la doctrine léniniste, définie plus à l'est.

Communisme et dictature du prolétariat

Autoritaire et égalitaire, la famille communautaire produit, dans la phase d'idéologisation qui suit la déchristianisation, des doctrines adaptées. Les cités idéales, socialiste ou nationaliste, qui naissent du vide religieux, sont autoritaires et égalitaires.

Le socialisme prend en région de famille communautaire la forme du communisme, idéologie simple, radicalement autoritaire et égalitaire, prônant la soumission à l'État d'individus égaux. La combinaison d'égalitarisme et d'autoritarisme définit un État plus puissant encore que celui de la social-démocratie, qui naît, elle, d'un terrain autoritaire mais non égalitaire. La famille souche, inégalitaire, entretient en effet une vision différenciée des classes et des fonctions économiques ; elle assure la persistance de l'hétérogénéité sociale sous le contrôle d'un État très puissant. Type idéal de cette combinaison : la Suède, où l'État absorbe 60 % du produit national brut, mais tolère fort bien l'existence d'une économie d'entreprise libérale. Le

1. Voir *supra*, p. 296-298.

communisme, par contre, ne veut, ne peut tolérer l'hétérogénéité. Porté par l'égalitarisme, il cherche une homogénéisation radicale de la structure sociale, abolissant les distinctions de classes, les différences de statut. La coexistence d'un secteur public et d'un secteur privé dans l'économie devient inconcevable. La socialisation intégrale des moyens de production s'impose.

A chacun des socialismes, on pourrait associer une vision du prolétaire et de la classe ouvrière dans la société idéale directement dérivée des valeurs du système familial localement dominant.

• L'opposition liberté/autorité définit la présence ou l'absence d'un pouvoir ouvrier : en système autoritaire, la classe ouvrière doit avoir un rôle *dirigeant* dans la structure sociale. En système libéral, elle sera simplement considérée comme *émancipée,* mais n'ayant pas à affirmer son autorité sur les autres classes.

• L'opposition égalité/inégalité définit un rapport d'équivalence ou de différence entre les classes. En système égalitaire, les prolétaires apparaissent comme des hommes semblables aux autres hommes. En système inégalitaire, ils représentent une catégorie spéciale, distincte par essence des bourgeois ou des paysans.

La combinaison des deux couples – liberté/autorité et égalité/inégalité – engendre quatre positions possibles de la classe ouvrière dans la structure sociale idéale et rêvée.

Liberté et égalité (famille nucléaire égalitaire) : l'anarcho-socialisme fait de l'ouvrier un homme égal aux autres – c'est-à-dire aux bourgeois – mais libre sans être dominant.

Autorité et inégalité (famille souche) : la social-démocratie veut une classe ouvrière dominante, mais acceptant l'existence d'autres classes, en vertu du principe de différenciation, en somme un ordre dirigeant.

Autorité et égalité (famille communautaire) : le communisme exige un ouvrier égal à tous mais dominant. On sent dans cette combinaison comme l'embryon d'une contradiction. Comment dominer sans être différent, supérieur ? Seule solution logique, la transformation de tous les êtres sociaux en ouvriers, en prolétaires. L'anarcho-socialisme faisait de l'ouvrier une incarnation parmi d'autres de l'homme universel ; le communisme définit le prolétaire comme l'homme universel par excellence, type parfait auquel doivent être réduits tous les autres êtres sociaux. C'est le sens profond de la notion de dictature du prolétariat qui est au cœur de la pensée communiste. La dictature du prolétariat n'est pas, simplement, le pouvoir d'une classe sur les autres classes : c'est la réduction de la structure sociale à un immense et unique prolétariat, salarié de l'État.

Une quatrième position possible de la classe ouvrière dans la structure sociale découle de l'existence d'un quatrième type familial, la famille nucléaire absolue, dont les productions idéologiques sont analysées au chapitre 12. Le socialisme découlant de ce système familial, libéral mais non égalitaire, préfère un ouvrier émancipé mais différent, à forte conscience de classe mais n'aspirant pas à la domination sociale.

L'Italie centrale

Durant les années 1960-1980, le Parti communiste italien s'affirme comme le plus puissant des membres occidentaux de la III⁰ Internationale. Dès les années soixante, le Parti communiste français fait à ses côtés figure de petit frère. Surtout, la croissance ininterrompue du PCI contraste avec le lent déclin du PCF pendant la même période. Entre 1946 et 1978, le Parti communiste français passe de 28,6 à 20,5 % des suffrages exprimés. Son homologue italien, entre 1946 et 1976, de 19 à 34,4 %.

On explique fréquemment l'échec du PCF et le succès du PCI par une divergence de leurs attitudes, doctrinales et politiques. L'ouverture d'esprit du communisme italien aurait permis sa croissance, l'étroitesse d'esprit proverbiale du Parti communiste français aurait au contraire été le facteur principal de son déclin. On ne peut en effet nier l'existence d'une certaine créativité doctrinale en Italie, se manifestant par une floraison de théories indépendantes du dogme défini à Moscou. La figure mythique de l'autonomie doctrinale italienne est bien entendu Gramsci, dont le concept d'hégémonie est rituellement invoqué lorsqu'il s'agit de justifier la pénétration de la petite bourgeoisie par l'idéologie communiste (entendre stratégie électoraliste du PCI). Mais c'est de Togliatti qu'on parle lorsqu'on glorifie l'indépendance vis-à-vis de Moscou : c'est à l'époque de son secrétariat que fut développée la thèse du *polycentrisme* nécessaire du mouvement communiste. Dans les années soixante, cette attitude « créative » permet des ouvertures en direction des chrétiens et favorise, de façon générale, un certain indifférentisme doctrinal.

L'explication de la puissance par l'ouverture d'esprit me semble inverser les termes d'une très réelle relation de causalité. C'est au contraire la puissance idéologique du PCI qui lui permet de s'ouvrir et de développer vis-à-vis du débat doctrinal une grandiose indifférence. La solidité de sa prise sur une portion stable des populations italiennes est assurée par d'autres facteurs qui n'existent pas ailleurs à un tel degré en Europe occidentale.

Les socialismes italiens (1921-1987)

Élections à la Chambre des députés

Proportion des suffrages exprimés (en %)

	Parti communiste	*Parti socialiste*	*Parti social-démocrate*	*Autres*
1921	4,6	24,7		
1946	19,0	20,7		
1948		31	7,1	
1953	22,0	12,7	4,5	
1958	22,7	14,2	4,6	
1963	25,3	13,8	6,1	
1968	26,9	14,5		4,5
1972	27,2	9,6	5,1	1,9
1976	34,4	9,6	3,4	1,5
1979	30,4	9,8	3,8	1,4
1983	29,9	11,4	4,1	1,5
1987	26,6	14,3	2,9	

Sources : pour 1921, J. Besson, G. Bibes et coll., *Sociologie du communisme en Italie,* p. 145 ; pour les années 1946-1987, éditions successives de l'*Annuaire statistique italien.*

Famille communautaire, métayage et communisme

La géographie électorale du communisme italien trahit le caractère irréel, fantasmatique des interprétations traditionnelles.

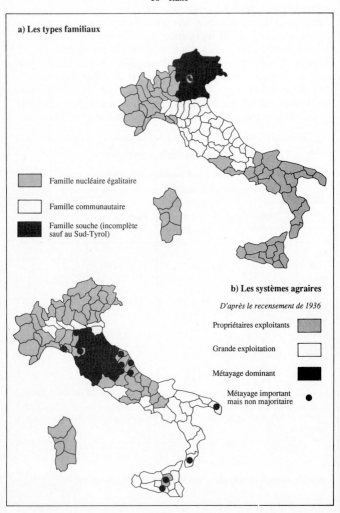

a) Les types familiaux

Famille nucléaire égalitaire

Famille communautaire

Famille souche (incomplète sauf au Sud-Tyrol)

b) Les systèmes agraires

D'après le recensement de 1936

Propriétaires exploitants

Grande exploitation

Métayage dominant

Métayage important mais non majoritaire

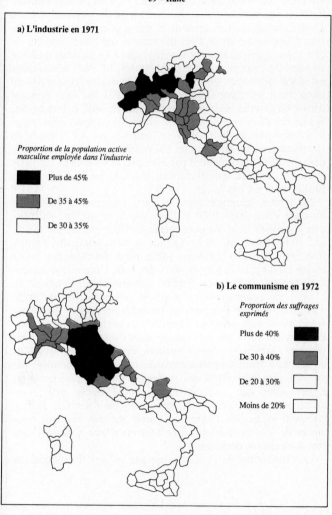

a) L'industrie en 1971

Proportion de la population active masculine employée dans l'industrie

Plus de 45%

De 35 à 45%

De 30 à 35%

b) Le communisme en 1972

Proportion des suffrages exprimés

Plus de 40%

De 30 à 40%

De 20 à 30%

Moins de 20%

Au milieu des années soixante-dix, le PCI n'est pas très puissant dans les zones industrielles du Piémont ou de Lombardie. C'est l'Italie centrale qu'il domine de sa masse et où il atteint la situation d'hégémonie chère à ses théoriciens, dans une zone qui est loin d'être particulièrement ouvrière, que l'on pourrait qualifier de semi-developpée sur le plan industriel. Le Parti communiste est donc nettement distinct, par la géographie électorale, du vieux Parti socialiste des années 1900-1921 qui était puissant dans cinq grandes régions italiennes : le Piémont, la Lombardie, la Ligurie, l'Émilie et la Toscane, ensemble compact dans lequel il obtenait plus de 40 % des voix [1] (carte 61 *a*). Au Piémont, en Lombardie, où se déroulent en 1919-1920 des grèves très dures, dans les usines automobiles par exemple, le socialisme peut être considéré comme spécifiquement ouvrier. En Toscane et en Émilie, ce n'est pas le cas.

En termes géographiques, le Parti communiste italien ne récupère donc, entre 1950 et 1980, que la moitié du vieil héritage socialiste, dont il assure même un léger glissement vers le sud, en Ombrie (carte 59 *b*). Sa zone de force principale, Émilie-Romagne, Toscane, Ombrie, partie nord des Marches, vaste région où il recueille plus de 40 % des voix, s'inscrit tout entière à l'intérieur de l'espace familial communautaire (carte 58 *a*). L'idéologie communiste ne recouvre cependant pas de façon uniforme l'ensemble de cette sphère anthropologique. Un phénomène d'inclusion peut être identifié : toutes les provinces où le PCI dépasse 40 % des suffrages exprimés sont occupées par des structures familiales communautaires, mais toutes les provinces de structure familiale communautaire ne sont pas dominées par un PCI atteignant 40 % des suffrages. Le communisme n'est hégémonique que dans le noyau central de la zone communautaire. Au Nord-Ouest (provinces de Piacenza, Parme, Lucques) et au Sud (Abruzzes, partie sud des Marches, provinces de Viterbe et Rieti), il se contente d'être important sans être aucunement dominant.

La distribution de l'industrie ne permet pas d'expliquer ce

---

1. En 1921, le Parti communiste existe mais n'a pas encore trouvé son assise anthropologique ; il ne recueille que 4,6 % des voix, contre 24,7 % au Parti socialiste.

surcroît de puissance communiste dans la partie centrale de la zone communautaire. Les cartes agraires fournissent par contre une clé tout à fait satisfaisante. Le PCI n'est hégémonique qu'en zone de métayage (cas général) ou de grande exploitation (cas de la basse vallée du Pô) (carte 58 *b*). Dans les régions de propriété paysanne du Nord-Ouest et du Sud, l'adhésion aux valeurs autoritaires et égalitaires du communisme est freinée. A l'échelle de l'Italie tout entière, communisme et métayage sont associés par un coefficient de corrélation élevé, + 0,64.

Le métayage oriente donc à gauche les régions déchristianisées de structure familiale communautaire. Il s'agit d'un phénomène normal dans la mesure où ce type agraire correspond ici à un mécanisme d'exploitation particulièrement dur, mettant la famille communautaire du *mezzadro* à la merci de son propriétaire, souvent un homme de la ville. Dès le XVIIIe siècle, les listes annuelles d'habitants dressées par les curés de Toscane révèlent une extraordinaire instabilité des familles paysannes, licenciées tous les cinq ou six ans[1]. Le métayer est, comme le prolétaire agricole, un exploité, un dépendant, qui peut s'identifier aux objectifs des partis « ouvriers » luttant pour la suppression de l'exploitation en milieu industriel et urbain. L'orientation à gauche des métayers n'est pas universelle en Europe, puisque l'on trouve dans la Vendée française ou la Vénétie italienne des métayers votant à droite. Mais elle est typique des régions où le métayage implique une exploitation brutale, non paternaliste, et où il correspond sur le plan religieux à une déchristianisation avancée.

Le caractère rural de l'ancrage communiste italien souligne bien la détermination anthropologique de l'adhésion aux valeurs d'autorité et d'égalité, que les paysans vivent avec une pureté particulière dans leurs communautés familiales. C'est pourquoi, dans ce que les politologues appellent la *ceinture rouge* italienne, vers 1968, 17 % des ouvriers d'industrie étaient membres du Parti communiste (ce qui est déjà beaucoup), mais 29 % des ouvriers agricoles et 28 % des métayers[2]. En Italie, trois conditions définissent donc une orientation communiste maximale :

---

1. Sur l'instabilité des métayers, voir E. Todd, « Mobilité et cycle de vie en Artois et en Toscane au XVIIIe siècle ».
2. D.I. Kertzer, *Comrades and Christians,* p. 33.

1) la présence des valeurs égalitaires et autoritaires définies par un système familial de type communautaire ;

2) un certain niveau de déchristianisation rendant possible l'idéologisation ;

3) la présence de la grande exploitation ou, plus fréquemment, du métayage, qui assure une orientation *ouvrière, prolétarienne, de gauche,* de l'idéologie.

Ces trois conditions ne sont nullement indépendantes les unes des autres et se recoupent largement :

• le métayage prédomine souvent en région de famille communautaire ;

• le métayage encourage la déchristianisation parce qu'il déposssède le paysan de son exploitation et de la maîtrise de son destin individuel [1] ;

• le trait égalitaire de l'organisation familiale communautaire nourrit également la déchristianisation parce qu'il mène au refus de l'idée de transcendance [2].

La séquence logique est la suivante :

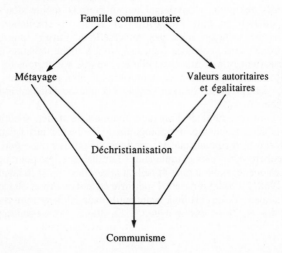

1. Moins cependant que la grande exploitation, voir *supra*, p. 194-196.
2. Voir *supra*, p. 194-196.

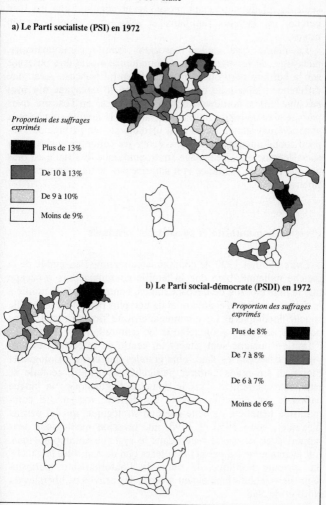

a) Le Parti socialiste (PSI) en 1972

Proportion des suffrages exprimés

- Plus de 13%
- De 10 à 13%
- De 9 à 10%
- Moins de 9%

b) Le Parti social-démocrate (PSDI) en 1972

Proportion des suffrages exprimés

- Plus de 8%
- De 7 à 8%
- De 6 à 7%
- Moins de 6%

L'examen de la littérature politologique montre qu'en général seule la relation associant métayage et communisme est bien perçue, les facteurs familiaux et religieux l'étant beaucoup moins.

La même combinaison associant famille communautaire, métayage, déchristianisation et communisme peut être observée sur la bordure nord-ouest du Massif central français. Avec une différence : la famille communautaire et le métayage n'y sont pas absolument dominants comme c'est le cas en Toscane, mais partagent au contraire l'espace social avec la famille souche et la propriété paysanne. Sur le plan idéologique, ce partage de l'espace social aboutit à une coexistence du communisme et de la social-démocratie. Le zonage anthropologique de l'Italie est plus net que celui de la France et n'autorise pas de tels partages d'influences.

Pression communiste et socialismes résiduels

Entre 1950 et 1990, le communisme domine l'ensemble de la gauche italienne, bien que la famille communautaire n'occupe que le tiers environ de l'espace italien, contre plus de la moitié à la famille nucléaire égalitaire et un peu plus de 10 % à la famille souche incomplète. Le communautarisme tire avantage de sa position centrale, géographique et culturelle. La Toscane et l'Émilie-Romagne sont situées au centre de la botte. Ces provinces possèdent les deux plus grandes universités, Bologne et Florence. Le poids culturel particulier de l'Italie centrale se manifeste clairement dans le domaine linguistique : la langue nationale est en effet dérivée du dialecte toscan. Le communisme bénéficie de cette position stratégique, qui lui permet d'exercer, entre 1950 et 1990, une pression idéologique sans rapport avec sa masse réelle dans le système anthropologique. Cet avantage ne lui permet d'ailleurs que de contrôler la gauche du système politique, la peur de l'autoritarisme marxiste-léniniste rejetant globalement à droite les provinces libérales du Nord et du Sud.

Divisée en un Parti socialiste et un Parti social-démocrate, la gauche socialiste mais non communiste n'atteint, dans l'ensemble de la botte, que 14,7 % des voix au total en 1972, contre 27,2 % au Parti communiste. Ce qui reste de socialisme non communiste dans l'Italie des années 1950-1990 n'échappe cependant pas aux déterminations de l'anthropologie. Le Parti socialiste et le Parti social-démocrate ont leurs zones de force respectives hors de l'espace communautaire central. Le Parti socialiste, représentant local de la tendance anarcho-socialiste, survit essentiellement en région familiale nucléaire égalitaire (carte 60 *a*). Quant au minuscule Parti social-démocrate, il ne dépasse 8 % des voix que dans le coin nord-est de la botte, en Vénétie, zone de famille souche, où il se présente comme un minuscule négatif de gauche de la véritable démocratie-chrétienne italienne, inscrite dans cette petite zone de famille souche dès 1919 (carte 60 *b*).

La structure familiale agit donc avec une grande finesse puisqu'elle permet d'expliquer non seulement le partage de l'espace entre Parti communiste et partis socialistes, mais aussi le découpage fin délimitant les sphères résiduelles anarcho-socialiste et sociale-démocrate.

Le fascisme italien

Le communisme commence à se dessiner en Italie centrale dès les années 1900-1914, même s'il ne prend son nom définitif que quelque temps après la révolution bolchevique de Russie. Il ne naît pas seul. Idéologie socialiste, il n'est que l'une des composantes du système idéologique engendré par la déchristianisation et l'alphabétisation en région de famille communautaire. A l'idéologie socialiste, proposant une cité ouvrière idéale, répond une idéologie nationaliste de droite, soutenue par les classes moyennes mais refusant la division de la société en classes antagonistes. L'idéologie qui fait face au communisme n'est pas n'importe quel nationalisme. Produite comme le communisme par la famille communautaire, elle est spécifique, porteuse, à sa manière, des valeurs d'autorité et d'égalité caractéristiques du système anthropologique. Communisme et fascisme naissent pour s'affronter, mais du même terrain, et restent, d'un bout à l'autre de leur combat, porteurs de valeurs communes.

La géographie du fascisme italien ressemble donc étrange-

61 – Italie

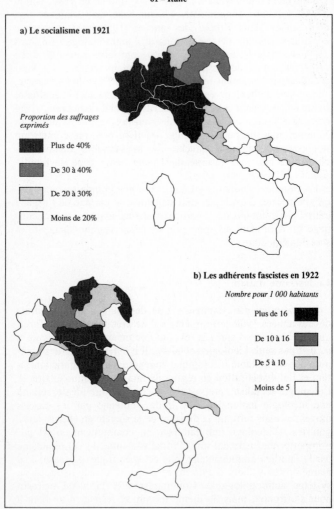

a) Le socialisme en 1921

Proportion des suffrages exprimés

Plus de 40%

De 30 à 40%

De 20 à 30%

Moins de 20%

b) Les adhérents fascistes en 1922

Nombre pour 1 000 habitants

Plus de 16

De 10 à 16

De 5 à 10

Moins de 5

ment à celle du communisme. L'absence d'histoire électorale autonome interdit que l'on saisisse l'implantation régionale du mouvement fondé par Mussolini au moyen de cet indicateur classique qu'est le pourcentage de suffrages exprimés. On dispose cependant de chiffres tout à fait fiables sur le nombre d'adhérents aux *faisceaux,* groupes de base du mouvement, par région, pour diverses dates. En mai 1922, quelques mois avant la prise de pouvoir, la distribution spatiale du militantisme fasciste révèle une coïncidence fondamentale avec le phénomène communiste et, au-delà, avec les régions déchristianisées de famille communautaire (carte 61 *b*). Hors de l'Émilie et de la Toscane, le fascisme n'est très puissant qu'autour des villes de Trente et de Trieste, zones frontières problématiques où le nationalisme est dopé par des conflits concrets avec les États autrichien et yougoslave naissants. La carte du fascisme au niveau provincial retrouve donc celle du métayage et des quelques poches de grande exploitation situées en zone familiale communautaire. Certaines différences géographiques avec le communisme apparaissent, mais seulement à un niveau local fin. Le fascisme est nettement plus urbain que le communisme. Il exprime les inquiétudes des propriétaires et des petits bourgeois des villes, encerclés par un monde rural rouge et surorganisé. C'est pourquoi la forme classique de l'action fasciste première manière est l'expédition punitive dans les campagnes [1].

Pas plus que le communisme, le fascisme ne naît de l'Italie industrielle du Nord-Ouest. Le communisme n'est pas réellement le parti du prolétariat, le fascisme n'est pas celui des capitalistes industriels. Communisme et fascisme émergent d'une société traditionnelle, agraire et urbaine, vidée de ses croyances religieuses, modernisée par l'alphabétisation mais fort peu troublée par l'industrie.

---

1. Ce qui n'empêche pas les grands propriétaires ruraux de fournir la base d'un fascisme agraire. Sur les relations entre campagnes rouges et villes « moins rouges » en Italie du Nord et du Centre, voir P. Milza et S. Berstein, *Le Fascisme italien, 1919-1945*, p. 100-103.

Le fascisme et l'égalité

Le régime fasciste est le premier des totalitarismes de droite, puisqu'il naît en 1922, une bonne dizaine d'années avant le nazisme. Son caractère autoritaire n'est pas à démontrer. Il se manifeste par un culte du chef (le Duce), par l'élévation de l'obéissance au rang de vertu suprême, par l'amour du parti et de l'État. Le principe d'autorité se manifeste clairement dans le domaine économique par un degré élevé d'interventionnisme. L'État « corporatiste » agit, par la fondation de trusts, par de grands travaux modernisateurs, par une politique générale d'autarcie. La conception d'une société économique fermée et centralisée rapproche évidemment le fascisme italien du bolchevisme russe, même si la tentative mussolinienne n'est qu'une version un peu pâle du modèle stalinien, presque contemporain. Le fascisme met le capitalisme en tutelle, il ne le liquide pas. Or seule la suppression complète de l'activité économique privée permet la réalisation du système fermé et centralisé.

Au-delà de ces éléments classiques de l'autoritarisme économique et politique, le fascisme incarne en Italie un principe d'ordre qui le mène à combattre, avec vigueur et détermination, le libéralisme et les diverses organisations de type Mafia d'Italie du Sud et de Sicile.

En conformité avec l'une des deux valeurs fondamentales de la famille communautaire, le fascisme revendique donc le principe d'autorité. Mais le caractère égalitaire du fascisme, qui découle du trait égalitaire de la structure familiale communautaire, est beaucoup plus intéressant et moins souvent noté. Son identification permet de saisir et d'expliquer la différence fondamentale, irréductible, existant entre les régimes mussolinien et hitlérien. Le nazisme, production idéologique de la famille souche, autoritaire et inégalitaire, veut la soumission d'hommes inégaux. Le fascisme, production idéologique de la famille communautaire, veut la soumission d'hommes qu'il ne peut s'empêcher de percevoir comme égaux.

Malgré sa distinction entre chef et fidèles, entre élites et masses, le fascisme est, au niveau inconscient, rongé par l'égalitarisme. Il ne peut s'appuyer comme le nazisme sur la vision d'une société stratifiée en ordres, dans laquelle paysans, ouvriers, nobles et juifs occupent des positions différentes et spécifiques. L'égalitarisme fasciste débouche sur des préoccupations sociales plus authentiques que celles du nazisme, sur un réel intérêt pour la question ouvrière. Mais c'est dans le domaine du racisme, du « non-racisme » plutôt, que l'égalitarisme fasciste est le plus apparent. Ce nationalisme de droite, obsédé de grandeur italienne et d'expansion coloniale, n'affirme pas l'infériorité des autres peuples et peut donc revendiquer la symbolique de la domination romaine, tout entière fondée sur l'idée d'homme universel. L'ethnocentrisme allemand, au contraire, aime la Grèce, particulariste, et déteste Rome, celle des papes comme celle des empereurs.

Entre 1922 et 1938, le mouvement puis le régime fascistes ne sont pas antisémites. Il faut attendre la constitution de l'axe Berlin-Rome et la satellisation de Mussolini par Hitler pour que soient édictées, en Italie, des mesures antisémites, que les fonctionnaires du régime et la population n'appliquent d'ailleurs pas réellement[1]. L'insensibilité italienne à la thématique raciste reflète, au niveau des relations ethniques, la conception égalitaire des rapports entre frères, typique de la famille communautaire et de la famille nucléaire égalitaire, encore plus importante en Italie.

Le trait égalitaire du communautarisme – familial et politique – rend le fascisme fragile, difficile, parce qu'il empêche le développement d'une conception cohérente de l'idéal de hiérarchie. La famille souche encourage, elle, une vision totalement *ordonnée,* au sens mathématique, de l'univers social. Au niveau le plus élevé de généralité, autorité des pères et inégalité des frères peuvent être considérées comme deux applications du même principe de hiérarchie, dont la famille souche est une incarnation anthropologique parfaite. Le père est supérieur au fils. Le frère qui hérite est supérieur à celui qui doit quitter le ménage. La combinaison des deux aspects hiérarchiques – supériorité du père sur le fils et de l'aîné sur le cadet – crée un système parfaitement ordonné : deux individus pris au hasard peuvent toujours être situés l'un par rapport à l'autre, selon une relation

---

1. Sur l'action antisémite du régime fasciste à partir de 1938, voir P. Milza et S. Berstein, *op. cit.,* p. 218-220.

supérieur/inférieur. Il existe alors une relation d'ordre dans l'ensemble des individus (en simplifiant un peu puisqu'il peut exister plusieurs frères cadets). La famille communautaire n'engendre pas une telle relation d'ordre. Le père est certes supérieur au fils, mais le frère aîné n'est jamais supérieur au frère cadet. On ne peut définir une hiérarchie sociale générale. Le principe égalitaire empêche le développement d'un système d'autorité clairement verticalisé et fragilise le culte des élites ou du chef.

Le communisme peut tourner cette difficulté, sur le plan symbolique. Il donne l'autorité absolue au prolétariat, à la masse, aux frères opprimés. Il encourage l'idée d'une soumission absolue, mais aux pairs, aux égaux, opérant ainsi la synthèse des idéaux d'autorité et d'égalité qui structurent la famille communautaire. Le fascisme, idéologie nationaliste de droite, expression des classes moyennes, ne peut donner, fût-ce sur le plan symbolique, l'autorité aux masses égalitaires. Il doit se contenter d'un fragile culte du chef, vicieusement menacé par l'égalitarisme de la culture populaire. C'est sans doute la raison pour laquelle le fascisme est historiquement assez rare. Le plus souvent, le communisme l'emporte largement dans les régions de famille communautaire. A l'échelle planétaire, la meilleure adéquation du communisme est évidente : la majorité des régions communautaires – Russie, Chine, Vietnam, Serbie, etc. –, malgré une très grande diversité de structures économiques et sociales, voient triompher, au xxe siècle, des systèmes de type stalinien plutôt que mussolinien. On peut donc affirmer que, si la famille communautaire produit bien à la fois le communisme et le fascisme, elle produit plus facilement le premier que le second. Compte tenu de la masse mondiale du communisme et de la relative insignifiance du fascisme (défini étroitement comme totalitarisme de droite non raciste), on peut considérer la réussite mussolinienne comme exceptionnelle plutôt que typique.

La conception communautaire de la nation est donc en général exprimée par des régimes communistes plutôt que par des régimes fascistes, nationalistes de droite. La Russie bolchevique met en action une théorie particulièrement claire et explicite des nationalités, qui aboutit à la définition de l'Union des républiques socialistes soviétiques. Il s'agit d'une représentation égalitaire mais anti-individualiste. La Révolution française définissait tous les individus comme égaux mais se refusait à percevoir leur ethnie, leur race ou leur religion d'origine. Elle niait le groupe et reconnaissait l'individu. Le système russe est sur ce point inverse : il rejette l'individu et n'accepte que des *peuples* égaux. La structure fédérative de l'URSS met en scène cette représentation : elle juxtapose des nationalités russe, ukrainienne, géorgienne, kazakh, estonienne égales mais rejette la notion d'un homme universel transcendant ces nationalités. Le peuple russe n'est pas supérieur aux autres : il n'est qu'un grand frère, et ce grand frère est, dans la famille communautaire, égal aux autres. Il doit partager l'héritage lorsque survient la mort du père. Une fois de plus, le traitement des juifs, qui incarnent dans la sphère religieuse chrétienne le principe même de différence, met particulièrement bien en évidence les traits saillants du système. Le modèle soviétique transforme la judéité en nationalité, égale aux autres.

La Finlande

Au contraire de l'Italie centrale, la Finlande ne représente pas une poche isolée de communautarisme, noyée dans les systèmes occidentaux dominants que sont la famille nucléaire égalitaire et la famille souche. Sur le plan anthropologique, la Finlande n'est, comme la Hongrie et la Serbie, que l'une des avancées occidentales extrêmes de l'immense zone communautaire eurasiatique. Localement, elle prolonge le communautarisme familial russe.

Jusqu'en 1809, la Finlande appartient au royaume de Suède ; entre 1809 et 1917, à l'Empire russe. La nation finnoise se définit donc contre deux puissances culturelles et militaires. De la période suédoise, la Finlande hérite la religion luthérienne et un taux d'alphabétisation extrêmement élevé. Elle hérite aussi d'une forte minorité suédophone, concentrée sur la côte ouest et sud-ouest, dans les provinces d'Uusimaa, de Vaasa et, dans une moindre mesure, Turku ja Pori (SF 1, 10 et 2). Dans un premier temps, la nation finlandaise doit pour exister lutter contre le suédois, qui reste longtemps la langue des élites nobles, bourgeoises et étatiques. L'administration russe respecte d'abord très large-

ment l'autonomie du grand-duché de Finlande ; entre 1809 et
1890, elle joue la carte du patriotisme finnois, pour dessouder le
pays de ses attaches historiques scandinaves. Mais, à partir des
années 1890-1900, la Russie entame une politique d'assimilation
sévère. La Suède passe au rang de problème culturel secondaire.
Durant tout le xxᵉ siècle, la Finlande va devoir défendre sa vie
contre le géant russe, puis soviétique. La révolution russe de
1905, à laquelle les Finlandais participent par une grève générale, permet au grand-duché d'obtenir, en 1907, une Assemblée
élue au suffrage universel direct et à la représentation proportionnelle.

Cette Assemblée, l'Eduskunta, n'a aucun pouvoir, mais elle
permet l'émergence de forces politiques modernes s'exprimant à
travers le suffrage universel. En décembre 1917, la Finlande
déclare son indépendance, immédiatement suivie d'une guerre
civile entre rouges et blancs. Avec le soutien d'une division allemande, les blancs écrasent les rouges. Le système parlementaire
se stabilise néanmoins dans l'entre-deux-guerres et résiste à une
poussée d'extrême droite au début des années trente. En 1939, la
menace russe réapparaît. A la suite du pacte germano-soviétique,
Staline réussit à annexer, au terme d'une guerre très dure, une
partie de la Carélie finlandaise. En juin 1941, la Finlande entre
en guerre contre l'URSS, aux côtés de l'Allemagne, pour
récupérer les territoires perdus. Elle ne participe cependant pas
au siège de Leningrad conduit par la Wehrmacht, se contentant
d'occuper les territoires caréliens qui l'intéressent. L'URSS
n'envahit pas la Finlande en 1944 et ne la prive pas de son indépendance, magnanimité quasi miraculeuse quand on pense au
destin de la Pologne, de la Tchécoslovaquie ou de la Hongrie.
Un traité d'amitié et de coopération est finalement signé en
1948, qui permet la normalisation des relations entre les deux
États, en garantissant la neutralité absolue de la Finlande.

Ce petit pays, de 4 millions d'habitants en 1950, continue
cependant de vivre aux portes d'un géant totalitaire comptant
plus de 200 millions de sujets. Le terme de *finlandisation* est
injuste dans la mesure où il nie la très réelle indépendance finlandaise, acquise au terme de bien des luttes ; elle exprime
cependant l'existence d'une situation particulière, la présence
d'une menace permanente pesant sur la vie nationale et politique.

Le paradoxe fondamental de la vie idéologique finlandaise est que les valeurs portées par le fond anthropologique local sont les mêmes que celles de la Russie. Dans les deux cas, la famille communautaire encourage le développement d'un communisme puissant. Celui-ci triomphe en Russie ; il ne peut se développer pleinement en Finlande, non seulement parce qu'il est atténué par des traditions suédoises, mais aussi parce qu'il s'identifie à la menace soviétique. Le fait que le communisme, idéologie de l'ennemi par excellence, survive quand même en Finlande entre 1946 et 1970 montre la puissance des déterminations familiales. La Finlande se méfie par-dessus tout de la Russie, mais ne peut s'empêcher de produire de l'idéologie communiste.

Communisme et social-démocratie

Dans ce pays très alphabétisé et dont la déchristianisation est sans doute fort avancée en 1900, l'instauration du suffrage universel est suivie d'une percée socialiste immédiate. Avec 37 % des voix en 1907, 40 % en 1910 et 47 % en 1916, le Parti social-démocrate de Finlande s'affirme non seulement comme le plus massif des groupes politiques finlandais, mais aussi comme le plus puissant des partis socialistes européens (carte 62). Performance réelle dans ce pays qui est après tout l'un des plus ruraux d'Europe, avec seulement 11 % de sa population active employée dans l'industrie vers 1910[1]. La présence d'un prolétariat minuscule suffit donc, en Finlande comme en Russie ou en Chine, au développement de l'idéologie socialiste, qui affecte à la classe ouvrière un rôle particulier dans la construction de la cité idéale. La violence du développement socialiste en Finlande est l'effet conjoint de deux facteurs : un taux d'alphabétisation élevé, une déchristianisation sans doute plus brutale que dans les autres pays luthériens. En Finlande, le protestantisme est posé sur une structure familiale égalitaire, assez hostile au fond à l'idée de transcendance divine. On peut y supposer une déchristianisation plus rapide que dans les pays de famille souche et de

---

1. Voir *Statistisk arsbok för Finland*, 1912, p. 48. A cette date, l'annuaire statistique du grand-duché, qui appartient à la Russie, est rédigé en suédois et en français.

62 – Finlande : le socialisme en 1911

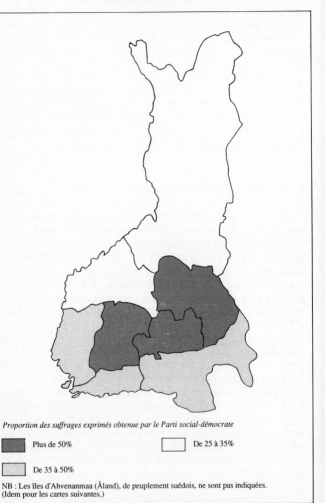

Proportion des suffrages exprimés obtenue par le Parti social-démocrate

Plus de 50%

De 25 à 35%

De 35 à 50%

NB : Les îles d'Ahvenanmaa (Åland), de peuplement suédois, ne sont pas indiquées.
(Idem pour les cartes suivantes.)

même religion que sont la Suède ou l'Allemagne du Nord. On serait même tenté de postuler une *christianisation* initiale de la Finlande beaucoup moins profonde : le luthéranisme, avec sa

		Finlande : les élections à l'Eduskunta (1907-1987)					
		Proportion des suffrages exprimés (en %)					
	Communistes	Sociaux-démocrates	Agrariens (Centre)	Conservateurs	Fascistes	Suédois	Libéraux
1907		37,0	5,8	27,3		12,6	13,6
1908		38,4	6,4	25,4		12,7	14,2
1909		39,9	6,7	23,6		12,3	14,5
1910		40,0	7,6	22,1		13,5	14,4
1911		40,0	7,8	21,7		13,3	14,9
1913		43,1	7,9	19,9		13,1	14,1
1916		47,3	9,0	17,5		11,8	12,5
1917		44,8	12,4			10,9	30,2
1919		38,0	19,7	15,7	.	12,1	12,8
1922	14,8	25,1	20,3	18,2		12,4	10,9
1924	10,4	29,0	20,2	19,0		12,0	9,1
1927	12,1	28,3	22,6	17,7		12,2	6,8
1929	13,5	27,4	26,2	14,5		11,4	5,6
1930	1,0	34,2	27,3	18,0	0,8	10,0	5,8
1933		37,3	22,5	16,9		10,4	7,4
1936		38,6	22,4	10,4	8,3	11,2	6,3
1939		39,8	22,9	13,6	6,6	9,6	4,8
1945	23,5	25,1	21,4	15,0		7,9	5,2
1948	20,0	26,3	24,2	17,0		7,7	3,9
1951	21,6	26,5	23,3	14,6		7,6	5,7
1954	21,6	26,2	24,1	12,8		7,0	7,9
1958	23,2	23,1	23,1	15,3		6,8	5,9
1962	22,0	19,5	23,0	15,1		6,4	6,3
1966	21,2	27,2	21,2	13,8		6,0	6,5
1970	16,6	23,4	17,1	18,0		5,7	5,9
1972	17,0	25,8	16,4	17,6		5,4	5,2
1975	18,9	24,9	17,6	18,4		5,0	4,3
1979	17,9	23,9	17,3	21,7		4,2	3,7
1983	13,5	26,7	17,6	22,1		4,6	—
1987	9,4 + 4,2	24,1	17,6	23,1		5,3	1,0

Source : *Annuaire statistique de Finlande,* 1988, p. 430-431, tabulation rétrospective.

théorie inégalitaire de la grâce, était mal adapté dès l'origine à l'égalitarisme de la structure familiale finnoise.

Parce qu'il emprunte ses concepts et ses textes théoriques à la Suède et à l'Allemagne, le mouvement socialiste de Finlande s'intitule social-démocrate. Mais il manifeste immédiatement un radicalisme qui préfigure le communisme. Il se définit sans la moindre hésitation comme antirévisionniste lorsque la social-démocratie allemande discute les thèses de Bernstein[1]. La social-démocratie finlandaise accepte avec enthousiasme la réfutation du révisionnisme proposé par Kautsky. Lorsque le Parti social-démocrate suédois, mené par Branting, opte pour la voie réformiste, vers 1907-1908, les camarades finnois sont officiellement horrifiés[2]. Très logiquement, la base du Parti social-démocrate ne recule pas en 1918 devant l'idée d'insurrection, de révolution et de guerre civile. Le Parti social-démocrate finlandais des années 1907-1918 est bien une formation rouge, dont le radicalisme découle du trait égalitaire du système anthropologique.

L'échec des rouges, qui s'identifient déjà au projet soviétique, n'entraîne pas l'élimination de la gauche. Une situation étrange se met en place, dans laquelle une gauche radicale, que l'on sent culturellement dominante, est en pratique affaiblie par la proximité menaçante du pays rouge par excellence, la Russie. Deux partis socialistes sont visibles entre 1922 et 1930 : le Parti social-démocrate et un Parti communiste qui se présente aux élections sous divers noms d'emprunt. Ensemble, ils recueillent toujours à peu près 40 % des voix. Ce n'est pas la droite qui profite de la division du mouvement socialiste. Entre 1920 et 1930, le Parti agrarien effectue sa montée en puissance, passant de 12 % des suffrages en 1917 à 27 % en 1930. La conscience de classe paysanne complète alors la conscience de classe ouvrière. Il s'agit d'ailleurs d'une véritable conscience de classe et non d'une fausse conscience, puisque la paysannerie, au contraire du prolétariat, est effectivement le groupe social qui domine numériquement la société finlandaise.

Les agrariens, anticommunistes et blancs durant la guerre

1. H. Soikkanen, « Revisionism, reformism and the Finnish labour movement before the first world war », p. 121-123.

2. H. Soikkanen, *op. cit.*, p. 124.

civile, ne sont pas de droite. En 1930, ils acceptent l'interdiction des activités communistes réclamée par la droite fascisante. Mais, en 1936, ils s'allient aux sociaux-démocrates pour stabiliser le système parlementaire. La peur de la Russie ne suffit donc pas à faire basculer à droite le système idéologique finlandais : porté par la famille communautaire, égalitaire, il manifeste un tropisme de gauche presque naturel. La puissance du Parti agrarien, qui continue de dominer le système politique durant tout l'après-guerre, n'est pas seulement un reflet de la masse numérique paysanne[1]. Elle découle aussi des impossibilités de la situation politique : le tropisme « rouge » du système idéologique ne peut s'exprimer normalement, par une adhésion au communisme ou même à la social-démocratie, à cause de la menace russe. La droite, très dure, volontiers fascisante, ne peut récupérer les électorats perdus par la gauche. Le Parti agrarien bénéficie donc des incapacités symétriques du mouvement ouvrier et du mouvement nationaliste à rassembler les populations.

Au lendemain de la Deuxième Guerre mondiale, communistes, sociaux-démocrates et agrariens s'affirment comme trois forces de taille comparable, atteignant en 1958 un merveilleux équilibre, avec respectivement 23,2 %, 23,1 % et 23,1 % des suffrages exprimés. A cette date, la distribution géographique des forces politiques finlandaises trahit bien le rôle prépondérant de la question russe dans l'équilibre du système idéologique.

Géographie électorale des partis finlandais

Aucun facteur socio-économique ou anthropologique ne permet d'expliquer la répartition relative des suffrages communistes et sociaux-démocrates dans la Finlande des années 1948-1970. Le communisme n'est ni particulièrement ouvrier ni spécifiquement rural. En 1958, date de son apogée d'après guerre, le Parti communiste dépasse 30 % des voix dans les circonscriptions très rurales de Laponie, Oulu et de Kuopio-Ouest (SF 12, 11 et 8).

---

1. Le Parti agrarien est représenté dans 54 des 63 gouvernements entre l'indépendance et 1984. Voir J. Mylly, « The agrarian center party in Finnish politics », p. 98.

Mais il n'est pas spécifiquement paysan puisqu'il atteint quand même 25 % des suffrages exprimés dans les provinces beaucoup plus industrielles que sont Häme et Turku ja Pori (SF 4 et 2). La géographie interne du communisme finlandais ne devient compréhensible que lorsqu'on la perçoit négativement, par ses zones de faiblesse (carte 63 *a*). Le Parti communiste finlandais est moins important dans les provinces à forte population suédoise d'Uusimaa et de Vaasa (SF 1 et 10). Il est surtout faible le long de la frontière est, carélienne, dans les provinces de Kymi, Mikkeli et Nord-Carélie (SF 5, 6 et 7)[1]. Le facteur fondamental de cette distribution géographique est la *distance à Leningrad*. A proximité de la partie habitée, menaçante, de l'URSS, la puissance relative du Parti communiste baisse parce que la peur nationale est plus forte[2].

La social-démocratie finlandaise se définit alors non comme une social-démocratie véritable, type idéologique autonome accroché à des structures familiales de type souche, mais comme une négation du communisme (carte 63 *b*). Une véritable nature sociale-démocrate aurait eu pour traduction géographique une proximité à la culture suédoise, moins égalitaire parce que définie par la famille souche. Or le Parti social-démocrate ne manifeste en Finlande aucune affinité à la culture suédoise : il n'est pas particulièrement puissant dans les provinces à forte minorité suédoise d'Uusimaa et Vaasa ou dans leur environnement immédiat[3]. Dans la province de Turku ja Pori, où l'influence suédoise est importante sans être écrasante, le Parti communiste l'emporte en 1958 sur le Parti social-démocrate avec 25,8 % des voix contre 24,5 %. Dans la province de Kymi, reste de l'ancien gouvernement de Viborg (Viipuri), amputé de sa moitié orientale au profit de l'URSS, et où la famille communautaire ne peut que

---

1. La Nord-Carélie est en 1958 la circonscription de Kuopio-Est.
2. Sur l'incapacité des paramètres socio-économiques classiques à rendre compte de la distribution géographique des voix communistes au niveau communal aux élections de 1962, voir M. Mielonen, *Geography of Internal Politics in Finland*, p. 49 : « The correlations between the support for the Communists and the explanatory variables are quite clearly smaller than in any other party. »
3. En 1958 par exemple, le Parti social-démocrate l'emporte sur les communistes dans la province d'Uusimaa (qui inclut Helsinki) par 25,1 % contre 19,9 % des voix. Mais le PC l'emporte dans celle de Vaasa par 18,2 % contre 17,3 %.

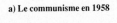

a) Le communisme en 1958

Proportion des suffrages exprimés

⬛	Plus de 30%
▨	De 25 à 30%
▢	De 20 à 25%
☐	Moins de 20%

b) La social-démocratie en 1958

Proportion des suffrages exprimés

Plus de 30%	⬛
De 25 à 30%	▨
De 20 à 25%	▢
Moins de 20%	☐

c) Les agrariens en 1958

Proportion des suffrages exprimés

⬛	Plus de 30%
▨	De 25 à 30%
▢	De 20 à 25%
☐	Moins de 20%

a) L'industrie en 1960

*Proportion de la population active masculine
employée dans l'industrie*

Plus de 30%

De 25 à 30%

De 15 à 25%

Moins de 15%

b) La langue suédoise en 1910

*Proportion de la population
de langue maternelle suédoise*

41%

25%

14%

Moins de 2%

c) Les conservateurs en 1958

Proportion des suffrages exprimés

Plus de 20%

De 17 à 20%

De 14 à 17%

Moins de 14%

65 – Finlande : «Jeunes» et «Vieux-Finnois» en 1911

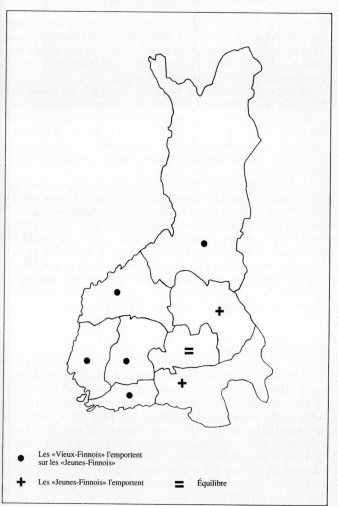

●   Les «Vieux-Finnois» l'emportent
    sur les «Jeunes-Finnois»

✚   Les «Jeunes-Finnois» l'emportent   =   Équilibre

dominer avec une extrême pureté, le Parti communiste ne
recueille à la même date que 13,5 % des voix contre 35,5 % à la
social-démocratie. Le choix entre les deux types de socialisme
ne dépend pas de différences anthropologiques internes à l'espace finlandais. Le déterminant fondamental du choix est l'intensité perçue de la menace russe, elle-même une fonction relativement simple de la distance à Leningrad.

La géographie électorale des partis bourgeois du début du
xxe siècle fait également apparaître une « effet Leningrad », un
« effet Saint-Pétersbourg » si l'on s'en tient aux noms de
l'époque. Les groupes les plus hostiles à la Russie prospèrent
dans les provinces sud-orientales ; les forces plus favorables au
compromis s'implantent dans les provinces occidentales et septentrionales.

Lors des élections à l'Eduskunta de 1911, les Jeunes-Finnois,
qui combattent toutes les mesures d'intégration à l'Empire russe,
l'emportent sur les Vieux-Finnois, prêts à certains compromis,
dans les deux gouvernements orientaux de Viborg, alors intact,
et de Kuopio, qui comprend alors, en plus de l'actuelle province
de Kuopio, celle de Nord-Carélie (carte·65). A l'Ouest et au
Nord, les Vieux-Finnois dominent la droite. Dans le gouvernement géographiquement intermédiaire de Mikkeli, les deux
groupes font à peu près jeu égal [1]. Dès 1911, la menace russe est
intériorisée par le système politique finlandais.

Le fascisme finnois

En parfaite conformité avec le modèle anthropologique développé dans ce livre, le nationalisme finnois, produit par la
famille communautaire, se présente comme numériquement
faible et de tempérament autoritaire. Le parti de la coalition
nationale (Kokoomus ou Parti conservateur) s'affirme, dès l'établissement de la république, comme antilibéral ; il n'accepte
qu'à regret le parlementarisme. Il laisse transpirer, durant tout
l'entre-deux-guerres, une grande sensibilité à la thématique fasciste. Entre 1929 et 1932, le Mouvement de Lapua réunit toute
l'extrême droite finlandaise dans une tentative de déstabilisation

---

1. *Statistisk arsbok 1912*, p. 592-593.

du régime parlementaire. Le mouvement obtient, dès 1930, l'interdiction du Parti communiste. Bloqué dans son développement par l'alliance des agrariens et des sociaux-démocrates, il ne peut aller plus loin. Dissout, le Mouvement de Lapua se reconvertit en parti politique, le Mouvement patriotique populaire, dont l'idéologie est explicitement fasciste, mais qui ne réalise que des scores électoraux médiocres : 8,3 % des voix en 1932, 6,6 % en 1936. Le phénomène le plus intéressant de l'époque est sans conteste la capacité de ce groupe fasciste à envahir, doctrinalement et physiquement, le Parti conservateur. La droite finlandaise n'est pas naturellement libérale, au contraire. En 1936, le Parti conservateur doit être purgé de ses innombrables adhérents fascistes[1]. Combinés, fascistes purs et conservateurs autoritaires sont à toutes les époques largement minoritaires dans le système politique finlandais : durant l'entre-deux-guerres, ils n'atteignent 20 % du corps électoral qu'une seule fois, en 1939. La famille communautaire finnoise produit donc bien du fascisme, mais un fascisme minoritaire, pesant en règle générale deux fois moins lourd électoralement que le mouvement socialiste (20 % contre 40 %, en simplifiant).

L'idéologie nationaliste en Finlande

La droite finlandaise des années 1920-1940 n'est pas seulement anticommuniste, antisocialiste, anti-sociale-démocrate. Produit d'une époque de déchristianisation, elle propose un rêve de remplacement, une idéologie nationaliste dont l'analyse montre qu'elle est de type fasciste plutôt que nazi. Entre les deux guerres, un nationalisme organisé et cohérent se répand en Finlande, qui finit par dominer les élites bourgeoises, administratives et universitaires. La Société académique de Carélie structure l'idéologie nationaliste, en lui donnant à la fois une organisation et une doctrine. Cette société, dont le but officiel est culturel mais dont la structure est paramilitaire, contrôle dès 1926 la majorité des groupes et journaux étudiants[2]. Son rêve

---

1. M. Rintala, « Finland », in H. Rogger et E. Weber, *The Right in Europe*, p. 439.
2. A.F. Upton, « Finland », in S.J. Woolf et coll., *Fascism in Europe*, p. 198.

central est la Grande-Finlande, projet expansionniste absolument classique, mais que l'on peut qualifier de délirant quand on compare les poids démographiques respectifs de la Finlande et de l'URSS. Les projets d'expansion mussoliniens semblent par comparaison modestes, réalistes. Car c'est aux dépens du colosse russe que le nationalisme finlandais veut s'étendre : annexion de la Carélie orientale, de la péninsule de Kola, de l'Ingrie et, pourquoi pas, rattachement des peuples finno-ougriens de la Volga et de l'Oural. La Société académique de Carélie rêve d'un dépècement de la Russie. L'alliance militaire avec l'Allemagne apparaît donc logique. Mais le nationalisme finlandais, qui proclame évidemment la supériorité de l'ethnie finnoise, appelée par un projet divin à régénérer l'Europe, n'est pas banalement raciste. Au contraire, le fascisme finlandais laisse transpirer un antiracisme caractéristique.

« Dans ce combat, les nations racialement pures ne remporteraient pas le grand prix de la domination mondiale, mais au contraire les nations mêlant en leur sein les sangs de deux ou plusieurs races, en un combat intérieur. Les Finnois, dans le sang desquels se combattent de façon sérieuse mais équilibrée les races scandinaves, baltiques de l'Est et de Cro-Magnon, sont racialement dynamiques... Les Scandinaves et les Russes, relativement purs racialement, avaient moins de chances de l'emporter au Nord, et par conséquent en Europe[1]. »

Nous sommes ici au cœur d'une vision fasciste de la nation, autoritaire et égalitaire, produite par la famille communautaire, autoritaire et égalitaire. L'idéologie fasciste s'oppose par un trait fondamental à l'idéologie nationaliste ethnocentrique, reflet de la famille souche, autoritaire et inégalitaire, qui ne peut concevoir la fusion des races que comme une dégénérescence.

En vérité, l'égalitarisme, qui encourage une vision symétrisée des peuples de la terre, équivalents comme des frères, est repérable dans l'ensemble de la culture « diplomatique » finnoise. Le Parti agrarien, qui devrait par nature se contenter de son terroir, situé dans les provinces du Nord finlandais qu'il contrôle totalement, ne peut s'empêcher par moments de rêver à une Internationale paysanne, associant tous les agrariens d'Europe. « Paysans de tous les pays, unissez-vous[2]. »

1. M. Rintala, *op. cit.*, p. 419.
2. J. Mylly, « The agrarian center party in Finnish politics », p. 107.

Entre Suède et Russie

Le système idéologique finnois se distingue donc nettement de ses équivalents scandinaves, notamment suédois, par la présence d'un mouvement communiste substantiel et plus généralement d'un radicalisme persistant de l'ensemble du mouvement socialiste. Difficile à comprendre si l'on pense en termes de structures industrielles ou de traditions religieuses, la spécificité finlandaise ne pose guère de problèmes d'interprétation si l'on accepte l'hypothèse d'une détermination de la sphère idéologique par les structures familiales. La famille communautaire, fondement du système anthropologique finnois, déterminant nécessaire de l'idéologie communiste, n'existe pas dans le monde suédois, norvégien ou danois. La présence d'un fascisme finnois, nettement identifiable quoique minoritaire, négatif nationaliste du communisme, s'explique de la même façon, puisque la famille communautaire est indispensable à l'émergence d'un nationalisme autoritaire et non raciste.

Ni le fascisme ni le communisme, cependant, ne dominent le système politique finlandais, dont l'orientation générale est, à partir de 1936, de type « scandinave réformiste », malgré l'absence de l'infrastructure familiale correspondante. L'alliance entre sociaux-démocrates et agrariens permet la définition d'une voie moyenne : économie libérale, État providence, combinaison beaucoup plus proche du modèle suédois que du modèle russe. On serait tenté d'expliquer cette atténuation de la composante radicale égalitaire du système idéologique finnois par l'influence culturelle de la Suède, indépendante du substrat anthropologique. Le royaume de Suède, après avoir imposé le luthéranisme à la Finlande, greffe contre nature dans un pays peu doué pour le concept d'élection divine, aurait réussi à lui transmettre la social-démocratie, idéologie insensible à la thématique égalitaire, parce que produite par la famille souche comme le protestantisme. Il serait absurde de nier l'existence de certaines influences culturelles. Mais l'examen détaillé de la carte politique de la Finlande suggère une conclusion différente, attribuant, de façon paradoxale, la modération du système idéologique finlandais à la Russie plutôt qu'à la Suède. C'est la proximité de la menace russe, en Carélie surtout, qui permet l'épanouissement de la social-démocratie finlandaise et bloque globalement le développement du communisme à 25 % environ du corps électoral. On peut concevoir l'histoire différente d'une Finlande imaginaire située loin de Leningrad, comme la Toscane ou l'Émilie-Romagne, et dans laquelle le Parti communiste aurait recueilli, comme en Italie centrale, 45 % des suffrages plutôt que 25 %. Mettons 35 à 40 %, si l'on inclut dans le modèle une influence suédoise. Cette interprétation, qui suppose une atténuation de la détermination anthropologique à proximité du cœur russe de la famille communautaire, serait sans doute vérifiée par une analyse détaillée de l'histoire récente des pays baltes et de la Hongrie, dominés par la famille communautaire, mais où le communisme fut imposé par l'armée soviétique plutôt que par l'évolution propre du système politique local.

Le Portugal méridional

Le coup d'État militaire de 1910 aboutit à la mise en place d'une République portugaise. Il ne permet pas la naissance d'une vie idéologique moderne. A cette date, le Portugal est encore analphabète à 75 %. Il n'est pas question d'une participation des masses à la vie politique nationale. Le mode de suffrage adopté par les républicains institutionnalise l'incapacité du peuple : les analphabètes sont exclus du suffrage universel[1]. Les déterminants anthropologiques jouent mais ne permettent pas une stabilisation réelle du système par la définition de grandes zones politiques correspondant aux différents types familiaux qui occupent l'espace portugais. On sent déjà, dans la partie centrale du pays, le tempérament individualiste correspondant à la famille nucléaire égalitaire, qui s'exprime, comme en Espagne au XIXe siècle, par l'existence d'une élite bourgeoise républicaine, d'un petit mouvement ouvrier de tendance anarchiste et d'une armée hésitant entre désir de liberté et peur du désordre. Au Nord-Ouest, région de famille souche, on peut déjà percevoir un

1. J. Marcadé, *Le Portugal au XXe siècle 1910-1985,* p. 68.

respect naturel de la hiérarchie, qui se traduit surtout par une grande fidélité à l'Église catholique, face à un Centre déchristianisé et anticlérical. Au Sud, où l'analphabétisme est encore plus profond, on ne sent rien. Le coup d'État militaire de 1910 ouvre une phase intermédiaire de grande instabilité, durant laquelle se succèdent régimes républicains anticléricaux, tentatives de remise en ordre militaires et, finalement, stabilisation autoritaire par le régime salazariste entre 1926 et 1974. Il serait vain de chercher une correspondance étroite entre les phases de l'histoire portugaise et les attitudes profondes des masses. Le Portugal vit alors la fin de son âge pré-idéologique : l'appareil politique n'est pas le reflet exact d'un rapport de forces entre grandes idéologies. Il résulte d'équilibres précaires réalisés au niveau des élites alphabétisées.

Le coup d'État militaire d'avril 1974 ouvre une période différente. Il intervient au moment même où les districts les plus arriérés du pays franchissent la barre des 50 % d'hommes alphabétisés et permet par conséquent l'expression presque instantanée des attitudes idéologiques portugaises [1]. Le Mouvement des forces armées (MFA), qui réalise le coup d'État de 1974, est débordé par la « révolution des œillets ». Entre 1975 et 1980, une succession de consultations électorales, réalisées au suffrage universel, entraîne l'autodéfinition idéologique des diverses régions portugaises. En cinq ans, l'alignement sur les infrastructures familiales est à peu près réalisé.

Les systèmes familiaux portugais

Les systèmes familiaux du Portugal septentrional et central prolongent leurs équivalents espagnols (carte 66 *a*). Au Nord-Ouest, la famille souche des districts d'Aveiro, Braga, Coimbra, Porto, Viana do Castelo et Viseu (P 1, 3, 6, 13, 16 et 18) continue la famille souche galicienne, située immédiatement au nord. Au Nord-Est, la famille nucléaire égalitaire, souvent associée à la propriété paysanne dans les districts de Bragance, Guarda et Vila Real (P 4, 9 et 17), prolonge le système anthropologique du Leon et de Vieille-Castille, situé au-delà de la frontière. Au

1. Voir carte 27.

a) Les types familiaux

Famille souche

Famille nucléaire égalitaire

Systèmes matrilinéaires

b) Les enfants naturels en 1971

Proportion de naissances hors mariage

Plus de 14%

De 10 à 14%

Moins de 10%

c) Les salariés agricoles en 1951

Proportion de salariés dans la population active agricole masculine

Plus de 80%

70 à 80%

a) La pratique religieuse en 1977

*Assistance à la messe dominicale
(individus de 15 ans et plus)*

Plus de 50%

De 30 à 50%

● Moins de 10%

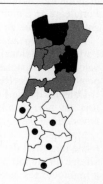

b) Le communisme en 1979

*Proportion des suffrages
exprimés*

Plus de 45%

De 20 à 30%

Moins de 10% ●

c) Le Parti socialiste en 1979

Proportion des suffrages exprimés

Plus de 30%

De 25 à 30%

● Moins de 10%

Centre, la famille nucléaire égalitaire se combine à la grande exploitation agricole, dans les districts de Castelo Branco, Portalegre et Santarem (P 5, 12 et 14), et reproduit le système anthropologique de l'Estrémadure espagnole.

Au Sud, cependant, le parallélisme cesse. On trouve dans le Portugal méridional un système familial qui n'a pas son équivalent en Espagne, même si certaines traces homologues peuvent être décelées en Andalousie occidentale [1].

Dans les districts de Beja, Evora, Faro, Setubal peut être identifié un type familial spécifique, différent des quatre grands types qui se partagent l'Europe (P 2, 7, 8 et 15).

Matrilinéaire, il combine, sur le plan des valeurs, un égalitarisme très strict des rapports entre frères à un autoritarisme spécifique du rapport parents-enfants. Cette combinaison de valeurs n'implique pas une organisation communautaire du ménage. Dans l'état actuel des recherches, ce système est mal défini. On est plus sûr de son existence que de sa nature et de sa logique profondes. Au Sud du Portugal, des taux de suicide très élevés, une spectaculaire proportion d'enfants naturels révèlent le caractère spécial de l'organisation familiale. La distribution géographique de ces paramètres, particulièrement des naissances illégitimes, permet de situer dans l'espace ce type anthropologique un peu mystérieux. L'important, pour l'analyse des idéologies portugaises, est de savoir que l'Alentejo et l'Algarve, au Sud du Portugal, ne sont pas occupés par la famille nucléaire égalitaire et que le système familial local contient un trait autoritaire dérivé de la tendance matriarcale.

Les idéologies portugaises en 1979

A chacun des trois types familiaux qui occupent l'espace portugais correspond un système idéologique spécifique [2]. Au Nord, la famille souche engendre le couple classique démocratie-chrétienne/social-démocratie.

1. Voir *supra*, p. 67-72.
2. On trouvera une présentation des différents partis portugais entre la « révolution des œillets » et 1985 dans W.C. Opello, *Portugal's Political Development*, p. 94-108.

Le Partido do centro democratico social (CDS) est affilié à l'Union démocrate-chrétienne européenne et son idéologie mélange effectivement préoccupations sociales et conservatisme traditionaliste. Le CDS déborde des districts de famille souche du Nord-Ouest sur les régions de famille nucléaire égalitaire et de propriété paysanne du Nord-Est. Il s'agit d'une démocratie-chrétienne relativement faible, non hégémonique, même dans les régions de famille souche, où le CDS n'obtient pas en général plus de 25 à 30 % des suffrages. La pratique religieuse n'est pas dans le Nord du Portugal d'un niveau exceptionnel, surtout pour une région rurale. L'existence d'un secteur déchristianisé suffisamment vaste laisse à la social-démocratie l'espace nécessaire à son développement, comme en Autriche ou en Belgique.

Le Partido social democrata (PSD), souvent présenté, à cause de ses alliances *nationales* avec le CDS, comme un parti de droite, se présente pourtant bien, dans le Nord du pays, comme le concurrent de gauche de la démocratie-chrétienne. Le PSD l'emporte largement sur le CDS.

Le Partido socialista (PS) est surtout perçu en 1975 et 1976 comme un barrage contre le communisme. Il est alors un parti national uniformément présent sur tout le territoire. En 1979, cependant, la menace communiste s'effaçant, il se replie sur son terrain anthropologique spécifique, la famille nucléaire égalitaire du Centre, même s'il garde quelques points d'appui importants mais dispersés dans les districts de Porto, Coimbra et Faro[1]. Face au PSD, implanté en région de famille souche, le PS portugais représente donc bien la variante « anarcho-socialiste » du mouvement socialiste (carte 67 c). Il est le strict équivalent du Parti socialiste ouvrier espagnol (PSOE), comme lui implanté de façon préférentielle en terrain familial nucléaire égalitaire et en région de grande exploitation agricole. L'Espagne, par contre, n'a pas de parti social-démocrate digne de ce nom, parce que les régions de famille souche y correspondent le plus souvent à des provinces de tempérament autonomiste plutôt que socialiste, comme le Pays basque ou la Catalogne[2].

1. Sur le changement de fonction politique du Parti socialiste entre 1974 et 1980, voir W.C. Opello, *op. cit.*, p. 128-138. L'analyse géographique fait bien apparaître une instabilité électorale spécifique du Parti socialiste.
2. Le PSOE n'apparaît « social-démocrate » de tempérament que dans les

Fort au Centre du pays, le Parti socialiste doit affronter sur son terrain les débordements par contiguïté du PSD, venu du Nord, et du Parti communiste, très puissant au Sud.

L'existence d'un Parti communiste non négligeable fait l'originalité du Portugal à l'intérieur de la péninsule Ibérique. Sans être dominant ou même réellement menaçant, le Partido communista portugues (PCP) recueille, avec ses satellites successifs, de 15 à 18 % des voix entre 1975 et 1983. C'est beaucoup plus que son homologue espagnol, qui n'atteint pas 10 % des suffrages exprimés au lendemain de la chute du franquisme. La géographie électorale du PCP est réellement fascinante (carte 67 *b*). Presque inexistant au Nord, avec en général moins de 10 % des voix, faible au Centre, il est dans trois districts du Sud – Beja, Evora, Setubal – hégémonique avec en 1979 respectivement 50,7, 48,9 et 47 % des suffrages. Aucune variable de type socio-économique ne permet d'expliquer cette situation de domination absolue. Les commentaires habituels associent la puissance du PCP dans ces districts à la présence d'ouvriers d'industrie dans le district de Setubal (qui inclut une partie de la banlieue de Lisbonne), et surtout à l'existence d'une masse d'ouvriers agricoles dans les districts de Beja et Evora (c'est-à-dire dans l'Alentejo). Le problème, c'est que les ouvriers d'industrie sont aussi nombreux dans les districts de Porto et de Braga, où ils assurent la stabilité du Parti socialiste et du Parti social-démocrate plutôt que la puissance du Parti communiste. Quant aux ouvriers agricoles, ils ne marquent dans aucune autre région d'Europe un tel tropisme bolchevique. Ni en Italie du Sud, ni dans le Bassin parisien, ni en Angleterre, ni surtout dans l'Espagne du Sud voisine, les prolétaires ruraux ne manifestent une prédisposition particulière pour le communisme. En Andalousie, ils furent anarchistes, puis socialistes, c'est-à-dire anarcho-socialistes. En vérité, à l'intérieur même du Portugal, l'interprétation par le prolétariat agricole ne tient pas. Le district de Portalegre, bastion socialiste plutôt que communiste, n'est pas moins caractérisé par la grande exploitation rurale que ceux de Beja ou Evora. Il faut se tourner vers le champ familial pour comprendre la géographie du communisme portugais. Le PCP

Asturies, où la discipline ouvrière contraste avec le comportement anarchiste observable ailleurs.

s'épanouit dans la zone matrilinéaire et autoritaire du Sud. La coïncidence entre proportion de naissances illégitimes et vote communiste est à peu près parfaite.

Dans le district de Faro (qui correspond à la province de l'Algarve), la présence du même système familial ne suffit cependant pas à assurer une hégémonie communiste. La propriété rurale agit comme frein, ce qui signifie que la grande exploitation est un catalyseur nécessaire. Le PCP y obtient quand même 20 % des suffrages en 1979, contre 34 % au Parti socialiste. Dans cette région, égalitaire et autoritaire sur le plan familial, mais où la structure socio-économique encourage le conservatisme, le PS représente la « droite modérée ».

Le cas de l'Alentejo, de tempérament communiste mais où ne domine pas la famille communautaire classique, mène donc finalement à une vérification spectaculaire de l'hypothèse associant structures familiales et idéologies. La comparaison avec l'Espagne méridionale toute proche, où des structures économiques identiques produisent des alignements idéologiques différents, met en évidence le rôle autonome de la famille, même si le type anthropologique qui occupe le Sud du Portugal reste assez mal défini.

Le communisme, les ouvriers, les paysans

Au terme de cette analyse de l'implantation communiste (et secondairement fasciste) en Europe occidentale, il apparaît assez difficile d'associer diffusion de l'idéologie marxiste-léniniste et présence du prolétariat industriel. Les trois grandes régions communistes – Italie centrale, Finlande centrale et septentrionale, Portugal méridional – constituent pour l'Europe l'embryon d'une périphérie, située hors de l'axe principal de développement industriel, qui va de l'Angleterre à l'Italie du Nord, à travers la Belgique et la Rhénanie. Un certain tropisme paysan peut être décelé, qui reproduit d'une certaine façon le tropisme paysan du communisme à l'échelle mondiale. La Russie, la Chine, le Vietnam, la Serbie étaient, à la veille de leurs révolutions communistes, de grandes nations paysannes. Cette coïncidence découle du fait que la famille communautaire n'est pas le vecteur idéal de la modernité, culturelle ou économique. La famille souche favorise l'alphabétisation ; la famille nucléaire absolue l'industrialisation[1]. La famille communautaire subit la modernité plus qu'elle ne la définit.

Le prolétariat industriel des régions de famille communautaire manifeste cependant une réelle prédisposition au communisme, et ce d'autant plus nettement qu'il est toujours déchristianisé. On peut en dire autant du prolétariat agricole. Mais dans d'autres systèmes anthropologiques, les prolétariats agricoles et industriels auront d'autres tempéraments idéologiques : social-démocrate, démocrate-chrétien, anarchiste, travailliste... En vérité, une seule catégorie sociale, rurale, semble manifester une prédisposition particulière au communisme, les *métayers* lorsqu'ils sont instables, ce qui est le cas général. Le métayage instable correspond en effet *toujours* à la famille communautaire. Il produit donc, simultanément, une orientation de gauche et une adhésion aux valeurs autoritaires et égalitaires du type anthropologique. C'est pourquoi les cartes européennes du communisme ressemblent tellement à celles du métayage, particulièrement en France et en Italie[2]. Curieux destin pour une idéologie clamant la nécessité de la dictature du prolétariat.

---

1. Cf., *supra*, les chapitres 4 et 5 consacrés à l'alphabétisation et à l'industrialisation.

2. Voir les cartes 15, représentant le métayage, et 57, représentant le communisme. Le métayage n'apparaît en Finlande et au Portugal méridional qu'à l'état de trace, mais il est bien là, dès le XVIIIe siècle.

CHAPITRE XII

La Liberté seule
Grande-Bretagne, Pays-Bas, Danemark, Norvège

La Grande-Bretagne

La famille nucléaire absolue, qui domine très largement l'Angleterre préindustrielle, n'affirme qu'une seule valeur positive, la liberté. Dans ce système, un jeune adulte doit très vite échapper à l'autorité paternelle, fonder son propre ménage et vivre libre de toute tutelle familiale. Ce trait d'organisation de la famille anglaise la rapproche de la famille française du Nord, nucléaire égalitaire. Mais, au contraire de la famille « nucléaire égalitaire », la famille « nucléaire absolue »' se moque du principe d'égalité. Le père est libre de répartir comme il l'entend ses biens entre ses enfants, par testament. L'absence du principe d'égalité n'implique pas une acceptation de celui d'inégalité, caractéristique, lui, de la famille souche, allemande par exemple. La famille nucléaire absolue définit seulement un principe d'*indifférence* face aux notions opposées d'égalité et d'inégalité. Elle est le modèle individualiste par excellence, dans la mesure où elle réduit au minimum les solidarités familiales. Elle exige non seulement l'indépendance mutuelle des générations, mais aussi l'indépendance mutuelle des frères, tous les enfants étant traités comme des cas séparés. La famille nucléaire égalitaire et la famille souche, au contraire, établissent entre frères des relations théoriques *a priori* d'égalité et d'inégalité respectivement.

La liberté sans l'égalité : ces traits fondamentaux de la famille nucléaire absolue définissent l'essentiel du système idéologique anglais. Pays de la liberté individuelle, l'Angleterre ne marque à travers son histoire aucune prédisposition pour l'égalité. Le développement de ses institutions politiques révèle assez bien cette dissociation des idéaux de liberté et d'égalité, si nécessairement liés dans l'esprit des révolutionnaires français.

Avec une précocité réellement stupéfiante, l'Angleterre définit puis applique le principe de la liberté individuelle. Dès le XVIIIe siècle, elle peut être considérée comme une monarchie constitutionnelle. Elle évolue vers la tolérance religieuse, la liberté de la presse, la notion de souveraineté absolue du Parlement. Des élections rythment sa vie politique, dans lesquelles s'affrontent Whigs et Tories. Déjà, les mouvements de l'opinion assurent des basculements de majorité parlementaire. Les Anglais du XVIIIe siècle sont libres. Ils ne sont pas égaux. Le corps électoral est minuscule, baroque dans sa définition. Et la Grande-Bretagne sera la dernière des grandes nations d'Europe occidentale à établir le suffrage universel, application première du principe d'égalité à la vie politique. Institué en France dès 1848, en Allemagne en 1871, le suffrage universel n'est adopté en Grande-Bretagne qu'en 1918. A la veille de la Première Guerre mondiale, c'est-à-dire après les réformes électorales de 1832, 1867 et 1884, 4 à 5 millions de Britanniques sont encore privés du droit de vote. La réforme de 1918, qui accorde le droit de suffrage à tous les hommes majeurs et à toutes les femmes âgées de 30 ans ou plus, n'implique cependant pas encore une acceptation absolue du principe d'égalité : le droit de double vote de certains individus, comme les universitaires, les propriétaires de biens industriels ou commerciaux, est maintenu. Le principe « Un homme, un vote », c'est-à-dire l'égalité des droits politiques, n'est parfaitement réalisé qu'à partir des élections générales de 1950.

La combinaison française des principes de liberté et d'égalité mène très logiquement à l'idée d'un corps homogène de citoyens égaux en droit, à la notion de souveraineté populaire. La liberté anglaise, privée du soutien de l'égalité, se contente d'un corps électoral restreint et manifeste pour la notion de *représentativité* un manque d'intérêt indiscutable. Aujourd'hui encore, lorsque le système électoral britannique, *majoritaire à un tour*, donne plus de députés au parti ayant recueilli le moins de voix, l'élection est considérée comme parfaitement valable. Ironiquement, cette situation se présente très peu de temps après l'établissement du suffrage universel pur et simple. En 1951, les conservateurs obtiennent 321 députés avec 13 718 199 suffrages, les travaillistes seulement 295 députés avec 13 948 883 suffrages, c'est-à-dire 26 députés de moins avec 230 684 voix de plus[1]. Le retour au pouvoir des conservateurs est néanmoins considéré comme parfaitement légitime par un peuple qui ne met pas l'équivalence arithmétique au centre de ses préoccupations.

L'Angleterre marque donc, jusqu'au terme de son évolution démocratique, une certaine indifférence au principe d'égalité. Elle reste le pays de la liberté pure, d'une liberté que l'on veut bien étendre à tous mais qui n'implique pas l'équivalence des hommes.

Le premier libéralisme est religieux

Dès le XVIIe siècle, la famille nucléaire absolue engendre en Angleterre une forme spécifique de protestantisme, l'arminianisme[2]. Doctrine protestante, l'arminianisme refuse au prêtre toute fonction essentielle dans le rapport de l'homme à Dieu. Mais au contraire du luthéranisme ou du calvinisme, l'arminianisme n'accepte pas la doctrine autoritaire et inégalitaire de la prédestination. Il réaffirme le principe du libre arbitre, qu'il partage donc avec le catholicisme. L'arminianisme n'est cependant pas égalitaire comme la religion romaine. Il ne croit pas à la liquidation du péché originel par le baptême. Les groupes arminiens gardent en pratique une conception non égalitaire de l'élection divine, qui mène une partie seulement des hommes au salut. Les élus de l'arminianisme ne sont cependant pas les prédestinés du calvinisme. Ils sont plutôt une élite autoproclamée. La métaphysique arminienne, libérale sans être égalitaire, reflète bien sûr avec exactitude les valeurs fondamentales de la famille nucléaire absolue, libérale mais non égalitaire. Les sectes puritaines radicales, qui dominent l'Angleterre sous Cromwell, représentent cette tendance dans toute sa pureté. L'Église anglicane combine une métaphysique à dominante arminienne et un certain respect du prêtre et des évêques, attitude qui la rapproche du catholicisme et maintient un certain degré de transcendance religieuse. Les sectes du XVIIe siècle et l'Église anglicane du XVIIIe siècle contribuent également à l'émergence de la tolérance

---

1. Résultats tirés de F.W.S. Craig, *British Parliamentary Election Statistics, 1918-1968*, p. 14.
2. Sur l'arminianisme, cf. *supra*, p. 136-140.

religieuse, première manifestation sérieuse d'un droit des individus à l'opinion. Les « indépendants », qui contrôlent l'Angleterre sous Cromwell, acceptent l'idée d'une pluralité des Églises
protestantes. L'Église anglicane, qui reprend le contrôle de la
situation à partir de la restauration de 1660, évolue vers le *latitudinarisme,* attitude d'inspiration arminienne qui encourage une
indifférence radicale à tout débat théologique allant au-delà du
problème de l'existence de Dieu. Bref, le radicalisme des sectes
favorise la prolifération d'opinions diverses aboutissant à la constitution d'Églises séparées. L'arminianisme anglican accepte la
prolifération des opinions à l'intérieur même de l'Église nationale. Le libéralisme arminien exclut cependant le catholicisme
de son champ d'application, non par pusillanimité, mais parce
que le catholicisme incarne alors l'esprit même de dictature cléricale.

Dès 1644, la révolution anglaise produit l'une des premières
et des plus belles affirmations absolues de la liberté humaine,
l'*Areopagitica* de John Milton, ou *Discours pour la liberté d'im-
primer sans autorisation ni censure.* Mais cette liberté est encore
perçue comme essentiellement religieuse [1].

Interférences du religieux et de l'idéologique entre 1620 et 1880

La déchristianisation doit, en Angleterre comme en France ou
en Allemagne, faire passer l'expression des valeurs familiales du
plan religieux au plan idéologique. Cessant de croire en un au-
delà métaphysique, les hommes s'efforcent de bâtir un *futur
social,* structuré par les mêmes valeurs – libérales et égalitaires
en France, autoritaires et inégalitaires en Allemagne, libérales et
non égalitaires en Angleterre. Mais si le transfert du religieux
vers l'idéologique est net, simple, brutal même en France et en
Allemagne, il est beaucoup plus complexe et progressif en
Angleterre, où une longue phase intermédiaire d'interférences
entre doctrines religieuses et politiques peut être décelée.

---

1. Dans son recueil de textes commentés, *Les Libéraux*, Pierre Manent
met bien en évidence le caractère religieux de la première pensée libérale et
fait justement de Milton le premier des grands libéraux.

En France et en Allemagne, la croyance en une société terrestre idéale succède, presque mécaniquement, à la croyance en une cité de Dieu : une métaphysique en remplace une autre. Catholicisme et luthéranisme maintiennent, jusqu'à leur chute, un idéal de transcendance absolue, plaçant hors du monde sensible la cité de Dieu. L'idéologie révolutionnaire française, l'idéologie sociale-démocrate allemande ne peuvent se développer, avec leurs attitudes spécifiques vis-à-vis de l'autorité étatique ou de la liberté sociale, qu'après le démarrage du processus de déchristianisation. L'effondrement religieux fait redescendre sur terre les valeurs familiales. On peut aussi, en Angleterre, associer la naissance des idéologies modernes, socialiste ou nationaliste, au processus de déchristianisation, qui entre dans sa phase décisive vers 1880. Mais on ne peut, dans le contexte anglais, réduire le rapport entre religion et idéologie à une simple succession dans le temps. Des phénomènes de superposition nombreux et variés sont identifiables entre 1620 et 1880.

L'arminianisme radical, qui accepte le libre arbitre mais rejette le prêtre, élimine toute transcendance réelle du système religieux. Sans nier l'existence de Dieu, il aboutit à une divinisation de l'homme, ou tout au moins des élus, habités par la lumière céleste. Pour un tel système religieux, l'opposition du ciel et de la terre n'est en fait pas très claire. La croyance en Dieu est réelle, mais Dieu lui-même est en permanence sur terre à travers ses élus. La notion d'un au-delà métaphysique récompensant les hommes après la mort perd de son importance. *Une volonté de réaliser sur terre la cité de Dieu se manifeste inéluctablement.* Au cœur du protestantisme radical anglais, qu'il s'agisse de celui des puritains du XVIIe ou de celui des non conformistes du XIXe, règne le mythe de la *nouvelle Jérusalem* : cité idéale, à la fois céleste et terrestre, à laquelle on n'accède pas passivement par la mort, mais que l'on s'efforce de construire, durant sa vie, par sa vie. Le thème d'un voyage à la découverte de cette cité lui est souvent associé. A partir de 1620 environ, l'histoire anglaise est parsemée de tentatives de construction de cette nouvelle Jérusalem. Les moments forts de cette quête se situent bien entendu aux XVIIe et XIXe siècles, durant lesquels les sectes représentent la moitié du système religieux anglais. Dès la première moitié du XVIIe siècle, des puritains fondent en Amérique le monde nouveau, religieux et démocratique, qui deviendra les États-Unis. C'est en 1620 que le *Mayflower* atteint les rivages de l'actuel Massachusetts. Mais, en Angleterre même, les conceptions libérales n'en finissent pas de déborder, au XVIIᵉ siècle, du domaine religieux vers le domaine politique. Et pas seulement durant la première révolution. La Glorious Revolution de 1688 permet très vite l'établissement d'une monarchie constitutionnelle. Locke, dans ses *Two Treatises of Government* qui datent de 1690, fait la théorie d'un libéralisme politique qui absolutise le droit de propriété et accepte par conséquent l'inégalité sociale. Cette pensée pure reflète fidèlement les valeurs anthropologiques fondamentales de l'Angleterre, libérales mais non égalitaires.

Ce glissement irrésistible du religieux vers le politique explique la précocité du développement libéral anglais, qui n'attend pas, comme le libéralisme français, la déchristianisation. Au nom de la défense du protestantisme, une monarchie constitutionnelle est mise en place, stabilisée dès le milieu du XVIIIᵉ siècle. Le désir de transformation politique s'apaise alors. Mais la volonté de construire sur terre la cité de Dieu explique alors en partie la frénésie d'expérimentation économique qui change la face de l'Angleterre entre 1750 et 1850. Le rêve puritain se profile derrière la révolution industrielle.

L'Angleterre des années 1620-1880 reste chrétienne, et parfois avec enthousiasme. Mais sa religion aboutit souvent à des tentatives quasi idéologiques de transformation de la structure sociale. Les années 1620-1880 de l'histoire anglaise peuvent donc être considérées comme une longue phase intermédiaire, *proto-idéologique,* durant laquelle la religion est par certains aspects une sorte d'idéologie, si l'on entend par idéologie « projet de construction d'une société idéale » terrestre.

Le cas particulier de l'Amérique du Nord, qui constitue jusqu'à la Déclaration d'indépendance une fraction de la civilisation anglaise, est assez bien connu. Tocqueville s'émerveille, dans *La Démocratie en Amérique,* de l'accord parfait existant aux États-Unis entre religion et idéologie démocratique [1]. Aux yeux d'un Français des années 1831-1840, habitué à l'inexpiable conflit entre Révolution et Église, un tel recouvrement des caté-

---

1. *De la démocratie en Amérique,* t. 1, p. 301-315.

gories religieuses et idéologiques apparaît effectivement magique. Il est pourtant bien dans la logique de l'arminianisme radical, qui, réduisant la transcendance du religieux, n'interdit pas l'expérimentation sociale. L'existence en Angleterre d'un accord du même type entre religion et idéologie est moins bien connue. Cet accord ne représente pas la totalité de la tradition anglaise, mais surtout celle des sectes. L'Église anglicane du XIXe siècle veut maintenir hors d'atteinte des fidèles la cité idéale, s'efforce d'empêcher l'invasion du monde sensible par la métaphysique religieuse. Il faut pourtant identifier ces phénomènes de superposition de l'idéologie et de la religion pour comprendre l'histoire anglaise. Non seulement celle des années 1620-1880, mais aussi la période ultérieure durant laquelle la trace du radicalisme des sectes reste longtemps visible.

Le libéralisme démocratique des années 1880-1914, le mouvement travailliste des années 1893-1970 doivent beaucoup à ce protestantisme radical, passionné de transformation sociale autant que de recherche de l'au-delà.

1880-1970 : déchristianisation et modernité idéologique

La déchristianisation, qui commence vers 1880, produit en Grande-Bretagne ses effets habituels. Dès 1877, l'indice de fécondité de l'Angleterre et du pays de Galles commence à baisser. Le déclin de la natalité écossaise est absolument parallèle, mais marque un temps de retard parce qu'il part d'un niveau initial un peu plus élevé [1]. Dès la fin des années 1880, un début d'activité idéologique moderne est manifeste. Des grèves nombreuses se développent, les syndicats progressent à un rythme accéléré. Des organisations socialistes apparaissent. A droite, le Parti conservateur se radicalise dans un sens nationaliste, impérialiste et anti-irlandais. Les historiens de la période sont en général frappés par la note d'hystérie qui caractérise la vie politique et sociale britannique des années 1900-1914 [2]. Le reflux religieux explique assez largement cette anxiété nouvelle, qui n'atteint cependant pas les sommets caractéristiques de l'an-

1. M.S. Teitelbaum, *The British Fertility Decline*, p. 94-95.
2. D. Thomson, *England in the Nineteenth Century*, p. 188.

goisse allemande à la même époque. Aucun Nietzsche britannique ne court, égaré, les rues de Londres en clamant la mort de Dieu.

La loi historique générale associant déclin de la croyance religieuse et naissance de l'idéologie est cependant vérifiée par le cas britannique. Socialisme et nationalisme naissent ensemble du vide métaphysique et réutilisent bien sûr les cubes élémentaires fournis par les structures familiales pour définir leurs valeurs fondamentales. La famille nucléaire absolue avait produit un protestantisme spécifique, l'arminianisme, elle engendre un socialisme spécifique, le travaillisme, et un nationalisme rival, s'incarnant surtout dans la doctrine du Parti conservateur.

En Angleterre comme sur le continent, le vide métaphysique engendré par la crise religieuse conduit à l'élaboration de deux idéologies concurrentes, de gauche et de droite, socialiste et nationaliste. Mais au contraire de ce que l'on peut observer dans d'autres pays protestants comme l'Allemagne du Nord, par exemple, ce n'est pas un système religieux unitaire qui s'effondre. Le système religieux anglais est déjà fondamentalement dualiste, puisqu'il oppose anglicanisme et non-conformisme. La déchristianisation fait passer l'Allemagne de l'unité religieuse à la division idéologique ; elle mène l'Angleterre de la division religieuse à la division idéologique. Paradoxalement, les affrontements religieux des années 1620-1880 finissent par contribuer à la continuité de l'histoire anglaise. A partir de 1880, le dualisme idéologique succède au dualisme religieux. Mais c'est un pays habitué à l'affrontement binaire qui aborde, à la fin du XIXe siècle, le conflit entre socialisme et nationalisme.

Le dualisme religieux traditionnel servait d'ailleurs de fondement au dualisme politique et parlementaire. Durant la plus grande partie du XIXe siècle, l'opposition anglicans/non-conformistes structure la vie politique nationale. Elle se reflète au Parlement dans la confrontation entre conservateurs et libéraux. Le Parti conservateur, ou Tory, exprime l'orthodoxie anglicane ; le Parti libéral est le bras politique de la dissidence non conformiste. Les débats et les conflits les plus violents, les plus constants, tournent autour des questions religieuses. Le recensement des sujets britanniques selon la confession, réalisé en 1851, est lui-même l'effet de cette préoccupation majeure. Il exprime à sa manière la primauté du religieux dans la vie politique anglaise du XIXe siècle. Jusque vers 1880, la gauche et la droite sont, en Angleterre, d'essence religieuse. Cette gauche et cette droite perdent alors progressivement leur substance. Le Parti libéral est balayé au lendemain de la Première Guerre mondiale ; le Parti conservateur change de nature. La continuité du système politique s'incarne cependant dans la permanence organisationnelle du Parti conservateur, et surtout dans la constance de l'affrontement parlementaire. Cette continuité permet la perpétuation, à l'intérieur du nouveau conflit idéologique, de certains éléments résiduels du conflit religieux ancien. En pratique, la tradition non conformiste favorise le vote socialiste, la tradition anglicane, le vote nationaliste.

L'affrontement entre socialisme et nationalisme s'appuie d'abord sur un clivage de classe, puisque le Parti conservateur devient le parti des classes moyennes, et le Parti travailliste celui de la classe ouvrière. Mais le facteur religieux résiduel nuance cette mécanique trop simple. Le Parti conservateur reste l'héritier de l'anglicanisme mourant, le travaillisme devient celui du non-conformisme disparu.

Le travaillisme, degré zéro du socialisme

On pourrait hésiter à qualifier le rêve ouvrier anglais de « socialiste », malgré l'appartenance du Parti travailliste à la IIe Internationale. Le terme de *socialisme*, élaboré sur le continent, en France et en Allemagne principalement, évoque l'image d'une société structurée par des principes généraux. Dans le cas du socialisme allemand, de variété sociale-démocrate, la structuration principale est verticale et dérive du principe d'autorité transmis par la famille souche : l'amour de l'État et du parti exprime l'aspiration à un ordre « socialiste ». Dans le cas du socialisme français ou espagnol, dominé par la variété anarcho-socialiste, l'autorité n'apparaît pas comme principe intégrateur fondamental. Au contraire, le trait libéral de la famille nucléaire égalitaire, qui lui correspond sur le plan anthropologique, encourage l'hostilité à l'État, au parti et à vrai dire à toute forme stable d'organisation. Mais l'égalité permet de situer les hommes les uns par rapport aux autres et agit comme un principe fondamental de structuration sociale. Peu doué pour l'action politique, l'anarcho-socialisme a néanmoins quelque chose à dire sur la société idéale. Généralisateur, l'anarcho-socialisme mérite clairement l'appellation de « socialiste », même si ses conceptions politiques lui interdisent d'utiliser l'État pour réformer la société.

Le libéralisme pur engendré par la famille nucléaire absolue anglaise produit un socialisme étrange, hostile à l'État et indifférent à l'égalité des hommes. Un socialisme qui ne propose aucune réforme globale de la société. La social-démocratie allemande, qui accepte l'inégalité sociale mais propose une intégration verticale par l'État et le parti, peut être qualifiée de « réformiste ». L'anarcho-socialisme latin, qui veut les hommes égaux, peut être qualifié de « révolutionnaire », même si son hostilité à l'organisation le condamne en pratique à l'impuissance. Mais le travaillisme réalise la figure théorique étonnante d'un *socialisme radicalement conservateur,* acceptant les distinctions de classes et méfiant à l'égard de l'État.

Si l'on définit le socialisme comme un « mouvement affectant à la classe ouvrière un rôle particulier dans la transformation sociale », on doit admettre que le travaillisme, mouvement ouvrier incontestable mais qui n'aspire pas à transformer la société, représente le degré zéro du socialisme, on serait tenté de dire un *zéro-socialisme.*

Le syndicalisme comme zéro-socialisme

L'éveil idéologique de l'Angleterre produit dans un premier temps une pure poussée syndicale. Le Trade Union Congress (TUC), organe central des syndicats britanniques, est officiellement fondé en 1868 et sa reconnaissance légale date de 1871. L'expansion numérique du syndicalisme dans l'ensemble de la classe ouvrière remonte cependant aux années 1880-1914. On ne dispose de chiffres globaux qu'à partir de l'année 1893. A cette date, le TUC regroupe déjà 1 100 000 membres. En 1912, il atteint 2 232 000 adhérents [1]. La puissance sociale des syndicats devient considérable. Ceux-ci mènent des grèves nombreuses,

1. Tous ces chiffres sont tirés de H. Pelling, *A History of British Trade Unionism,* p. 297-298.

qui culminent, pour ce qui concerne l'avant-guerre, en 1912, avec 40 890 000 journées de travail consacrées à l'action revendicative [1]. Ce mouvement ouvrier déjà très puissant refuse jusqu'à l'année 1900 toute action politique spécifique, toute lutte de type socialiste. L'électorat ouvrier, lorsqu'il a le droit de vote, soutient en général les candidats du Parti libéral. Il ne serait pas absurde de parler d'une classe ouvrière de tempérament politique libéral. Le trade-unionisme anglais, dont le libéralisme viscéral n'a rien à envier à celui de l'aristocratie ou des classes moyennes, se méfie de l'État. Il aime par-dessus tout la négociation directe entre patrons et ouvriers, le *collective bargaining*, qui refuse au pouvoir politique, autant qu'il est possible, un rôle d'intermédiaire. La réussite spectaculaire du syndicalisme britannique tient à deux facteurs complémentaires : la masse numérique du prolétariat et sa conscience de classe très développée.

Pays de la révolution industrielle, la Grande-Bretagne est le lieu de naissance du prolétariat européen. Dès 1851, la classe ouvrière – travailleurs des mines, des transports, de l'industrie, auxquels on peut ajouter les manœuvres non spécialisés – constitue 55 % de la population active du Royaume-Uni [2]. Cette classe ouvrière véhicule le trait non égalitaire de la structure familiale et accepte l'existence d'une différenciation sociale importante. Elle n'adhère pas à l'idéal de l'homme universel. Cette indifférence à l'égalitarisme assure à la Grande-Bretagne un développement social paisible. Mais elle encourage la formation d'une conscience de classe à toute épreuve : accepter l'existence de classes différentes, c'est aussi affirmer une spécificité ouvrière, qui nourrit la fidélité au mouvement syndical. En France, en Espagne, l'échec du syndicalisme d'inspiration anarchiste ne vient pas seulement de la faiblesse numérique de la classe ouvrière vers 1900. Il est aussi l'effet d'une faible conscience de classe : dans ces cultures égalitaires, l'ouvrier se perçoit avant tout comme variante accidentelle de l'homme universel.

Le signe le plus manifeste de l'acceptation anglaise de la différence sociale est linguistique. Des accents très épais solidifient

1. H. Pelling, *op. cit.,* p. 298.
2. W.A. Armstrong, « The use of information about occupation », p. 255-281.

les distinctions entre couches ouvrières et bourgeoises de la population.

Au contraire de la classe ouvrière allemande, séparée de la société globale par le trait inégalitaire du système familial et culturel mais verticalement structuré par l'autoritarisme, la classe ouvrière anglaise ne peut être considérée comme un « ordre ». L'individualisme de la culture anglaise assure un degré considérable de fragmentation interne.

L'unité du TUC n'est qu'une façade derrière laquelle les grands syndicats de branches se comportent comme des puissances sociales autonomes. A l'intérieur même de chacun des syndicats, l'autonomie des individus est la règle. A plusieurs reprises dans leur histoire, les grandes organisations ouvrières anglaises sont bousculées par des poussées venues de la base. Dès la Première Guerre mondiale et jusqu'aux années soixante-dix, le rôle des *shop stewards,* responsables syndicaux de base au niveau des usines et des ateliers, est très important[1].

Difficile naissance du Labour Party

Le refus par les syndicats d'une action directe sur l'État n'est pas définitif. Mais il faut attendre le début du xxᵉ siècle pour que le TUC s'intéresse sérieusement à l'idée d'une représentation ouvrière spécifique au Parlement. Jusqu'à cette époque, l'Independent Labour Party (ILP), fondé en 1893 par Keir Hardie, reste une formation marginale, une curiosité politique dans un mouvement ouvrier qui reste massivement syndical. En 1906, les travaillistes ne sont encore que 29 à la Chambre des communes. L'action politique des syndicats doit être correctement interprétée : *la conversion du TUC à l'action politique est un acte essentiellement défensif.* Vers 1900, la puissance des syndicats inquiète un conservatisme anglais radicalisé par la déchristianisation, combatif parce qu'en cours d'idéologisation. En 1901, le jugement *Taff Vale* de la Chambre des lords proclame la responsabilité financière du syndicat au lendemain d'une grève menée par les employés de la Taff Vale Railway Company. Cet arrêt oblige l'Amalgamated Society of Railway Servants à payer à la

1. H. Pelling, *op. cit.,* p. 141-148, 175, 232, 254.

compagnie 23 000 livres de dommages et intérêts [1]. Cette attaque de la liberté d'action syndicale par le Parti conservateur convertit le TUC à l'action parlementaire. L'objectif initial et fondamental du Labour Party n'est pas de prendre le pouvoir pour réorganiser la société dans un sens étatiste, mais d'être suffisamment puissant sur le plan parlementaire pour garantir la liberté d'action des syndicats, en empêchant l'adoption de toute législation répressive. Il s'agit bien d'un projet ouvrier « libéral », au sens technique de ce mot : les forces économiques doivent jouer librement dans la société. Malgré l'existence d'une masse électorale ouvrière imposante, la croissance du Labour Party est lente. En 1918, lors des premières élections réalisées au suffrage universel, il n'obtient encore que 20,8 % des voix. Au lendemain de la Première Guerre mondiale, le Labour Party est l'un des plus faibles des mouvements socialistes européens. Avec 5 283 000 affiliés au TUC en 1918, le syndicat britannique est l'un des plus puissants du continent [2].

Scores socialistes en Europe du Nord et du Centre au lendemain de la Première Guerre mondiale Proportion des suffrages exprimés (en %)			
Royaume-Uni (1918)	20,8	Suède (1920)	36,0 (1)
Allemagne (1919)	37,9	Belgique (1919)	36,7
Autriche (1919)	41,0	Finlande (1919)	38,0

(1) Sociaux-démocrates + communistes.

L'organisation du Labour Party implique, d'un bout à l'autre de son histoire, une soumission de l'élément politique à l'élément syndical. Dès sa formation, le parti se définit comme de structure indirecte : il n'est que le bras politique des syndicats qui le financent et le contrôlent. La présence d'adhérents directs individuels ne modifie à aucune époque cet équilibre fondamental. On peut tout au plus observer une tendance séculaire à la

1. H. Pelling, *op. cit.*, p. 113-117.
2. H. Pelling, *op. cit.*, p. 298.

décrue du nombre des parlementaires travaillistes désignés directement par les syndicats : 86 % en 1918, 36 % seulement en 1966 [1]. Au lendemain de la Deuxième Guerre mondiale, le TUC se contente de superviser le programme et l'action du Labour Party. L'opinion des syndicats continue cependant de peser aussi lourd dans le choix du leader travailliste que celle du groupe parlementaire.

Le socialisme symbolique : 1918-1945

Après 1918, la croissance du Labour Party est relativement rapide : 30,7 % des voix en 1923, 37,1 % en 1929, 48 % en 1945. Entre les deux guerres, il supplante le Parti libéral comme deuxième force du système bipartisan britannique. Cette période de croissance voit l'adoption tardive d'un minimum de socialisme théorique. La clause IV des statuts de 1918 s'aventure même sur le terrain de la propriété collective des moyens de production, en des termes extrêmement vagues il est vrai. L'un des objectifs officiels du Labour Party devient.: « *To secure for the producers by hand or brain the full fruits of their industry by the Common Ownership of the Means of Production and the best obtainable system of popular administration and control of each industry and service* [2]. » Les gouvernements travaillistes minoritaires formés en 1924 et 1929 ne tiennent évidemment aucun compte en pratique de cette affirmation de principe. En 1945, cependant, Attlee forme le premier gouvernement travailliste majoritaire de l'histoire de la Grande-Bretagne et réalise quelques nationalisations : la Banque d'Angleterre, les chemins de fer, l'électricité, le gaz dès les années 1945-1947. En 1948-1949 commence la nationalisation de l'acier, sur laquelle les conservateurs reviendront. Très vite, l'enthousiasme ou même l'intérêt du Labour pour la nationalisation et la planification faiblit. Ce socialisme d'État apparaît vite comme l'effet des circonstances plutôt que d'un engagement idéologique profond. Quelles sont ces circonstances ? La guerre, bien entendu, qui crée toujours, dans le contexte culturel libéral anglais, une

---

1. F.W.S. Craig, *British Parliamentary Election Statistics, 1918-1968*, p. 54.
2. Cité par K. Laybourn, *The Rise of Labour*, p. 43.

accentuation temporaire du rôle de l'État dans la société. La guerre aboutit à la centralisation par l'État de l'activité économique. Au lendemain de chacun des deux conflits mondiaux, une conjoncture, une « mode socialiste » peut être observée en Angleterre. L'adoption de la clause IV, qui engage en théorie le Labour Party dans une politique étatiste, est adoptée en 1918 ; les nationalisations datent des années 1945-1947. La guerre totale a, dans tous les pays, des conséquences étatistes. Elle bouscule particulièrement la tradition des pays libéraux, dont la culture politique s'oppose consciemment à la croissance du rôle de l'État. Contrainte à la militarisation généralisée, la société libérale s'habitue un instant à l'irruption de l'État dans la vie économique. Le retour à la paix permet la réémergence progressive du tempérament antiétatiste. Les gouvernements travaillistes de 1924, 1929-1931, 1964-1970 et 1974-1979, qui correspondent à des périodes de paix, laissent mieux s'exprimer la nature réelle du travaillisme. En 1924 et 1929 particulièrement, lorsque le Labour Party, certes minoritaire mais encore frais sur le plan doctrinal, arrive au pouvoir, il donne curieusement l'impression de ne pas savoir pourquoi il occupe les sommets de l'État. Dans ses principes économiques, il est au fond tout aussi libéral que les conservateurs ou les libéraux. Cette attitude « zéro-socialiste » explique, mieux que toute exégèse, le destin étonnant du gouvernement travailliste des années 1929-1931. Immédiatement touché par la grande crise économique, le gouvernement de Ramsay MacDonald ne peut rien imaginer d'autre que l'orthodoxie financière. Dans le contexte de récession, son attitude déplaît aux syndicats, qui sont alors les vrais patrons du travaillisme. MacDonald « trahit » alors le parti dont il est le leader officiel pour former, lui et quelques-uns de ses ministres, un gouvernement de coalition nationale avec les conservateurs et les libéraux. Événement traumatisant pour le Labour qui se veut l'émanation de la classe ouvrière. La légende travailliste fait de MacDonald le « Lucifer de la gauche »[1]. Mais peut-on réellement « trahir » un parti qui n'a pas de doctrine ? Par la suite, la seule doctrine du Labour sera le keynésianisme dans sa version syndicale : le contrôle de la demande globale doit suffire à la

---

1. Sur cet épisode rocambolesque mais logique de l'histoire socialiste anglaise, voir K. Laybourn, *op. cit.*, p. 67-83.

maîtrise de l'économie. Keynes fournit au libéralisme économique travailliste l'argumentation dont il a besoin. L'action sur la demande globale se contente de définir des règles générales qui n'accroissent pas trop le pouvoir de l'administration centrale et qui préservent la liberté des acteurs sociaux. Celle des capitalistes, certes, mais aussi et surtout celle des Trade Unions. En langage syndical, « maintien de la demande globale » se traduit par « défense du pouvoir d'achat des travailleurs ». Keynes élabore durant les années trente une théorie économique très acceptable pour le mouvement syndical. Sa *Théorie générale de l'emploi, de l'intérêt et de la monnaie* est publiée en 1936. Mais, en 1930, Bevin, leader syndical, avait côtoyé Keynes au sein du Macmillan Committee on Finance and Industry[1]. Et, dès 1931, le TUC défend l'idée d'une politique de soutien de l'activité économique par la demande solvable, c'est-à-dire par le soutien du pouvoir d'achat des masses ouvrières.

Écosse, pays de Galles : pôles d'autorité et social-démocratie

Les structures familiales anglaises peuvent être considérées comme nucléaires absolues à 85 %[2]. Le libéralisme pur de la tradition idéologique anglaise découle de la domination écrasante de ce système anthropologique particulier, que n'altère guère la présence minoritaire de la famille souche, autoritaire et inégalitaire, sur 15 % du territoire, en Cornouailles et au Nord-Ouest du pays, dans les comtés de Cumbria, Derbyshire, Cheshire-Lancashire et Staffordshire-Warwickshire (GBE 7, 8, 19 et 28). En Écosse et au pays de Galles, l'équilibre des systèmes familiaux est différent : 50 % de famille souche en Écosse, 80 % au pays de Galles. Le trait autoritaire plus marqué de ces traditions familiales s'exprime sur le plan idéologique. On avait déjà observé une prédisposition particulière de l'Écosse et du pays de Galles au calvinisme, c'est-à-dire à une variété de protestantisme fidèle à la notion de prédestination, qui suppose une autorité absolue de Dieu et qui se distingue radicalement de l'arminia-

---

1. H. Pelling, *op. cit.*, p. 184-185.
2. Pays de Galles exclu.

nisme anglais[1]. On peut de même identifier des tempéraments socialistes écossais et gallois, plus autoritaires, étatistes, organisationnels que le tempérament socialiste anglais.

Le travaillisme anglais étant essentiellement un « zérosocialisme », syndicaliste et antipolitique, les particularités écossaises et galloises vont s'exprimer surtout par la présence, dans les régions concernées, d'un Labour Party plus puissant, plus stable, qui représente en fait une authentique tendance socialedémocrate à l'intérieur du socialisme britannique.

Dès 1899, la plus grande réceptivité du mouvement ouvrier écossais à la thématique socialiste continentale est évidente.

**Le Labour dans les trois parties
de la Grande-Bretagne (1918-1966)**

Élections à la Chambre des communes

Proportion des suffrages exprimés (en %)

	Angleterre	*Galles*	*Écosse*
1918	22,6	30,8	22,9
1922	28,8	40,8	32,2
1923	29,7	42,0	35,9
1924	32,9	40,6	41,1
1929	36,9	43,9	42,4
1931	30,2	44,1	32,6
1935	38,6	46,5	41,8
1945	48,5	58,5	49,5
1950	46,2	58,9	46,2
1951	48,8	60,5	47,9
1955	46,8	57,6	46,7
1959	43,6	56,5	46,7
1964	43,5	57,9	48,7
1966	48,0	60,6	49,9

Pour les années 1935 et 1945, les résultats marginaux de l'Independent Labour Party, alors séparé, sont cumulés aux résultats du Labour Party.

Source : F.W.S. Craig, *British Parliamentary Election Statistics 1918-1966*, p. 1-18.

1. Cf. *supra*, p. 137-140.

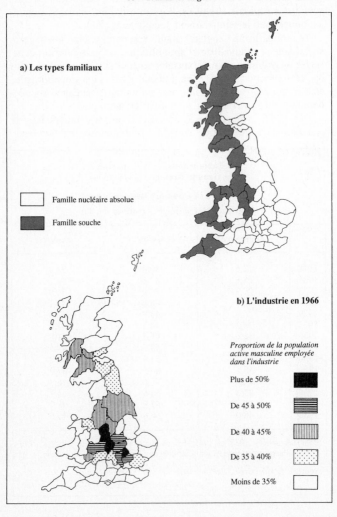

a) Les types familiaux

Famille nucléaire absolue

Famille souche

b) L'industrie en 1966

*Proportion de la population
active masculine employée
dans l'industrie*

Plus de 50%

De 45 à 50%

De 40 à 45%

De 35 à 40%

Moins de 35%

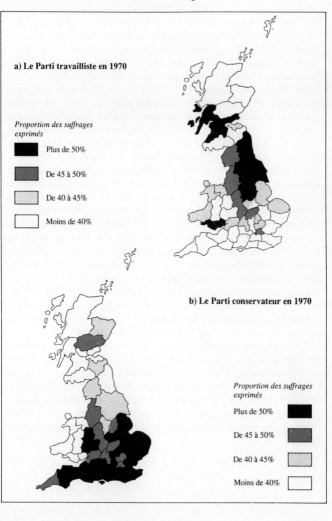

a) Le Parti travailliste en 1970

Proportion des suffrages exprimés

Plus de 50%

De 45 à 50%

De 40 à 45%

Moins de 40%

b) Le Parti conservateur en 1970

Proportion des suffrages exprimés

Plus de 50%

De 45 à 50%

De 40 à 45%

Moins de 40%

L'accord entre syndicalistes et politiques, qui mène à la formation du Labour, s'y réalise beaucoup plus facilement qu'en Angleterre[1]. La spécificité galloise n'est pas aussi immédiatement perceptible parce que le pays de Galles fait administrativement partie de l'Angleterre et pèse moins lourd que l'Écosse sur le plan démographique[2]. Mais dès les années 1920-1930 s'installe au pays de Galles une domination absolue du Parti travailliste : 40 % des voix en 1922, 60,1 % en 1951. Par son comportement électoral stable et homogène, le pays de Galles rappelle d'autres grandes régions sociales-démocrates européennes : la Suède, la Wallonie, l'Autriche orientale et surtout la Saxe. Le pays de Galles est, comme la Saxe, une région très industrialisée : l'influence de la famille souche et le poids d'une classe ouvrière nombreuse s'y additionnent pour produire l'une des social-démocraties régionales les plus puissantes d'Europe.

Sur le plan électoral, l'Écosse manifeste au XXe siècle des comportements intermédiaires à ceux du pays de Galles et de l'Angleterre. Dès les années vingt, le Labour y est plus puissant qu'en Angleterre. Mais il apparaît très vite que la prise du Labour sur l'Écosse n'est pas aussi forte que sur le pays de Galles. La distribution des affinités sociales-démocrates reflète donc fidèlement les équilibres anthropologiques. Avec une famille souche dominante à 80 %, le pays de Galles est uniformément social-démocrate de tempérament. Avec une famille souche n'occupant que la moitié de l'espace, le mouvement ouvrier écossais n'est qu'à demi social-démocrate.

L'importance des pôles sociaux-démocrates écossais et gallois ne doit pas être sous-estimée dans l'histoire du mouvement ouvrier britannique, et ce, bien que ni l'Écosse ni le pays de Galles ne pèsent très lourd sur le plan démographique dans l'ensemble britannique. L'hostilité viscérale de l'Angleterre à l'organisation socialiste a sans doute fait du pays de Galles et de l'Écosse des points d'appui indispensables au développement du Labour.

1. H. Pelling, *op. cit.*, p. 105.
2. Populations en 1841 : Angleterre 15 millions, Écosse 2,6 millions, pays de Galles 0,9 million (chiffres cités par E. Royle, *Modern Britain*, p. 43).

Géographie électorale du travaillisme

Le travaillisme est certainement le plus explicitement ouvrier des mouvements socialistes. Sa dépendance à la classe ouvrière n'est cependant que relative. La carte électorale du Labour Party ne reproduit que très imparfaitement celle du prolétariat britannique. En 1970, le vote travailliste est fort en Écosse, au pays de Galles et dans la partie nord de l'Angleterre (carte 69 *a*). Or à cette époque le centre de gravité de l'industrie britannique se trouve beaucoup plus au sud, dans les Midlands, c'est-à-dire au centre de l'Angleterre proprement dite (carte 68 *b*). Le coefficient de corrélation associant vote travailliste en 1970 et importance de l'industrie en 1966 n'est que de + 0,47, significatif mais faible.

A cette date, l'industrie anglaise a déjà largement amorcé un mouvement séculaire de descente vers le sud. Le rapport entre vote travailliste et industrialisation apparaît beaucoup plus substantiel lorsque l'on compare le résultat des élections de 1970 à l'implantation de la classe ouvrière vers 1910. Le coefficient de corrélation monte alors à + 0,66. L'attachement au parti de la classe ouvrière n'est pas, en Grande-Bretagne, une fonction simple de l'appartenance à la classe ouvrière objective. La fidélité au Labour est ancrée dans des régions qui ne sont plus forcément massivement ouvrières mais qui l'ont été à l'époque de la révolution industrielle.

Même considéré dans sa dimension historique, le facteur de classe n'est cependant pas le seul déterminant du vote travailliste. La carte des régions où le vote travailliste est vers 1970 nettement trop élevé par rapport à l'implantation ouvrière en 1966 révèle l'action souterraine d'un autre facteur, de nature religieuse. La carte 70 *a* indique les comtés où le vote Labour décollait, en 1970, de toute nécessité industrielle. Quatre zones apparaissent : Londres, l'Écosse, le pays de Galles et une vaste zone couvrant l'extrême Nord et le Nord-Est de l'Angleterre, le long de la frontière écossaise et de la mer du Nord. Aucun glissement historique de l'industrie ne peut expliquer la surpuissance du Labour dans ces quatre régions.

En Écosse, au pays de Galles, c'est l'influence de la famille

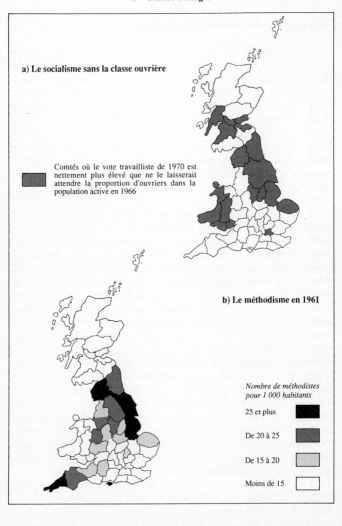

a) Le socialisme sans la classe ouvrière

Comtés où le vote travailliste de 1970 est nettement plus élevé que ne le laisserait attendre la proportion d'ouvriers dans la population active en 1966

b) Le méthodisme en 1961

Nombre de méthodistes pour 1 000 habitants

25 et plus

De 20 à 25

De 15 à 20

Moins de 15

souche qui permet à une franche tendance sociale-démocrate de se manifester. Le cas de Londres, capitale, lieu de rencontre de traditions diverses, peut être considéré comme une exception non significative. Mais dans l'Angleterre provinciale, c'est un facteur purement religieux qui se profile derrière la zone nord/nord-est – plus précisément le *méthodisme*. Cornouailles et île de Wight mises à part, la carte du méthodisme, résiduel en 1961, recouvre assez bien celle des régions où le Labour semble s'émanciper de sa base ouvrière (carte 70 *b*). L'existence d'un lien historique entre travaillisme et non-conformité religieuse est bien connue des historiens. Elle peut être saisie historiquement autant que géographiquement : une bonne partie des non-conformistes glissent, entre 1906 et 1930, du Parti libéral (leur parti) au Parti travailliste, qui le remplace comme force d'opposition au conformisme conservateur.

Tout le non-conformisme religieux ne mène pas au travaillisme. La carte des sectes anciennes, antérieures à la révolution industrielle (celle des congrégationalistes notamment), n'a pas grand rapport avec celle du travaillisme. C'est bien le méthodisme, né sur les franges de la révolution industrielle, qui dévie localement les traditions idéologiques vers le socialisme. Vers le « zéro-socialisme », pour être plus précis, puisqu'il s'agit d'un pays de famille nucléaire absolue.

La carte du travaillisme combine donc les effets d'un facteur économique, la première industrialisation, et d'un facteur religieux, le méthodisme. Ces deux facteurs ne sont pas logiquement indépendants. Le méthodisme naît en effet lui-même de la révolution industrielle, d'une peur de la prolétarisation. La révolution industrielle produit, en Angleterre, un double effet religieux : au centre du maelström, le prolétariat glisse vers l'incroyance, vers une déchristianisation précoce qui ne touche pas les classes moyennes. Sur les franges sociales et géographiques du maelström naît une réaction religieuse qui prend le plus souvent la forme du méthodisme, typique des artisans, commerçants et ouvriers très qualifiés. La sphère géographique travailliste recouvre l'ensemble des régions les plus secouées par la révolution industrielle sur le plan religieux, que le choc se manifeste par l'incroyance ou par un sursaut méthodiste.

Le Parti conservateur, de l'anglicanisme au nationalisme

Le Parti conservateur, qui prend son nom vers 1830, manifeste jusqu'au dernier quart du XIXe siècle une certaine indifférence aux doctrines[1]. Attaché à l'Église établie, à la monarchie, au Parlement, il est le parti d'une résistance souple, élastique à la modernité. Son mépris des idées le fait souvent considérer comme le *stupid party*, capable seulement de se définir *contre* le mouvement de la société et *contre* la notion de progrès, représentée par les Whigs puis par les libéraux. La mutation nationaliste de la fin du siècle donne un contenu positif au programme conservateur, traditionnellement défini par sa négativité.

Les historiens datent en général avec précision l'émergence du nationalisme dans le programme conservateur anglais. Les discours prononcés en avril et juin 1872 par Disraeli constituent en ce domaine des points de repère obligés. L'existence d'un empire colonial déjà substantiel impose au nationalisme anglais un thème incontournable, l'impérialisme : la glorification de l'Angleterre implique celle de son empire. Disraeli évoque donc la nécessité de resserrer les liens entre la métropole et les colonies, par des mesures protectionnistes, par la création à Londres d'institutions représentatives des divers territoires, par l'établissement d'un code militaire de défense mutuelle[2].

1872, une dizaine d'années avant l'effondrement religieux, c'est un peu tôt. Comme bien des repères chronologiques conventionnels, celui-ci est inexact ou plutôt fabriqué par le travail rétrospectif des historiens. Avant 1880, le Parti conservateur n'est guère préoccupé par la question nationale. Schumpeter note que Disraeli, une fois ces fortes paroles prononcées, laisse sombrer le thème et n'en tient aucun compte dans son action gouvernementale[3]. L'engouement de quelques mois pour l'impérialisme n'était que l'effet d'une frayeur immédiate. En 1870-

1. Sur l'origine du Parti conservateur, l'apparition de son nom, sa première organisation, voir R. Blake, *The Conservative Party from Peel to Thatcher*, p. 1-9.
2. Cf. R. Blake, *op. cit.*, p. 126-127.
3. J. Schumpeter, *Impérialisme et classes sociales*, p. 51-52.

1871, Bismarck fonde l'Empire allemand et l'Angleterre découvre avec une certaine inquiétude qu'il n'y a plus sur le continent une seule puissance concurrente, mais deux, la France et l'Allemagne.

C'est en réalité à partir des années 1880-1885 que l'idéologie nationaliste s'étend et triomphe à droite du système politique anglais. L'expansion coloniale britannique devient alors frénétique, les performances françaises ou allemandes en ce domaine semblant par comparaison extrêmement modestes.

Entre 1880 et 1900, l'Angleterre digère la partie la plus peuplée de l'Afrique, s'étend en Birmanie, en Malaisie, à Bornéo. Hobson, théoricien de l'impérialisme, fort apprécié de Lénine, estime que l'Angleterre acquiert, dans les trente dernières années du XIXᵉ siècle, un tiers de son empire, avec le quart de sa population [1].

Hobson place entre 1884 et 1900 le point culminant de la fièvre impérialiste. « *En l'espace de quinze ans environ trois millions trois quart de* miles *carrés furent ajoutés à l'Empire britannique* [2]. »

En Angleterre même, la question nationale s'installe au cœur du débat politique. L'Irlande devient un sujet brûlant, non pas tellement parce que les Irlandais désirent plus qu'avant leur indépendance, mais parce que les Anglais eux-mêmes commencent à se passionner pour le problème. Gladstone, leader du Parti libéral, casse son parti en proposant l'autonomie de l'Irlande, le *Home Rule*. En 1886, la question irlandaise permet aux conservateurs de l'emporter aux élections générales. Le thème nationaliste devient donc électoralement payant. En 1900, le déclenchement de la guerre des Boers assure une autre victoire conservatrice [3]. A la veille de la Première Guerre mondiale, l'Angleterre est, comme l'Allemagne et la France, la proie d'une fièvre nationaliste aiguë. C'est cet état d'esprit qui permettra au Royaume-Uni d'accepter, entre 1914 et 1918, pour la première fois de son histoire, une saignée militaire de sa population. Les 700 000 morts britanniques de la Première Guerre mondiale

---

1. J.A. Hobson, *Imperialism, a Study*, p. 18.
2. J.A. Hobson, *op. cit.*, p. 19.
3. Sur le rapport entre question nationale et fortunes électorales du Parti conservateur, voir R. Blake, *op. cit.*, p. 163-166.

représentent, plus que 1 500 000 morts français ou les 1 600 000 morts allemands, une rupture historique pour une société qui, au contraire de la France ou de l'Allemagne, n'avait jamais connu une militarisation à outrance.

L'isolationnisme

L'idéologie nationaliste qui envahit l'Angleterre des années 1885-1914 est cependant spécifique, parce qu'elle tire ses valeurs élémentaires de la famille nucléaire absolue, comme le nationalisme français dérive les siennes de la famille nucléaire égalitaire ou le nationalisme allemand de la famille souche. Le rapport de fraternité – égalitaire, inégalitaire, indéfini – est toujours essentiel à la définition du rapport entre les peuples. L'universalisme français, qui se représente les peuples comme équivalents, n'est que le reflet idéologique fidèle d'une structure familiale qui considère les frères comme égaux. L'ethnocentrisme allemand, qui hiérarchise les peuples de la terre et place bien sûr la nation allemande au sommet de l'échelle, ne fait que transposer l'inégalité des frères inscrite dans la famille souche. Le nationalisme anglais doit tenir compte d'une certaine indéfinition du rapport fraternel. En Angleterre, l'usage du testament fait des frères des éléments autonomes, *a priori* ni égaux ni inégaux. On peut parler d'indifférence au concept même d'égalité. « Indépendance mutuelle » est l'expression qui résume le mieux les valeurs fondamentales du système familial anglais en ce domaine. La transposition idéologique nationaliste est possible, nécessaire même, mais elle aboutit à définir *les peuples comme ni égaux ni inégaux, et indépendants les uns des autres*. La vision anglaise des peuples de la terre définit un univers qui n'est *ni homogène* (cas de l'universalisme français) *ni hiérarchisé* (cas de l'ethnocentrisme allemand). Les peuples sont des individualités distinctes. Dans ce système, le peuple anglais n'est ni le leader d'une collection de peuples équivalents (modèle français) ni le sommet d'une hiérarchie mondiale (modèle allemand). Une telle conception ne peut mener qu'à un nationalisme faiblement agressif. Elle permet certes une invincible solidité de la conscience nationale : le peuple anglais est défini, comme les autres, en tant qu'individualité unique. Mais elle ne peut en aucune manière encourager ou légitimer une intervention constante dans les affaires d'autres nations, considérées *a priori* différentes mais non inférieures. On retrouve ainsi, dans le domaine international, l'effet de tolérance mutuelle que la famille nucléaire absolue produit dans le domaine des rapports entre les classes. Dans le système anglais, les classes sont, comme les peuples, différentes mais curieusement non hiérarchisées. La modération des conflits sociaux dans la période de la révolution industrielle découle non seulement du respect spontané des ouvriers pour les aristocrates, mais aussi de l'acceptation facile par les groupes dominants d'une organisation autonome du prolétariat.

Dans le domaine international, le principe de différenciation et d'individualité des peuples ne peut mener, hors de certaines phases de surexcitation temporaire, qu'à une conception isolationniste de la politique étrangère. L'histoire de l'Angleterre au xxe siècle montre à quel point son nationalisme peut mener au repli plutôt qu'à l'agressivité. L'évolution du Parti conservateur, qui domine dans l'ensemble la vie politique anglaise entre les deux guerres, est de ce point de vue caractéristique. Dès les années vingt, les conservateurs se détachent du nationalisme agressif des années 1885-1914. Ils se désintéressent largement des affaires du continent européen et même, dans une large mesure, de leur doctrine « impériale », se préparant déjà, psychologiquement, à l'abandon d'un certain nombre de colonies. Confronté à Hitler, le gouvernement britannique mène une politique d'*appeasement* [1] qui témoigne de l'extraordinaire retombée de l'excitation nationaliste dans les années trente. Le biais isolationniste du nationalisme anglais explique ce repli, dont les conséquences furent, pour l'équilibre européen, catastrophiques.

Un paradoxe fondamental doit néanmoins être souligné : l'isolationnisme n'empêche ni la construction d'un empire colonial immense, ni la fondation par les colons anglais des États-Unis d'Amérique capables d'absorber des immigrants venus de toute l'Europe, ni, ultimement, l'extension à la planète de la langue anglaise comme moyen de communication. Réfractaire à l'universalisme, la culture anglaise manifeste cependant des capacités

1. Sur l'isolationnisme et l'*appeasement,* voir R. Blake, *op. cit.*, p. 216 et 238-246.

conquérantes tout à fait exceptionnelles, au point que l'on peut se demander si l'isolationnisme ne recèle pas un potentiel expansionniste d'un genre particulier. Une hypothèse peut être proposée. La conception anglaise de la nation est particulièrement tolérable parce que tolérante. Au contraire des visions française et allemande, elle ne nie pas le droit des peuples à une existence culturelle autonome. L'expansion française se manifeste en général par une volonté d'assimilation, d'homogénéisation et donc de destruction des cultures nationales qui crée simultanément des sympathies et des résistances. L'attitude allemande, observable en Europe de l'Est plutôt que dans le tiers monde, implique un mépris des ethnies « inférieures » qui mène parfois à la destruction non seulement des cultures nationales, mais des peuples eux-mêmes. Le rejet de la culture allemande par les nations d'Europe de l'Est est l'effet de cette intolérance insupportable. L'expansion anglaise manque d'enthousiasme, mais elle est efficace parce que tolérante.

De la tolérance au ghetto

L'acceptation des différences pose cependant aux systèmes culturels de type anglais des problèmes insurmontables dès que les traits ethniques perceptibles – qu'il s'agisse de mœurs ou d'apparence physique – deviennent importants. Nulle part les populations anglaises n'ont réussi à fusionner avec des groupes d'origine non européenne : ni avec les Indiens d'Amérique, ni avec les populations noires transférées sur le Nouveau Monde, ni avec les aborigènes australiens, ni avec les Chinois de Hong Kong, pour s'en tenir à quelques exemples seulement. L'incapacité des populations anglo-saxonnes, une fois mises en situation coloniale, à produire des métis, contraste avec l'aisance espagnole ou portugaise en ce domaine. Le monde latin tire de l'égalitarisme de ses structures familiales dominantes un universalisme actif, capable d'ignorer les différences objectives entre les peuples, qu'elles soient de couleur ou de mode de vie. Le cas des vieux empires coloniaux portugais ou espagnol, dont l'établissement remonte au XVIe siècle, montre d'ailleurs que la croyance en l'existence d'un homme universel est en pratique bien antérieure à la Révolution française, associée dans leur cas au catholicisme égalitaire des années qui suivent la Réforme protestante. Dans la mesure où la fusion des peuples au Mexique, au Brésil ou au Pérou passait par le viol de femmes indigènes, il paraît exact de parler, plutôt que de croyance en l'homme universel, d'adhésion au principe de la « femme universelle ».

L'expérience américaine – composante du cas anglais du point de vue de l'anthropologie historique – définit une limite pratique entre tolérance et séparation. Tous les peuples européens fusionnent aux États-Unis, sans difficulté, le respect des différences et des traditions n'empêchant pas un alignement général sur les valeurs dominantes du monde anglo-saxon fondateur. Le système familial américain, hyperindividualiste, ne diffère aujourd'hui du modèle anglais que par des nuances, et ce au terme de siècles d'assimilation de populations européennes très diverses. Mais les populations noires, trop visibles, sont piégées par la mécanique du respect de la différence et n'en finissent pas de reproduire leur ghetto. Dans leur cas, la tolérance mène à une forme objective d'apartheid.

La société ouverte comme modérateur du nationalisme

La tendance de certaines sociétés d'origine anglaise à la formation de ghettos, c'est-à-dire de microsociétés closes sur elles-mêmes à l'intérieur de la société globale, est d'autant plus troublante qu'elle ne s'appuie sur aucune fermeture de la société dans son ensemble. C'est évident dans le cas des États-Unis, ou même du Canada ou de l'Australie. Mais on peut, sur d'autres plans que celui de l'immigration, démontrer une réelle incapacité de la société anglaise proprement dite à se percevoir comme une société fermée, comme un groupe ethnique clos sur lui-même. Le principe individualiste et libéral, qui définit une nation comme une juxtaposition d'hommes plutôt que comme une mécanique globale, explique cette attitude, réelle et profonde. L'attachement anglais au dogme du libre-échange est le point de fixation de cette obsession de l'ouverture sociale. L'adhésion au libre-échange, qui semble raisonnable dans l'Angleterre victorienne, et même dictée par l'intérêt, devient au XXe siècle un enjeu idéologique déconnecté de toute rationalité. Le Royaume-Uni a perdu sa position dominante et, durant tout l'entre-deux-guerres, il est miné par un taux de chômage permanent de l'ordre de 10 % de la population active. Raisonnablement, le Parti conservateur, défenseur attitré de l'intérêt national, se convertit au protectionnisme. Mais chacune des campagnes électorales qu'il mène sur ce thème – en 1906 ou en 1923 – le conduit au désastre[1]. La résistance de l'électorat anglais au concept même de protectionnisme est trop facilement interprétée en termes de refus, traditionnel, d'une nourriture chère par les classes populaires, le Royaume-Uni étant globalement importateur net de produits alimentaires. Au cœur des difficultés économiques de l'entre-deux-guerres, l'incapacité à concevoir une société économique fermée révèle surtout une attitude idéologique profonde, de type individualiste et libéral. Le dogme de la société ouverte paralyse les tentatives conservatrices de protectionnisme économique. Mais à un niveau plus profond, plus essentiel, il affaiblit structurellement l'idéologie nationaliste anglaise. Qu'est-ce en effet qu'une nation ouverte, un corps social qui n'est pas à proprement parler un corps, une totalité organique, mais une collection d'individus autonomes ?

Globalement et en simplifiant beaucoup, le nationalisme de type anglais, correspondant à la famille nucléaire absolue, peut être qualifié de « libéral-isolationniste », le terme *libéral* évoque l'ouverture, le terme *isolationniste* le principe d'individualité des peuples.

Géographie électorale du conservatisme

Géographiquement, le conservatisme apparaît comme l'idéologie du cœur politique du pays. Le bastion essentiel du parti Tory, à l'époque du suffrage universel, et même avant, est l'Angleterre du Sud (carte 69 *b*). Cette inscription spatiale est très stable. Les seules variations substantielles observables entre les années 1910-1930 et 1970-1980 sont une petite remontée en Écosse, une chute à Londres et un léger affaiblissement dans les Midlands, zone frontière entre le Nord et le Sud de l'Angleterre comme leur nom l'indique[2]. L'accentuation du clivage Nord/

1. Sur les malheurs « protectionnistes » du Parti conservateur, voir R. Blake, *op. cit.*, p. 182-183.
2. Sur la géographie électorale du conservatisme, voir R. Blake, *op. cit.*, p. 200-201.

Sud, à l'époque du néo-conservatisme thatchérien, a d'ailleurs provoqué dans les années les plus récentes une prise de conscience chez les historiens et politologues anglais de l'importance du facteur géographique dans le développement de leur pays. Dans l'ensemble, la puissance relative du Parti conservateur n'en finit pas de reproduire celle de l'Église anglicane, malgré l'évanouissement de la pratique religieuse. La coïncidence spatiale entre conservatisme et anglicanisme est beaucoup plus nette que la correspondance entre travaillisme et tradition non conformiste. Un seul facteur religieux, on serait tenté de dire « post-religieux », agit positivement sur le vote conservateur ; un ensemble plus complexe de forces « post-religieuses » contribuent à la définition de l'espace travailliste. Le vote Labour est en effet encouragé par deux traditions religieuses complémentaires :

• la déchristianisation précoce de certaines régions ouvrières du Nord, dès l'industrialisation des années 1750-1850 ;

• le non-conformisme, qui partage cependant ses affections entre le travaillisme et un Parti libéral résiduel, mais non négligeable.

Toutes les dissidences religieuses anciennes – l'incroyance comme le non-conformisme –, historiquement réunies par une commune hostilité à l'Église anglicane, se combinent à partir de la déchristianisation pour encourager une orientation idéologique de gauche, anti-establishment [1]. Mais à droite du système politique, la tradition anglicane, celle de l'Église établie, joue seule. Le lien entre conservatisme et anglicanisme est donc particulièrement simple et direct.

On ne peut qu'être frappé par la permanence du facteur géographique dans la vie idéologique anglaise. La persistance d'effets post-religieux capables, *longtemps après la déchristianisation,* de contribuer à la structuration dualiste du système politique anglais est également remarquable.

---

1. On pourrait ajouter le catholicisme comme troisième dissidence religieuse orientant fréquemment à gauche dans un contexte anglais – celui des immigrants irlandais comme celui des minorités catholiques de l'extrême Nord.

Déterminations anthropologiques et flou idéologique

L'Angleterre n'échappe donc pas plus que la France ou l'Allemagne aux lois historiques associant structures familiales et formes idéologiques. A la famille nucléaire absolue correspondent des types spécifiques de socialisme et de nationalisme. Le rejet conscient par la culture anglaise des doctrines politiques trop cohérentes, trop formalisées, en *ism*, comme on dit *(socialism, nationalism)*, ne doit pas masquer l'existence de formes idéologiques anglaises spécifiques, parfaitement déterminées par les valeurs de la famille nucléaire absolue. C'est l'indéfinition même de la notion d'égalité dans la famille nucléaire absolue qui produit l'indéfinition des idéologies anglaises. Mais *la production d'une indéfinition idéologique par une indéfinition anthropologique suppose une détermination tout aussi rigoureuse* que la production d'une idéologie égalitaire par l'égalité des frères (modèle français), ou d'une idéologie inégalitaire par l'inégalité des frères (modèle allemand). ·

De plus, l'indéfinition des doctrines anglaises ne doit pas être exagérée. Le trait libéral du système familial – l'indépendance mutuelle des parents et des enfants devenus adultes – est, en Angleterre, d'une clarté magnifique, et le libéralisme idéologique qui en découle est donc d'une netteté absolue.

Les principes anglais de liberté individuelle et de souveraineté du Parlement sont des dogmes, tout autant que l'égalitarisme français ou l'étatisme allemand. L'acceptation des principes fondamentaux du libéralisme par les grandes forces politiques – conservatrice, travailliste – est totale.

Le libéralisme de la relation parents-enfants ne suffit cependant pas à définir la tradition idéologique anglaise. Dans la France du Bassin parisien, en Italie ou en Espagne du Sud, un principe libéral analogue peut être identifié, qui n'aboutit pas à l'émergence d'une conception anglaise de la vie sociale et politique. Dans ces trois nations latines, le trait égalitaire du système familial nourrit une aspiration à l'unité, à l'homogénéité du corps social et politique, qui perturbe le développement d'un individualisme pur. L'indifférence au principe d'égalité, caractéristique du fond anthropologique anglais, apparaît donc aussi essentiel au fonctionnement d'une mécanique sociale individualiste que le trait libéral du système familial. C'est parce que les frères sont différents sans être nécessairement inégaux que les classes, les forces religieuses, les partis politiques coexistent avec une facilité particulière dans la structure sociale. Le principe de différenciation des frères semble aussi essentiel que celui d'indépendance des enfants au développement de la notion de tolérance.

Les Pays-Bas

Un siècle avant l'Angleterre, la république des Provinces-Unies incarne pour les intellectuels européens l'idée de tolérance. Ils y trouvent très concrètement la possibilité de vivre, de penser et de publier librement. Descartes s'y installe pour échapper aux orthodoxies combinées, catholique et protestante, du royaume de France. Spinoza trouve dans la société hollandaise la possibilité d'abandonner l'orthodoxie juive de son temps. Locke, anglais pourtant, se réfugie aux Pays-Bas pour fuir l'autoritarisme de la restauration Stuart. Au point de départ de la tolérance hollandaise – la Hollande est bien, du point de vue du libéralisme, le cœur du système néerlandais –, on trouve la mutation arminienne du calvinisme, l'émergence, pour la première fois en Europe, d'une religion qui refuse la supériorité du prêtre sans rejeter le libre arbitre de l'homme. L'arminianisme ne domine pas l'Église reformée des Pays-Bas, puisqu'il est officiellement rejeté en 1618-1619 par le synode de Dordrecht, auquel sont représentés les « durs » de la prédestination calviniste, Suisses, Hessois, Palatins et Écossais. Mais la condamnation de l'arminianisme est sans grands effets pratiques [1]. L'Église réformée reste certes officiellement calviniste, mais elle contrôle mal la société hollandaise. Dès 1625, les arminiens sont tolérés sous le nom de *remonstrants*.

Quelques dates, couvrant l'ensemble du XVIIe siècle, marquent

1. Cf. *supra*, p. 137.

les étapes du développement de la tolérance hollandaise, c'est-à-dire européenne dans le contexte de l'époque :

- 1603-1609 : élaboration par Arminius, professeur à Leyde, d'une théologie réintroduisant dans le protestantisme la notion de libre arbitre ;
- 1625 : retour des arminiens à Amsterdam ;
- 1628 : installation de Descartes aux Pays-Bas (jusqu'en 1649) ;
- 1632 : Spinoza naît à Amsterdam ; il passe l'ensemble de sa vie, qui s'achève en 1677, aux Pays-Bas ;
- 1683-1689 : Locke séjourne dans les diverses provinces des Pays-Bas. A Amsterdam, il se lie d'amitié avec le théologien arminien Philip Van Limborch, pasteur de l'église locale des *remonstrants*. La *Lettre sur la tolérance* de Locke est publiée à Gouda en 1689. C'est en gros à partir de cette date, au lendemain immédiat de la Glorious Revolution de 1688, que le flambeau des libertés européennes passe en Angleterre. Au xviiie siècle, les philosophes français des Lumières ne rêvent donc plus de la liberté hollandaise mais admirent la liberté anglaise.

Toujours la famille nucléaire absolue

Aux Pays-Bas comme en Angleterre, la présence d'un substrat anthropologique individualiste mais non égalitaire explique l'émergence précoce d'une vie sociale et culturelle libérale. Le poids relatif de la famille nucléaire absolue est loin d'être aussi écrasant aux Pays-Bas qu'en Angleterre, puisqu'elle n'occupe que six sur onze des provinces actuelles : les deux Hollandes, du Nord et du Sud, la Zélande, Utrecht, la Frise et la Groningue, c'est-à-dire, pour l'essentiel, la façade maritime du pays (NL 3, 4, 5, 6, 7 et 9). Le poids particulier de la Hollande, qu'il s'agisse de population, d'activités marchandes ou de dynamisme culturel, place quand même la famille nucléaire absolue en situation dominante. La partie est/sud-est du pays, plus continentale, est occupée par des structures familiales de type souche : les provinces à majorité protestante de Gueldre, Overijssel et Drenthe (NL 2, 8 et 10), comme les provinces catholiques de Nord-Brabant et de Limbourg (NL 1 et 11). La minorité catholique des Pays-Bas ne contrôle donc que des régions de famille souche, autoritaire et inégalitaire. Le monde protestant s'étale sur six provinces caractérisées par la famille nucléaire absolue, libérale mais non égalitaire, et sur trois provinces où le fond anthropologique est de type souche (carte 71 *a*). Les percées libérales du XVIIe siècle s'effectuent en Hollande, au cœur nucléaire absolu du système national. La dualité anthropologique du protestantisme néerlandais établit une première différence entre les modèles anglais et néerlandais de développement d'un système politique libéral. Une autre différence a été évoquée, la présence d'une forte minorité catholique aux Pays-Bas. Une troisième doit être mentionnée, le caractère tardif et relativement modeste de l'industrialisation néerlandaise. Le développement du secteur secondaire ne commence réellement aux Pays-Bas que dans les années 1870-1880, stimulé par le décollage allemand. Vers 1970, la distribution dans l'espace de l'industrie néerlandaise, concentrée au Sud-Est et à l'Est, porte encore la marque des influences continentales, allemande et belge. L'industrie recouvre surtout, comme la famille souche, la partie intérieure des Pays-Bas. Elle est particulièrement dense dans les deux provinces catholiques du Sud, Limbourg et Nord-Brabant. Cette industrialisation tardive est socialement beaucoup moins violente que le processus anglais de modernisation. Elle ne crée pas les masses d'emplois non qualifiés classiquement associés au travail de la mine et du fer. Elle déchristianise peu, ou pas du tout.

La déchristianisation protestante

Les recensements néerlandais enregistrent les individus selon la religion d'appartenance et permettent de suivre l'augmentation du nombre des « sans religion » à partir de 1879. A cette date, ils ne constituent que 0,34 % de la population[1]. En 1889, ils sont 1,67 % ; en 1899, 2,55 % ; en 1909, 5,60 % ; en 1920, 8,60 % ; en 1930, 15,60 %. Le nombre des « sans religion » permet d'atteindre une partie seulement du processus de déchristianisation. Son accroissement mesure la partie la plus

1. Recensement de 1930 pour les appartenances religieuses entre 1849 et 1930, vol. 9, p. 58-59.

Appartenances religieuses aux Pays-Bas en 1930 En pourcentage			
Réformés néerlandais	34	Catholiques	36
		Juifs	1,3
Réformés fondamentalistes	8	Sans religion	15

Source : Recensement de 1930, vol. 9, p. 58-59.

dure, la plus radicale du rejet de la foi traditionnelle par des individus qui refusent officiellement l'appellation de « calvinistes ». Une déchristianisation plus douce accompagne silencieusement cette pointe radicale, celle des individus qui restent nominalement calvinistes mais abandonnent toute pratique religieuse. Leur nombre est beaucoup plus important que celui des « sans religion », bien que la nature même du protestantisme, peu tournée vers le rituel, interdise d'évaluer rigoureusement l'étendue de cette déchristianisation silencieuse. Dans le monde catholique où la messe est un bon indicateur d'adhésion aux croyances, le décalage entre déchristianisation dure (rejet explicite du catholicisme) et déchristianisation silencieuse (cessation de pratique) peut être mesuré. Dans la France du milieu des années soixante, largement déchristianisée dans sa partie centrale, 85 % des individus se disaient catholiques, mais 20 à 25 % seulement allaient une ou deux fois par mois à la messe [1]. Dans le cas de la France, 15 % de « sans religion » équivalent donc à environ 65 % de déchristianisés (si l'on estime que le nombre des croyants vrais est un peu supérieur à celui des individus qui vont à la messe). Les 15,60 % de « sans religion » atteints par les Pays-Bas en 1930 correspondent par conséquent à un niveau élevé de _déchristianisation protestante_. D'autant plus que le pourcentage de Néerlandais ayant renoncé à leur appartenance confessionnelle est supérieur à la moyenne nationale en zone calviniste.

Les provinces catholiques ne sont en effet pas touchées. En

1. F. Lebrun et coll., _Histoire des catholiques en France_, p. 485-486.

a) Trois zones anthropologiques et religieuses

☐ Famille nucléaire absolue + protestantisme

▨ Famille souche + protestantisme

■ Famille souche + catholicisme

b) Les Églises fondamentalistes en 1909

Proportion d'adhérents dans la population

■ Plus de 20%

▨ De 15 à 20%

▨ De 10 à 15%

☐ Moins de 10%

c) Les «sans religion» en 1930

Proportion dans la population

■ Plus de 30%

▨ De 20 à 30%

▨ De 15 à 20%

▨ De 5 à 15%

☐ Moins de 5%

1930, la proportion de « sans religion » n'est que de 1,30 % en Nord-Brabant, de 1,20 % en Limbourg[1]. Entre 1880 et 1930, la déchristianisation est, aux Pays-Bas comme dans le reste de l'Europe, un phénomène protestant. Le catholicisme des régions de famille souche traverse cette crise sans effort, en Limbourg et Nord-Brabant comme en Flandre, au Pays basque, en Bavière ou en Savoie.

Le monde protestant néerlandais repose sur une double assise anthropologique, nucléaire absolue à l'Ouest et au Nord, souche à l'Est. La carte de la déchristianisation néerlandaise vers 1930 révèle la plus grande fragilité du protestantisme « nucléaire absolu » (carte 71 *c*). La proportion des « sans religion » est plus élevée sur la façade maritime, nucléaire absolue, du pays – en Hollande, Frise et Groningue – que dans sa partie continentale et souche – en Gueldre, Overijssel et Drenthe. Seule la Zélande (NL 5), franchement maritime, et Utrecht (NL 6), plus inter-médiaire par la position, font exception, la déchristianisation y étant nettement moins avancée que dans le reste de la zone nucléaire absolue. Mais dans l'ensemble, le Dieu autoritaire des régions à pères autoritaires résiste un peu mieux que celui, libé-ral, des zones anthropologiques libérales. Le phénomène est d'autant plus frappant que les régions continentales sont les plus touchées par l'industrialisation et que le déclin de la foi devrait y être encouragé par la prolétarisation.

La meilleure résistance du protestantisme dans les provinces de Zélande et d'Utrecht, nucléaires absolues, est un effet de la proximité de la religion rivale, catholique, qui survit parfaite-ment et maintient sous pression les restes de conscience protes-tante. Le conflit religieux freine le processus de déchristianisa-tion. Là où le catholicisme n'est pas un voisin immédiat, en Hollande du Nord, Frise et Groningue, le reflux protestant suit son rythme propre. L'ampleur du phénomène dans les provinces de Frise et de Groningue, qui n'appartiennent pas au cœur urbain du pays, met bien en évidence, lorsqu'on les compare à la Drenthe ou à l'Overijssel, l'effet d'accélération produit par la famille nucléaire absolue et celui de freinage induit par la famille autoritaire.

---

1. Recensement de 1930, vol. 9, p. 58-59.

De la dissidence religieuse à la déchristianisation

Le reflux du protestantisme, curieusement, est précédé et même accompagné, aux Pays-Bas, par un *revival* religieux partiel qui s'affirme dans les années 1846-1899. L'Église réformée néerlandaise, accusée de laxisme, de *latitudinarisme*, selon la terminologie théologique conventionnelle, est abandonnée par certains de ses fidèles. Ceux-ci fondent de nouvelles Églises réformées, fondamentalistes, qui prônent un calvinisme strict. La croissance numérique de ce mouvement continue jusque vers 1909, date à laquelle un déclin, moins net que celui de l'Église officielle, commence cependant. La montée en puissance d'un fondamentalisme minoritaire est liée au reflux de la foi ; l'exigence de pureté n'est finalement qu'un dernier sursaut, un ultime rejet du sentiment de doute religieux qui envahit l'Église. La géographie de ce qu'on pourrait appeler le *non-conformisme* néerlandais renforce l'hypothèse d'un lien entre dissidence et déchristianisation. A leur apogée, en 1909, les Gereformeerden Kerken, fondamentalistes, sont en effet particulièrement puissantes en Frise et Groningue, hauts lieux de la déchristianisation (carte 71 *b*).

Dans l'ensemble des Pays-Bas, on trouve, en 1930, 8 % de fondamentalistes et 15 % de « sans religion ». En Groningue, on observe à cette date 19 % de fondamentalistes et 23 % de « sans religion » ; en Frise, 21 % de fondamentalistes et 25 % de « sans religion »[1]. Pour être complet, un tableau de la dissidence religieuse en Frise doit mentionner 3 % de mennonites (en 1947), héritiers apaisés, non violents, des anabaptistes du XVIe siècle[2]. L'orthodoxie calviniste des Gereformeerden Kerken ne doit pas faire illusion. Leur naissance est un acte d'indiscipline, un rejet de la bureaucratie officielle de l'Église d'État. Leur doctrine consciente, autoritaire, masque un inconscient libéral, qu'il

---

1. Recensement de 1930, vol. 9, p. 58-59.
2. *Annuaire statistique des Pays-Bas*, 1948. Dès le XVIe siècle, les anabaptistes, surtout connus par l'insurrection de Münster, en Allemagne, sont particulièrement nombreux dans l'extrême Nord des actuels Pays-Bas. Sur ce point, voir P. Geyl, *The Revolt of the Netherlands, 1555-1609*, p. 57-58.

paraît logique d'associer à la famille nucléaire absolue qui encourage, en Frise comme en Groningue, simultanément dissidence religieuse et abandon de la religion.

Un socialisme fragile

Les premières années du xxe siècle représentent, dans l'histoire paisible des Pays-Bas contemporains, une période de fièvre relative. Le reflux de la religion protestante mène à l'idéologisation. La chronologie du processus est strictement parallèle à celle de son équivalent anglais. La période cruciale va de 1903 à 1918, de la grande grève des chemins de fer à l'application du suffrage universel, tardive, comme en Angleterre[1].

Le mouvement socialiste qui naît de la déchristianisation est typique d'une région de famille nucléaire absolue légèrement industrialisée. Il cumule toutes les faiblesses. Comme en Angleterre, l'individualisme, l'indifférence à l'égalité produisent un monde ouvrier à forte conscience de classe mais peu intéressé par la transformation politique de la société[2]. Au contraire de la classe ouvrière anglaise cependant, le prolétariat néerlandais n'est pas massif et ne peut par conséquent développer un trade-unionisme puissant. Comble de malchance, les bastions ouvriers les plus consistants des Pays-Bas sont situés dans la zone catholique, en Nord-Brabant et Limbourg, où l'emprise religieuse reste intacte.

En Angleterre, dans les années 1900-1920, la puissance sociale du syndicalisme contraste avec la faiblesse du Parti travailliste. Aux Pays-Bas, la situation est homogène : le parti *et* les syndicats sont faibles. Dernier des partis socialistes européens à participer au pouvoir d'État, en 1939, le Parti social-démocrate des travailleurs présente toutes les caractéristiques doctrinales d'une force engendrée par les valeurs de la famille nucléaire absolue. Il est à l'origine travaillé par des tendances libertaires[3].

---

1. Cf. A. Lijphart, *The Politics of Accommodation*, p. 108-111.
2. Sur la conscience des différences sociales aux Pays-Bas, voir A. Lijphart, *op. cit.*, p. 20-23.
3. Sur l'anarchisme initial du socialisme néerlandais, voir J. Droz et coll., *Histoire générale du socialisme*, t. 2, p. 127-131.

a) Le Parti travailliste en 1959

Proportion des suffrages exprimés

40% et plus

De 30 à 40%

De 20 à 30%

Moins de 20%

b) Le Parti anti-révolutionnaire en 1959

Proportion des suffrages exprimés

20% et plus

De 15 à 20%

De 10 à 15%

Moins de 10%

c) Le Parti chrétien-historique en 1959

Proportion des suffrages exprimés

De 15 à 20%

De 10 à 15%

Moins de 10%

73 – Pays-Bas

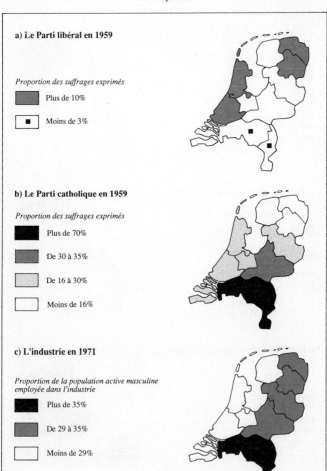

a) Le Parti libéral en 1959

Proportion des suffrages exprimés

Plus de 10%

Moins de 3%

b) Le Parti catholique en 1959

Proportion des suffrages exprimés

Plus de 70%

De 30 à 35%

De 16 à 30%

Moins de 16%

c) L'industrie en 1971

Proportion de la population active masculine employée dans l'industrie

Plus de 35%

De 29 à 35%

Moins de 29%

Il se révèle par la suite complètement indifférent aux questions doctrinales, mal guidé en ce domaine par un fond anthropologique qui ne croit ni à l'autorité ni à l'égalité.

	Catholiques	Chrétiens-historiques	Antirévolu-tionnaires	Libéraux	Travail-listes	Commu-nistes
	Pays-Bas : élections à la deuxième chambre des États-Généraux (1918-1989)					
	Proportion des suffrages exprimés (en %)					
1918	30,0	6,6	13,4	15,1	28,1	2,3
1922	29,9	10,9	13,7	9,3	24,7	1,8
1925	28,6	9,9	12,2	8,7	29,5	1,2
1929	29,6	10,5	11,6	7,4	30,5	2,0
1933	27,9	9,1	13,4	7,0	27,6	3,2
1937	28,8	7,5	16,4	4,0	30,0	3,3
1946	30,8	7,9	12,9	6,4	28,3	10,6
1948	32,3	9,2	13,2	8,0	25,6	7,7
1952	31,4	8,9	11,3	8,8	29,0	6,2
1956	31,7	8,4	9,9	8,8	32,7	4,8
1959	31,6	8,1	9,4	12,2	30,3	2,4
1963	31,9	8,6	8,7	10,3	28,0	2,8
1967	26,5	8,1	9,9	10,7	23,5	3,6
1971	21,9	6,3	8,6	10,4	24,7	3,9
1972	17,7	4,8	8,8	14,4	27,3	4,5
	Appel démocrate-chrétien (CDA)					
1977	31,9			17,9	33,8	1,7
1981	30,8			17,3	28,3	2,1
1982	29,4			23,1	30,4	1,8
1986	34,6			17,4	33,3	0,6
1989	35,4			14,7	31,0	—

Sources : Édition rétrospective de l'*Annuaire statistique 1899-1959,* p. 27 ; pour les années 1959-1986, éditions ultérieures de l'*Annuaire statistique ;* pour 1989, *Le Monde,* 9 septembre 1989.

Géographie électorale du socialisme néerlandais

Les performances électorales du Parti social-démocrate des travailleurs, rebaptisé Parti travailliste après la Deuxième Guerre mondiale, sont des plus modestes. Entre 1946 et 1967, alors que l'industrialisation des Pays-Bas est arrivée à maturité, il oscille entre 25 et 33 % des voix. Il est proche, par la faiblesse, du Parti socialiste suisse, qui navigue, durant la même période, entre 23 et 29 % des suffrages. En région catholique, le socialisme néerlandais tombe à des niveaux dignes de son homologue irlandais, 15 % des voix seulement en Limbourg et Nord-Brabant vers 1959. Mais même dans la partie sururbanisée de la zone de déchristianisation protestante, en Hollande, il atteint à peine 35 % des voix à cette date (33 % en Hollande du Nord, 36 % en Hollande du Sud). Au lendemain de la Deuxième Guerre mondiale, le Parti travailliste ne passe régulièrement la barre des 40 % des suffrages exprimés que dans une province, la Drenthe (carte 72 *a*). Il s'agit d'une région protestante sans minorité catholique et où les structures familiales sont de type souche. Le trait autoritaire du système anthropologique permet le développement, dans le sillage de la déchristianisation, d'un véritable tempérament social-démocrate, de type allemand, suédois ou même gallois. La Drenthe (NL 10) occupe en effet dans l'espace néerlandais une position comparable à celle du pays de Galles dans l'espace britannique. Dans les deux cas, une poche de famille souche permet la stabilisation d'un point d'appui social-démocrate dans un pays dominé globalement par la famille nucléaire absolue.

En deuxième ligne du socialisme néerlandais, on peut observer les provinces non conformistes de Frise ou de Groningue, où le Parti travailliste oscille *autour* de la barre des 40 %, tantôt au-dessus, tantôt au-dessous. Ici, ce n'est pas la famille souche, inexistante, qui stimule le travaillisme, mais la tradition non conformiste. Comme dans certains comtés du Nord de l'Angleterre, le radicalisme religieux mène au radicalisme politique à travers la déchristianisation. En Groningue, la logique de la dissidence mène certains électeurs à des comportements en apparence fantaisistes. Cette province est en effet l'un des bastions, modeste, du mini-communisme néerlandais (9 % des voix en 1952, 7,6 % en 1956, 4,8 % en 1959, pour des moyennes nationales de 6,2 %, 4,7 % et 2,4 % à ces dates). L'obstination dans l'hérésie de certaines minorités de Groningue, de l'anabaptisme au communisme, aurait sans doute ravi Engels, grand admirateur de Müntzer et des anabaptistes du xvie siècle[1]. Mais les « communistes » de Groningue expriment une aspiration anti-autoritaire radicale plutôt qu'un désir d'ordre. Ils sont plus proches de l'anarchisme quaker que de la discipline bolchevique. Frise et Groningue apparaissent ensemble particulièrement actives durant la première phase, anarchiste, de l'histoire du socialisme néerlandais. Nieuwenhuis, l'un des premiers leaders pacifistes, hostile à toute forme d'organisation autoritaire, y compris dans les syndicats, est élu député dès la fin des années 1880 par une circonscription frisonne[2]. C'est également en Frise et en Groningue que les ouvriers agricoles semblent, au début du xxe siècle, le plus sensibles à la théorie anarchiste de la grève[3], même si l'influence de ce courant n'est jamais négligeable chez les ouvriers d'Amsterdam. Frise, Groningue, Amsterdam : on retrouve ici la triade classique de l'indiscipline néerlandaise et la carte de la famille nucléaire absolue.

Nationalisme et calvinisme

On aurait du mal à identifier dans le système politique néerlandais une force de droite laissant apparaître les traits classiques du nationalisme, comme le Parti conservateur anglais ou le mouvement gaulliste français. La droite du système politique néerlandais est dominée, depuis la fin du xixe siècle, par des partis officiellement religieux.

Le Parti catholique n'est pas le plus original : d'abord force de défense religieuse, il devient avec le temps une démocratie-chrétienne classique. Il est dominant en Nord-Brabant et Limbourg, avec des scores dépassant toujours 70 % des suffrages exprimés jusque vers 1960 (carte 73 *b*). Accroché à la famille souche, il en exprime l'autoritarisme.

1. Cf. *La Guerre des paysans en Allemagne*.
2. J. Droz et coll., *op. cit.*, p. 127.
3. J. Droz et coll., *op. cit.*, p. 128.

Les partis calvinistes, qui portent les noms très poétiques de « chrétien historique » et d'« antirévolutionnaire », sont, par la puissance, uniques dans le monde post-protestant des années 1880-1960 [1]. L'Europe protestante, déchristianisée dès 1930, ignore en effet les partis confessionnels. Les Pays-Bas constituent la seule exception majeure, et la Norvège, avec son petit Parti chrétien, l'exception mineure. Les chrétiens historiques, représentants politiques de la branche conservatrice de l'Église réformée néerlandaise, et les antirévolutionnaires, délégués séculiers des Églises fondamentalistes, semblent des impossibilités théoriques en pays déchristianisé (cartes 72 *c* et 72 *b*). Ensemble, ils recueillent, en 1959, 17,5 % des voix : 8,1 % pour les chrétiens historiques, 9,4 % pour les antirévolutionnaires. On peut, bien sûr, pour expliquer la présence de ces partis calvinistes, faire l'hypothèse d'une pratique religieuse résiduelle. Mais de tels restes de religiosité seraient sans aucun doute décelables dans bien des régions du monde protestant, en Suède méridionale comme au pays de Galles ou en Allemagne du Nord, sans que l'on observe dans ces régions l'émergence de partis confessionnels protestants au XXe siècle. On pourrait aussi souligner que la présence d'un bloc catholique parfaitement homogène, récoltant avec une belle régularité plus de 30 % des suffrages, réactive aux Pays-Bas une certaine forme de conscience protestante, politique et défensive. Explication insuffisante dans la mesure où en Allemagne, dans les années 1900-1930, la présence du Zentrum catholique ne stimule aucune contrepoussée protestante. Pour comprendre l'existence des partis calvinistes néerlandais, il faut saisir la relation très particulière existant aux Pays-bas entre nationalisme et protestantisme.

Partout, dans l'Europe du XVIe siècle, la Réforme correspond à la montée d'un certain degré de conscience nationale. La séparation d'avec Rome permet la constitution d'Églises d'État, et l'on sent chez les calvinistes écossais comme chez les luthériens allemands ou suédois les symptômes d'un protonationalisme à fondement religieux. Le rôle de la Réforme dans la conscience nationale néerlandaise est cependant beaucoup plus important. L'adhésion au calvinisme définit en effet la nation néerlandaise.

---

1. « Antirévolutionnaire », parce que hostile à la Révolution française, aux principes rationalistes égalitaires, etc.

La révolte contre l'autorité espagnole, qui éclate en 1566 et aboutit à la fondation des Provinces-Unies, est simultanément religieuse et nationale[1]. Les Pays-Bas existent grâce à la Réforme : nation et religion s'y confondent. Le calvinisme incarne, en Hollande, en Zélande ou en Frise, l'idée d'indépendance nationale, de même que le catholicisme définit, à certains égards, l'identité irlandaise. Il est donc logique d'observer aux Pays-Bas, comme en Irlande, certaines interférences entre religion et nationalisme dans le courant du xxe siècle. En Irlande, une pratique religieuse forte n'empêche pas l'existence de forces politiques *officiellement* nationalistes, le Fianna Fail et le Fine Gael, là où l'on aurait pu attendre une démocratie-chrétienne classique. Le nationalisme irlandais s'exprimant par une adhésion sans faille au catholicisme, la présence d'un parti explicitement religieux n'est pas nécessaire.

Aux Pays-Bas, c'est l'inverse : on devrait trouver dans ce pays de pratique religieuse faible une force de droite laïque et nationaliste (ou tout du moins centraliste à la manière du Parti radical suisse). On observe en réalité deux partis calvinistes. Mais, dans la mesure où le calvinisme incarne dans l'inconscient néerlandais l'idée même de nation, l'absence du nationalisme dans le système politique n'est qu'apparente. La réaffirmation calviniste, dans un petit pays qui ne peut se permettre un nationalisme de type agressif, est une expression satisfaisante de l'originalité nationale. La fragmentation du bloc calviniste, auquel s'ajoute d'ailleurs, à droite de l'échiquier politique néerlandais, un Parti libéral non négligeable, distingue radicalement le calvinisme politique du catholicisme politique, homogène et hégémonique dans sa sphère. La fissiparité de la droite « protestante » – le Parti libéral fleurit aussi en pays protestant (carte 73 *a*) – manifeste le tempérament libéral habituel de la famille nucléaire absolue.

La famille nucléaire absolue n'encourage pas l'apparition de doctrines puissamment structurées, socialistes ou nationalistes. En Angleterre, l'absence simultanée de traits autoritaires et égalitaires dans le système familial mène à la définition d'idéologies informes, travaillisme et conservatisme. Sous une forme atté-

---

1. Sur le lien entre conscience nationale et tradition religieuse, voir P. Geyl, *The Revolt of the Netherlands*.

nuée, le même phénomène peut être observé aux Pays-Bas ; le socialisme y est faible et mou, le nationalisme s'y réfugie discrètement dans la religion calviniste. En pays nucléaire absolu, le système politique exprime particulièrement mal le nationalisme. Pourtant, dans le cas des Pays-Bas, comme de l'Angleterre, il suffit de passer du plan de la politique officielle à celui de la pratique sociale concrète pour saisir une conception parfaitement claire de la nation et des rapports entre groupes ethniques. On retrouve alors le mécanisme de tolérance et de séparation caractéristique en tout lieu de la famille nucléaire absolue.

Juifs et Noirs

Le libéralisme et l'indifférence à l'égalité mènent à une conception « individualiste » de la vie des peuples ; chaque groupe ethnique est considéré comme une individualité non réductible, qui ne peut ni ne doit être assimilée ou détruite. Si le peuple en question est proche, par l'apparence physique et le mode de vie, le respect de la différence mène à la tolérance ; s'il semble culturellement ou génétiquement plus lointain, le respect de la différence conduit à un clivage de type raciste. Le néerlandais, via l'*afrikaans*, langue des colons calvinistes d'Afrique du Sud, a donné au monde le mot *apartheid*, qui désigne une institution raciste de séparation des communautés noire et blanche.

Mise au contact de populations noires, la culture néerlandaise (associée à la culture anglaise, semblable sur le plan familial) a produit le pire. Mais, pour bien comprendre le mécanisme différenciateur enclenché par la famille nucléaire absolue, il est important de comprendre qu'elle est aussi capable de produire le meilleur. L'histoire de la communauté juive de Hollande, finalement déportée et massacrée par l'occupant nazi durant la Deuxième Guerre mondiale, fait apparaître le potentiel de tolérance du système culturel néerlandais.

Si le degré d'antisémitisme était une fonction simple du nombre de juifs habitant dans une région donnée, c'est en Hollande, et non en Saxe ou en Hesse, qu'il aurait dû trouver, vers 1900, son épicentre nord-occidental. Car Amsterdam, au contraire de Leipzig ou de Francfort, comprend à cette date une population juive très importante. En 1899, les juifs constituent

6 % de la population de la Hollande du Nord (contre moins de
1 % de celle de la Saxe)[1]. La taille de cette communauté est
généralement mal connue, parce que sa présence n'a jamais sus-
cité dans la population hollandaise de réactions antisémites
mesurables. C'est le monde originel de Spinoza. En Hollande,
les juifs sont libres, comme les arminiens, comme Descartes ou
Locke, comme les anabaptistes. On est tenté de dire : « comme
les catholiques », puisque ceux-ci, traités au lendemain immédiat
des guerres d'indépendance comme des colonisés, sont très vite
tolérés. Lorsque la différence perceptible n'est que religieuse,
l'individualisme absolu produit une tolérance remarquable.

Dans le cas du judaïsme néerlandais, la famille nucléaire
absolue n'est pas, il faut le préciser, le seul facteur de tolérance.
Le calvinisme, si dur aux Noirs en Afrique du Sud, facilite au
contraire les rapports entre chrétiens et juifs en Europe. Au
contraire du luthéranisme qui revendique la totalité des Écritures
saintes, le calvinisme – orthodoxe ou arminien – n'est au fond
passionné que par l'Ancien Testament, trait qui le rapproche en
pratique du judaïsme. Le luthéranisme est, autant que le catholicisme, fidèle aux Évangiles, à la croix et au Christ. Le calvinisme ne croit, au fond, qu'en l'Éternel et fait du Christ un personnage mineur. Lorsqu'ils lisent la Bible et commentent les
souffrances du peuple hébreu, les calvinistes sont Israël. Ce
mécanisme d'identification absolue explique sans doute, indépendamment d'autres facteurs comme le système familial, la
relative légèreté de l'antisémitisme dans les communautés de
tradition calviniste et biblique. Même en Allemagne : les minorités calvinistes orthodoxes y constituent, sous Hitler, le gros des
fidèles de l'Église confessante, qui résiste, au contraire des
diverses bureaucraties luthériennes, au dogme nazi[2]. Le fond
calviniste originel des États-Unis (arminien) explique en partie
la fidélité diplomatique de l'Amérique à l'État d'Israël. Pour
l'Angleterre, deux faits doivent être évoqués. Cromwell, leader
puritain et lecteur de la Bible, rétablit pour les juifs l'autorisation
de séjour sur le sol anglais. Deux siècles plus tard, l'Angleterre

---

1. Recensement de 1930, vol. 9, p. 58-59.
2. Sur l'Église confessante *(Bekennende Kirche)* et le rôle spécifique des
réformés (les calvinistes), voir K.S. Latourette, *Christianity in a Revolutionary Age,* t. 4, p. 262-266.

est le premier des États européens gouverné par un Premier ministre d'origine juive, Disraeli.

Aux Pays-Bas, la composante calviniste pourrait contribuer à une explication de la grève des dockers d'Amsterdam, menée en février 1941 pour protester contre la persécution des juifs néerlandais [1]. Cet exemple de solidarité active, rare dans l'histoire de la Deuxième Guerre mondiale, va au-delà de la simple tolérance et suppose un certain degré d'affinité culturelle.

Fragmentation et tolérance

La vie sociale libérale mais non égalitaire qui dérive des valeurs de la famille nucléaire absolue permet donc la coexistence pacifique de groupes sociaux, religieux, culturels très divers. Lijphart, dans son ouvrage classique, *The Politics of Accommodation*, décrit très bien les composantes catholique, protestante, socialiste, libérale de la vie sociale néerlandaise [2]. Il exagère cependant l'opposition de ces « blocs », les rapprochant de leurs équivalents autrichiens (*Lager* socialiste et catholique), allemands (socialiste, catholique ou nationaliste) ou belges (*zuilen, piliers*, socialiste ou catholique). Si le mécanisme de séparation des groupes est en effet comparable, le niveau d'hostilité entre sous-sociétés rivales ne l'est pas, contraste particulièrement apparent lorsque l'on confronte les Pays-Bas à l'Autriche ou à l'Allemagne, la Belgique occupant sur l'échelle des conflits entre groupes une position intermédiaire. Les blocs néerlandais n'ont jamais organisé de formations paramilitaires, ne se sont même jamais haïs. Ayant dramatisé l'opposition entre groupes, Lijphart doit, pour expliquer le fonctionnement particulièrement harmonieux de la démocratie pluraliste néerlandaise, pour décrire le mécanisme même de l'accommodement entre blocs, faire appel à des notions superficielles. L'acceptation absolue du pouvoir hiérarchique à l'intérieur de chacun des groupes permettrait aux diverses élites néerlandaises – catholique, protestante, libérale, socialiste – de négocier des accords échappant à tout contrôle effectif de la base. Le modèle est élégant mais inutile-

---

1. M. Braure, *Histoire des Pays-Bas*, p. 117.
2. A. Lijphart, *op. cit.*, thèse générale.

ment compliqué. On ne voit d'ailleurs pas très bien pourquoi les *Lager* autrichiens, magnifiquement hiérarchisés, n'auraient pas réussi à s'entendre de la même façon. L'opposition des terrains anthropologiques, à dominante nucléaire absolue aux Pays-Bas, souche en Autriche ou en Allemagne, permet au contraire une explication relativement simple. D'autant que la famille souche de Belgique, très imparfaite, avec son trait autoritaire un peu mou, rend compte de la position intermédiaire de ce pays pour ce qui concerne les conflits entre segments culturels.

Le trait libéral de la famille nucléaire absolue permet aux divers groupes de se considérer mutuellement comme des individualités respectables dans une société non autoritaire et pour laquelle ne se pose pas la question d'une clé de voûte unique, dominatrice de l'ensemble. La famille souche, autoritaire, exige au contraire l'intégration verticale de l'ensemble de la structure sociale, la soumission de toutes les sous-sociétés à un pouvoir unique. La lutte pour ce pouvoir lance les blocs rivaux les uns contre les autres, dans un conflit dont le but ultime ne peut être qu'une domination complète de la société.

L'absence du principe d'égalité – trait commun aux types anthropologiques nucléaire absolu et souche – explique dans les deux cas le mécanisme de séparation des blocs. La présence ou l'absence du trait autoritaire détermine le caractère violent ou pacifique de la séparation.

Le degré de cohérence des blocs néerlandais ne doit d'ailleurs pas être surestimé. Le pilier catholique, assis en Nord-Brabant et Limbourg sur la famille souche, est très comparable à ses équivalents autrichien et allemand. Mais le monde issu du protestantisme, fragmenté en calvinistes traditionnels, calvinistes fondamentalistes, socialistes et libéraux, est moulu trop fin pour que l'on considère chacun des groupes résultants comme un bloc à proprement parler. La division d'une culture en deux factions rivales définit bien deux blocs, sa division en quatre entraîne la cristallisation d'une culture libérale permettant aux individus d'échapper assez largement à l'emprise des sous-sociétés. En zone catholique, un seul parti recueille plus de 70 % des suffrages et l'on est bien confronté à un bloc, dont la compacité s'exprime par le contrôle d'un territoire, phénomène également observable en Allemagne ou en Autriche, où une segmentation de type spatial permet l'affrontement des blocs. En Hollande, où aucun parti ne dépasse régulièrement 35 % des suffrages, on ne peut raisonnablement parler de blocs absorbant les individus.

La famille nucléaire absolue ne produit pas toujours, mécaniquement, une fragmentation du système des partis. En Angleterre règne un bipartisme assez stable, institutionnalisé par le scrutin uninominal majoritaire à un tour. L'individualisme du tempérament idéologique s'y exprime par un certain degré d'anarchie des partis eux-mêmes, après y avoir provoqué la fragmentation du système religieux en sectes. Aux Pays-Bas, le scrutin proportionnel favorise l'existence de partis séparés et stables, minimisant le rôle des individus dans la vie politique. Le tempérament individualiste s'exprime autrement, par une fragmentation du système des partis, par une individualisation des partis eux-mêmes.

Le Danemark

La famille nucléaire absolue occupe la totalité du Danemark, à l'exception de l'extrêmité sud du Jutland (Nord-Slesvig) et de quelques îles du Sud, où la famille souche peut être identifiée. Il s'agit donc d'une nation assez homogène sur le plan anthropologique, dont l'unité a bien entendu été préservée, fabriquée, plutôt, par l'insularité. Le Danemark est un ensemble d'îles, entre Suède et Allemagne. Même la péninsule du Jutland, longtemps coupée du continent par des marais, peut être considérée comme une sorte d'île. Le destin idéologique de cette petite nation est donc conditionné par deux facteurs fondamentaux et contradictoires. Le fond anthropologique danois, nucléaire absolu, mène à des conceptions libérales pures ; la pesée culturelle des deux grands voisins du Sud et du Nord, appartenant à la même sphère luthérienne mais dominés par la famille souche, modère l'expression de ces tendances libérales. Superficiellement, le Danemark apparaît, comme la Suède ou la Saxe, de tradition sociale-démocrate. L'analyse détaillée de l'histoire et de la vie politique danoises y révèle cependant l'importance des comportements libéraux, au point que l'on peut parler, dans le cas de ce pays, de « libéralisme à façade sociale-démocrate ».

Religion et liberté

Au Danemark, comme en Angleterre ou en Hollande, les premières manifestations de la liberté sont religieuses. Solidement enclavées dans le monde autoritaire luthérien, faiblement développées, les îles danoises ne participent pas au xviie siècle à la mutation libérale arminienne. Jusqu'au xviiie siècle, l'Église danoise semble une bureaucratie luthérienne classique, para-étatique, soucieuse de l'alphabétisation de ses fidèles mais ne remettant nullement en cause les notions de hiérarchie et de discipline. Le réveil protestant du début du xixe siècle n'est cependant pas, au Danemark, comme en Allemagne du Nord ou même en Suède, un phénomène marginal, menant tout au plus à la formation de quelques sectes, particulièrement influentes dans l'extrême Nord suédois chez les Lapons[1]. Au Danemark, le mouvement religieux, antirationaliste et populaire dont Grundtvig, théologien et poète, est le symbole, mène à une restructuration de l'ensemble de l'Église dans un sens anti-autoritaire. Dès 1855, les paysans danois obtiennent le droit d'élire leurs pasteurs[2]. La mécanique luthérienne traditionnelle se dissout. La déchristianisation, qui commence au début des années 1880, fait passer le libéralisme du domaine religieux au plan social et politique.

Une paysannerie libérale

A la fin du xixe siècle, le Danemark est encore, comme la Suède, la Norvège ou la Finlande, une nation paysanne. Le vide métaphysique, qui succède à une phase d'intense activité religieuse libérale, y mène presque instantanément à une mobilisation idéologique de la paysannerie. Des écoles populaires se

1. Sur les réveils protestants en Scandinavie, K. Suolinna, « The popular revival movements », in *Nordic Democracy*, p. 598-608. Sur Læstadius et les Lapons, C. Mériot, *Les Lapons et leur société*, p. 275-325.
2. J.-J. Fol, *Les Pays nordiques aux xixe et xxe siècles*, p. 116.

fondent un peu partout ; les communautés rurales se dotent spontanément de coopératives [1]. En quelques années, l'agriculture danoise se restructure, elle abandonne la production céréalière et, devient fortement exportatrice de produits laitiers. L'industrialisation est tardive et lente. Le Danemark donne l'exemple unique d'un décollage économique fondé presque essentiellement sur le progrès agricole. Les paysans danois deviennent, autant que les industriels anglais, des fervents du libre-échange. Ils expriment ainsi leur tempérament idéologique autant que leur intérêt économique. On peut même se demander si, au Danemark, l'adhésion de la paysannerie au libéralisme ne *précède* pas la restructuration de l'agriculture et si l'orientation exportatrice n'est pas une conséquence pratique de l'adhésion idéologique.

Le réseau des écoles populaires et des coopératives permet l'installation générale du parti libéral [2], la *Venstre* (la « Gauche »), dans la campagne danoise, dès les années 1880. A la fin du XIXe siècle, le libéralisme n'est pas, au Danemark comme en Allemagne et en Suède, une doctrine minoritaire et bourgeoise, imitation approximative des libéralismes triomphants d'Angleterre et de France. Le libéralisme danois prend racine, il devient l'idéologie politique du monde rural. Adhésion parfaitement normale en milieu familial nucléaire absolu. La dénomination du parti libéral, la « Gauche », née pour combattre la droite *(Højre),* révèle l'existence, au Danemark comme en Angleterre, d'une conscience *dualiste* forte et naturelle, s'opposant à l'unanimisme des sociétés autoritaires et monolithiques de type allemand ou suédois. Le libéralisme ne peut fonctionner que si la division des opinions est reconnue comme un phénomène normal. Les concepts de gauche et de droite institutionnalisent la mécanique du clivage partisan et, par conséquent, le libéralisme, même si les partis dits de gauche finissent, au Danemark comme dans la France de la IIIe République, par se situer à droite de l'échiquier politique.

Au Danemark, le libéralisme domine le paysage politique jusque vers 1913, date à laquelle la social-démocratie émerge

---

1. Sur les écoles populaires et les coopératives entre 1870 et 1900, P. Manniche, *Denmark, a Social Laboratory*, p. 41-135.

2. Sur l'émergence des partis danois, K.E. Miller, *Government and Politics in Denmark*, p. 57-94.

comme le plus puissant des partis[1]. Le système politique danois n'échappera cependant jamais à sa matrice libérale.

La Venstre est, sans ambiguïté, un parti paysan. En 1971, sa carte électorale fait toujours apparaître une caractéristique prédominance dans la partie ouest du Jutland, dans les zones les plus densément rurales (cartes 74 *a* et 74 *b*). La Venstre ne manque jamais de soutenir le libre-échangisme paysan, attitude qui se manifeste à partir du début des années soixante par une volonté d'adhésion au Marché commun. La Venstre cependant n'est pas un parti agrarien, né pour représenter les intérêts d'une classe sociale particulière. Ce parti est défini par une doctrine politique libérale, adoptée par la paysannerie. Il précède, historiquement, l'émergence des autres forces politiques danoises, et en particulier celle de la social-démocratie.

En Suède, en Finlande, où l'on trouve à partir de l'entre-deux-guerres des mouvements paysans importants, on peut parler de partis *agrariens*. Leur montée en puissance intervient tardivement, dans les années vingt, en réaction à l'établissement du mouvement socialiste qui se veut d'essence ouvrière, même si le prolétariat est quasiment inexistant, comme en Finlande. Les agrariens suédois et finlandais se définissent aussi par leur rejet du libéralisme bourgeois du XIXe siècle, et leur apparition implique effectivement l'affaiblissement ou l'extinction de l'influence libérale en milieu rural. La séquence historique qui permet de situer les uns par rapport aux autres libéraux, socialistes et agrariens dans les pays scandinaves est capitale. En Suède et en Finlande, pays de tradition autoritaire (souche et communautaire respectivement, sur le plan familial), le mouvement paysan est une conséquence du mouvement ouvrier, dans des pays à la fois très ruraux et très alphabétisés. Au Danemark, le mouvement paysan s'inscrit, indépendamment du phénomène socialiste, dans la continuité du libéralisme bourgeois.

---

1. Le suffrage universel est établi par la Constitution de 1915. Dès 1849 cependant, tous les individus de sexe masculin *indépendants* (règle qui exclut les domestiques) ont le droit de vote. Sans être parfaitement représentatives, les élections antérieures à 1915 expriment des attitudes populaires et pas seulement les préférences des élites bourgeoises.

a) Les paysans en 1978

*Proportion de paysans dans
la population active masculine*

 Plus de 17%

De 14 à 17%

b) La Venstre en 1971 (parti libéral)

Proportion des suffrages exprimés

 Plus de 25%

 De 20 à 25%

 Moins de 20%

a) Les salariés agricoles en 1978

*Proportion de salariés dans
la population active agricole masculine*

Plus de 22%

b) La Radikale Venstre en 1971
(gauche radicale)

Proportion des suffrages exprimés

Plus de 15%

De 13,5 à 15%

Moins de 13,5%

	Conservateurs	Venstre	Radikale Venstre	Sociaux-démocrates	Socialistes du peuple	Gauche socialiste	Communistes	Parti du progrès
Danemark : élections au Folketing (1929-1988)								
Proportion des suffrages exprimés (en %)								
1929	16,5	28,3	10,7	41,8			0,3	
1932	18,7	24,7	9,4	42,7			1,1	
1935	17,8	17,8	9,2	46,1			1,6	
1939	17,7	18,2	9,5	42,9			2,4	
1943	21,0	18,7	8,7	44,5				
1945	18,2	23,4	8,1	32,8			12,5	
1947	12,4	27,6	6,9	40,0			6,8	
1950	17,8	21,3	8,2	39,6			4,6	
1953-I	17,3	22,1	8,6	40,4			4,8	
1953-II	16,8	23,1	7,8	41,3			4,3	
1957	16,6	25,1	7,8	39,4			3,1	
1960	17,9	21,1	5,8	42,1	6,1		1,1	
1964	20,0	21,0	5,3	42,0	6,0		1,3	
1966	18,7	19,3	7,3	38,2	10,9		0,8	
1968	20,4	18,6	15,0	34,2	6,1	2,0	1,0	
1971	16,7	15,6	14,3	37,3	9,1	1,6	1,4	
1973	9,2	12,3	11,2	25,7	6,0	1,5	3,6	15,9
1975	5,5	23,3	7,1	30,0	4,9	2,1	4,2	13,6
1977	8,5	12,0	3,6	37,1	3,9	2,7	3,7	14,6
1979	12,5	12,5	5,4	38,3	5,9	3,6	1,9	11,0
1981	14,4	11,3	5,1	32,9	11,3	2,6	1,1	8,9
1984	23,4	12,1	5,5	31,6	11,5	2,7	0,7	3,6
1987	20,8	10,5	6,2	29,3	14,6	1,4	0,9	4,8
1988	19,3	11,8	5,6	29,8	13,0	0,6	0,8	9,0

Sources : pour les années 1929-1943, *Annuaire statistique du Danemark* 1945 ; pour les années 1945-1988, éditions ultérieures.

Ambiguïtés socialistes

Le socialisme danois naît dans le dernier quart du XIXe siècle, sous influence allemande. Son programme de Gimle de 1876 suit d'un an celui de Gotha, qui marque le véritable début de la social-démocratie allemande. On retrouve chez les socialistes danois une terminologie marxiste qui semble annoncer une social-démocratie comme les autres. En vérité, l'expansion européenne du socialisme pose à la culture danoise le même problème que celle du protestantisme, trois siècles et demi plus tôt. La petite taille du royaume ne lui permet pas d'exprimer pleinement, officiellement, son tempérament libéral. Le Danemark adopte donc les formes extérieures de la social-démocratie, comme il avait accepté les formes extérieures du luthéranisme. Il ne peut faire mieux, le poids culturel de l'Allemagne étant localement, aux deux époques, particulièrement fort. La Réforme protestante suit le décollage allemand du xve siècle ; le développement de la social-démocratie coïncide dans le temps et dans l'espace avec la montée en puissance du IIe Reich allemand. Écrasé par Bismarck en 1864, pendant la guerre des duchés, qui l'ampute des deux cinquièmes de son territoire, le Danemark est condamné à prendre l'Allemagne au sérieux – à la fin du xixe siècle comme au milieu du xvie. Il ne peut qu'emprunter au monde germanique le langage du socialisme d'État, dérivé des traditions autoritaires de la famille souche. A partir des années trente, la Suède prend le relais de l'Allemagne comme modèle régional d'intégration étatique. La social-démocratie y devient hégémonique et ses succès économiques, qui finissent par impressionner l'Europe entière, ne peuvent qu'influencer le Danemark voisin, moins peuplé et moins industriel. A l'échelle du monde scandinave, la Suède fait alors figure de grande puissance, ou tout du moins de grand frère. Mais l'adoption des formes extérieures du rituel social-démocrate n'étouffe pas le tempérament libéral danois. Les mécanismes réels de la vie politique montrent la persistance du déterminant familial.

Encouragée par les proximités allemande et suédoise, à une époque où l'ensemble du monde luthérien semble basculer dans le socialisme d'État, la « social-démocratie » s'impose rapidement comme l'une des forces déterminantes du système politique danois. En 1913, son score électoral dépasse pour la première fois celui des libéraux et, au milieu des années vingt, le Parti social-démocrate devient clairement le premier du pays. Très vite, cependant, le socialisme danois manifeste un indifférentisme idéologique et politique digne de ses cousins anglais ou hollandais. En 1909-1910, le Parti social-démocrate soutient le gouvernement formé par la Gauche radicale *(Radikale Venstre)*, formation née d'une scission progressiste du Parti libéral. Il récidive entre 1913 et 1920. Par la suite, la tolérance ou le soutien de la Gauche radicale permet la constitution de gouvernements sociaux-démocrates minoritaires ou de coalition en

76 – Danemark

a) La social-démocratie en 1971

Proportion des suffrages exprimés

Plus de 40%

De 35 à 40%

Moins de 35%

b) Les conservateurs en 1971

Proportion des suffrages exprimés

Plus de 18%

De 14 à 18%

Moins de 14%

1924-1926, de 1929 à la guerre, entre 1947 et 1950, entre 1953 et 1964 [1].

Les socialistes dominent le jeu parlementaire danois, mais ils ne sont pas, comme leurs homologues suédois, hégémoniques. La droite, constituée des partis libéral et conservateur, n'est pas comme en Suède marginalisée. Elle reste une force de gouvernement possible. Le socialisme est minoritaire au Danemark. Il culmine en 1935 à 41,6 % des suffrages exprimés, pour retomber au lendemain de la Deuxième Guerre mondiale à des scores tournant autour de 40 %. La social-démocratie suédoise atteint 46 % des suffrages en 1932 et ne retombe jamais, avant 1973, au-dessous de 45 %. A deux reprises, les socialistes suédois dépassent 50 % des votes, d'abord en 1936 et 1940, puis à nouveau en 1968. L'autoritarisme des régions de famille souche nourrit une propension générale à la définition de forces politiques dominantes, parfois hégémoniques, qu'elles soient sociales-démocrates, démocrates-chrétiennes ou nationalistes ethnocentriques. Le seuil de 45 % des suffrages exprimés, atteint et maintenu par la première force politique régionale, sur une longue période et face à une opposition fragmentée, est donc l'un des marqueurs fréquents de la famille souche – marqueur que l'on ne retrouve pas au Danemark. Avec une première force tournant autour de 40 % et une opposition de gouvernement, le royaume de Danemark se définit comme un système fragmenté et libéral, reflet politique de la famille nucléaire absolue.

La social-démocratie suédoise, quand elle n'obtient pas la majorité absolue, peut compter sur le soutien ou l'abstention bienveillante de 3 à 5 % de voix communistes. A cette force écrasante doit souvent être ajoutée celle des agrariens, plus proche de la social-démocratie que de la droite durant tout l'entre-deux-guerres. Le socialisme danois doit, quant à lui, trouver des alliés sur sa droite, dans le camp libéral. La Gauche radicale, son alliée institutionnelle pendant un demi-siècle, assure sa prééminence gouvernementale, mais garantit aussi la continuité de la tradition libérale à l'intérieur même du camp socialiste. La Gauche radicale n'est pas un gros parti, mais sa présence et son rôle continuel symbolisent la nature libérale du système idéologique danois.

1. Sur l'histoire politique du Danemark, K.E. Miller, *op. cit.*, p. 34-56.

La social-démocratie suédoise est dominante. Le socialisme danois est en permanence sous surveillance libérale. Dans la mesure où la Venstre pèse en général plus lourd que le Parti conservateur danois, on peut considérer que le libéralisme reste, entre 1920 et 1964, au cœur du système politique danois. Il contrôle la gauche et domine la droite.

La famille nucléaire absolue n'est pas seulement libérale, elle est aussi non égalitaire et favorise, par conséquent, le principe de différenciation. Dans un pays uniformément nucléaire absolu sur le plan familial (exception du Nord-Slesvig et de l'île de Fyn mise à part), uniformément luthérien de tradition et uniformément déchristianisé, les différences sociales entre individus ne peuvent être qu'économiques. L'importance du métier dans la définition du statut est un lieu commun de la sociologie danoise. L'habitude typiquement danoise d'utiliser la profession plutôt que le prénom pour définir, dans l'annuaire téléphonique, l'ordre alphabétique des individus portant le même patronyme, met en évidence l'importance des classifications socio-économiques[1]. Plus fondamentalement, aucun système européen de partis politiques n'est plus que le danois un décalque de la stratification économique : la social-démocratie est le parti de la classe ouvrière, la Venstre celui des paysans, le Parti conservateur celui des classes moyennes urbaines[2] – peut-être la Radikale Venstre devrait-elle être considérée comme le parti des petits paysans et des intellectuels. Cette coïncidence entre partis et classes s'exprime sur le plan cartographique. La Venstre est forte dans les zones rurales de moyenne exploitation du Jutland (cartes 74 *a* et 74 *b*). La Radikale Venstre est assez importante dans les îles et correspond donc aux anciennes zones de grande exploitation, où dominent de nos jours les petits paysans (cartes 75 *a* et 75 *b*). Le Parti conservateur est surtout implanté en milieu urbain, particulièrement dans la grande agglomération de Copenhague (carte 76 *b*). Quant au Parti social-démocrate, il est assez unifor-

1. K.E. Miller, *op. cit.*, p. 13-15, sur la combinaison de conscience des différences de classes et de mobilité individuelle. Cette combinaison se retrouve en Angleterre ; elle est typique de la famille nucléaire absolue, qui voit les individus différents mais ne croit guère à la transmission héréditaire des qualités individuelles.

2. Sur les constantes de la géographie électorale, K.E. Miller, *op. cit.*, p. 103-109.

mément étalé sur l'ensemble du territoire, comme la classe ouvrière danoise, née d'une industrialisation diffuse fondée sur l'agro-alimentaire et l'électronique (carte 76 *a*).

On retrouve ici le mécanisme anglais ou hollandais de coexistence dans la différence, s'appliquant, ici, à des classes économiques plutôt qu'à des groupes religieux ou ethniques. Cette situation est caractéristique d'une société qui ne croit pas en l'existence d'un homme universel transcendant les apparences de la religion, de l'ethnie ou de la classe. La comparaison des cas danois et suédois permet de préciser que le trait libéral du système familial et social accentue la mécanique différenciatrice du trait non égalitaire. En Suède, la famille souche, franchement inégalitaire et autoritaire, sépare les classes, mais entraîne une aspiration à l'intégration verticale de la société. Elle favorise un amour de l'État qui peut, certes, mener les groupes à se battre pour son contrôle, mais qui peut aussi les réunir dans une commune vénération. Au Danemark, la famille nucléaire absolue différencie les groupes par son trait non égalitaire, mais elle ne les réunit dans aucune adoration étatique. En pratique, elle sépare mieux. Concrètement, l'amour de l'État mène, en Suède, une bonne partie des classes moyennes à l'adhésion sociale-démocrate. Au Danemark, rien de tel, le socialisme est plus faible parce que plus purement ouvrier.

Zéro-nationalisme et pacifisme

Le Danemark réunit toutes les conditions d'émergence de ce que l'on pourrait nommer un zéro-nationalisme. Avec ses 5 millions d'habitants en 1990, c'est l'un des plus petits pays d'Europe, qui ne peut raisonnablement rêver de conquêtes mondiales, continentales ou même régionales. Dès le XVIIe siècle, la puissance de la Suède éclipse celle du Danemark dans la sphère scandinave. Les valeurs de la famille nucléaire absolue ne favorisent pas non plus un nationalisme agressif. Son trait non égalitaire entretient une forte conscience nationale, mais n'entraîne aucune hiérarchisation des peuples de la terre. Le trait libéral du système anthropologique implique un droit des peuples à coexister, sans qu'une structure centrale et dominatrice contrôle l'ensemble planétaire.

Le nationalisme danois combine donc deux faiblesses, l'une dérivée des valeurs anthropologiques, l'autre de l'impuissance internationale concrète d'une petite nation. La résultante n'est même pas le neutralisme armé de pays comme la Suède ou la Suisse, mais un pur et simple *pacifisme*, menant parfois au désarmement unilatéral. A la veille de la Deuxième Guerre mondiale, le Danemark, pourtant placé au contact de l'Allemagne hitlérienne, dispose d'une armée de 800 hommes. Le goût du désarmement unilatéral, qui permet en 1940 aux troupes nazies une invasion particulièrement paisible, n'est pas seulement typique des partis de gauche et de la classe ouvrière. Il peut aussi se manifester à droite, dans les classes moyennes, même si le Parti conservateur représente bien le fragile pôle nationaliste du système idéologique danois. Le Parti du progrès, qui émerge en 1973 comme une dissidence de la droite, veut aussi le désarmement unilatéral, malgré la menace soviétique. L'adhésion à l'OTAN, conséquence de l'échec désastreux du pacifisme des années 1920-1940, n'empêche donc pas le maintien d'un courant pacifiste souterrain mais puissant.

Le zéro-nationalisme fragilise évidemment la droite danoise, qui ne peut s'affirmer porteuse d'une mission dépassant la simple défense des intérêts matériels des classes moyennes. Le Parti conservateur, le plus attaché à l'idée d'intégrité nationale, n'arrive donc pas à s'étendre sociologiquement au-delà des classes moyennes urbaines. En 1971, il ne dépasse 20 % des suffrages que dans l'agglomération de Copenhague. Ailleurs, il tombe en général au-dessous de 16 %, sauf dans le Jutland du Sud, où le souvenir de la menace allemande active un élément nationaliste (DK 9). L'histoire du Nord-Slesvig n'est pas sans rappeler celle de l'Alsace-Lorraine. Il est arraché au Danemark en 1864, rattaché au lendemain de la Première Guerre mondiale, envahi de nouveau en 1940... Le souvenir de ces épreuves y entretient des attitudes nationalistes proches, par leurs motivations, du gaullisme alsacien. C'est la raison pour laquelle le Parti conservateur y réalise – en 1971 par exemple – un score de 17,9 % des suffrages, contre 12,7 et 10,7 % seulement dans les provinces de Ribe et Vejle situées immédiatement au nord (DK 10 et 11). Un certain effet de la famille souche, présente localement et qui mène à un ethnocentrisme plus agressif que la famille nucléaire absolue, n'est pas à exclure. Un effet antiallemand de la famille souche locale serait paradoxal, puisque la présence de ce type anthropologique révèle une certaine « germanité » familiale des populations de langue danoise de la région. Mais le propre de la famille souche, ici comme en Belgique ou en Irlande, est de dresser les uns contre les autres des peuples identiques. Il n'est cependant pas raisonnable d'espérer distinguer entre effets de frontière et effets anthropologiques dans la définition du micro-nationalisme local. Le même problème se pose d'ailleurs de l'autre côté de la frontière, en Schleswig-Holstein allemand, où le nazisme réalise, au début des années trente, ses scores les plus étonnants. Le nationalisme y est stimulé simultanément par la famille souche et par un ressentiment anti-danois[1].

Globalement, le nationalisme est, au Danemark, un élément idéologique insignifiant, et cette quasi-absence rend assez largement compte de l'orientation « socialiste » du système politique. Socialiste, en général, et non spécifiquement social-démocrate. Le mouvement ouvrier peut être décrit comme la force majeure du système idéologique danois, mais le tempérament de ce socialisme semble plus proche des types travaillistes anglais ou néerlandais que des modèles sociaux-démocrates allemand ou suédois.

L'image sociale-démocrate de la Suède, la plus puissante des nations scandinaves, ne devrait pas déteindre sur la perception des autres, qu'il s'agisse du Danemark, de la Finlande ou de la Norvège. Tous les systèmes idéologiques scandinaves sont bien orientés à gauche, dominés par le mouvement socialiste ou ouvrier. Mais chacun de ces socialismes est spécifique. En Suède, on trouve effectivement un modèle social-démocrate très pur. En Finlande, l'existence d'un Parti communiste puissant définit un autre équilibre. Au Danemark, l'empreinte du libéralisme marque le mouvement socialiste. L'orientation à gauche, phénomène commun à tous ces pays, résulte de facteurs communs. Le luthéranisme, présent dans tous, disparaît d'une façon particulièrement radicale entre 1880 et 1930, laissant un espace

1. Le petit Parti nazi danois des années trente est également implanté en Nord-Slesvig, où il s'oppose au Parti nazi allemand local. Aux élections de 1943, tenues pendant l'occupation allemande, le DNSAP (Parti nazi danois) recueille 4,5 % des suffrages dans le Sud-Jutland, contre 1,8 % dans l'ensemble du pays. M. Djurssa, « Denmark », in *Fascism in Europe*, p. 245.

social maximal au développement des idéologies modernes,
socialistes ou nationalistes. Il transmet aussi en héritage un
niveau culturel particulièrement élevé, effet d'une alphabétisation précoce. Dans tous ces pays, minuscules à l'échelle européenne, l'option nationaliste est fermée, parce que trop évidemment déraisonnable. Dans le contexte des années 1900-1930, le
socialisme peut seul combler le vide métaphysique créé par la
disparition des croyances religieuses. *Les* socialismes plutôt. Les
structures familiales continuent d'agir et produisent une diversification des socialismes scandinaves. La famille souche encourage une social-démocratie pure en Suède ; la famille communautaire favorise le communisme en Finlande ; la famille
nucléaire absolue permet au Danemark l'émergence d'une force
appelée social-démocratie mais anormalement libérale de tempérament. Ce qui distingue bien sûr le socialisme danois de ses
équivalents anglais ou néerlandais, c'est qu'il est dominant, ne
trouvant face à lui aucune force de droite de taille équivalente,
comme le Parti conservateur anglais ou le bloc libéral-protestant
néerlandais.

La Norvège

En Norvège coexistent des formes familiales de type nucléaire
absolu et souche. Dans la mesure où les deux formes anthropologiques pèsent le même poids dans le système anthropologique
global, l'analyse des idéologies norvégiennes aurait pu théo-
riquement être menée dans le chapitre consacré aux petits pays
de famille souche. Deux éléments conduisent à inclure le cas
norvégien dans le chapitre nucléaire absolu. D'abord, la position
centrale du type nucléaire dans l'espace norvégien, à l'Est et au
Sud, autour de la capitale, les types souches de l'Ouest et du
Nord pouvant au contraire être considérés comme périphériques.
Ensuite, les liens très étroits existant entre histoires norvégienne
et danoise. Entre 1380 et 1814, la Norvège peut être considérée
comme l'une des provinces de l'État danois. Érigée en royaume,
elle est entre 1814 et 1905 associée à la Suède, dont le roi
devient son souverain. Cette union personnelle laisse une large

autonomie aux Norvégiens, mais les place quand même sous domination suédoise.

La déchristianisation intervient à partir de 1880 dans une Norvège qui doit encore conquérir son indépendance. Les poids respectifs des deux idéologies qui remplacent la religion – le socialisme et le nationalisme – ne sont donc pas les mêmes que dans les petits pays indépendants comme la Suède et le Danemark, où le nationalisme est insignifiant. Le modèle norvégien de développement idéologique inclut une composante nationaliste fondamentale, d'ailleurs divisée par l'hétérogénéité anthropologique du pays. Le caractère incomplet de la déchristianisation complique encore le modèle en permettant l'émergence de l'un des rares partis démocrates-chrétiens du monde protestant.

Hétérogénéités norvégiennes : famille, langue, religion

La famille nucléaire absolue occupe, face au Nord-Jutland, la partie de la Norvège la plus proche du Danemark, danifiée durant quatre siècles.

Il n'est donc pas trop étonnant d'observer une parenté des formes anthropologiques situées de part et d'autre du Skagerrak : une affinité linguistique double la proximité familiale. Le Sud et l'Est de la Norvège parlent une langue très proche du danois, qui se présentait, à vrai dire, avant les conflits linguistiques de la deuxième moitié du xixᵉ siècle, comme du pur danois. A l'Ouest et au Nord, les communautés de paysans et de pêcheurs disséminées le long des fjords, protégées par le relief et la distance de la culture danoise dominante, conservent vers 1880 des structures familiales de type souche, avec des ménages complexes à trois générations et une règle d'indivision du patrimoine paysan. Dans la moitié sud du pays, relativement peuplée, le clivage linguistique correspond au découpage familial. Les paysans de l'Ouest parlent encore, au xixᵉ siècle, des patois remontant au vieux norvégien, distinct du danois. Au nord immédiat d'Oslo, dans la province de Hedmark (N 4), plus loin dans le Sør-Trondelag (N 15), et à l'extrême Nord dans celles de Nordland, Troms et Finnmark (N 17, 18 et 19), on trouve des régions de famille souche parlant la langue de la capitale, acculturées sur le plan linguistique mais restant distinctes sur le

a) Types familiaux et régions linguistiques

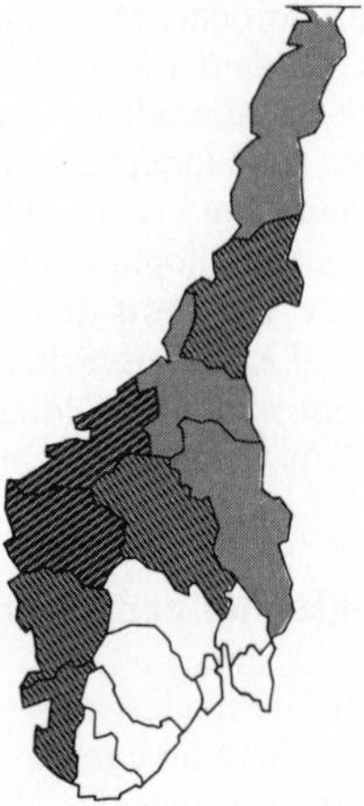

☐ Famille nucléaire absolue

■ Famille souche

Langue : taux d'utilisation du landsmaal dans les écoles primaires en 1971

▤ Plus de 50%

▥ De 25 à 50%

b) Les «libéraux» en 1953

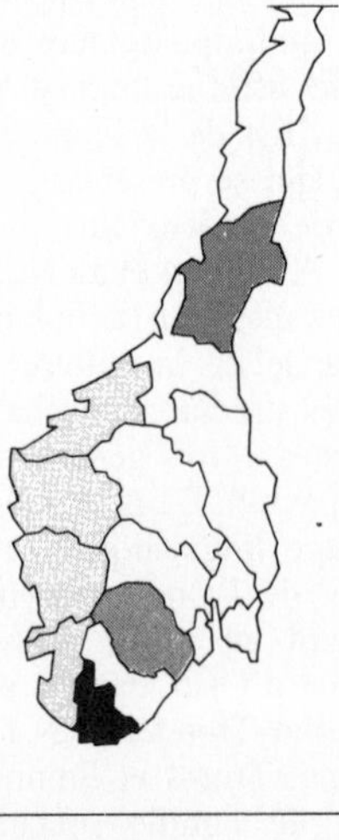

Proportion des suffrages exprimés

■ Plus de 20%

▦ De 15 à 20%

▨ De 10 à 15%

☐ Moins de 10%

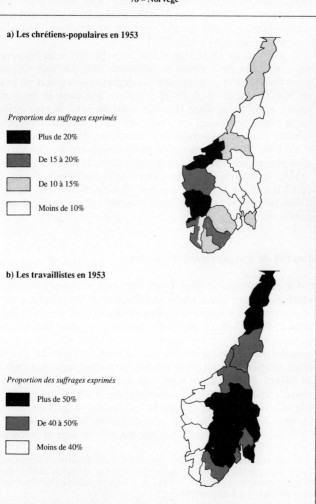

a) Les chrétiens-populaires en 1953

Proportion des suffrages exprimés

Plus de 20%

De 15 à 20%

De 10 à 15%

Moins de 10%

b) Les travaillistes en 1953

Proportion des suffrages exprimés

Plus de 50%

De 40 à 50%

Moins de 40%

plan anthropologique. Les provinces de l'Ouest autour de la ville de Bergen constituent donc le pôle de résistance principal à la culture danoise, distinctes du Centre par les structures familiales comme par la langue (carte 77 *a*).

A partir de la déchristianisation, une différence de tempérament religieux entre centre et périphérie[1] s'ajoute aux oppositions familiales et linguistiques. La déchristianisation n'est pas, en Norvège, aussi radicale et complète que dans le reste du monde scandinave. Dans la partie ouest du pays, la plus isolée sur le plan linguistique, un certain niveau de pratique religieuse subsiste jusqu'au lendemain de la Deuxième Guerre mondiale. Il s'agit bien entendu d'une région de famille souche où l'image du dieu-père résiste mieux à la crise du protestantisme.

Tout au long du xxᵉ siècle, l'Ouest de la Norvège se distingue de l'Est par une structure familiale plus autoritaire, par l'usage d'une langue différente et par l'existence d'une pratique religieuse résiduelle.

Dualité du tempérament norvégien

La coexistence de deux types familiaux d'importance comparable explique une certaine ambivalence du tempérament norvégien dans les domaines religieux et idéologique. Le réveil protestant du xixᵉ siècle mêle, en Norvège, aspects libéraux et autoritaires. On trouve ainsi autour d'Oslo des influences grundtvigiennes indiscutables, reproductions locales du libéralisme religieux danois. Mais on observe surtout, avec son centre de gravité à l'Ouest, en région de famille souche, le *haugeanisme*, courant piétiste fondamentaliste d'allure autoritaire[2]. L'image de Grundtvig évoque la spontanéité, le goût de la vie, un désir d'émancipation de l'individu par une éducation libérale. Celle de Hauge, réformateur laïque qui prêche dans la Norvège

---

1. Les travaux du politologue norvégien Stein Rokkan systématisent l'idée d'une opposition fondamentale entre centre et périphérie en Norvège. Voir par exemple H. Valen et S. Rokkan, « Norway : conflict structure and mass politics in a European periphery ».
2. Sur Hauge, voir par exemple C.T. Jonassen, « The protestant ethic and the spirit of capitalism in Norway » ; P. Munch, « The peasant movement in Norway, a study in class and culture », particulièrement p. 70-71.

des années 1796-1824 un retour au vrai christianisme, évoque la discipline de l'être et le respect de l'autorité de Dieu. Hauge reste la grande figure du réveil religieux norvégien des années 1800-1850. Sa position historique dominante vient sans doute de ce que le sévère tempérament haugéen a partiellement survécu, à travers des restes de pratique religieuse, dans les régions de famille souche de l'Ouest du pays. L'aimable tempérament grundtvigien de l'Est, plus vite converti en libéralisme areligieux, n'a pas laissé une telle trace dans la mémoire collective.

La déchristianisation permet, à partir de 1880, l'émergence des idéologies modernes, socialiste et nationaliste, mais l'on retrouve, à gauche et à droite du système idéologique norvégien, une ambivalence fondamentale, une oscillation permanente entre libéralisme et autoritarisme.

Le socialisme norvégien, égarements doctrinaux et succès pratiques

On trouve dans l'histoire du socialisme norvégien des éléments libéraux et autoritaires dont la juxtaposition fait du cas concret un intermédiaire entre les types suédois et danois, entre les variantes travailliste et sociale-démocrate du mouvement ouvrier. Le nom du parti, qui se définit comme travailliste et ouvrier plutôt que comme social-démocrate, le rapproche *a priori* des modèles anglais et néerlandais. Mais les performances électorales du Parti travailliste norvégien (Det norske Arbeiderparti – DNA) définissent une courbe exactement intermédiaire à celles des social-démocraties danoise et suédoise.

Entre 1949 et 1961, le DNA dépasse régulièrement 45 % des suffrages exprimés, mais n'atteint jamais 50 %. La présence d'un petit Parti communiste, l'existence d'une droite fragmentée le mettent dans une situation de domination parlementaire qui évoque la social-démocratie suédoise. Il ne s'agit cependant pas d'une domination de longue période, dont le développement serait irréversible. L'histoire du Parti travailliste norvégien est du genre torturé, traversée des soubresauts anarchistes encore plus importants que ceux des partis néerlandais ou danois. Comme il est fréquent, ces tendances anarchistes se manifestent par une adhésion temporaire et irréfléchie au communisme. Au

		Autres socialistes y compris les communistes	Venstre	Agrariens	Conser-vateurs	Populaires-chrétiens
	Travaillistes					
1921	21,3	9,3	20,1	13,1	33,4	
1924	18,4	14,9	18,6	13,5	32,5	
1927	36,8	4,0	17,3	14,9	24,0	
1930	31,4	1,7	20,2	15,9	27,4	
1933	40,1	1,8	17,1	13,9	20,2	0,8
1936	42,5	0,3	16,0	11,6	21,3	1,4
1945	41,0	11,9	13,8	8,1	17,0	7,9
1949	45,7	5,8	13,1	7,9	18,3	8,5
1953	46,7	5,1	10,0	9,1	18,6	10,5
1957	48,3	3,4	9,7	9,3	18,9	10,2
1961	46,8	5,3	8,8	9,4	20,0	9,6
1965	43,1	7,4	10,4	9,9	21,1	8,1
1969	46,5	4,5	9,4	10,5	19,6	9,4
1973	35,3	11,2	6,9	11,0·	17,4	12,2
1977	42,3	4,6	3,2	8,6	24,8	12,4
1981	37,2	5,2	3,9	6,7	31,7	9,4
1985	40,8	5,7	3,1	6,6	30,4	8,3

Norvège : élections au Storting (1921-1985)
Proportion des suffrages exprimés (en %)

Sources : pour les années 1921-1973, édition rétrospective de l'*Annuaire statistique de Norvège*, p. 644 ; pour les années 1977-1985, éditions ultérieures de l'*Annuaire statistique*.

lendemain de la révolution russe de 1917, le DNA est le seul des partis socialistes d'Europe du Nord-Ouest à adhérer au Komintern. Il y passe peu de temps. Dès 1923, les socialistes norvégiens abandonnent l'Internationale communiste à son destin. Les crises de l'époque provoquent une fragmentation du mouvement. A une dissidence sociale-démocrate, qui avait refusé l'adhésion communiste, s'ajoute, à partir de 1923, un Parti communiste résiduel. De façon caractéristique, l'unité syndicale est maintenue : LO, l'organisation centrale des syndicats, devient en pratique le point de repère solide et repérable du mouvement ouvrier. Temporairement, le rôle primordial des syndicats, classique en région nucléaire absolue, se manifeste en Norvège. Les sociaux-démocrates dissidents rejoignent le mouvement ; le Parti communiste végète et s'étiole. Le socialisme norvégien retrouve son unité, établie sur la base d'une absence totale d'idéologie. Cet indifférentisme doctrinal est d'autant plus saisissant qu'il succède à une période d'intense agitation verbale et révolutionnaire. Le concept audacieux de « réformisme révolutionnaire » résume l'attitude non dogmatique du socialisme norvégien dès la fin des années vingt [1]. La montée en puissance électorale du Parti travailliste, sensible à partir de 1927, clôt définitivement une phase révolutionnaire qui n'a pas son équivalent dans l'histoire du mouvement ouvrier suédois. Des facteurs structurels distinguent encore, entre 1960 et 1970, le mouvement socialiste norvégien du grand frère suédois. Sa puissance d'encadrement du monde ouvrier est, en particulier, beaucoup moins grande. Le pourcentage de syndiqués dans la population non agricole était, entre 1961 et 1976, de 76 % en Suède, de 50 % au Danemark et de 44 % en Norvège [2]. Ici, le mouvement ouvrier norvégien tombe du côté libéral, la surintégration des individus étant un trait typiquement autoritaire.

La géographie électorale du DNA reflète bien le dualisme fondamental du mouvement : en 1953, le parti est puissant dans l'ensemble du pays et ses bastions les plus impressionnants coïncident indifféremment avec des régions de famille nucléaire absolue ou souche (carte 78 *b*).

La croissance du socialisme norvégien est, à l'échelle scandinave, plutôt lente, et ce malgré l'établissement précoce du suffrage universel, dès 1898. En 1921, les travaillistes ne recueillent que 21 % des voix, contre 36 % à la même date à leurs collègues suédois et 32 % dès 1920 aux socialistes danois. L'explication généralement avancée pour expliquer les difficultés initiales du socialisme norvégien insiste sur le caractère tardif de l'industrialisation du pays. Le développement de l'hydro-électricité, dont dépend celui des usines dans le contexte presque alpin de la Norvège, ne commence en effet qu'au début du siècle. On ne doit cependant pas prendre trop au sérieux le facteur de la classe objective dans le développement du rêve socialiste. Les

---

1. Excellente présentation du développement idéologique norvégien dans H. Ferraton, *Syndicalisme ouvrier et social-démocratie en Norvège*, p. 129-152.

2. W. Korpi, « Labour movements and industrial relations », p. 314.

exemples de prolifération socialiste en l'absence de classe ouvrière sont en effet trop nombreux. Le socialisme est un rêve, capable de précéder dans son développement la classe qu'il est censé représenter. C'est donc dans le monde du rêve idéologique qu'il faut chercher la cause fondamentale du retard socialiste en Norvège. La puissance du rêve concurrent, nationaliste, explique suffisamment les difficultés initiales du socialisme.

Dédoublement nationaliste

Lorsque commence la déchristianisation, la Norvège n'est pas un pays indépendant. De 1880 à 1905, date à laquelle le royaume de Norvège se sépare pacifiquement de son tuteur suédois, la revendication nationaliste absorbe l'essentiel des énergies libérées par le reflux de la religion. Les forces de la contestation s'organisent dans un parti politique qui, imitant la terminologie danoise, s'intitule *Venstre*, la « Gauche ». Ce nom est généralement traduit, comme dans le cas du Danemark, par « Parti libéral ». Mais la Venstre norvégienne, dont l'émergence provoque la contre-organisation d'une droite conservatrice *(Hoyre)*, n'est pas primordialement libérale. Elle est d'abord nationaliste. Son ascension mène à l'indépendance du pays. La position constitutionnelle très originale de la Norvège, royaume dirigé par le souverain d'un État étranger, crée une confusion particulièrement inextricable entre objectifs nationalistes et libéraux. Revendiquer la responsabilité du gouvernement devant le Parlement norvégien, le Storting, c'est en effet, puisque le roi est étranger, obtenir en pratique l'indépendance nationale. La revendication nationaliste efface dans un premier temps la diversité des tempéraments politiques norvégiens. Le centre géographique, appuyé sur la famille nucléaire absolue, est nationaliste et libéral. La périphérie, idéologiquement guidée par la famille souche, est nationaliste et autoritaire, mais le principe libéral de la responsabilité parlementaire sert bien son nationalisme, d'ailleurs plus vigoureux, parce que ethnocentrique, que celui du centre. Dès 1884, la Norvège obtient donc un véritable système parlementaire, avec une bonne quinzaine d'années d'avance sur le Danemark, pourtant plus authentiquement libéral de tempérament.

Avant même l'obtention de l'indépendance, la Venstre se divise en tendances, dont certaines expriment le tempérament effectivement libéral du centre du pays, mais d'autres les aspirations autoritaires de la périphérie. Au terme d'une histoire longue et agitée, en 1953, la Venstre ne reste puissante que dans la partie ouest du pays, autoritaire (carte 77 *b*). Le Parti conservateur, que son leader des années 1889-1900, Emil Stang, définissait déjà comme un parti « libéral », est quant à lui essentiellement implanté dans la partie méridionale du pays, autour d'Oslo[1].

Dès les années 1910-1920, la Venstre norvégienne se fait remarquer par un goût prononcé pour une gestion autoritaire de la société. Durant cette période, travaillistes et conservateurs obtiennent ensemble le rejet du principe de l'arbitrage obligatoire par l'État des conflits entre patrons et ouvriers, que les « libéraux » cherchent à imposer[2]. A toutes les époques, le Parti conservateur norvégien rappelle assez, par son libéralisme et sa modération, le Parti conservateur anglais[3]. Le dédoublement de la droite norvégienne exprime donc, sur le plan idéologique, le dédoublement familial du pays. Le Parti conservateur correspond surtout à la famille nucléaire absolue, la Venstre à la famille souche de l'Ouest du pays. La Venstre cependant ne contrôle pas globalement l'Ouest, où le Parti travailliste dépasse 35 % des voix et où s'affirme, au lendemain de la Deuxième Guerre mondiale, un Parti chrétien-populaire qui y recueille 16 à 23 % des voix (carte 78 *a*). Les « libéraux » ne sont pas localement plus importants que les démocrates-chrétiens. La persistance d'un certain niveau de pratique religieuse explique l'existence d'une idéologie religieuse réactionnelle, de type démocrate-chrétien.

---

1. K. Larsen, *A History of Norway*, p. 459.
2. Sur les conflits autour de la notion d'arbitrage obligatoire, voir Ferraton, *op. cit.*, p. 184-186.
3. Le caractère plus cordial des rapports entre travaillistes et conservateurs qu'entre travaillistes et libéraux ou conservateurs et libéraux est souvent noté par les observateurs de la vie norvégienne. Voir par exemple D. Philip, *Le Mouvement ouvrier en Norvège,* p. 97.

Du nationalisme ethnocentrique au régionalisme ethnocentrique

La famille souche ne se distingue pas seulement de la famille nucléaire absolue par son trait autoritaire. Sa conception radicale de l'inégalité fait défaut à la famille nucléaire absolue, qui se contente de définir les frères comme différents, mais non inégaux par principe. La famille souche entretient, elle, une conscience aiguë des différences entre les hommes, entre les classes, entre les groupes humains en général. Elle favorise en particulier une vision ethnocentrique des relations entre peuples, qui peut s'exprimer au plan national ou régional. Le cas norvégien est, de ce point de vue, exemplaire parce que projections idéologiques nationales et régionales de l'ethnocentrisme s'y mêlent. La famille souche stimule le désir d'indépendance du pays, mais exige aussi sa division en deux sphères linguistiques, communicantes mais distinctes. Dans les provinces de l'Ouest de la Norvège, l'éveil au nationalisme ne se traduit pas seulement par un désir d'indépendance étatique, mais aussi par une volonté d'autonomie linguistique. L'Ouest veut une langue authentiquement norvégienne. Au milieu du XIXᵉ siècle, un autodidacte paysan, Ivar Aasen, fabrique cette langue « authentique », en mêlant les idiomes paysans, en les soudant par une reconstruction philologique qui cherche à retrouver les racines médiévales et, pourquoi pas, vikings de la langue [1]. Entre 1848 et 1850, Aasen publie un dictionnaire et une grammaire : le *landsmaal* est né pour s'opposer au *riksmaal,* langue de l'occupant culturel danois (qui n'occupe plus politiquement le pays depuis plus de trois décennies). Le landsmaal n'obtient, à ses débuts, qu'un succès d'estime. La foi religieuse est intacte. L'heure de l'idéologie n'a pas encore sonné. Mais avec la précision d'un mécanisme d'horlogerie, la déchristianisation enclenche l'irrésistible ascension du landsmaal, qui, dès les années 1880, devient une obsession des milieux de l'Ouest du pays. Par étapes, la parité entre le landsmaal et le riksmaal est établie entre 1880 et 1910. Vers 1965, le

---

1. Sur Aasen et le landsmaal, voir Derry, *A Short History of Norway*, p. 170-171 ; sur les progrès du landsmaal, p. 190.

landsmaal est surtout utilisé dans les écoles primaires de l'Ouest du pays. L'utilisation du landsmaal apparaît comme l'un des meilleurs déterminants sociologiques du vote « libéral », ethnocentrique autant qu'autoritaire[1]. On ne peut que s'émerveiller des effets successifs du nationalisme ethnocentrique des provinces de l'Ouest de la Norvège, déterminé par le trait inégalitaire de la famille souche. D'une part, il stimule le nationalisme norvégien global, donne son assise la plus solide à la Venstre et assure l'indépendance du pays. Mais parallèlement, par l'adoption du landsmaal, il divise la nation. Le clivage linguistique n'empêche pas les Norvégiens de se comprendre, mais semble totalement dérisoire. La Norvège, vers 1880, n'a que 2 millions d'habitants. L'adoption du landsmaal est exigée au moment même où la Norvège s'impose comme une puissance littéraire européenne, avec des auteurs comme Ibsen, qui écrit bien entendu en pur danois. Ce triomphe du provincialisme, dû à la famille souche, vaut bien sur le plan théorique les conflits interethniques de Belgique ou interreligieux d'Irlande. Le cas norvégien se distingue des variantes irlandaise ou belge par son caractère pacifique. Partisans du landsmaal et du riksmaal ne se sont jamais affrontés dans les rues. La bonne volonté avec laquelle les Norvégiens du centre, parlant le riksmaal ont accepté l'institutionnalisation d'une langue périphérique, paysanne et fabriquée, pose en elle-même un problème théorique. Il y a là un exemple de tolérance réellement remarquable. Pour en évaluer l'ampleur, il faut imaginer une situation équivalente dans un grand pays européen : la France du XVIIe siècle, par exemple, acceptant, au moment même où elle produit Corneille, Racine et Molière, l'établissement d'une deuxième langue nationale fabriquée par la synthèse des patois picard et champenois. Le mystère de la scission linguistique de la Norvège n'est pas tout entier dans le régionalisme ethnocentrique de la famille souche et de l'Ouest, il est aussi dans la tolérance de la famille nucléaire absolue et de l'Est aux manifestations de la différence. Ce qui est vraiment remarquable dans le cas norvégien, c'est que le centre ne combat pas réellement les aspirations de la périphérie à l'autonomie linguistique. Le danois de Christiania (ville qui

---

1. H. Valen et S. Rokkan, « Norway : conflict structure and mass politics in a European periphery », p. 330.

devient Oslo, épuration linguistique oblige) se rend sans combattre. Le contraste avec l'attitude française en matière de patois régionaux est entier. En France aussi, on peut opposer un centre nucléaire et une périphérie souche sur le plan anthropologique. Mais le nucléaire est, en France, égalitaire et exige le nivellement. Les patois périphériques sont détruits. Au Danemark, le centre n'est pas égalitaire et tolère les fantaisies de la périphérie. L'attitude anglaise doit être rapprochée de celle du Danemark. A aucune époque, l'Angleterre, nucléaire absolue, n'exige l'élimination méthodique du gaélique et du gallois. Dans les Highlands écossais et au pays de Galles survivent donc très longtemps des langues locales, malgré la puissance d'expansion naturelle de la langue anglaise.

Les obsessions linguistiques de la Norvège occidentale solidifient, officialisent la coupure en deux du système national. En divisant la droite norvégienne, ce clivage assure la prééminence du socialisme. Le DNA, parti des ouvriers, moins sensible par essence aux thématiques nationalistes, finit paradoxalement par incarner l'unité nationale, par devenir le parti du peuple en général. La cartographie électorale montre que le DNA, moins puissant dans l'Ouest à cause de la persistance d'une certaine pratique religieuse, y est quand même le premier des partis locaux. Les sondages d'opinion montrent, quant à eux, que les électeurs socialistes sont indifférents à la problématique linguistique, contrairement aux conservateurs, hostiles au landsmaal, et aux libéraux, absolument favorables au développement de cette langue à la fois archaïque et nouvelle [1]. L'indépendance nationale une fois acquise, le Parti travailliste norvégien peut incarner la nation avec presque autant d'efficacité que son voisin social-démocrate de Suède. Moins bien appuyé sur la famille souche, le socialisme norvégien bénéficie d'une situation unique de rassembleur national.

Conclusion : libéralisme et monarchie

La Grande-Bretagne, les Pays-Bas, le Danemark, la Norvège sont, à la fin du XXe siècle, des monarchies constitutionnelles. Elles ne sont pas les seules du continent puisqu'on en trouve

---

1. H. Valen et S. Rokkan, article cité, p. 330.

aussi en Belgique, en Suède et, depuis peu, en Espagne. Mais ces quatre pays possèdent à eux seuls la majorité des rois et reines d'Europe, et l'on doit admettre qu'aucun autre type que la famille nucléaire absolue ne s'accommode aussi bien d'une telle formule constitutionnelle. La famille souche admet la monarchie en Belgique et en Suède, mais non en Allemagne, en Autriche, en Irlande ou en Suisse. La famille nucléaire égalitaire ne semble pas, en France, en Italie ou au Portugal, encourager la stabilité des rois. La rareté des institutions monarchiques dans le monde nucléaire égalitaire n'est pas une immense surprise. La Révolution française révèle en effet, avec une acuité particulière, l'incompatibilité des concepts de roi et d'égalité. Si les hommes sont égaux, il ne peut exister à la tête de l'État un être différent par nature, supérieur aux autres. La monarchie tempérée, rêvée par Montesquieu, puis par les libéraux du XIXe siècle, ne peut fonctionner en France. Le XXe siècle montre que cet idéal politique est largement inopérant dans l'ensemble du monde latin. La restauration des Bourbons d'Espagne, en 1975, tient du miracle historique. La guerre civile et le franquisme fabriquent une Espagne malade du conflit, en état temporaire d'épuisement idéologique, prête à tous les compromis pour assurer sa tranquillité.

L'inexistence de la monarchie dans la plus grande partie de l'espace anthropologique souche, en Suisse et en Irlande, en Allemagne et en Autriche – depuis l'élimination des Hohenzollern et des Habsbourg – est plus surprenante. La famille souche, autoritaire et inégalitaire, nourrit une aspiration monarchique évidente. La famille royale, avec son principe de primogéniture, met en scène ce système anthropologique. Une telle identification aurait dû encourager le triomphe du principe héréditaire et inégalitaire dans ces pays, malgré les vicissitudes historiques. Or, même là où elle existe, en région de famille souche, en Belgique ou en Suède, l'institution monarchique fonctionne moins bien que dans les pays de famille nucléaire absolue. Au XXe siècle, Suédois et Belges n'entretiennent pas avec leurs monarques les relations de confiance caractéristiques des situations britannique, néerlandaise, danoise ou norvégienne. La suppression de la monarchie reste peut-être en Suède et en Belgique une question ouverte. D'où vient l'inadaptation concrète de la monarchie au type souche qui semble pourtant le plus proche d'elle idéologiquement ?

En système autoritaire, la présence d'un roi, clé de voûte politique, accentue les oppositions entre groupes. Le trait inégalitaire du système encourage la segmentation de la société en blocs – ouvriers, paysans, bourgeois, nationalistes, catholiques, protestants... Son trait autoritaire impose l'idée qu'une unification par l'État est nécessaire. La monarchie correspondante ne peut être qu'autoritaire et dramatiser les affrontements entre les blocs, qui se battent pour son contrôle. La seule solution au problème de l'intégration verticale en milieu inégalitaire est de type totalitaire. Une idéologie doit l'emporter sur les autres et les étouffer, opération réussie par le nazisme entre 1933 et 1945. L'idéal monarchique, associé aux notions de tradition et de paix intérieure, n'est pas compatible avec une telle violence. Avec Guillaume II, l'Allemagne militarisée des années 1914-1918 a frôlé l'établissement d'une monarchie totalitaire. Le IIe Reich n'était cependant, dans sa phase terminale, qu'une insignifiante préfiguration du IIIe. En système autoritaire, la monarchie rend la résolution des conflits entre segments sociaux difficile. La procédure représentative et parlementaire permet mieux la cohabitation des groupes. Le parlement institutionnalise la négociation. La représentation proportionnelle – utilisée en Suède, en Belgique, en Irlande, en Allemagne fédérale, en Autriche – solidifie les blocs en donnant tout le pouvoir aux appareils des partis. Elle établit un parlementarisme anti-individualiste qui permet une gestion raisonnable des conflits entre segments sociaux.

La famille nucléaire absolue, elle, fabrique des groupes différents qui ne sont pas en conflit et qui ne perçoivent pas la nécessité d'une autorité centrale forte. Dans un tel contexte culturel, la monarchie incarne l'unité nationale. Le rôle essentiellement symbolique du souverain exprime le libéralisme du système social. L'existence d'un être différent, le roi, révèle la position prééminente du principe de non-égalité. Dès que les familles royales acceptent le principe de la responsabilité parlementaire, l'adéquation du système monarchique aux valeurs de la famille nucléaire absolue est totale. Il n'y a certes pas entre famille nucléaire absolue et monarchie constitutionnelle une relation déterministe stricte. L'existence des États-Unis, république assise sur un système familial peu différent de celui de l'Angleterre, montre assez que d'autres combinaisons sont possibles. On doit néanmoins constater qu'en Europe la famille nucléaire absolue fournit les meilleures chances de survie au principe monarchique. En Grande-Bretagne, aux Pays-Bas, au Danemark, en Norvège, on peut discerner, au xxᵉ siècle, un renforcement de l'attachement des peuples à la royauté. Partout, le républicanisme initial des mouvements socialistes s'éteint. La présence de cet être spécial qu'est le souverain ne semble plus gêner le groupe particulier qu'est la classe ouvrière.

Tableau des idéologies européennes

L'analyse des idéologies européennes aboutit à une combinatoire assez simple. Chacun des quatre types familiaux engendre un système idéologique spécifique, composé de trois idéologies : socialiste, nationaliste, religieuse réactionnelle. La théorie définit donc *a priori* $3 \times 4 = 12$ idéologies possibles. La réalité historique ne permet d'en observer que dix parce que les régions de famille communautaire ou nucléaire absolue et de pratique religieuse forte sont trop petites pour exprimer leurs propres idéologies religieuses réactionnelles. Le tableau ci-dessous résume la diversité idéologique de l'Europe.

A l'intérieur de chacun des systèmes, le rapport des forces entre les trois idéologies – socialiste, nationaliste, religieuse – n'est pas stable durant la période 1880-1965. Les grands pays européens – France, Grande-Bretagne, Allemagne, Italie – représentent, de ce point de vue, des zones d'instabilité maximale. L'idéologie nationaliste y pèse naturellement plus lourd que dans les petits pays, et son poids relatif est affecté par le succès et les échecs concrets des nations. Avant 1900, les idéologies socialistes mènent le jeu. A partir de 1900, les nationalismes progressent. Après 1918, le nationalisme devient hégémonique en Allemagne et en Italie, mais s'affaiblit en France et en Grande-Bretagne. Au lendemain de la Deuxième Guerre mondiale, les idéologies nationalistes, qui par deux fois ont mené le continent au massacre, abordent une période de basses eaux. L'effondrement est particulièrement net dans les deux grands pays vaincus : le nationalisme ethnocentrique de l'Allemagne et le nationalisme fasciste de l'Italie prennent le statut d'idéologies interdites. Mais même en Grande-Bretagne et en France, où le

79 – Zones de faiblesse du socialisme vers 1975

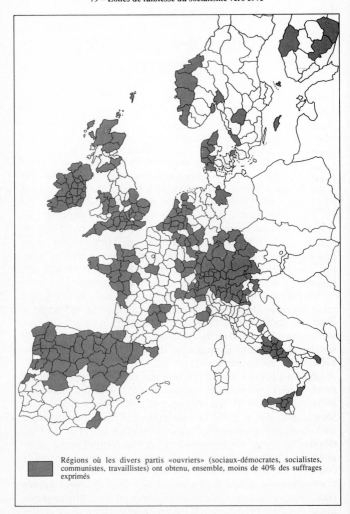

Régions où les divers partis «ouvriers» (sociaux-démocrates, socialistes, communistes, travaillistes) ont obtenu, ensemble, moins de 40% des suffrages exprimés

Les idéologies européennes				
	Valeurs fondamentales transmises au système idéologique	*Idéologie socialiste*	*Idéologie nationaliste*	*Idéologie religieuse réactionnelle*
Famille nucléaire égalitaire	*Liberté et égalité*	Anarcho-socialisme	Libéral-militarisme	Républicanisme-chrétien
Famille souche	*Autorité et inégalité*	Social-démocratie	Ethno-centrisme	Démocratie-chrétienne
Famille communau-taire	*Autorité et égalité*	Communisme	Fascisme	—
Famille nucléaire absolue	*Liberté*	Travaillisme (zéro-socia-lisme)	Libéral-isolationnisme	—

Parti conservateur et le mouvement gaulliste continuent d'exprimer les variétés régionales du nationalisme, on sent une atténuation du poids de la composante nationaliste dans le système idéologique.

Les composantes socialistes et religieuses réactionnelles sont, entre 1945 et 1965, les grandes bénéficiaires de l'épuisement nationaliste. Dans leur cas, on peut parler d'une surpuissance temporaire, dans les petits et les grands pays du continent. Du côté socialiste, on doit noter l'institutionnalisation de la social-démocratie suédoise, l'apogée du travaillisme britannique, la poussée de l'anarcho-communisme français, l'expansion du communisme italien. La surpuissance des idéologies religieuses réactionnelles est encore plus remarquable. En Allemagne fédérale, la démocratie-chrétienne récupère, au lendemain de la guerre, les électorats nationalistes en déroute. En Italie, la démocratie-chrétienne, minuscule en 1919, réémerge entre 1946 et

1948 pour conquérir, en se déformant, le système national. En France, terre traditionnellement défavorable au catholicisme politique, le MRP semble un instant promis à un brillant avenir. En Belgique et aux Pays-Bas, les démocrates-chrétiens progressent par rapport à l'avant-guerre et contrôlent le jeu politique.

La cartographie électorale des années 1945-1965 révèle une exceptionnelle puissance des idéologies socialistes et religieuses, qui, ensemble, définissent en Europe occidentale l'essentiel des équilibres régionaux. Durant toute cette période, la religion se présente comme le principal obstacle au développement du socialisme. _Statistiquement,_ la force de la religion est la faiblesse du socialisme, dans ce monde d'après guerre où le nationalisme ne joue plus le rôle de troisième larron.

Vers 1975, à une date où cet équilibre a pourtant déjà commencé à se défaire, la carte des régions où les divers mouvements socialistes (sociaux-démocrates, travaillistes, anarcho-socialistes, communistes) ont obtenu _moins de 40 %_ des suffrages ressemble étrangement, à quelques détails près, à celle de la pratique religieuse des années 1950-1965 (carte 79). En Allemagne du Sud, en Italie du Nord, en Autriche occidentale, en Belgique, aux Pays-Bas, en Suisse centrale, en Irlande, dans le Nord de la péninsule Ibérique, sur la périphérie de l'Hexagone français, la survie du catholicisme constitue l'obstacle principal à la suprématie du mouvement ouvrier. En Norvège occidentale, c'est la persistance d'un petit protestantisme qui explique la faiblesse relative du socialisme.

On ne peut à vrai dire identifier que trois régions de socialisme chétif et de pratique religieuse faible : l'Angleterre du Sud, le Jutland danois et, dans une moindre mesure, l'Italie du Sud. Dans ces trois régions, une droite non chrétienne domine le champ politique [1].

Entre 1900 et 1965, les variations de force relative des idéologies socialiste, nationaliste et religieuse n'affectent pas la stabilité globale des systèmes idéologiques. Les changements observables définissent un jeu à somme nulle dans lequel les pertes des uns sont les gains des autres. La puissance globale du trio

---

1. La « démocratie-chrétienne » clientéliste d'Italie du Sud s'épanouit en région de faible imprégnation cléricale et ne peut être considérée comme une droite religieuse au sens strict.

« socialisme-nationalisme-idéologie religieuse réactionnelle »
est constante. A partir de 1965, au contraire, les systèmes idéologiques entrent dans une phase de décomposition globale, qui
mène simultanément socialismes, nationalismes et idéologies
religieuses au tombeau.

QUATRIÈME PARTIE

La décomposition des idéologies
1965-1990

Entre 1965 et 1990, la plupart des systèmes idéologiques européens sont touchés par une inexorable mécanique de décomposition qui détruit les croyances, affaiblit les partis, transforme la nature des alignements politiques, crée partout le sentiment d'un vide et d'une perte de sens. La foi, au sens le plus large du terme, idéologique autant que religieuse, abandonne la vie politique européenne. Pêle-mêle, démocrates-chrétiens, communistes, socialistes, sociaux-démocrates, conservateurs et libéraux sont atteints par cette mutation d'autant plus puissante qu'elle frappe insidieusement, passe par l'inconscient des citoyens plutôt que par la conscience des cadres politiques. La mutation commence banalement, par une crise religieuse, la dernière de l'histoire du monde européen. L'extinction du catholicisme, qui commence vers 1965 dans l'ensemble de la sphère où il avait survécu à toutes les crises, semble d'abord clore le cycle de la déchristianisation. Entre 1965 et 1975, la crise religieuse enclenche très classiquement des poussées socialistes et nationalistes. Elle semble en fait achever, tardivement, le processus d'idéologisation de l'Europe. Très vite, cependant, l'ébranlement atteint socialisme et nationalisme, qui, nés ensemble de la déchristianisation, meurent ensemble du processus de décomposition des idéologies.

A partir des années 1975-1980, les trois forces – socialiste, nationaliste, religieuse réactionnelle – qui composent les systèmes idéologiques européens déclinent partout de conserve. La plus grande visibilité des effondrements socialistes et religieux vient de l'importance initiale du socialisme et de la religion. Faible globalement entre 1945 et 1965, le nationalisme tombe de moins haut. L'effondrement continental du catholicisme poli-

tique et les mutations étranges et perverses de l'Internationale
socialiste semblent faire de l'extinction du gaullisme un phénomène mineur. Tous ces mouvements, cependant, définissent
ensemble un mécanisme global de décomposition des idéologies
politiques. Les causes de décomposition peuvent être saisies
parallèlement sur le plan matériel et sur le plan spirituel.

Le plan matériel : la cité idéale enfin réalisée

Ensemble tous les rêves s'éteignent : cités de Dieu, cités
socialistes, cités nationalistes, toutes ces belles constructions
mentales sont presque simultanément dévastées par l'évolution
des sociétés européennes. La dissolution des métaphysiques religieuses et sociales, qui représentaient des efforts de l'esprit pour
échapper au monde réel, révèle sur le fond une réconciliation
des hommes avec le monde. La renonciation au référent futur est
une validation du présent. L'acceptation de la société, de la vie
telle qu'elle est, tue logiquement les au-delà religieux, socialistes et nationalistes.

La société post-industrielle dépasse probablement par ses
réalisations les rêves les plus fous des métaphysiciens, qu'il
s'agisse des théologiens du XVIe siècle ou des idéologues laïques
du XIXe. L'élévation brute du niveau de consommation n'est sans
doute pas le seul facteur matériel responsable de l'extinction des
métaphysiques, ni même peut-être le plus important. La disparition de ce que l'on pourrait appeler la souffrance de masse, une
souffrance bien physique, menant à un réel besoin métaphysique, est sans doute l'élément fondamental de la transformation en cours. Le progrès médical crée un monde qui
n'évacue pas la mort et la douleur, mais dans lequel le drame
perd sa dimension collective et devient rare, terriblement individuel, non globalisable. Ainsi, en France, le taux de mortalité
infantile, de l'ordre de 25 % vers 1750, de 13 % vers 1910,
tombe dans les années quatre-vingt à moins de 1 %. La mort des
enfants, expérience banale autrefois, devient une rareté qui
touche certaines familles mais perd sa dimension sociale. La
disparition de l'usine traditionnelle, lieu de travail dur, violent,
dangereux, produisant chaque année son lot d'accidents, est une
autre mutation essentielle. L'économie tertiaire est un monde

sans risque, un univers paisible par nature, en un sens peu phy-
sique et qui ne mène pas, comme la mine ou la chaîne, à un désir
de fuite dans l'au-delà social ou religieux. Le monde des
bureaux ne crée pas, comme le monde industriel ancien, dans
l'ensemble de la société, une peur, une angoisse latente. La crise
économique des années 1974-1988 masque ces évolutions. La
chute du taux de croissance de l'économie, la hausse du taux de
chômage donnent l'impression d'un ralentissement du rythme de
réalisation du Paradis sur terre. En fait, les années 1975-1988
correspondent à une accélération du mouvement historique, si
l'on mesure le changement social par les modifications de struc-
ture de la population active plutôt que par le taux de croissance
du PNB. C'est alors que le prolétariat, classe martyre, com-
mence de disparaître. L'élévation du taux de chômage dans l'en-
semble du continent est l'effet de ces mutations socioprofes-
sionnelles accélérées. La crise ne mène pas les populations
européennes à un rejet de la société existante, mais au contraire
à une prise de conscience définitive de son existence et de ses
qualités. Dans une cité riche comptant 10 % d'exclus, les 90 %
d'individus qui possèdent un travail ou un revenu mesurent enfin
leurs privilèges collectifs, ils découvrent autour d'eux la société
idéale enfin réalisée. Ils la perçoivent parce qu'elle risque,
pensent-ils, de disparaître. La crise économique dramatise la
situation de catégories sociales marginales ou en voie de margi-
nalisation, mais elle accélère le déclin des idéologies dans les
populations majoritaires.

Le plan spirituel : de l'âge primaire à l'âge secondaire

L'instruction primaire fut, avec la déchristianisation, l'une
des deux conditions fondamentales de développement des idéo-
logies. Pour adhérer pleinement et collectivement à des systèmes
de croyances, les peuples doivent pouvoir lire quelques textes
sacrés fondamentaux. L'alphabétisation de masse crée donc une
société réceptive à l'idéologie. La maîtrise de la lecture donne
aux peuples les moyens d'identifier, dans la prolifération des
doctrines modernes, celles dont les valeurs fondamentales coïn-
cident avec les valeurs portées par leurs systèmes familiaux tra-
ditionnels. La culture primaire permet l'identification des

formes ; elle ne mène à aucune réflexion critique sur ce qui est possible et ce qui ne l'est pas. Isolée, la capacité de lire conduit à une structuration des rêves indépendante de la réalité. Les peuples simplement alphabétisés accordent à l'écrit une valeur absolue. Les mots sont des choses. Les cités idéales décrites par les textes existent en un sens réellement pour les populations de niveau culturel primaire. Au commencement était le verbe : l'alphabétisation de masse étend à des populations entières l'illusion de la puissance du mot écrit, aberration magique qui commence avec l'invention même de l'écriture.

L'éducation secondaire mène les masses au-delà de cette soumission primaire à l'écrit. La confrontation à des langues nouvelles, étrangères ou mathématiques, conduit les élèves à une relativisation des textes. Surtout, l'éducation secondaire prolonge le processus d'apprentissage intellectuel au-delà de la puberté, jusqu'à l'adolescence, âge critique d'autodéfinition et de rébellion des individus. L'éducation secondaire tue la soumission à l'écrit parce qu'elle forme des individus qui atteignent l'âge de la rébellion. L'Europe des années 1960-1990 est entièrement remodelée par le développement massif de l'éducation secondaire.

Mesurer la diffusion de l'éducation secondaire n'est pas un exercice facile. Il n'existe pas, comme dans le cas de l'instruction primaire, de critère simple et unique permettant de dire si un individu est ou non « secondaire ». Un homme sait ou ne sait pas lire. La définition de classes dichotomiques aussi claires n'est pas possible dans le cas d'individus qui savent tous lire, mais dont les trajectoires et les performances dans les divers cycles de l'éducation secondaire sont très variées. Les comparaisons internationales sont particulièrement difficiles ; les systèmes d'enseignement suédois, allemand, français, anglais et italien diffèrent notablement et il est très difficile d'aboutir à des propositions simples du type : « A telle date, tel pourcentage de telle classe d'âge avait atteint un niveau éducatif secondaire x, y, ou z. » La façon dont sont répertoriés les enseignements techniques, secondaires par certains aspects et traditionnels par d'autres, pose des problèmes à peu près insurmontables. La méthode la plus sûre est de s'en tenir à la comparaison, dans le temps et l'espace, des nombres d'étudiants, c'est-à-dire de scolarisés qui vont au-delà des études secondaires. Il existe un rap-

port quantitatif étroit entre proportion d'individus secondarisés et proportion d'individus faisant des études supérieures. Très imparfaite cette évaluation permet cependant d'aboutir à des résultats clairs, et à vrai dire spectaculaires. La poussée culturelle des années 1960-1990 est un phénomène social massif. Dans l'ensemble de l'Europe occidentale, le nombre des étudiants passe d'environ 800 000 en 1950 à 2 900 000 en 1968 et à 7 000 000 en 1983. Vers 1950, les étudiants constituent encore une micro-catégorie, une petite élite bourgeoise. Dès les années 1965-1970, période de rupture des équilibres religieux et idéologiques, les étudiants deviennent une catégorie sociale réelle. Derrière le nombre d'étudiants qui grossit, on doit imaginer une population secondarisée beaucoup plus importante encore. Dès 1968, la proportion d'individus encore scolarisés à 17 ans atteint 40 % dans l'ensemble de l'Europe du Nord, un peu moins en Angleterre, plus ou moins en Allemagne selon le statut que l'on affecte à l'enseignement technique. En Europe du Sud, la proportion de secondarisés, inférieure ou légèrement supérieure à 20 % selon le pays, augmente cependant très vite.

L'analyse géographique de ce mouvement d'ensemble des sociétés européennes vers l'éducation secondaire révèle que la poussée culturelle s'inscrit dans le prolongement de tendances anciennes, mieux, qu'elle retrouve des trajectoires classiques. Jusqu'à 1950, les étudiants constituent une petite élite déconnectée de la structure sociale. Leur nombre varie peu de pays à pays, et les différences observées semblent sans rapport direct avec le niveau de développement. En Suède comme en Espagne, on trouve alors 2,4 étudiants pour 1 000 habitants. Le développement de l'éducation secondaire réintroduit de la logique sociale dans la statistique. La course à l'éducation secondaire rétablit la hiérarchie ancienne des niveaux de développement culturel : Suède, Allemagne, Finlande et Pays-Bas se distinguent en 1983 par des proportions d'étudiants atteignant ou dépassant 25 pour 1 000 habitants. En Norvège, au Danemark, en Belgique, ce taux est compris entre 22 et 24. En France, en Autriche, en Espagne, il est de 20 à 22. Malgré les chiffres britanniques et suisses, anormalement bas, on sent ici la réapparition de la géographie ancienne de l'alphabétisation, avec son axe central de développement entre Suède et Allemagne. La diffusion de l'éducation secondaire prolonge celle de

Les étudiants Étudiants pour 1 000 habitants			
	1950	*1968*	*1983*
Suède	2,4	14,5	26,8
Norvège	2,2	10,9	22,2
Finlande	3,6	11,7	24,8
Danemark	4,0	14,2	22,1
Royaume-Uni	2,6	7,3	16,0
Irlande	3,0	8,8	18,4
Pays-Bas	6,0	15,6	26,8
Belgique	2,3	8,7	22,8
Allemagne	3,1	7,3	24,0
Autriche	3,6	7,1	20,6
Suisse	4,1	8,4	15,1
France	3,2	11,7	21,1
Italie	3,1	10,4	19,6
Espagne	2,4	5,4	20,7
Portugal	1,6	4,5	9,9

Source : *Annuaires statistiques de l'Unesco*, années 1971 et 1986.

l'instruction primaire et retrouve par conséquent la très vieille carte du protestantisme, un protestantisme dont l'influence positive s'étend sur les régions catholiques du Sud des Pays-Bas, d'Allemagne méridionale et de Belgique.

Les chiffres qui décrivent le développement de l'éducation secondaire révèlent une révolution culturelle qui vaut bien par son ampleur et ses conséquences la diffusion de l'alphabétisation de masse. La secondarisation culturelle agit à tous les niveaux de la structure sociale. Sur le plan idéologique, elle dissout la soumission religieuse ou quasi religieuse aux formules sacrées traditionnelles. Elle sape les fondements culturels « primaires » des systèmes idéologiques. Mais la secondarisation culturelle est aussi et surtout le principal moteur d'une transformation sociale générale. Multipliant les diplômés, petits et grands, elle est responsable de la prolifération du secteur tertiaire, de l'apparition d'une société post-industrielle dans laquelle plus de 60 % des actifs se consacrent à des activités de service. L'éducation secondaire fabrique par millions des non-

ouvriers, des individus qui veulent et qui peuvent fuir le monde dur et salissant de l'usine.

Aussi, il n'est pas en pratique possible de séparer les causes matérielles et spirituelles de la décomposition des idéologies. La poussée culturelle agit sur tous les plans : elle bouleverse la morphologie socioprofessionnelle, contribuant ainsi à la fabrication d'un monde de bureaux, propre et doux, insensible aux métaphysiques sociales ou religieuses de compensation. On peut ici évoquer une action indirecte du culturel sur l'idéologique, à travers l'économique. Lorsque le développement de l'éducation secondaire sape la magie primaire des doctrines simplificatrices, on peut parler d'action directe du culturel sur l'idéologie. La complémentarité de mécanismes est absolue.

L'enchevêtrement des causalités ne crée pas une véritable complexité. Au niveau des individus, des groupes humains, transformations culturelles, économiques, religieuses et idéologiques se complètent. Toutes les mutations sont portées par une génération et cette coïncidence explique l'extraordinaire simultanéité des évolutions. Entre 1965 et 1970, tous les indicateurs statistiques se mettent à bouger, toute la structure sociale bascule. *Pour une raison très simple. C'est à ce moment que les générations nées au lendemain de la Deuxième Guerre mondiale atteignent l'âge adulte. Une équation très simple permet de dater le décollage de l'éducation supérieure, la désindustrialisation, la tertiarisation de l'économie, l'effondrement de la fécondité, l'extinction du catholicisme, la décomposition des idéologies : 1945 + 20 = 1965. Cette génération et celles qui suivent définissent une nouvelle société européenne : de haut niveau culturel, tertiaire, indifférente à la religion, détachée de l'idéologie.*

CHAPITRE XIII

La crise terminale
du catholicisme

Entre 1965 et 1970, le catholicisme, qui avait survécu dans une bonne partie de l'Europe aux ébranlements religieux des années 1730-1800 et 1880-1930, entre finalement en crise. Les indicateurs sont multiples, absolument concordants, et révèlent un déclin brutal : l'assistance à la messe dominicale comme les ordinations de nouveaux prêtres ou l'appartenance officielle des fidèles au catholicisme dans les pays où la séparation de l'Église et de l'État n'est pas réalisée. Il n'est pas toujours possible de fixer une date initiale marquant le début absolu du processus de dissolution, mais on perçoit dans presque tous les pays une accélération entre 1965 et 1970. Lorsque l'on dispose de séries annuelles, l'année 1968 marque le plus souvent un point d'inflexion. En Allemagne fédérale et en Autriche, les abandons officiels de la qualité de catholique, administrativement enregistrés comme des « sorties » de l'Église *(Austritte),* permettent de suivre, année après année, la vitalité du catholicisme.

En Autriche, le nombre des sorties augmente lentement, de 8 360 à 12 072 entre 1958 et 1967. Il saute à 16 110 en 1968, atteint 19 283 en 1971, se stabilise entre 20 000 et 24 000 de 1971 à 1980, puis reprend son ascension, 26 033 en 1981, 32 266 en 1982, pour se stabiliser à 33 000-35 000 sorties annuelles entre 1982 et 1987[1]. L'évolution allemande est du même type, en un peu plus irrégulier. La hausse est insignifiante entre 1955 et 1966, compte tenu de l'augmentation de la population (de 20 511 à 22 041 sorties). En 1968, on observe un bond à 27 995, puis à 69 448 en 1971. Cette période de croissance est suivie d'oscillations à un niveau élevé, de 48 000 à 83 000 sor-

---

1. *Statistisches Handbuch* pour les années correspondantes.

ties par an jusqu'en 1980[1]. Les années 1982-1986 semblent marquer le début d'une nouvelle ascension du nombre annuel des sorties.

La pratique religieuse dessine une courbe de déclin plus régulière, mais qui laisse apparaître les mêmes accélérations. Malgré la présence de quelques trous statistiques dont la présence trahit sans doute un certain désarroi de l'Église, on peut construire pour l'Allemagne une série annuelle mesurant le pourcentage de pratiquants dans la population catholique. Entre 1955 et 1966, cette proportion tombe de 48 à 41,7 %. Une petite accélération du déclin fait tomber cette proportion à 39,7 % en 1968, à 32,7 % en 1975. La décrue reprend ensuite sur un rythme plus régulier, et l'on atteint, en 1986, 24,2 % de pratique religieuse seulement[2]. La pratique globale est divisée par deux en une trentaine d'années. En l'absence de chiffres, on peut supposer que le déclin du catholicisme suisse, essentiellement germanophone, est parallèle à ceux des cousins allemand et autrichien.

Le déclin du catholicisme belge est strictement parallèle à celui du catholicisme allemand. La pratique religieuse tombe de 50 % en 1950 à 45 % en 1964 et 26 % en 1981[3].

Aux Pays-Bas, où le niveau initial de pratique est exceptionnellement élevé, la chute paraît encore plus brutale. L'assistance à la messe dominicale plonge de 64 % en 1966 à 28 % en 1984. On peut aussi observer dans le cas néerlandais une accélération du mouvement entre 1967 et 1969 : en deux ans, l'assistance à la messe chute de 63 à 51 %[4].

En France, l'évolution du niveau moyen de pratique religieuse est moins spectaculaire, parce que les deux tiers du territoire apparaissent, dès 1790, comme des régions de faible enracinement catholique. Globalement, l'assistance à la messe passe de 20-25 % dans les années soixante à 10-15 % vers la fin des années soixante-dix[5]. Une analyse différenciée selon les régions révélerait, dans la partie périphérique de l'Hexagone, des chutes brutales de type néerlandais, menant les populations locales de

1. *Statistisches Jahrbuch* pour les années correspondantes.
2. *Statistisches Jahrbuch* pour les années correspondantes.
3. L. Voyé, K. Dobbel et coll., *La Belgique et ses dieux*, p. 191-195.
4. J.A. Coleman, *The Evolution of Dutch Catholicism, 1958-1974*, p. 302. Et *Statistical Yearbook of the Netherlands, 1988*, p. 94.
5. F. Lebrun et coll., *Histoire des catholiques en France*, p. 488.

50 % de pratique religieuse à 25 % ou moins. Dans l'ensemble du monde catholique nord-européen, la pratique religieuse tombe, dès le milieu des années quatre-vingt, à des niveaux proches de 25 %. Ce taux n'est pas un plancher incompressible. Il représente surtout la pratique résiduelle des générations les plus anciennes. Dans la mesure où l'abandon du catholicisme est un phénomène de génération, qui touche d'abord les jeunes, la pratique religieuse qui subsiste représente un résidu plutôt qu'une réserve. Le mouvement descendant des ordinations de nouveaux prêtres indique clairement que l'Église catholique est en voie de liquéfaction, phénomène d'autant plus impressionnant qu'il touche des bastions régionaux où le catholicisme avait survécu, deux siècles durant, à toutes les agressions de la laïcité.

Il est plus difficile d'obtenir des statistiques fiables concernant la partie la moins développée du monde catholique européen, qui permettent de suivre avec précision l'évolution de la pratique religieuse dans les provinces italiennes, espagnoles et portugaises de forte imprégnation catholique, ou en Irlande. Le déclin de la pratique religieuse semble un peu plus tardif dans certains de ces pays qu'en Allemagne, aux Pays-Bas, en France, en Autriche, en Belgique. L'analyse des phénomènes démographiques associés à la chute de la pratique religieuse permet cependant de dater avec plus de précision le déclin des catholicismes méridionaux et irlandais.

Chute de la fécondité et crise religieuse

A chacune des crises religieuses qui scandent l'histoire de l'Europe, on peut associer une rupture démographique. Le premier effondrement catholique mène, en France, dès la fin du XVIIIe siècle, à un développement précoce du contrôle des naissances. A partir de 1880, l'implosion des protestantismes conduit à la diffusion de la contraception dans l'ensemble de l'Europe du Nord. La crise qui touche le catholicisme entre 1965 et 1975 ne fait pas exception à la règle : la coïncidence chronologique entre transformations religieuses et démographiques est nette mais ne doit pas amener des interprétations simplistes. Au contraire de ce qui pouvait être observé entre 1730 et 1800, ou entre 1880 et 1930, le phénomène religieux n'apparaît pas entre

Allemagne : chute de la fécondité et crise du catholicisme

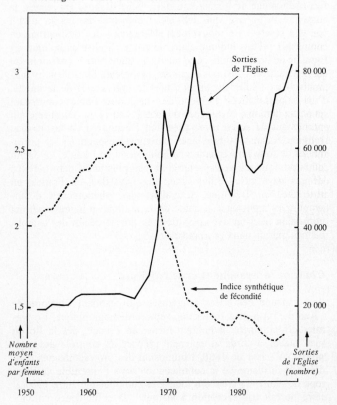

1965 et 1975 comme la variable déterminante, dont l'évolution conditionne les processus démographiques. La mutation démographique qui bouleverse les équilibres européens entre 1965 et 1975 fait partie, avec la crise religieuse, d'une transformation sociale et culturelle générale. Mais la chute de la natalité n'est pas déterminée par le déclin de la foi. La plongée des taux de fécondité n'affecte pas le seul monde catholique. Elle touche aussi le monde déchristianisé, de tradition protestante (Scandinavie, Grande-Bretagne, Pays-Bas, Allemagne et Suisse du Nord) comme de tradition catholique (France du Bassin parisien, Italie, Espagne et Portugal du Sud). Or on ne peut évidemment expliquer, dans ces régions d'indifférentisme religieux ancien, la modification des comportements de reproduction par le déclin d'une foi religieuse initialement insignifiante. Reste que, dans la sphère catholique pratiquante, la coïncidence chronologique entre déchristianisation et plongée de la fécondité est frappante. Dans le cas de l'Allemagne, on peut confronter, année après année, variations de l'indice de fécondité et sorties de l'Église catholique (voir graphique page suivante). Les deux courbes définissent une chronologie unique, avec un basculement des attitudes entre 1968 et 1970 : l'augmentation du nombre des sorties de l'Église correspond bien, dans le temps, à la plongée de l'indice de fécondité. Une coïncidence analogue peut être repérée dans le cas de l'Autriche. Le déclin de la fécondité commence en Autriche trois ans plus tôt qu'en Allemagne, mais sur un rythme assez lent, et s'accélère à partir des années 1969-1970. La courbe des sorties de l'Église catholique autrichienne reproduit ces nuances : hausse lente jusqu'à 1967, ascension brutale en 1968.

Aux Pays-Bas, la correspondance entre crise religieuse et rupture démographique peut aussi être vérifiée. Fécondité et assistance à la messe dominicale plongent entre 1967 et 1970, après une période initiale de décrue plus lente ou hésitante.

En Belgique, l'absence de série annuelle pour la pratique religieuse n'empêche pas l'identification d'une coïncidence dans le temps des évolutions démographiques et religieuses, si l'on se contente d'un cadre chronologique plus grossier, quinquennal plutôt qu'annuel : dans les années 1965-1970, on observe bien un basculement dans les deux domaines. Une fois acceptée, l'hypothèse d'une simultanéité du déclin de la foi et de la chute de la fécondité en pays catholique permet de définir avec une certaine précision la chronologie du reflux religieux dans les pays pour lesquels on ne dispose pas de statistiques fiables concernant la pratique dominicale. En Suisse et en Italie, le déclin de la fécondité commence en 1965, et l'on peut estimer que le catholicisme fléchit dans ces deux pays entre 1965 et 1970. En Irlande, en Espagne, au Portugal, le gros de la transformation démographique intervient dans le courant des années soixante-dix, et l'on doit considérer que cette décennie y est celle de la crise du catholicisme. En Espagne et au Portugal, la fin des années soixante-dix est la période décisive. La crise du catholicisme irlandais – exceptionnellement puissant à l'origine – s'étale sur l'ensemble de la décennie et continue après 1980. En 1990, l'Irlande est le seul pays d'Europe occidentale où l'indice synthétique de fécondité ne soit pas tombé au-dessous du seuil de 2,1,

La chute de fécondité des années 1965-1990		
	Date du début de la plongée définitive	*Date du passage de l'indice au-dessous du seuil de 2,1*
Suède	1965	1969
Norvège	1965	1975
Finlande	1965	1969
Danemark	1967	1969
Royaume-Uni	1967	1973
Irlande	1971	pas atteint en 1990
Pays-Bas	1965	1973
Belgique	1965	1973
Allemagne	1967	1970
Autriche	1964	1973
Suisse	1965	1971
France	1965	1975
Italie	1965	1977
Espagne	1977	1981
Portugal	1977	1983

Source : d'après les notes sur « la conjoncture démographique » de la revue *Population*.

qui définit la capacité d'une population à se reproduire à l'identique sur longue période, en l'absence de phénomènes migratoires. En Irlande, la résistance de la fécondité témoigne de celle du catholicisme.

La datation du déclin de la foi par la chute de la fécondité est très rigoureuse, malgré la complexité des interactions entre toutes les variables dont le mouvement constitue la transformation sociale des années 1965-1990. L'hostilité du catholicisme à la contraception crée un lien spécifique entre religiosité et fécondité. Elle implique l'existence, dans une population catholique pratiquante, d'une proportion élevée de familles nombreuses ne pratiquant pas la contraception. La présence d'une proportion respectable de familles de quatre enfants et plus est donc la « signature » démographique du catholicisme. Le déclin de la fécondité des années 1965-1990 élimine virtuellement du paysage démographique européen ces familles nombreuses. Cette disparition permet d'affirmer qu'il n'existe plus, dans les zones concernées, de sous-populations fidèles en actes à la doctrine de l'Église. Elle signe la liquéfaction de la foi catholique. La corrélation entre diminution du nombre de naissances et rétraction de l'assistance à la messe n'est cependant qu'une relation secondaire dans le processus de transformation sociale. D'autres phénomènes plus importants *déterminent* l'évolution générale, qui provoquent, simultanément, la disparition du catholicisme et la chute de la fécondité.

Poussée culturelle et déclin du catholicisme

Le développement de l'éducation secondaire est la cause principale de l'effondrement catholique. Religion d'autorité dans la sphère terrestre, le catholicisme affirme la supériorité du prêtre sur les fidèles. Dans le contexte des années 1900-1965, le prêtre est le plus souvent supérieur aux fidèles par le niveau culturel. Il représente l'éducation secondaire dans un monde qui n'a pas en général dépassé le stade de l'instruction primaire. Dans les régions de forte pratique catholique, la hiérarchie culturelle objective conforte la théorie romaine d'un rôle spécifique du prêtre. Le même genre d'écart objectif, décalé d'un cran vers le bas, aurait pu être constaté au Moyen Age : le prêtre alphabétisé représentait alors l'instruction primaire, le fidèle analphabète incarnant le degré zéro de la culture écrite. Le développement des lycées et collèges fabrique une masse d'individus de niveau secondaire, objectivement égaux aux prêtres et échappant par nature à l'emprise de la discipline catholique. Le mécanisme culturel semble un analogue de celui qui mène à la Réforme protestante. Au début du xvie siècle, l'accession, dans certaines régions, des laïcs à la lecture ébranle le pouvoir des prêtres. Vers 1965, l'accession des masses rurales et urbaines à l'enseignement secondaire crée une nouvelle situation de rupture. A ce stade, aucune structure familiale ne peut plus sauver le catholicisme, servir de refuge à la croyance en Dieu. La force des images paternelles en région de famille autoritaire ne peut rien contre la vague culturelle qui submerge le continent.

La crise terminale du catholicisme est aussi celle du christianisme européen. Elle clôt un long cycle religieux constitué de trois vagues déchristianisatrices : 1730-1800 dans une partie du monde catholique, 1880-1930 dans la sphère protestante, 1965-1990 dans le reste du monde catholique. A l'approche de l'an 2000 se dessine une Europe réunifiée sur le plan religieux, mais par l'indifférentisme. Dans ce monde où la pratique religieuse tend vers zéro, on ne peut plus parler d'affrontements entre catholiques et protestants, entre laïcs et chrétiens. Le continent reste de tradition et de civilisation chrétiennes, mais les Églises y sont socialement insignifiantes.

CHAPITRE XIV

La fin du prolétariat

L'industrialisation de l'Europe est un phénomène de très longue période, qui commence en Grande-Bretagne au milieu du XVIIIe siècle, se poursuit sur l'ensemble du continent tout au long du XIXe et durant une bonne partie du XXe siècle. En Grande-Bretagne, la proportion de population active employée dans l'industrie cesse de croître dès la fin du XIXe siècle. Ailleurs, l'industrialisation dure plus longtemps, jusqu'à des dates s'échelonnant entre 1960 et le début des années quatre-vingt. La société industrielle n'atteint pas alors un état d'équilibre et de stabilité. La lente croissance séculaire de la population industrielle est suivie d'une décrue brutale, tellement rapide que l'on peut légitimement parler d'une contre-révolution industrielle.

Le mouvement de reflux commence dès les années 1960-1965 en Grande-Bretagne, aux Pays-Bas et en Suède ; il atteint la Belgique et la Suisse entre 1965 et 1970 ; il touche la Norvège, le Danemark, l'Allemagne entre 1970 et 1975 ; il bouscule la Finlande, la France, l'Italie et l'Espagne entre 1975 et 1980. Enfin, dans les années 1980-1985, il casse la révolution industrielle au Portugal et en Irlande, avant même qu'elle n'y arrive à maturité ; il touche aussi l'Autriche, qui achève alors une industrialisation lente mais puissante. L'ampleur du phénomène de décroissance est variable. Deux modèles bien distincts de désindustrialisation émergent de l'analyse statistique. Dans la plupart des pays d'Europe, le reflux de la population employée par le secteur secondaire est très rapide et mène rapidement les effectifs industriels à moins de 30 % du total des actifs. Les Pays-Bas représentent ici un cas limite, avec moins de 24 % des emplois dans l'industrie dès 1987. Dans trois pays, culturellement proches puisque essentiellement germanophones – l'Allemagne, la

Suisse, l'Autriche –, la décroissance des effectifs conduit beaucoup moins bas et l'on trouve encore, en 1987, plus de 37 % de la population active dans l'industrie. Le trou entre le groupe des « moins de 30 % » et des « plus de 37 % » est spectaculairement bien dessiné par la distribution statistique. Deux nations seulement tombent dans l'intervalle, la Finlande et le Portugal, avec 31 % d'actifs dans le secondaire : ces pays de révolution industrielle tardive ne devraient pas tarder à rejoindre, à moins de 30 %, le club des désindustrialisés. Dès 1987, une géographie industrielle étonnante se dessine en Europe, qui échappe aux niveaux de développement traditionnels. Les nations surindustrialisées du milieu du XIXe siècle, comme la Grande-Bretagne ou la Belgique, se retrouvent dans la même classe statistique que les pays sous-développés du début du XXe siècle, comme l'Espagne

Le déclin du prolétariat		
Proportion de la population dans l'industrie (en %)		*Décrue relative (en %)*
1960	*1987* [1]	
Suède 43,9	29,1	– 34
Norvège 36,4	26,4	– 27
Finlande 31,5	31,0	– 1
Danemark 37,5	27,7	– 26
Royaume-Uni 47,6	26,7	– 44
Irlande 23,7	27,1	+ 14
Pays-Bas 42,7	23,6	– 44
Belgique 46,7	25,8	– 45
Allemagne 47,6	38,9	– 18
Autriche 40,0	37,9	– 5
Suisse 49,5	37,4	– 24
France 39,0	27,2	– 30
Italie 36,9	28,2	– 24
Espagne 30,7	29,8	– 3
Portugal 27,8	31,3	+ 13

1. 1986 pour le Danemark et la Belgique.

Source : Bureau international du travail, *Annuaire des statistiques du travail*, 1988 et années antérieures.

ou l'Italie. Sans l'exception « germanique », l'Europe occidentale atteindrait un état d'uniformité industrielle tel qu'il n'en a jamais été observé dans son histoire.

Les trajectoires menant à cette uniformité sont cependant très diverses. Les nations partent en effet de niveaux industriels inégaux. Pour atteindre la proportion de 26,7 % d'actifs dans l'industrie, la Grande-Bretagne doit liquider, entre 1960 et 1987, 44 % de sa population active du secteur secondaire. L'Espagne, pour se situer à 29,8 % en 1987, suit une trajectoire plus paisible : 30,7 % en 1960, plafonnement à 38,3 % en 1975, puis décrue de 22 %. Sur la période 1960-1987, le mouvement espagnol est presque nul. La notion de trajectoire paisible est cependant des plus relatives : la chute de 22 % enregistrée en douze ans, entre 1975 et 1987, représente quand même un choc social.

L'ampleur de la décrue des effectifs industriels entre 1960 et 1987 permet cependant de définir des passages plus ou moins violents à la société post-industrielle. Les évolutions britannique, belge, néerlandaise correspondent à une violence maximale. Les mouvements des sociétés suédoise, norvégienne, danoise, française, italienne (24 à 34 % de décrue) définissent une *via media* de la désindustrialisation. Ailleurs, le rythme est plus lent, qu'il s'agisse de pays industriels anciens comme l'Allemagne (– 18 %) et l'Autriche (– 5 %), ou de pays achevant leur révolution industrielle comme la Finlande, l'Espagne, l'Irlande et le Portugal, où la population active industrielle stagne ou continue de croître entre 1960 et 1987.

Évolution technologique et déterminations culturelles

L'existence de deux modes de désindustrialisation – variante moyenne, variante lente ou « germanique » – suggère que le processus économique n'est pas un effet simple de l'évolution technologique.

L'informatique permet certes d'automatiser une bonne partie des chaînes de production et de concevoir une réduction massive du nombre des ouvriers non qualifiés. Mais l'action de la seule modernité technique aurait fait de l'Allemagne l'un des leaders de la désindustrialisation. Or celle-ci se présente comme un foyer de résistance. L'automation rend le changement possible, elle ne le détermine pas absolument. Le rythme des évolutions est fixé par des facteurs sociaux plus généraux, dont l'intensité varie selon les pays. Le désir d'échapper au travail industriel, la volonté de fuir vers le secteur tertiaire est un facteur capital, de conceptualisation difficile, capable néanmoins de produire des effets statistiques massifs. En Suède, aux Pays-Bas, en Grande-Bretagne, en France, en Italie, les générations nouvelles formées par l'éducation secondaire veulent échapper à l'usine. Ce mouvement existe en Allemagne, en Autriche ou en Suisse, mais n'y a pas la même ampleur.

La désindustrialisation est donc aussi un phénomène de mentalités, autorisé par le progrès technique. L'examen des performances économiques des diverses nations européennes indique d'ailleurs que l'évolution des mentalités pousse la transformation de la machine économique *au-delà des limites fixées par la seule rationalité comptable*. Ainsi, la réduction de masse des industries française et britannique crée-t-elle une faiblesse structurelle du commerce extérieur. L'évolution européenne met en évidence une contradiction partielle entre dynamique sociale et dynamique économique. Les pays *les plus prospères* économiquement, comme l'Allemagne, peuvent être des pays à *transformation sociale lente*. Les pays à évolution sociale rapide, comme la France et la Grande-Bretagne, font, symétriquement, l'expérience d'une chute de puissance industrielle et commerciale. Il est vrai que certains petits pays à très haut niveau culturel comme la Suède et les Pays-Bas arrivent à concilier dynamiques sociale et économique : la tertiarisation rapide de l'économie n'y empêche pas l'équilibre de longue période de la balance commerciale.

L'Allemagne des années quatre-vingt démontre, une fois de plus, l'extraordinaire enracinement historique et anthropologique des mécanismes économiques, et même du processus de développement de la modernité. On ne peut en effet qu'être frappé par la similitude des comportements allemands face à la révolution industrielle vers 1850, puis face à la contre-révolution industrielle vers 1970. Marx mettait en évidence dans *L'Idéologie allemande* une résistance germanique à la transformation économique amorcée en Grande-Bretagne : on peut de la même manière évoquer aujourd'hui une résistance germanique – c'est-à-dire allemande, autrichienne et helvétique – à la désindustrialisation, phénomène qui, de nouveau, touche d'abord le monde anglo-saxon, qui n'est plus seulement britannique mais aussi américain. La précocité et la vitesse des transformations belge, néerlandaise, scandinave suggèrent l'existence, en Europe du Nord-Ouest, d'une culture économique directement raccordée à celle du monde anglo-saxon, définie par des liens commerciaux anciens, mais renforcée entre 1945 et 1970 par la diffusion très rapide de la langue anglaise dans cette sphère. J'avais expliqué, au chapitre 5, la résistance allemande à l'industrialisation par l'existence d'une structure familiale de type souche, lignagère, attachant les paysans au sol et freinant la mobilité des populations. Une explication mécanique de ce type est impossible dans le contexte urbanisé des années 1970-1980. Le ménage à trois générations n'existe plus guère en Allemagne, en Autriche ou en Suisse, et l'on imagine mal des ouvriers soudés à leur poste de travail ou à leur logement à la manière de paysans du xixᵉ siècle. Rien n'interdit par contre de postuler une survie des valeurs de continuité de la famille souche, qui entretient un attachement général au passé. L'évolution récente de l'économie allemande montre que la rigidité sociale caractéristique des sociétés à composante familiale autoritaire continue parfois de se manifester. Mais il est impossible de dire si les attitudes, les valeurs, les comportements correspondants sont transmis par la famille urbaine ou s'ils sont désormais diffus, caractéristiques de l'environnement social en général, et relayés par l'école, l'entreprise et la communauté locale plutôt que par la famille.

Cette permanence des valeurs concerne le principal bloc de famille souche en Europe, constitué par les populations de langue allemande auxquelles leur masse confère une certaine autonomie. Dans une petite nation de famille souche comme la Suède, on ne peut observer une telle permanence des comportements économiques : au contraire, la plasticité de la structure sociale suédoise rappelle celle des pays de structure familiale nucléaire comme l'Angleterre ou la France du Nord.

Déclin industriel, effondrement du prolétariat

L'existence de deux vitesses de rétraction de l'industrie, et par conséquent de la classe ouvrière, ne doit pas faire perdre de vue l'essentiel. La diminution de masse du prolétariat est universelle en Europe.

Le déclin ouvrier est à vrai dire sous-estimé par une analyse en termes d'effectifs industriels. Tous les actifs industriels ne sont pas en effet des ouvriers. Or, si les industries anciennes – textile, métallurgie, chimie de base, automobile – emploient bien une majorité écrasante d'ouvriers, on n'en peut dire autant des branches dynamiques ou nouvelles qui survivent à la restructuration des années soixante-dix/quatre-vingt. L'aéronautique, l'électronique, la pharmacie contiennent de plus en plus de cadres, d'employés, et de moins en moins de prolétaires. Dans toutes les branches, le poids du secteur commercial – qui représente du tertiaire incorporé à l'industrie – croît de façon substantielle. Globalement, *la proportion d'ouvriers dans l'ensemble de la population active industrielle diminue*. Le cas de l'Allemagne, pays caractérisé par la lenteur relative de ses évolutions, est de ce point de vue exemplaire. En 1971, le secteur industriel y comprend 70 % d'ouvriers, en 1987, 63 % seulement.

Le prolétariat perd non seulement sa force dans l'ensemble de la cité, mais aussi à l'intérieur du monde industriel.

Extinction du mythe ouvrier

En 1848, lorsque Marx publie le *Manifeste du Parti communiste*, la croissance numérique du prolétariat semble un phénomène social irréversible. Le destin industriel de la Grande-Bretagne préfigure, dans l'esprit de la plupart des penseurs du XIXe siècle, celui des autres nations européennes. De ce mouvement de l'économie découle le rêve socialiste d'un monde régénéré par le prolétariat. La classe martyre, composée d'individus en eux-mêmes insignifiants, doit un jour dominer quantitativement la société tout entière. Entre 1850 et 1960, le rêve semble devenir réalité, quoique sur un rythme beaucoup plus lent que

Le tertiaire en 1987 En pourcentage de la population active			
Suède	65,6	Allemagne	54,3
Norvège	66,3	Autriche	53,7
Finlande	58,4	Suisse	55,8
Danemark	65,9	France	62,1
Royaume-Uni	67,8	Italie	56,8
Irlande	55,5	Espagne	51,8
Pays-Bas	69,6	Portugal	42,3
Belgique	67,4		

Source : OCDE, *Études économiques 1988-1989.*

celui prévu par le fondateur du socialisme dit « scientifique ». Le modèle britannique d'une société massivement, majoritairement ouvrière n'est nulle part réalisé. Le prolétariat devient cependant dans la plupart des nations avancées du continent la classe la plus massive, la plus nombreuse, face à l'univers fragmenté des classes moyennes, salariées ou non, des paysans et des bourgeois. C'est une version lente et modérée du rêve marxiste qui semble se réaliser : la majorité absolue échappe à la classe ouvrière mais non la majorité relative. Dans le monde développé, elle représente en 1960 plus de 40 % de la masse sociale et pèse effectivement très lourd dans le jeu idéologique et politique. Elle fait peur aux bourgeois, fascine les intellectuels, peut satelliser d'autres groupes sociaux. Elle est l'un des centres de gravité de l'Europe des années 1950-1960. La désindustrialisation des années 1960-1987 détruit cette position privilégiée, pulvérise la majorité sociale relative qui donnait au prolétariat sa puissance contractuelle. Le passage de 42 à 28 % d'effectifs industriels implique pour le monde ouvrier une transition de la puissance à la marginalité. Les classes moyennes salariées, pour la première fois de l'histoire européenne, remplacent la classe ouvrière comme centre de gravité du monde du travail. En France, pays dont l'évolution socio-économique est essentiellement moyenne, les salariés de l'industrie sont, en 1988, 4 567 000, ceux du tertiaire 11 885 000. La contre-révolution industrielle dont l'Europe fait l'expérience entre 1960 et 1990 définit une transformation sociale beaucoup plus rapide et brutale que la révolution industrielle. Elle brise en quelques années, dans le monde ouvrier et *dans l'ensemble de la société,* l'idée d'une mission historique spécifique du prolétariat. Une telle évolution des structures socio-économiques et des attitudes collectives sape les fondements mêmes des idéologies socialistes européennes.

CHAPITRE XV

La décomposition des idéologies
en pays protestant

En Grande-Bretagne, au Danemark, en Norvège, en Suède, en Finlande, pays protestants homogènes, dépourvus de minorités catholiques importantes, la décomposition des idéologies est un phénomène relativement simple. La désintégration de la classe ouvrière est le phénomène fondamental qui ouvre partout, entre 1965 et 1990, une crise du socialisme. Aucun affaissement parallèle de l'Église et des électorats catholiques ne complique le jeu. Le monde protestant *homogène* est finalement assez réduit, puisqu'il exclut les citadelles initiales du protestantisme que furent l'Allemagne, la Suisse et les Pays-Bas. Dans chacun de ces pays subsiste vers 1965 un fort noyau catholique, dont la désintégration est un élément capital de l'évolution idéologique des années 1965-1990. Peu étendu, le monde protestant homogène est cependant très divers : trois types distincts de structures familiales peuvent y être identifiés, qui donnent naissance à trois tempéraments idéologiques différents et, dans la période de déchristianisation des années 1880-1930, à trois variétés de socialisme. En Angleterre et au Danemark, la famille nucléaire absolue engendre un socialisme de nuance travailliste, officiel ou discret ; en Suède, la famille souche produit une social-démocratie très pure ; en Finlande, la famille communautaire permet l'émergence d'un communisme important, mais affaibli par la proximité de l'Union soviétique. La Norvège, partagée sur le plan anthropologique entre famille souche et famille nucléaire absolue, hésite quant à elle entre travaillisme et social-démocratie. L'universelle désintégration du prolétariat bouscule tous les socialismes ; mais le choc ne produit pas les mêmes effets dans tous les milieux anthropologiques : dans certains cas

	Partis politiques considérés	Score en début de période (% des exprimés) A	Score en fin de période (% des exprimés) B	Déclin relatif $\frac{A-B}{A}$
La crise socialiste en pays protestant (1960-1988)				
Grande-Bretagne 1966-1987	Travaillistes	48,1	31,5	– 35 %
Danemark 1964-1988	Sociaux-démocrates	42,0	28,8	– 31 %
Norvège 1961-1985	Travaillistes	46,8	40,8	– 13 %
Suède 1964-1988	Sociaux-démocrates	47,3	43,7	– 8 %
Finlande 1966-1987	Sociaux-démocrates + communistes	48,4	37,7	– 22 %

la crise du socialisme est absolue, dans d'autres elle mène seulement à une redéfinition des fonctions du mouvement socialiste.

Grande-Bretagne et Danemark : la crise du socialisme

Les effets idéologiques de la rétraction industrielle peuvent être perçus, en Grande-Bretagne et dans l'ensemble du monde scandinave, dès la première moitié des années soixante-dix. Dans tous ces pays, profondément déchristianisés dès les années trente (si l'on excepte le cas de la Norvège occidentale), la classe est le facteur le plus visible de la détermination du vote, et toute modification de la structure économique est perçue, par les électeurs comme par les commentateurs, comme devant avoir une influence sur les alignements politiques. La diminution de masse du prolétariat y provoque presque mécaniquement une baisse du vote socialiste et une embardée vers la droite de l'ensemble du système politique. En Grande-Bretagne, l'année 1974 représente un tournant, puisque le Parti travailliste, avec 37,1 % aux élections de février, tombe pour la première fois depuis la Deuxième Guerre mondiale au-dessous de la barre des 40 % des suffrages exprimés. Un plateau est alors atteint, qui dure jusqu'à 1979 ; mais en 1983, le Labour tombe au-dessous des 30 %, descendant à 27,6 %. Il atteint alors son point zéro. Le déclin du travaillisme suit celui de l'industrie britannique, avec un temps de retard. Entre 1960 et 1987, le secteur secondaire perd en Grande-Bretagne 44 % de sa masse relative dans la population active, le Parti travailliste s'allège de 35 % de son poids dans le corps électoral. Le mouvement idéologique peut être décrit comme *un effet mécanique mais amorti* de la transformation socio-économique. Face à des mouvements économiques et idéologiques d'une telle ampleur, les aléas de la vie politique et parlementaire britannique semblent un peu superficiels. On est tenté de percevoir la remontée politique du Parti conservateur comme un deuxième effet mécanique, et le succès politique de Margaret Thatcher comme un troisième effet. La domination conservatrice des années 1979-1990 semble due au vide politique créé du côté gauche du système politique, plutôt qu'à un franc et positif regain conservateur.

L'évolution du Danemark est, dans la même période, tout à fait parallèle à celle de la Grande-Bretagne. L'année terrible du socialisme danois est 1973 : il tombe alors à 25,7 % des suffrages exprimés, contre 42 % en 1964, neuf ans plus tôt. A une nuance près : au Danemark, l'effondrement du socialisme (− 31 % des suffrages entre 1964 et 1988) est plutôt plus rapide que celui de l'industrie (− 26 % entre 1960 et 1986). Le basculement de la gauche vers la droite n'est cependant pas aussi net au Danemark qu'en Grande-Bretagne, où le scrutin majoritaire à un tour favorise les phénomènes de bascule. Le système proportionnel qui régit les élections au Folketing danois favorise la fragmentation et les évolutions douces : il empêche la formation de majorités absolues sur le plan parlementaire. Les gouvernements minoritaires ou de coalition forment donc l'essentiel de la tradition politique danoise. On peut néanmoins observer, entre 1965 et 1990, un glissement vers la droite du système politique danois. Entre 1973 et 1975, le Parti social-démocrate danois est dans l'opposition. Il dirige un gouvernement minoritaire entre 1975 et 1982 mais laisse alors la place à des coalitions de droite. Durant les années quatre-vingt, le centre de gravité du système politique danois glisse vers la droite, une droite fragmentée mais capable de gouverner.

En Grande-Bretagne comme au Danemark, la crise du monde ouvrier mène à une implosion du mouvement socialiste, à des phénomènes de radicalisation et de scission. Le prolétariat en décomposition se raidit contre le mouvement social et laisse apparaître simultanément des signes d'extrémisme gauchiste et de dérive droitière. En Grande-Bretagne, où les syndicats les plus traditionnels contrôlent le Labour, la crispation radicale mène à un gauchissement du travaillisme. Avec des leaders comme Michael Foot et Tony Benn, avec un programme exigeant le désarmement unilatéral de la Grande-Bretagne, le parti se coupe efficacement de la société britannique. Les grèves très dures menées par les sections les plus menacées du prolétariat, les mineurs notamment, créent dans la Grande-Bretagne des années soixante-dix une atmosphère irréelle de crise ultime, non de fin du monde, mais de fin de société, d'une société à la fois industrielle et traditionnelle. Les modérés du Parti travailliste, excédés par l'irréalisme des positions politiques et syndicales du parti, finissent par opérer une scission. Le Social Democratic Party naît en 1981 et s'associe très vite au Parti libéral, troisième force traditionnelle, quoique très minoritaire, du système politique britannique.

Au Danemark, les syndicats sont nettement moins puissants qu'en Grande-Bretagne et le Parti social-démocrate veut s'adapter plutôt que résister à l'évolution socio-économique. Le déclin du monde ouvrier et la montée des classes moyennes sont dans le monde scandinave des phénomènes très bien perçus, qui prolongent le déclin d'un monde paysan particulièrement massif et vivant. Les partis socialistes sont donc confrontés à une problématique connue ; les divers partis paysans de Scandinavie – libéraux au Danemark, agrariens en Suède et en Finlande – s'efforcent tout au long des années cinquante et soixante de survivre à l'extinction du monde rural et se convertissent, les uns après les autres, en partis du centre. Les partis sociaux-démocrates savent, dès le début des années soixante-dix, qu'ils vont devoir, pour survivre, séduire les classes moyennes salariées. Une telle conscience n'est pas caractéristique de la situation britannique, où la densité du passé ouvrier, qui plonge dans le XVIIIe siècle, crée un attachement sentimental à la mythologie prolétarienne, aux Trade Unions, au Labour – parti des mineurs, des métallurgistes et des dockers.

Le socialisme danois ne s'appuie pas sur une classe ouvrière particulièrement ancienne ou puissante, au contraire. Sa tentative de séduction des classes moyennes le mène à un positionnement politique centriste qui crée dans le monde ouvrier un sentiment de malaise. Une scission vers la gauche conclut l'évolution de la social-démocratie danoise, qui fait pendant à la scission vers la droite du travaillisme britannique. Le Parti socialiste du peuple est présent aux élections danoises dès 1960, mais c'est en 1966 qu'il atteint le stade de l'existence politique réelle avec 10,9 % des suffrages ; il retombe entre 1973 et 1979, mais se stabilise durant les années quatre-vingt à plus de 11 % des voix. Le déclin numérique du prolétariat danois s'accompagne donc d'une pulvérisation idéologique : en 1960, 84 % des travailleurs manuels votent social-démocrate ; en 1975, 45 % seulement ; 24 % choisissent les socialistes du peuple et 24 % les partis bourgeois[1]. L'explosion électorale du prolétariat danois est donc bidirectionnelle, elle mène les uns à gauche et les autres à droite. Les ouvriers les mieux payés sont d'ailleurs plus attirés que les autres par le gauchisme des socialistes du peuple[2].

En Grande-Bretagne aussi, l'affaissement du mouvement ouvrier mène simultanément à des positions gauchistes et droitières : le mouvement syndical, particulièrement bien implanté dans le vieux Nord industriel, se gauchit. La classe ouvrière moins traditionnelle du Sud de l'Angleterre dérive vers la droite à grande vitesse, si bien qu'en 1983, pour la première fois de l'histoire britannique, le Parti travailliste recueille moins de la moitié des suffrages ouvriers, 47 % seulement pour être précis[3].

Les évolutions britannique et danoise sont donc remarquablement parallèles ; dans les deux cas, le déclin industriel mène à

1. G. Esping-Andersen, *Social Class, Social Democracy and State Policy*, p. 241.
2. G. Esping-Andersen, *op. cit.*, p. 39.
3. D. Butler et D. Kavannagh, *The British General Election of 1983*, p. 291.

une crise grave et en un sens définitive du mouvement ouvrier. On est tenté de parler de *crise terminale* du socialisme. Au Danemark, le Parti social-démocrate abandonne l'idéologie socialiste mais perd une bonne partie de son électorat. En Grande-Bretagne, la crise provoque dans un premier temps le durcissement idéologique d'un Parti travailliste traditionnellement pragmatique. L'hémorragie électorale qui continue mène cependant en 1989 à une révision doctrinale, à un abandon de la fameuse clause IV des statuts du parti sur la propriété collective des moyens de production. Dans la mesure où le travaillisme n'avait jamais été sincèrement partisan d'une socialisation de l'économie, la révision est symbolique plutôt que réelle. Le véritable changement, pour le Labour Party, ne peut consister qu'en une renonciation à l'ouvriérisme. De ce point de vue, l'abandon du thème du désarmement unilatéral réalisé à la même occasion est un changement plus important. L'adhésion au désarmement unilatéral exprimait à la perfection le repliement du monde ouvrier sur lui-même, la fuite hors du monde d'un prolétariat menacé par la modernité.

En Suède : mini-crise et reconversion de la social-démocratie

Le mouvement vers la droite du système politique suédois est à la fois très visible et insignifiant. Il mène à une interruption du monopole social-démocrate du pouvoir, qui passe aux partis bourgeois entre 1976 et 1982. Le déclin électoral conduit le bloc ouvrier (sociaux-démocrates + communistes) au-dessous de la barre des 50 % de suffrages exprimés aux élections de 1973, 1976 et 1979. Le reflux global des partis social-démocrate et communiste n'est cependant que de 5 % entre 1970 et 1976. La *högervag* (vague de droite) est en Suède aussi insignifiante que visible. L'échec de la coalition des partis bourgeois – conservateurs, libéraux et centristes – est des plus significatifs. Non seulement parce qu'elle perd le pouvoir dès 1982. Mais aussi parce qu'elle n'arrive pas, entre 1976 et 1982, à ébranler le monopole idéologique social-démocrate. En pratique, le pouvoir « bourgeois » entraîne une socialisation renforcée de l'économie suédoise [1], par des nationalisations d'entreprises, par une augmentation de la part du produit national absorbée par la fiscalité. Privée de la direction de ses constructeurs, la machinerie étatique sociale-démocrate s'emballe. Le retour au pouvoir du parti, en 1982, inverse la tendance et remet les choses en ordre. Entre 1965 et 1987, l'industrie suédoise perd plus de 30 % de ses effectifs. La social-démocratie perd seulement 8 % de son électorat et garde le contrôle de la société suédoise. Elle résiste victorieusement à la tertiarisation de l'économie. Elle réussit là où les socialismes britannique et danois échouent. Elle reste le parti dominant, quoique non majoritaire, au sein de classes moyennes salariées dont la masse relative augmente et qui deviennent le centre de gravité de la société suédoise : 42 % des travailleurs non manuels votent social-démocrate en Suède vers 1960, 43 % encore en 1976 (année qui représente un point bas de l'influence sociale-démocrate) [2]. Au Danemark, le Parti social-démocrate perd le contrôle de la classe ouvrière ; en Suède, il garde celui d'une fraction substantielle des classes moyennes. Le premier perd le pouvoir, l'autre le garde.

Le contraste entre les évolutions politiques britannique et danoise d'une part, suédoise d'autre part, montre que la transformation socio-économique n'est pas le seul facteur du changement politique. La divergence des trajectoires historiques, dont l'une mène à la liquidation du socialisme et l'autre à sa permanence, suggère l'existence d'un facteur caché, qui dramatise la crise dans un cas et l'annule dans l'autre. La présence en Angleterre et au Danemark de valeurs libérales, inscrites à l'origine dans la famille nucléaire absolue, l'existence en Suède de valeurs autoritaires, inscrites à l'origine dans la famille souche, constitue une différence fondamentale qui permet d'expliquer les destins distincts du socialisme britannique ou danois, de nuance travailliste, et du socialisme suédois, de variété sociale-démocrate.

Dans les pays de tempérament libéral, l'adhésion aux valeurs d'intégration socialistes est minimale. L'utilisation de l'État comme régulateur de la société est une solution technique, qui n'implique aucun amour de l'État chez les électeurs, adhérents et

1. S.B. Ljunggren, « Conservatism in Norway and Sweden », p. 135.
2. G. Esping-Andersen, *op. cit.,* p. 242.

militants socialistes. Pour le travaillisme, le *Welfare State* résulte au fond d'un accord contractuel entre citoyens, entre individus. Son existence n'implique aucune adhésion aux valeurs anti-libérales d'autorité et de discipline. Là où l'industrialisation pose des problèmes, l'État permet de les régler. La disparition de l'industrie traditionnelle et des problèmes correspondants implique naturellement le démantèlement de l'État régulateur.

Dans les pays de tempérament autoritaire, l'État résout les mêmes problèmes de régulation de la société industrielle, mais il pourvoit de plus à certains besoins affectifs des populations. Il rassure les individus, privés par l'exode rural et l'urbanisation de la structure sécurisante du ménage paysan à trois générations. L'État n'est pas une solution technique, un mal nécessaire ; il est aimé pour lui-même, indépendamment de ses fonctions. En pays autoritaire, la mutation post-industrielle ne détruit pas la conception étatiste de la société. Elle la débarrasse seulement de son imagerie prolétarienne. Elle rétablit, dans son absolue permanence historique, l'amour de l'État pour l'État. En Suède, une séquence parfaitement linéaire mène donc de l'État bureaucratique luthérien du xviiie siècle à l'État bureaucratique post-industriel des années 1980-1990... La social-démocratie cesse d'être ouvrière mais elle commence à incarner un principe de continuité historique. Elle perd sa coloration de « gauche réformatrice », pour se redéfinir comme la grande force conservatrice du système suédois.

En Angleterre et au Danemark, au contraire, les nouvelles classes moyennes rejettent le principe même de l'intégration étatique et retrouvent les traditions libérales atténuées par l'industrialisation. Une à une, les forces politiques redécouvrent la puissance de l'ancrage libéral du système politique. Les conservateurs britanniques, adeptes du *Welfare State* durant les années cinquante et soixante, sont les premiers à réaliser leur adaptation idéologique et adoptent un libéralisme économique particulièrement dur. A l'aube des années quatre-vingt-dix, les travaillistes, guidés par la dure nécessité électorale, sont sur le point de se redéfinir comme une gauche libérale. Des évolutions du même type peuvent être observées au Danemark, à droite comme à gauche du système politique.

Le passage à la société post-industrielle ne semble donc pas capable de liquider les fonds anthropologiques nationaux. Les valeurs libérales du Danemark et de l'Angleterre sont stimulées par la modernisation, tandis que les valeurs autoritaires de la Suède lui résistent victorieusement.

Reste à découvrir où les valeurs en question sont logées dans les sociétés des années 1970-1990. Rien ne permet d'affirmer qu'elles sont toujours portées par les systèmes familiaux, ceux-ci étant eux-mêmes fortement ébranlés par l'évolution culturelle et sociale. Le plus raisonnable est d'imaginer une diffusion générale, du plan familial au plan humain. Les valeurs d'autorité ou de liberté ne seraient plus seulement caractéristiques de la relation parents-enfants mais aussi et surtout des relations personnelles à l'intérieur des diverses sphères qui constituent le cadre de la vie concrète des individus : école, communauté locale, entreprise. On peut imaginer une permanence du principe d'intégration de l'individu à ces diverses sphères de la société suédoise, capable de s'exprimer sur le plan politique par une adhésion constante au principe d'intégration étatique. On peut au contraire imaginer, en Angleterre et au Danemark, le maintien d'une tradition de liberté de l'individu au niveau microsocial, s'exprimant par un rejet de l'autorité en milieu scolaire, dans la communauté locale, dans l'entreprise, attitude capable de se projeter en conceptions libérales dans le domaine politique.

La Norvège toujours double

La dualité anthropologique de la Norvège, où coexistent, à l'époque préindustrielle, famille nucléaire absolue et famille souche, semble se perpétuer à l'époque post-industrielle. La crise idéologique associée au reflux de la civilisation ouvrière y prend, simultanément ou alternativement, des formes danoises et suédoises. La combinaison de valeurs libérales – centrées sur Oslo et l'Est du pays – et de valeurs autoritaires – à l'Ouest – produit une voie moyenne ou, plutôt, une trajectoire complexe juxtaposant épisodes et éléments contradictoires : fièvres de type danois, stabilité d'ensemble de type suédois.

En 1973, comme au Danemark, le socialisme traverse en Norvège une crise majeure. Le Parti travailliste tombe à 35,3 % des suffrages exprimés, contre 46,5 % en 1969, soit une chute de 24 %. Mais il se redresse par la suite et ne laisse apparaître sur longue période qu'un déclin d'ampleur très limitée, 13 % seulement entre 1961 et 1985, plus proche du recul·suédois de 8 % que de l'effondrement danois de 31 % dans la période équivalente.

Le Parti travailliste norvégien cesse de dominer absolument le système politique puisqu'il est à plusieurs reprises dans l'opposition entre 1965 et 1986, mais il ne perd pas sa situation de parti principal. La droite, cependant, ne reste pas structurellement faible, fragmentée comme en Suède. Elle se réorganise en Norvège autour du Parti conservateur, dont le poids dans le système politique augmente régulièrement entre 1973 et 1985 (de 17 à 30 % des voix). Une structure dualiste de type anglais ou danois semble se mettre en place. Ces évolutions contradictoires traduisent, sur le plan politique, l'affrontement des tendances libérales et autoritaires du fond anthropologique.

De l'autoritarisme découle la relative stabilité du socialisme, du libéralisme dérivent les à-coups électoraux brutaux et la mise en place d'une alternance de type anglo-saxon.

En Finlande : crise du communisme et négation du libéralisme

Le fond anthropologique communautaire, avec ses valeurs autoritaires et égalitaires, crée en Finlande les conditions d'une crise spécifique du socialisme. Le mouvement socialiste finlandais traditionnel comporte en effet une forte composante communiste ; le Parti social-démocrate, important, n'est nullement hégémonique et se trouve stimulé par la menace soviétique plutôt que par la présence de valeurs anthropologiques non égalitaires.

Le reflux du monde ouvrier est en Finlande, entre 1960 et 1967, presque inexistant, puisque de 1 % seulement. Ce recul symbolique n'empêche pas la crise du socialisme. La contre-révolution industrielle est en effet un phénomène d'échelle européenne, qui produit des effets transnationaux. Le sentiment que le prolétariat n'est plus, à l'approche de l'an 2000, la classe montante, se répand indépendamment de conditions nationales particulières. La Finlande est traditionnellement sujette à des influences extérieures de ce type. Dès les années 1907-1917, l'insignifiance de son prolétariat n'empêche pas la Finlande de produire le Parti socialiste le plus puissant d'Europe. La Finlande compte, en 1910, 11 % d'actifs dans l'industrie et 40 % de socialistes dans l'électorat. Il est donc tout à fait normal qu'entre 1960 et 1987 la non-décroissance d'un prolétariat qui existe enfin ne l'empêche pas de participer à l'effondrement généralisé du socialisme en Europe. Les mutations idéologiques finnoises, qui suivent les évolutions socio-économiques européennes plutôt que nationales, témoignent de l'universalisme de la culture politique locale.

Globalement, le mouvement socialiste est très puissant : 48,4 % des suffrages exprimés en 1966, avec 21,2 % pour le Parti communiste et 27,2 % pour le Parti social-démocrate. La crise du mouvement ouvrier est visible dès 1970, stimulée par l'environnement politique international. En 1968, la mise au pas de la Tchécoslovaquie par l'Union soviétique crée en Finlande une inquiétude bien compréhensible. Dès 1970, le Parti communiste finlandais tombe à 16,6 % des voix. Il ne remonte pas par la suite, descend à 13,5 % en 1983 et finit par scissionner. Une minorité orthodoxe abandonne le parti à une majorité réformiste et eurocommuniste. Les deux tendances ne recueillent ensemble que 13,6 % des suffrages en 1987. L'hémorragie des voix communistes qui dérivent vers la droite du spectre politique permet au Parti social-démocrate de se maintenir entre 1966 et 1987 (avec 23 à 27 % des voix). Mais, globalement, le mouvement socialiste s'affaiblit puisqu'il perd 22 % de ses suffrages entre 1966 et 1987, chute substantielle si l'on se souvient que l'industrie ne perd que 1 % de sa masse relative. Le rêve d'une cité reconstruite par le prolétariat s'évanouit avant même que le prolétariat réel ne disparaisse physiquement. En fait, tous les rêves de classe s'éteignent en Finlande simultanément : le Parti agrarien, reconverti en Parti du centre, mais qui incarne dans l'esprit du pays le rêve d'une cité reconstruite autour des valeurs paysannes, plonge, entre 1966 et 1987, de 21,2 à 17,6 % des suffrages exprimés, soit une perte de masse de l'ordre de 17 %, à peine moins importante que celle du mouvement ouvrier. Rêve prolétarien et rêve paysan déclinent de conserve. A droite, le Parti de la coalition nationale (conservateur), traditionnellement dominé sur le plan électoral par les formations « de classe », communiste, sociale-démocrate et agrarienne, prend de l'importance et devient, dans le courant des années quatre-vingt, l'un des deux premiers partis finlandais, l'autre étant le Parti social-démocrate, stabilisé par le déclin communiste.

Le système anthropologique finnois, autoritaire et égalitaire, continue cependant d'agir et guide la vie politique, qui perd sa structuration de classe, vers des configurations distinctes des modèles suédois et danois.

Au Danemark, le libéralisme non égalitaire favorise l'alternance et la fragmentation. En Suède, les valeurs autoritaires et non égalitaires conduisent à une redéfinition de la social-démocratie qui reste parti dominant mais perd son statut de parti ouvrier et devient l'héritière légitime de la bureaucratie luthérienne des XVIIe et XVIIIe siècles. En Finlande, autoritarisme et égalitarisme combinés mènent à un rêve d'homogénéité, d'unité, que l'on n'observe pas dans les sociétés de tempérament non égalitaire ou inégalitaire. L'atténuation des tensions de classe permet à Helsinki la mise en place d'une coalition étonnante. Au lendemain des élections de 1987, sociaux-démocrates et conservateurs constituent ensemble le gouvernement, association remarquable dans un pays où l'affrontement armé de 1918 entre rouges et blancs était une sorte de mythe fondateur. Cette combinaison traduit la dérive vers le centre du système politique, l'apaisement des passions qui découle de la montée des classes moyennes finlandaises. Mais elle révèle aussi une indifférence totale aux règles libérales du dualisme et de l'alternance. L'association des rouges et des blancs implique la mort des idéologies, mais elle révèle aussi l'action persistante d'un autoritarisme égalitaire qui se moque du jeu politique libéral.

CHAPITRE XVI

Catholicisme politique et socialisme : la double inconstance

Dans la majorité des pays européens subsistent vers 1965 de forts noyaux catholiques à pratique religieuse élevée. L'Église, en tant que puissance sociale, n'est réellement absente que de Grande-Bretagne et de Scandinavie. Dans des pays comme l'Allemagne, les Pays-Bas, l'Autriche, la Belgique, la Suisse, la France, l'Italie, l'Espagne, le Portugal, l'Irlande, l'électorat catholique constitue, entre 1945 et 1965, le pôle le plus solide du vote conservateur, le noyau de la résistance aux diverses idéologies socialistes, même s'il existe dans la plupart des pays concernés de vastes zones déchristianisées où une droite « laïque », plus ou moins nationaliste, fait face au mouvement socialiste. Là où survivent, vers 1965, les idéologies religieuses réactionnelles, la dissolution des idéologies prend une forme plus complexe que dans le monde protestant homogène, britannique et scandinave, globalement déchristianisé dès les années 1880-1930 et où un seul déclin amorce la crise, celui de la classe ouvrière. Dans le monde « à résidu catholique », qui contient, dans le cas de la Suisse, des Pays-Bas, de l'Allemagne, des zones déchristianisées de tradition protestante, deux déclins se combinent et créent ensemble un mouvement historique plus torturé. Le socialisme est menacé par la diminution de masse de la classe ouvrière, le catholicisme politique est entamé par la disparition progressive de l'Église. Conscience de classe et conscience chrétienne s'éteignent, simultanément ou successivement, et cette double disparition déstabilise les deux côtés du spectre politique, la gauche et la droite. Le résultat de ces mouvements à la fois contradictoires et complémentaires ne peut être, comme en Grande-Bretagne ou en Scandinavie où le socialisme est seul en première ligne, un déplacement uniforme vers la droite du centre de gravité politique. La combinaison des déclins socialiste et catholique peut, selon le lieu, aboutir à des déplacements vers la gauche ou vers la droite, plus souvent encore vers le centre, de l'équilibre politique.

Les séquences historiques concrètes varient selon les pays. Parfois, déclins catholiques et prolétariens sont précoces et simultanés, cas des Pays-Bas et de la Belgique, de la Suisse dans une certaine mesure. Ailleurs, la crise religieuse peut précéder nettement la crise ouvrière, cas de la France, de l'Allemagne, de l'Autriche, de l'Italie. Finalement, dans quelques pays comme l'Espagne, le Portugal et l'Irlande, crises industrielle et religieuse commencent ensemble, mais tardivement, au début des années quatre-vingt, et amorcent des évolutions dont l'issue ne peut être discernée avec une absolue clarté.

Séquence 1. Coïncidence précoce des crises religieuse et industrielle : Pays-Bas, Belgique, Suisse

Aux Pays-Bas et en Belgique, la plongée du catholicisme commence dès les années 1965-1970 et coïncide assez largement dans le temps avec le processus de désindustrialisation, qui s'amorce entre 1960 et 1965 aux Pays-Bas, entre 1965 et 1970 en Belgique. Le déclin du secteur secondaire est dans ces deux pays particulièrement ample et brutal puisqu'il aboutit à une rétraction relative de 45 % environ de la population active employée, entre 1960 et 1987.

En Suisse, les régressions religieuse et industrielle sont également contemporaines (affaissement religieux et industriel dès les années 1965-1970), mais le déclin du prolétariat n'est pas un phénomène aussi massif puisque celui-ci ne perd que 24 % de sa masse entre 1960 et 1987, le début du repli étant particulièrement lent. La simultanéité des ébranlements religieux et industriels induit, très logiquement, des crises simultanées des idéologies religieuses réactionnelles et des idéologies socialistes.

En Belgique, où démocrates-chrétiens et sociaux-démocrates (« chrétiens-sociaux » et « socialistes ») constituent l'essentiel du système politique, la crise des forces traditionnelles est spectaculaire : les chrétiens-sociaux tombent de 41,5 % des voix en 1961 à 32,3 % en 1974, les socialistes plongent dans la même période de 36,7 à 26,7 %, 22 et 27 % de chute relative, respectivement. Le parallélisme des effondrements est stupéfiant et suggère que le conflit entre les deux forces majeures du système politique belge était devenu complicité, que démocratie-chrétienne et social-démocratie ne pouvaient plus, au terme de huit décennies d'affrontement, se passer l'une de l'autre. Durant les années quatre-vingt, cependant, une certaine divergence des destins est observable : le déclin démocrate-chrétien se poursuit, jusqu'à 27,5 % des voix en 1987, tandis que la social-démocratie se stabilise, remontant même à 30,5 % des suffrages exprimés en 1987. Durant l'ensemble de la période 1961-1987, les scores combinés des deux géants de la politique belge s'effondrent cependant de 78,2 à 58,0 % des voix. Le monopole des vieilles idéologies est sérieusement ébranlé, l'espace libre du système politique double, passant de 21 à 42 % du corps électoral.

Aux Pays-Bas, les évolutions sont aussi spectaculaires du côté démocrate-chrétien, beaucoup moins du côté socialiste. Les idéologies religieuses réactionnelles sont, aux Pays-Bas, catholiques et protestantes. En 1963, le Parti catholique contrôle 31,9 % des suffrages, les deux partis protestants (chrétiens historiques et antirévolutionnaires) 8,6 et 8,7 % respectivement. Le Parti travailliste est traditionnellement assez faible puisqu'il ne recueille que 28 % des voix à la même date. Le Parti catholique néerlandais s'effondre entre 1963 et 1972, tombant finalement à 17,7 % des voix, soit une perte de substance de 45 %. Le Parti chrétien historique suit le mouvement, de 8,6 à 4,8 %, abandonnant 44 % de sa masse et se définissant ainsi à sa manière comme un parti frère. Seuls les antirévolutionnaires, durs des durs parmi les religieux, se maintiennent à 8,8 %. La conjonction des déclins est trop évidente : unis par l'adversité, les trois forces religieuses se marient pour affronter ensemble les élections de 1977. L'Appel démocrate-chrétien ainsi fondé (CDA) stabilise progressivement l'hémorragie en recueillant 31,9 % des voix en 1977, 30,8 en 1981, 29,4 en 1982, 34,6 en 1986, date qui marque certainement la fin réelle de la crise et l'émergence d'une force politique stable. Le CDA porte l'étiquette du christianisme mais il n'est plus un parti religieux. Son électorat n'est plus pratiquant. Il s'agit d'un parti conservateur modéré. Entre 1963 et 1971, le Parti travailliste ne profite absolument pas de la crise des idéologies religieuses. Le mythe socialiste, jamais très puissant aux Pays-Bas, est lui-même ébranlé par la liquéfaction du prolétariat. Le travaillisme tombe à 24,7 % des voix en 1971, soit une baisse relative de 12 % par rapport à 1963. A partir de 1977, il semble cependant capable de profiter, très modérément, de la décomposition des électorats catholique et protestant. Il remonte à 33,8 % en 1977, mais retombe à 28,3 % en 1981 et semble finalement se stabiliser au-dessus de 30 % des suffrages durant les années quatre-vingt. Ce score ne le place pas nettement au-dessus de ses performances des années 1929-1956. Pour le socialisme considéré globalement, le gain est nul puisque le mini-communisme néerlandais meurt de l'extinction du mythe ouvrier. Il tombe à partir de 1982 au-dessous de la barre des 2 % de suffrages exprimés. Globalement, les partis religieux et socialistes, qui contrôlent 80 % du corps électoral en 1963, n'en tiennent plus que 68 % en 1986. L'espace libre du système politique passe de 20 à 32 % du corps électoral.

En Suisse, les rétractions religieuses et ouvrières produisent des effets beaucoup plus mesurés, malgré leur simultanéité. Démocratie-chrétienne et social-démocratie déclinent lentement et parallèlement. Le Parti socialiste suisse passe, entre 1963 et 1983, de 26,6 à 22,8 % des voix, soit une perte de masse de 14 %. Le Parti démocrate-chrétien tombe seulement de 23,4 à 20,6 %, soit une baisse de 12 %. On peut certes parler de crises religieuse et ouvrière en Suisse, mais on ne peut raisonnablement évoquer une crise de la démocratie-chrétienne et de la social-démocratie. On perçoit au contraire, à travers la bonne résistance de ces deux forces idéologiques traditionnelles, une bonne résistance globale du système politique helvétique. Les partis politiques suisses s'adaptent à un environnement religieux et économique transformé. La confrontation des trajectoires belgico-néerlandaise et helvétique révèle que les crises religieuse et industrielle, même combinées, ne détruisent pas partout le système politique traditionnel. D'autres facteurs interviennent, souterrainement, et mènent dans certains cas à une transformation brutale, dans d'autres à une adaptation lente.

Séquence 2. La crise religieuse précède la crise industrielle : Allemagne, Autriche, France, Italie

En Allemagne, en France, en Italie, en Autriche, un intervalle sépare le début du déclin catholique du début de la désindustrialisation.

Dans ces quatre pays, la phase ultime de la déchristianisation commence dans les années 1965-1970. Or le reflux du secteur secondaire ne s'amorce en Allemagne qu'entre 1970 et 1975, en France et en Italie entre 1975 et 1980, en Autriche entre 1980 et 1985. Le décalage entre les deux mouvements définit une période transitoire durant laquelle l'Église catholique est frappée mais non le prolétariat. L'électorat catholique commence à se décomposer avant que l'électorat socialiste soit sérieusement perturbé.

Les diverses forces socialistes – sociaux-démocrates, anarcho-socialistes et communistes sont représentés dans les pays concernés – peuvent durant cette phase transitoire profiter de la désintégration de l'électorat catholique et grossir au rythme de sa liquéfaction. Cette déchristianisation qui aboutit à une montée en puissance du socialisme reproduit au fond, dans une phase tardive de l'histoire européenne, le mécanisme classique de l'idéologisation : les masses, privées de la cité céleste, se replient sur la cité ouvrière idéale. La période de croissance socialiste est cependant brève, puisque au bout de cinq à dix ans à peine le rêve ouvrier lui-même est frappé par la désindustrialisation.

Dans les quatre pays, on peut repérer une phase de croissance temporaire de l'électorat socialiste, brisée ou infléchie assez rapidement par le début de la désindustrialisation.

C'est en Autriche que les progrès du mouvement ouvrier sont, durant cette période transitoire, les plus nets et les plus décisifs. Le SPÖ stagne de 1953 à 1966, mais décolle à cette date pour recueillir aux élections de 1971, 1975 et 1979 la majorité absolue des suffrages exprimés. La débâcle catholique produit des effets simples et directs dans un pays où le catholicisme est la seule tradition religieuse importante. Le reflux de l'Église fait alors de l'Autriche la seule nation européenne dans laquelle les socialistes soient non seulement dominants, mais majoritaires. Durant l'ère Kreisky, la social-démocratie autrichienne semble devenir hégémonique.

En France, la baisse de la pratique religieuse mène à des résultats nets quoique moins décisifs. Le catholicisme ne contrôle vers 1965 que la périphérie de l'ensemble national et sa seule décomposition ne peut assurer un basculement politique d'ampleur nationale. Pourtant, la première croissance du « nouveau Parti socialiste » entre 1967 et 1978, de 19,3 à 24,8 % des voix, se produit presque exclusivement en région de tradition catholique, en Bretagne, en Savoie, en Rouergue, en Alsace, etc. La décomposition de l'Église permet les premiers succès de « l'Union de la gauche », comme on dit en France à l'époque.

En Allemagne, la correspondance globale entre déchristianisation catholique et progrès de la social-démocratie est assez bonne, mais l'analyse doit être nuancée. La décrue catholique donne son rythme à la croissance lente du SPD : l'accélération de la crise religieuse à partir de 1968 permet une montée en puissance finale du SPD, qui passe de 36,2 % en 1961 à 45,8 % en 1972. Dès 1966, il participe au pouvoir, allié à la CDU dans la grande coalition ; en 1969, un renversement d'alliance lui permet de devenir le partenaire majeur d'une petite coalition sociale-démocrate/libérale qui gouverne jusqu'à 1982. L'examen détaillé des évolutions électorales montre cependant que la croissance du SPD est maximale dans les régions catholiques *et* ouvrières anciennes, comme la Rhénanie-Westphalie (+ 13,1 % entre 1961 et 1972) et la Sarre (+ 14,4 %), mais nettement moins importante dans les régions catholiques d'industrialisation plus récente du Bade-Wurtemberg (+ 6,8 %) et de Bavière (+ 7,7 %). La progression du SPD est en réalité plus importante dans certaines régions protestantes du Nord comme la Basse-Saxe (+ 9,4 %) ou le Schleswig-Holstein (+ 12,2 %). L'ébranlement du catholicisme met donc en marche une mécanique complexe. L'évolution de la démocratie-chrétienne laisse apparaître, symétriquement, d'importantes différences régionales. La CDU ne perd globalement des suffrages que dans les régions catholiques *et* ouvrières, en Sarre et en Rhénanie-Westphalie. Dans ces régions on peut observer un transfert électoral direct de la CDU vers le SPD : les ouvriers protégés de l'adhésion socialiste par la religion jusqu'aux années soixante passent sans transition de la conscience chrétienne à la conscience de classe. Ailleurs les mouvements sont plus complexes. L'ébranlement de la CDU et l'avancée du SPD dans certaines zones catholiques induisent des effets indirects : croissance du SPD en région protestante, mais aussi récupération par la CDU en pays protestant et catholique non ouvrier de l'électorat des petits partis, des derniers restes de l'électorat national-libéral d'avant-guerre. En Bavière, en Bade-Wurtemberg, en Basse-Saxe ou en Schleswig-Holstein, la CDU compense les défections vers le SPD par des gains sur d'autres forces, sur le Parti libéral notamment. Mais c'est bien la crise de l'Église qui, éveillant dans certaines régions la conscience de classe, amorce actions et réactions électorales.

En Italie, la démocratie-chrétienne n'est pas, contrairement aux apparences, assise sur un catholicisme puissant. La pratique religieuse n'est forte, vers 1965, qu'en Vénétie et en Lombardie. Les mouvements du corps électoral induits par la crise catholique sont donc mesurés. On peut néanmoins observer, entre 1963 et 1976, une progression du mouvement ouvrier. Communistes, socialistes et sociaux-démocrates passent ensemble de 45,2 à 48,9 % des suffrages exprimés. Mais, en fait, seul le Parti communiste – le plus bruyamment prolétarien des mouvements socialistes – réalise une percée importante, de 25,3 à 34,4 % des suffrages. Comme en Allemagne, un examen détaillé de la géographie électorale révèle des phénomènes complexes associant des progrès très nets non seulement dans les régions simultanément catholiques et ouvrières de Lombardie et de Vénétie, mais aussi dans le monde anciennement déchristianisé mais faiblement industrialisé du Sud. Comme en Allemagne, des contre-poussées antisocialistes permettent à la démocratie-chrétienne de bien résister, de récupérer sur les petits partis ce qu'elle cède en milieu ouvrier. Elle est donc stable, avec 38,3 % des voix en 1963 et 38,7 % en 1976.

En Autriche, en France, en Allemagne, en Italie, la désindustrialisation casse net le mouvement des électorats du catholicisme vers le socialisme. C'est en Allemagne, où un début de régression du prolétariat peut être observé dès les années 1970-1975, que l'inversion de tendance est la plus précoce. Les élections de 1976 marquent pour le SPD le début d'un déclin qui le ramène finalement, avec 37,0 % des voix en 1987, presque à son point de départ de 36,2 % en 1961. La régression du SPD est particulièrement importante dans les régions catholiques d'industrialisation récente du Bade-Wurtemberg et de Bavière où il retombe très au-dessous de son niveau de départ (29,3 % contre 32,1 % en Bade-Wurtemberg, 27 % contre 30,1 % en Bavière). Les sondages d'opinion révèlent que les pertes du SPD sont particulièrement importantes chez les catholiques non pratiquants (sur le plan religieux) et chez les ouvriers non qualifiés et les employés (sur le plan socioprofessionnel)[1]. La social-démocratie se rétracte donc sur ses bastions initiaux : ouvriers qualifiés et monde protestant déchristianisé. En 1982, une nouvelle volteface des libéraux renvoie la social-démocratie allemande dans l'opposition, où peut s'aggraver sans conséquences pratiques le clivage entre modérés et gauchistes du parti. La crise industrielle touche beaucoup plus violemment la France et l'Italie, un peu plus tard que l'Allemagne, dans les années 1975-1980. Dans ces deux pays, le mouvement socialiste est nettement divisé en deux tendances. En France, un Parti communiste puissant est confronté à la concurrence d'une social-démocratie fraîchement renforcée par des adhésions catholiques. En Italie, un Parti communiste écrasant domine de sa masse des quasi-groupuscules, anarcho-socialiste (PSI) et social-démocrate (PSDI). En France et en Italie, l'effondrement du mythe ouvrier va donc toucher de plein fouet le parti de la dictature du prolétariat, le communisme. Les autres forces socialistes sont protégées de la crise idéologique par leur faiblesse et par le fait qu'elles sont moins que les partis communistes perçues comme des expressions du monde ouvrier.

En France, la crise est brutale. Dès 1981, le PCF chute à 16,2 % des suffrages exprimés, contre 20,6 % en 1978. Il entre dans une phase de liquéfaction qui le mène, en 1988, à 11,3 %. Le Parti communiste français perd en sept ans 45 % de son électorat, qui fond donc beaucoup plus vite que le prolétariat réel. L'industrie française ne voit en effet disparaître que le quart de ses effectifs durant la même période. La conscience de classe s'évanouit plus vite que la classe. Le Parti socialiste, dont la croissance en milieu catholique s'arrête entre 1978 et 1981, poursuit cependant sa progression en récupérant une bonne par-

---

1. Voir K. von Beyme, *Das politische System der Bundesrepublik Deutschland*, p. 49.

tie de l'électorat communiste en déroute. Avec François Mitterrand, il parvient au pouvoir et atteint 37,5 % des suffrages en 1981. Il perd le pouvoir en 1986, le retrouve grâce à la réélection de François Mitterrand en 1988 mais semble devoir se stabiliser à 35 % des suffrages exprimés dans le courant des années quatre-vingt.

La crise du mouvement ouvrier produit en Italie des effets analogues mais atténués. Le PCI tombe de 34,4 % des voix en 1976 à 26,6 % en 1987, soit une chute relative de 23 %, importante mais qui n'entraîne pas dans l'immédiat une disparition du parti comme force politique majeure. Le Parti socialiste entame un lent processus de croissance qui le mène de 9,6 à 14,3 % des voix dans la même période. L'évolution est nette, mais on sent qu'en Italie la décrue du Parti communiste est freinée par un facteur caché qui n'existe pas en France.

L'Autriche est finalement touchée par la régression du secteur secondaire entre 1980 et 1985. La répercussion sur le système politique est immédiate. Dès 1983, les sociaux-démocrates du SPÖ tombent à 48 % des suffrages, contre 51 % en 1979, et ils descendent en 1986 à 43 %, retrouvant ainsi leur score de départ de 1966.

En France et en Italie, la droite ne profite pas de la crise du mouvement ouvrier. En France, l'hémorragie de voix catholiques continue, même si elle ne bénéficie plus au seul Parti socialiste. Et à partir de 1984, les électorats de la droite nationaliste traditionnelle, c'est-à-dire gaulliste, laissent apparaître une tendance à la dissolution. En Italie, la chute du PCI n'empêche pas une chute parallèle, quoique moins importante, de la démocratie-chrétienne de 38,7 à 34,3 % des voix entre 1976 et 1987.

Même en Allemagne et en Autriche, où le mouvement socialiste ne peut jouer d'aucune diversité pour survivre, la perte de substance du SPD ou du SPÖ ne profite pas à la droite. En Autriche, les démocrates-chrétiens tombent, entre 1979 et 1986, de 42 à 41 % des suffrages. Leurs homologues allemands progressent dans un premier temps, entre 1972 et 1976, de 44,9 à 48,8 % des voix, puis ils chutent, en 1987, à 44,3 %, un peu au-dessous de leur point bas de 1972. Ce phénomène d'un déclin parallèle des partis socialistes et chrétiens est normal. La crise industrielle n'empêche pas la poursuite de la crise religieuse. A des dates diverses, les deux transformations se combinent, se renforcent en un sens. Le milieu ouvrier chrétien est doublement frappé, dans sa foi religieuse et son identité de classe. La turbulence générale du système finit par entamer les électorats nationalistes là où ils subsistent, comme en France.

Dans les quatre pays où la crise religieuse précède nettement la crise industrielle – France, Allemagne, Autriche, Italie –, deux phases électorales successives peuvent donc être décelées. Dans un premier temps, le mouvement ouvrier profite de l'affaiblissement catholique ; dans un deuxième temps, la désindustrialisation ébranle le pôle gauche du système politique et l'on assiste à un affaissement conjoint des idéologies socialistes et chrétiennes, menant ensemble à des recyclages électoraux complexes.

Dans certains cas, les partis traditionnels, socialistes et chrétiens, subissent de graves pertes, dans d'autres, ils se révèlent capables d'effectuer une reconversion silencieuse et récupèrent sur des électorats minoritaires ce que la rétraction religieuse ou industrielle leur a fait perdre. L'ampleur résultante des évolutions politiques n'est en effet pas la même partout. Les mouvements du corps électoral conduisent parfois à un écroulement du système des partis, parfois à une transformation à peine perceptible. Pour mesurer la transformation globale, le plus simple est de comparer le total des voix obtenues en début et en fin de période par toutes les forces traditionnelles combinées, chrétiennes et socialistes. Dans le cas de l'Allemagne ou de l'Autriche, on additionne suffrages sociaux-démocrates et démocrates-chrétiens. Dans celui de la France, on cumule le score du Parti communiste, qui incarne dans le système national l'ouvriérisme, aux voix des droites modérées, démocrates-chrétiennes et gaullistes, qui ensemble réunissent l'essentiel du vote catholique de droite, à côté d'un élément nationaliste qui n'est plus purement isolable à partir de 1965. Dans le cas de l'Italie, on associe démocrates-chrétiens et communistes, qui constituent le duopole chrétien/ouvrier de base de la vie politique. Les partis « socialistes » français et italien, très faibles en début de période, par la suite grands récupérateurs de débris électoraux, sont laissés de côté dans ce calcul. Ils se comportent comme des forces nouvelles, créées plutôt qu'ébranlées par le mécanisme de décomposition. Le tableau résumant le mouvement global des corps électoraux (page suivante) révèle l'existence de deux modèles très contrastés : un modèle « français » de désintégration complète du système des partis, avec un bloc chrétien-prolétarien passant de 79,2 à 49,0 % du total national, et un modèle germano-austro-italien qui aboutit, par annulation réciproque de tous les mouve-

La crise des forces religieuses et socialistes traditionnelles dans les pays à composante catholique			
Partis politiques considérés	*Score en début de période (% des exprimés)* **A**	*Score en fin de période (% des exprimés)* **B**	*Déclin relatif* $\frac{A-B}{A}$
Belgique 1961-1987 Démocrates-chrétiens + socialistes	78,2	58,0	– 26 %
Pays-Bas 1963-1986 Démocrates-chrétiens (1) + travaillistes	77,2	67,9	– 12 % (2)
Suisse 1963-1983 Démocrates-chrétiens + socialistes	49,9	43,4	– 13 %
France 1962-1988 Communistes + gaullistes + modérés + démocrates-chrétiens	79,2	49,0	– 38 %
Italie 1963-1987 Communistes + démocrates-chrétiens	63,6	60,9	– 5 %
Autriche 1962-1986 Démocrates-chrétiens + socialistes	89,0	84,0	– 6 %
Allemagne 1961-1987 Démocrates-chrétiens + sociaux-démocrates	81,5	81,3	0 %

(1) Somme des catholiques, des chrétiens-historiques et des antirévolutionnaires avant l'unification par le CDA.
(2) La légère remontée travailliste masque dans le cas des Pays-Bas l'effondrement des partis religieux (– 30 % dans la période considérée).

ments, à une quasi-immobilité. Les forces traditionnelles perdent seulement 5 % du corps électoral en Autriche, 2,7 % en Italie, 0,2 % en Allemagne. Dans ces trois pays le système des partis absorbe sur longue période les chocs socioculturels, qui ne parviennent pas à le briser. Les partis gardent leurs noms initiaux, mais deviennent autre chose que des partis sociaux-démocrates, démocrates-chrétiens ou communistes, parce qu'ils survivent à la désintégration des forces religieuses et idéologiques qui leur ont donné naissance.

La chute de la pratique religieuse et la restructuration de l'industrie ne sont pas en Allemagne, en Autriche, en Italie des processus achevés, et l'on peut déjà percevoir, à l'occasion des élections tenues en 1988 et 1989, quelques nouveaux chocs capables de secouer les forces politiques traditionnelles de ces pays. L'examen des années 1960-1987 montre cependant une capacité de résistance qui contraste avec la fragilité du système des partis français. Désintégration, reconversion. L'existence de deux modes de réaction aux crises religieuse et industrielle n'est pas seulement caractéristique de l'ensemble de pays où un écart temporel important sépare le début de la crise religieuse de celui de la crise industrielle. L'évolution idéologique des pays où les deux déclins commencent ensemble et se superposent – Pays-Bas, Belgique, Suisse (séquence 1) – définit aussi deux modèles, stable et instable, de comportement politique. Les équilibres politiques belges et néerlandais sont bouleversés par la transformation idéologique ; le système des partis suisse évolue à peine. C'est donc à l'échelle européenne que s'opposent deux types de comportements : Pays-Bas, Belgique et France constituent et définissent ensemble un modèle *ouest,* évolutif ; Allemagne, Autriche, Suisse et Italie, un modèle *est,* adaptatif.

Séquence 3. Crises religieuse et industrielle simultanées mais tardives : Irlande, Portugal, Espagne

En Irlande, au Portugal, en Espagne, c'est-à-dire dans les trois pays d'Europe qui conservent vers 1965-1970 un fond rural important, la révolution industrielle se poursuit jusqu'au début des années quatre-vingt. L'Église catholique, là où elle domine le paysage social – dans la totalité de la république d'Irlande et dans le Nord de la péninsule Ibérique – échappe à la crise des années 1965-1970. C'est entre 1980 et 1985 que les indicateurs sociaux se mettent en mouvement dans ces trois pays et que s'amorcent, simultanément, déclin terminal du catholicisme et contre-révolution industrielle. Le phénomène est récent et il n'est par conséquent pas possible d'observer le point terminal, ou simplement décisif, de l'évolution politique résultant de la transformation sociale.

En Irlande, la puissance initiale formidable du catholicisme permet d'affirmer que l'essentiel de la mutation religieuse n'est pas encore, en 1990, réalisé. L'immobilité relative du système politique irlandais n'est donc pas surprenante. Le seul mouvement significatif est la régression du déjà minuscule Labour Party, qui chute de 17 % des suffrages en 1969 à 6,4 % en 1987. Globalement, Fianna Fail et Fine Gael conservent leur monopole de la vie politique. Plus encore que la diminution de la population active industrielle du pays (de 32,5 % en 1980 à 27,1 % en 1987), c'est l'évolution idéologique de la Grande-Bretagne voisine qui entraîne le déclin de la mini-social-démocratie irlandaise. L'effondrement du grand frère britannique ébranle le Labour Party irlandais, absolument anglophone.

Au Portugal, le mélange des évolutions sociales les plus modernes et les plus archaïques – le télescopage de la fin de l'alphabétisation et de l'entrée dans la société post-industrielle – rend toute analyse très difficile. La complexité du tissu idéologique et anthropologique, la brièveté des séries électorales post-salazaristes compliquent encore le problème. On peut noter un affaiblissement relatif du communisme et du catholicisme politique, deux phénomènes non décisifs en eux-mêmes puisque les forces centrales du système portugais ne sont ni catholiques ni communistes.

Le cas de l'Espagne est plus encourageant. La structure anthropologique et idéologique du pays est simple et l'on peut déjà sentir, malgré des difficultés indéniables, quelques grandes tendances. Il faut surtout distinguer, dans les mouvements du corps électoral espagnol, ceux qui résultent de la normalisation de la démocratie parlementaire post-franquiste de ceux qui découlent des transformations sociales récentes, mutation post-industrielle et déclin catholique. Entre 1977 et 1982, les deux séries de facteurs jouent dans le même sens. La normalisation implique une remontée en puissance progressive du Parti socialiste, dans ses bastions traditionnels du Sud et du Centre ; les transformations sociales, qui affaiblissent catholicisme et ouvriérisme, mènent à des percées du PSOE dans les bastions catholiques du Nord et dans les bastions communistes, moins importants, de la côte méditerranéenne. Le Parti socialiste espagnol bénéficie au début des années quatre-vingt, comme le Parti socialiste français entre 1967 et 1981, de l'affaissement conjoint des radicalismes catholique et ouvrier. Ensemble, tous les facteurs aboutissent à une formidable poussée socialiste : le PSOE passe de 29,3 % des voix en 1977 à 48,4 % en 1982. L'anarchosocialisme espagnol cependant ne se stabilise pas à la manière d'une social-démocratie de type suédois. Dès les années 1986-1989, le retour d'un mouvement de balancier est décelable, qui ramène le PSOE à 39,7 % des suffrages en 1989. Les socialistes gardent cependant, en 1989, le pouvoir conquis en 1982. La mécanique oscillatoire qui semble se mettre en place n'empêche pas la poursuite de quelques évolutions de fond, qui profitent, en 1989, au Parti communiste rénové. Dans un contexte espagnol, le concept de rénovation communiste implique une liquidation de la terminologie stalinienne, et surtout une récupération de la tradition anarchiste du mouvement ouvrier espagnol. Le néo-communisme espagnol, qui monte à 9,1 % des voix en 1989 (après la chute du vieux Parti communiste de 9,4 à 4,7 % entre 1977 et 1986), est en fait un néo-anarchisme. Sa géographie électorale cependant n'est pas stable et le retour aux traditions nationales n'empêche pas certaines mutations : le Parti communiste s'effondre dans son bastion traditionnel de Catalogne, mais il progresse, entre 1986 et 1989, dans les régions traditionnelles de Vieille-Castille et de Leon, porté par la vague de déchristianisation.

L'ampleur des mouvements électoraux des années 1977-1989 n'est pas en Espagne seulement l'effet de la normalisation du système, de l'installation dans l'ère post-franquiste. De violentes oscillations sont déjà perceptibles. Par sa mobilité politique, l'Espagne semble déjà se ranger avec la France, la Belgique et les Pays-Bas, du côté du *modèle ouest* de transformation du système des partis, face à ces pays aux rythmes plus lents que sont l'Allemagne, l'Autriche, la Suisse, l'Italie, qui définissent ensemble le *modèle est*.

Anthropologie du mouvement politique

La distribution géographique des pays à évolution politique lente *(modèle est)* et rapide *(modèle ouest)* impose une interprétation anthropologique du mouvement politique. La crise des idéologies mène en effet à un effondrement du système des partis dans les pays dont le fond anthropologique contient une dominante familiale libérale, que cette dominante libérale dérive de la famille nucléaire égalitaire (France, Espagne) ou de la famille nucléaire absolue (Pays-Bas). La crise des idéologies ne conduit pas à un tel bouleversement dans les pays dont le fond anthropologique comprend une forte composante familiale autoritaire – que ce trait autoritaire dérive de la famille souche (Allemagne, Autriche, Suisse) ou de la famille communautaire (Italie centrale). La carte des systèmes familiaux comportant un trait autoritaire dessine en effet un axe vertical situé à l'est et qui descend de la Suède à l'Italie centrale à travers l'ensemble du monde germanique. Les systèmes familiaux nucléaires, absolus ou égalitaires, sont situés plus à l'ouest.

Le seul des pays à fort noyau catholique qui échappe à la règle associant autoritarisme familial et lenteur de la transformation politique est la Belgique, où une structure familiale de type souche n'empêche pas une mutation brutale du système des partis. Il est vrai que la famille souche y est de type incomplet, avec une composante autoritaire particulièrement faible, et qu'elle y constitue en réalité un *type intermédiaire* aux formes autoritaires et libérales. De plus, la Belgique, simultanément néerlandophone et francophone, est enclavée par ses langues dans un espace politique globalement très mobile : les Pays-Bas évoluent rapidement, la France aussi. La Belgique, dans ses deux composantes, est entraînée par le mouvement du *modèle ouest*.

La règle associant transformation politique et structures anthropologiques tient assez bien lorsque l'on descend d'un cran géographique et que l'on analyse les coïncidences à l'échelle régionale plutôt que nationale. Les fonds anthropologiques nationaux sont fréquemment hétérogènes et contiennent donc simultanément des zones libérales et autoritaires. Les tendances nationales jouent partout et entraînent dans les régions auto-

ritaires de France, des Pays-Bas, d'Espagne des évolutions relativement rapides par rapport à celles qui peuvent être observées
dans les zones autoritaires d'Allemagne ou d'Autriche. Mais les
zones autoritaires des pays à dominante libérale jouent quand
même fréquemment le rôle de frein intérieur. Entre 1965 et
1981, le Bassin parisien, nucléaire égalitaire, bascule de droite à
gauche. Les évolutions de la périphérie, où la famille souche est
bien représentée, sont importantes mais mènent beaucoup moins
rapidement à des renversements. En Espagne, entre 1977 et
1989, les mutations électorales ont une ampleur particulière dans
les zones anthropologiques libérales. Aux Pays-Bas, par contre,
la brutalité de la chute catholique implique un bouleversement
dans les zones de famille souche du Nord-Brabant et du Limburg.

Le seul des pays à composante centrale autoritaire comportant
une substantielle périphérie libérale est l'Italie. Le Nord-Ouest et
le Sud de la péninsule, ainsi que les îles, sont occupés par la
famille nucléaire égalitaire, le Centre par la famille communautaire. Or on peut effectivement repérer des différences
importantes entre les mutations politiques du centre et de la périphérie, mais inverses de celle que l'on trouve en France. Dans
l'Hexagone, le centre bouge plus vite que la périphérie ; dans la
botte, la périphérie évolue plus vite que le centre. Cette opposition des rythmes engendre, simultanément, la mort du Parti communiste français et la survie du Parti communiste italien, deux
forces implantées au centre de leurs systèmes nationaux respectifs. Le PCI est, en Émilie-Romagne, en Toscane, en Ombrie et
dans les Marches, assis sur un fond anthropologique communautaire, base de départ qui lui permet de s'étendre, entre
1945 et 1976, vers le nord et le sud de la péninsule. La crise du
mouvement ouvrier le frappe surtout là où il s'est aventuré hors
de ses bastions anthropologiques, au Nord et au Sud. C'est là
que son reflux est le plus net entre 1976 et 1987. En Italie centrale, la résistance du communisme est forte, et il continue d'y
contrôler, vers la fin des années quatre-vingt, 40 % au moins du
corps électoral. Ailleurs, il s'effrite, et ce sont ses pertes en Italie
du Nord et du Sud qui expliquent l'essentiel de la retombée du
PCI, de 34,4 à 26,6 % des voix entre 1976 et 1987.

En France, le Parti communiste, superficiellement implanté
dans le Bassin parisien sur une zone nucléaire égalitaire, implose

entre 1978 et 1981. Il résiste dans son seul bastion communautaire réel, dans la partie nord-ouest du Massif central, où la structure familiale n'est pas seulement égalitaire mais aussi autoritaire.

L'intégration sociale sans le socialisme et sans l'Église

La résistance du Parti communiste italien, de la démocratie-chrétienne allemande, de la social-démocratie autrichienne aux déclins religieux et industriels montre que les partis politiques proposant un idéal d'intégration de l'individu à la collectivité peuvent survivre à la disparition des collectivités ouvrières et chrétiennes. Ils se reconvertissent mais continuent d'incarner un idéal d'intégration, désormais dissocié de ces formes historiques transitoires que sont les idéologies socialistes ou religieuses réactionnelles. L'abandon quasi officiel de la doctrine initiale n'entraîne aucune liquéfaction. La CDU allemande peut devenir un grand parti conservateur laïcisé, le Parti communiste italien une vaste machine de gauche, mal définie du point de vue théorique, d'accord pour tout, sauf pour disparaître en tant que force principale de la gauche italienne. L'important n'est plus le fond de l'idéologie mais la forme des machines politiques. La discipline de vote des électeurs persiste au-delà de la disparition des doctrines. En système culturel autoritaire, l'ordre fonctionne à vide, indépendamment de toute justification théorique.

Dans les systèmes culturels libéraux au contraire, la disparition des idéologies produit des effets dévastateurs. Les doctrines socialistes des années 1945-1965 y représentaient des adaptations nécessaires, mais pleines de mauvaise volonté, au monde industriel. En France, en Espagne, aux Pays-Bas, comme au Danemark et en Angleterre, les idéologies socialistes acceptent l'État plus qu'elles ne le vénèrent. Elles en font un instrument, un moyen technique de régulation, non un objet d'amour. Le passage à la société post-industrielle est donc l'occasion d'un règlement de comptes avec les contraintes organisationnelles de la société industrielle, d'une liquidation de toute tendance collectiviste, d'une poussée individualiste et libérale. Les électorats deviennent instables, intenables, et la fluidité devient une constante du jeu politique.

Désintégration des structures familiales et permanence des valeurs fondamentales

L'examen des trajectoires politiques dans les pays à fort noyau catholique aboutit, comme l'analyse des évolutions en système protestant homogène, à l'hypothèse d'une permanence du fond anthropologique, libéral ou autoritaire selon le lieu.

Au Danemark, en Grande-Bretagne, aux Pays-Bas, en France, en Espagne, le trait libéral du système anthropologique dominant, dérivé de la composante libérale des systèmes familiaux nucléaires (absolus ou égalitaires), reste visible dans les mouvements violents du corps électoral entre 1965 et 1990 (modèle Ouest). En Suède, en Allemagne, en Suisse, en Autriche, en Italie, le trait autoritaire du système anthropologique central, dérivé de la composante autoritaire des systèmes familiaux souches et communautaires, se manifeste toujours par une stabilité marquée des comportements électoraux *(modèle Est)*.

Les mutations des structures familiales observables dans les années 1965-1990 interdisent toute interprétation simple de ce phénomène de permanence. On ne peut affirmer que, en 1980 comme en 1900, la discipline ou l'indiscipline, le goût de l'autorité ou de la liberté sont logés dans les structures familiales. Il paraît plus raisonnable de postuler une diffusion des valeurs autoritaires ou libérales dans de multiples unités primaires : noyaux familiaux résiduels, écoles, communautés locales, entreprises... L'inventaire reste à faire. Mais il est certain que la désintégration des structures familiales, phénomène visible de notre temps, ne mène pas immédiatement à une destruction des traditions régionales et nationales, n'amorce aucune convergence des comportements politiques. La destruction des idéologies est au contraire l'occasion d'une très belle réémergence des tempéraments fondamentaux.

CHAPITRE XVII

Les micro-idéologies

La décomposition des idéologies européennes se produit dans une atmosphère de paix civile. Au contraire des crises religieuses et idéologiques des années 1500-1965, elle ne mène nulle part à des affrontements sanglants. Les deux causes fondamentales de la dissolution sont en effet la hausse du niveau culturel des populations et la réalisation terrestre d'une cité acceptable. Et l'on ne voit pas très bien comment la combinaison de tels facteurs pourrait conduire à des conflits majeurs. Réconciliés avec le monde présent, les Européens abandonnent leurs traditionnels rêves de fuite dans un au-delà social ou céleste. C'est bien l'idéologie compensation qui disparaît. Spectaculaires ou imperceptibles, les mutations politiques expriment un apaisement général des passions, supposent la diffusion générale d'une certaine forme d'agnosticisme idéologique. Les mécanismes d'identification partisans s'éteignent. La société n'est plus constituée de sous-ensembles chrétiens, socialistes, nationalistes, irréductiblement hostiles les uns aux autres, aveugles et sourds, enfermés dans leurs croyances. Même dans un pays comme la Grande-Bretagne, où le néo-libéralisme de nuance thatchérienne semble raviver le conflit gauche/droite, les mécanismes d'identification partisans sont, au terme de vingt ans de décomposition des idéologies traditionnelles, fortement atténués. On ne peut plus décrire un Anglais comme d'essence Tory ou Labour. L'électorat conservateur, comme l'électorat travailliste, est plus fragile en 1990 qu'en 1960. Partout, les étiquettes idéologiques cessent de définir l'être profond des individus.

La disparition des clivages apaise le jeu politique. Elle crée cependant chez certains un sentiment nouveau d'anxiété. L'identification à une force idéologique traditionnelle quelconque permettait à chaque individu de développer le sentiment d'une appartenance au groupe et d'éprouver ainsi un puissant sentiment de sécurité. La désintégration des croyances isole les individus et atomise, sur le plan des représentations, les sociétés européennes au moment même où elles atteignent, pour la première fois de leur histoire, un certain degré d'homogénéité matérielle, par la consommation de masse. Dans les nouvelles classes moyennes, qui constituent le centre de gravité de la société post-industrielle, le relâchement des liens idéologiques pose des problèmes réels mais mineurs. Dans les catégories socioprofessionnelles laminées par l'évolution technologique et économique, que ces catégories relèvent du monde industriel comme le prolétariat, ou du monde préindustriel comme les artisans et petits commerçants, la désintégration des idéologies a des effets dramatiques. La disparition de l'encadrement idéologique s'ajoute à la destruction de la classe sociale concrète pour engendrer un véritable sentiment de panique. Les ouvriers, menacés par un chômage qui n'est plus conjoncturel mais définitif, qui ne parviennent plus à croire en l'Église, en l'avenir radieux du communisme, de la social-démocratie ou de l'anarcho-socialisme, ou même en la grandeur de leur nation, vivent la transformation sociale comme un abandon, comme un cataclysme. Malgré leur niveau de vie relativement élevé. Une automobile, un réfrigérateur, une télévision, un téléphone ne compensent pas leur sentiment d'inutilité sociale.

Les flottements et recyclages électoraux ne mènent donc pas tous les électeurs vers des forces tranquilles, post-idéologiques. Dans la plupart des pays européens, l'effondrement ou la reconversion des partis traditionnels permettent l'émergence de micro-idéologies offrant aux individus désorientés, aux groupes sociaux menacés par l'évolution économique, la possibilité d'exprimer leurs angoisses. A côté des grands partis traditionnels, devenus simples gestionnaires d'une cité à la fois idéale et réelle, fleurissent de petits groupes à la doctrine simple, qui ressuscitent la monomanie doctrinale des idéologies anciennes, mais sans jamais retrouver leur taille. Aucune de ces forces, entre 1970 et 1990, ne dépasse jamais 16 % des suffrages exprimés sur le plan national. Deux vagues principales se succèdent. La première lève vers le milieu des années soixante et déferle au milieu des années soixante-dix. Elle comprend le NPD, parti d'extrême droite allemand (maximum en 1969 avec 4,3 % des suffrages), les nationalistes gallois (maximum en 1970 avec 12 % au pays de Galles), les nationalistes flamands (1971, 18,8 % en Flandre), les nationalistes wallons (1971, 21,2 % en Wallonie), le Parti du progrès danois, mouvement anti-impôts frénétique, prêchant l'irresponsabilité fiscale et militaire (1973, 15,9 %), les nationalistes écossais (octobre 1974, 30,4 % des suffrages en Écosse). On doit mentionner le National Front anglais, mouvement d'extrême droite anti-immigrés, qui menace de percer sur le plan électoral en 1974, s'évanouit par la suite, mais préfigure, par la doctrine et l'électorat, les micro-idéologies d'extrême droite qui prolifèrent sur le continent dans les années quatre-vingt. Cette première poussée de fièvre micro-idéologique est à dominante nationaliste. Elle correspond très exactement dans l'espace et le temps aux premiers ébranlements ouvriers et religieux. Les percées les plus marquantes ont lieu au Danemark, en Belgique, en Grande-Bretagne, trois pays dont l'évolution socioprofessionnelle est particulièrement précoce et brutale. L'effondrement des cités rêvées, ouvrières et célestes, y produit une mini-fièvre nationaliste, qui retombe par la suite sans s'éteindre complètement.

Superficiellement, le mécanisme menant de l'ébranlement des idéologies socialistes ou des idéologies religieuses réactionnelles à la montée des nationalismes flamand, wallon, gallois, écossais donne l'impression d'une perpétuation moderne de la vieille mécanique idéologique, d'une continuation de la traditionnelle partie de « trois coins » entre socialisme, nationalisme et religion. D'autant que les nationalismes en question naissent tous en pays de famille souche, forme anthropologique dont l'autoritarisme et l'inégalitarisme combinés mènent pour ainsi dire naturellement à l'ethnocentrisme. Le pays de Galles, l'Écosse, la Flandre belge, la Wallonie sont, à des degrés divers, des pays de famille souche, complète ou incomplète. La taille de ces « pays » fait de ces nationalismes des micro-idéologies par opposition aux macro-idéologies que furent les nationalismes allemand, français ou britannique. Vers 1900, le nationalisme était d'autant plus fort que le pays était plus puissant ; vers 1970, le nationalisme est d'autant plus fort que le pays est plus petit. Le NPD (Nationaldemokratische Partei Deutschlands) atteint péniblement 4,3 % des suffrages ; les nationalistes gallois, flamands, wallons, écossais dépassent respectivement 12, 18, 21 et 30 % dans leurs provinces respectives. En Angleterre proprement dite, le National Front échoue totalement, et c'est le Parti libéral qui recueille les fruits des décompositions travailliste et conservatrice. Il passe de 10,4 % des voix en 1971 à 19,3 % en février 1974. Le facteur taille n'est pas seul à jouer dans le cas de l'Angleterre : la famille nucléaire absolue, traditionnellement vague dans ses attitudes vis-à-vis de l'égalité ou de l'inégalité, est en général un mauvais terrain pour les conceptions nationalistes. Aux Pays-Bas, petit pays où domine aussi la famille nucléaire absolue, la décomposition des croyances religieuses et ouvrières ne mène à aucune fièvre micro-nationaliste. Le parti nouveau, caractéristique de la période, est Démocratie 66 (6,8 % des voix en 1970), qui se propose de faire exploser le système des partis traditionnels mais qu'on hésite à qualifier de micro-idéologie dans la mesure où il représente surtout une réactivation de la tradition libérale de gauche.

Là où elle existe, la fièvre est régionaliste plutôt que nationaliste. Le régionalisme ethnocentrique n'exprime pas une pulsion conquérante mais au contraire une fixation sur l'environnement immédiat, sur la province, sur la ville, dans des régions où le repliement sur la famille souche est une tradition très forte. Le régionalisme ethnocentrique est une parodie de nationalisme, mieux, un antinationalisme qui rêve de fragmenter l'État. L'échec du NPD allemand semble particulièrement significatif. En Allemagne, pays de famille souche, la décomposition des croyances intégratrices religieuses et socialistes ne mène pas, entre 1965 et 1975, à un rêve de grandeur nationale. L'ethnocentrisme allemand persiste mais semble se déplacer vers les régions, vers les Länder, particulièrement là où ils sont la continuation de duchés ou de royaumes traditionnels : le cas de la Bavière est le plus frappant. La Bavière, Land à forte majorité catholique, est particulièrement touchée par la disparition progressive de l'Église. La poussée du NPD y est dans un premier temps un peu plus forte que dans l'ensemble de la République fédérale. En Bavière, l'extrême droite atteint 5,3 % des voix en 1969. Très vite elle disparaît, mais la CSU, variante locale et autonome de la démocratie-chrétienne, entame alors, _malgré le déclin de l'Église,_ un processus de croissance. En 1961, elle recueille 54,9 % des suffrages, en 1976, 60 %. La CSU perd sa substance catholique mais la remplace, et au-delà, par une substance régionaliste. La disparition du catholicisme unifie, en un sens, l'Allemagne fédérale, qui perd sa polarisation religieuse, opposant un espace protestant déchristianisé à un espace catholique pratiquant. Mais l'extinction de l'Église encourage aussi un processus de fragmentation, de repliement sur les Länder. On serait tenté de parler d'un processus d'*helvétisation*, toute accentuation du fédéralisme rapprochant en effet l'Allemagne du modèle suisse et de sa structure cantonale. Une telle évolution, qui affecte la totalité de la nation, n'est pas une micro-mutation. Mais l'amour de la Bavière est bien une micro-idéologie, un régionalisme ethnocentrique qui suppose un affaissement du nationalisme ethnocentrique.

A partir de 1976, l'installation de la crise économique mondiale gèle un temps le développement des micro-idéologies. Aucune argumentation convaincante, aucun sophisme ne peut en effet présenter la montée en puissance de la région comme la réponse adaptée au défi de l'OPEP. Sauf bien sûr en Écosse, où les nationalistes veulent priver l'Angleterre de tout accès direct au pétrole de la mer du Nord. Entre 1976 et 1982, les micro-idéologies, sans disparaître complètement, végètent. A partir de 1983 commence une deuxième période faste, d'expansion et de diversification. Le régionalisme subsiste, mais les micro-idéologies des années 1983-1990 sont avant tout l'écologie et le racisme anti-immigrés. En Allemagne, les Verts percent en 1983 et culminent pour se stabiliser, entre 1987 et 1989, à un peu plus de 8 % des voix. En France, en 1984 le Front national émerge à 11 % des voix, atteint 14,5 % à l'occasion des élections présidentielles de 1988, puis semble se stabiliser aux alentours de 10-11 % des suffrages exprimés. Entre 1985 et 1989, on assiste à une diffusion continentale de l'écologisme et de la xénophobie d'extrême droite, de micro-idéologies que je qualifierai désormais de *vertes* et de *grises*. L'Allemagne lance le vert. La France lance le gris. Les courants écologistes et xénophobes percent dans certains pays dès 1986, 1987 ou 1988. Mais les élections européennes de 1989 sont le grand moment de la généralisation. Le chassé-croisé franco-allemand est alors particulièrement plaisant. La France, où les gris stagnent, s'offre une poussée verte. L'Allemagne, où les verts stagnent, s'offre une poussée grise. Les Verts français recueillent 10,6 % des suffrages, les « républicains » allemands 7,1 %. La Belgique, les Pays-Bas, la Grande-Bretagne font l'expérience de fièvres vertes. En Belgique se confirme de dédoublement du mouvement flamand en une branche fédéraliste classique, la Volksunie, et une branche d'extrême droite, le Vlaamse Blok, dont le but n'est plus seulement de préserver l'âme flamande de la corruption francophone mais de la sauver aussi de l'invasion immigrée. En Suède, les élections générales de 1988 consacrent l'émergence d'un petit mouvement écologiste, dans un pays qui n'appartient pas à la CEE. En Autriche, autre pays extérieur à la communauté, verts et gris sont au rendez-vous en 1986. L'extrême droite xénophobe prend dans ce dernier pays une forme originale, puisqu'elle y est représentée par le parti libéral, le Freiheitliche Partei Österreichs, qui double son score traditionnel. Le FPÖ, héritier du pangermanisme autrichien, qui voit traditionnellement dans l'adhésion de l'Autriche à la CEE la possibilité d'un Anschluss discret, ajoute à sa panoplie la lutte contre les Slovènes, minorité slave insignifiante de Carinthie. Il s'agit en fait de désigner l'ensemble des Yougoslaves, qui constituent en Autriche le groupe immigré le plus important, comme bouc émissaire d'une inquié-

Écologie et xénophobie vers 1989		
	Verts	*Extrême droite*
Suède (1988)	5,5	—
Norvège (1985)	—	3,7
Finlande (1987)	4,0	—
Royaume-Uni	15,0	—
Pays-Bas (1989)	4,0	0,9
Belgique { Flandre	12,2	6,6
Belgique { Wallonie	16,6	—
Autriche (1988)	4,8	9,7
Allemagne	8,4	7,1
France	10,6	11,7
Italie	6,2	5,5

Si aucune date n'est indiquée, le résultat est celui des élections européennes de 1989. Une date renvoie à une élection législative nationale.

tude assez indéfinie déterminée par le déclin de l'Église. Au Danemark, le Parti du progrès, antifiscal à l'origine, recueille le bénéfice de la vague grise. Sa thématique anti-immigrés lui donne une seconde vie, une petite vie. Tombé de 15,9 % des voix en 1973 à 3,6 % en 1984, il remonte à 9 % en 1989. Les performances électorales écologistes et xénophobes présentées par le tableau ci-dessous surestiment l'impact social des micro-idéologies parce qu'elles concernent des suffrages exprimés, souvent obtenus dans le contexte d'une abstention massive. Le pourcentage le moins significatif est celui de la Grande-Bretagne, où les verts recueillent 15 % des suffrages grâce à un taux d'abstention de 64 %.

Les micro-idéologies vertes et grises ont en commun quelques caractéristiques, qui les distinguent des macro-idéologies de la période précédente. Les macro-idéologies socialistes ou nationalistes exprimaient un désir de fuite hors de la réalité : elles définissaient un au-delà social parfait, ou du moins meilleur. Les micro-idéologies ne cherchent pas à rêver ou à créer des sociétés nouvelles. Elles sont conservatrices, s'efforçant de protéger contre la corruption la cité idéale du présent. Les mouvements écologistes veulent empêcher la dégradation de l'environnement par la technologie, nucléaire ou chimique. Les mouvements xénophobes s'inquiètent de la destruction de la société par les immigrés. Verts et gris veulent arrêter l'histoire.

Ce point commun explique le mécanisme de symétrisation du jeu micro-idéologique vers 1989. *Écologisme et racisme anti-immigrés se renforcent mutuellement parce qu'ils se nourrissent d'une même peur de la corruption, que l'agent mythique de la désintégration soit le neutron ou l'étranger.* Ce point commun, fondamental, ne doit pas conduire à un rapprochement exagéré. La symétrie écologie/xénophobie est dans une certaine mesure une illusion d'optique. Les gris sont à l'extrême droite du spectre politique ; les verts ne sont pas, en général, à l'extrême gauche, même lorsque leurs cadres et militants initiaux viennent de groupuscules marxistes comme en Allemagne. Les électeurs écologistes se situent en général au centre gauche. La doctrine écologiste est envisagée avec sympathie par les classes moyennes salariées, et les verts sont le plus souvent considérés par les partis classiques comme des partenaires possibles. L'écologie est une doctrine normale d'accompagnement de la société post-industrielle. Dans ce monde qui liquide l'usine, les verts hurlent avec les loups.

Les forces politiques nées du racisme anti-immigrés ne sont nulle part considérées comme acceptables ou même simplement normales. Les partis xénophobes sont extérieurs aux systèmes culturels dominants. Ils expriment une certaine forme d'aliénation politique et trouvent effectivement leur électorat dans des catégories sociales aliénées, broyées par l'évolution technologique et économique : classe ouvrière, artisans et petits commerçants. Le rejet de l'immigré est, comme l'amour de la nature, une micro-idéologie de l'*âge* post-industriel. Mais il se loge, sociologiquement, dans des secteurs résiduels, industriels ou même préindustriels. La couleur verte accompagne la modernité ; la couleur grise lui résiste. Les immigrés sont en général des ouvriers, des artisans ou des petits commerçants. Leur présence dans les secteurs menacés par l'évolution dramatise le sentiment d'aliénation des travailleurs nationaux dans les secteurs en question.

L'électorat des verts est au contraire économiquement bien intégré, très représentatif en fait des nouvelles classes moyennes salariées. Il souffre seulement du caractère désespérément pragmatique de la gestion politique dans le monde post-industriel. Il est constitué des nostalgiques de la macro-idéologie. L'électorat des gris est déstabilisé non seulement par la disparition des macro-idéologies, mais aussi par une évolution économique spécifique qui est objectivement dramatique. L'écologie est donc un rêve doux, la xénophobie un rêve rageur.

Chrétiens, socialistes, puis verts

L'analyse des électorats verts à travers l'Europe révèle une certaine diversité mais aussi quelques points communs. En France et en Allemagne, les verts apparaissent, en première analyse, comme des déçus du socialisme. Cependant, si l'on remonte d'un cran dans l'histoire de leurs trajectoires politiques, on découvre que les socialistes en question étaient souvent des convertis de fraîche date, des électeurs pris à la droite catholique entre 1965 et 1978. En France, une trajectoire en deux temps semble mener une partie des générations nées après la guerre en milieu catholique au vote socialiste (vers 1975), puis au vote vert en 1989. Il s'agit d'une trajectoire parmi d'autres, mais suffisamment fréquente pour être considérée comme typique. C'est pourquoi la carte du vote écologiste en 1989 ressemble tellement à celle de la croissance socialiste entre 1967 et 1978, et par conséquent à la carte de la pratique religieuse vers 1965. En Allemagne, on observe un phénomène similaire. La cartographie électorale révèle une poussée écologiste particulièrement forte en région socialiste entre 1972 et 1987 ; mais les sondages d'opinion montrent que la progression des verts est maximale chez les catholiques non pratiquants[1]. La relation entre écologie et catholicisme n'est cependant pas absolue puisque l'on trouve des verts nombreux dans certaines régions protestantes. L'examen de la percée verte en Grande-Bretagne renforce curieusement le sentiment qu'une relation cachée associe certains éléments résiduels du tempérament catholique à l'écologie. La Grande-Bretagne est protestante, mais sa tradition religieuse se divise assez nettement en une composante anglicane et une composante non conformiste. L'anglicanisme se rapproche du catholicisme par son acceptation de l'autorité des évêques, d'un certain rôle des prêtres et par son affection pour le rituel. Or les verts britanniques prolifèrent en pays anglican, en Angleterre du Sud. Ce pourrait être un hasard, puisque la sphère anglicane déchristianisée est le terrain privilégié du Parti conservateur et le lieu d'une décomposition accélérée de la minorité locale travailliste. Les ressemblances entre anglicanisme et catholicisme suggèrent pourtant que la relation est peut-être moins accidentelle ou indirecte qu'il n'y paraît. Anglicanisme et catholicisme se distinguent de leurs rivaux non conformistes et protestants par une certaine hostilité à la transformation du monde, par une certaine forme de conservatisme, s'exprimant historiquement par une résistance au progrès culturel, à l'alphabétisation. Ce conservatisme, subsistant à l'état de trace dans les populations des régions concernées, explique peut-être leur affection particulière, quoique très minoritaire, pour le conservatisme écologique.

1. K. von Beyme, *Das politische System der Bundesrepublik Deutschland*, p. 49.

La classe ouvrière et l'extrême droite

Entre 1974, date à laquelle le National Front britannique rate sa percée, et 1989, date à laquelle les « républicains » allemands réussissent la leur, moins brillamment cependant que le Front national français, ce sont bien les classes ouvrières qui donnent sa masse à l'extrême droite européenne. Les artisans et petits commerçants manifestent souvent un tropisme gris encore plus accentué, mais ils ne représentent plus grand-chose dans les populations actives ou électorales et ne pourraient par conséquent permettre des manifestations politiques aussi visibles du racisme anti-immigrés. La décomposition des grandes forces socialistes ou religieuses libère des électorats ouvriers inquiets et désorientés, capables de toutes les errances idéologiques. A travers l'Europe, la carte des banlieues ouvrières en reconversion post-industrielle recoupe assez largement celle du phénomène gris. Dans la Ruhr allemande autant que dans la banlieue parisienne. Le phénomène apparaît vers 1990 universel, mais il n'est pas uniforme. On ne peut considérer comme équivalentes l'inexistence électorale du National Front britannique, la réussite modeste à ce jour des « républicains » allemands et les performances réelles du Front national français, dont la présence a déséquilibré le jeu politique national sur l'ensemble de la période de 1984-1989.

Les différences de taille entre populations immigrées ne permettent pas d'expliquer l'ampleur variable de la réaction politique raciste des diverses sociétés européennes. L'existence de codes de la nationalité très différents en Grande-Bretagne, en France et en Allemagne rend la comparaison des proportions d'immigrés dans la population difficile et peu significative. On trouve, au début des années quatre-vingt, 7,5 % d'étrangers en Allemagne, 6,8 % en France, 3,1 % en Grande-Bretagne. Les chiffres britanniques en particulier donnent une image atténuée du phénomène migratoire dans la mesure où jusqu'en 1962 les immigrants venus du Commonwealth avaient d'office la citoyenneté britannique. Il est raisonnable de considérer l'immigration comme un phénomène d'ampleur comparable en Grande-Bretagne, en France et en Allemagne. Les chiffres se resserrent encore si l'on réduit l'immigration à son noyau problématique non européen – musulman, africain ou antillais. On tombe alors à des chiffres de l'ordre de 3 % en Allemagne, 1,5 % en Grande-Bretagne, 2,5 % en France, à prendre avec les mêmes précautions. Une analyse en termes de groupes religieux et ethniques plutôt que nationaux révèle la présence de 3,9 % d'individus appartenant aux « minorités ethniques » en Grande-Bretagne [1]. Des chiffres aussi faibles, des différences aussi minimes ne peuvent expliquer la variance spectaculaire des résultats de l'extrême droite raciste en 1989, 0 % en Grande-Bretagne, 7,1 % en Allemagne, 11,7 % en France. L'absence de correspondance entre proportion d'immigrés et puissance de l'extrême droite montre assez que l'immigré n'est qu'un prétexte, un objet de fixation de l'anxiété, un bouc émissaire. Le vrai malaise des sociétés européennes ne provient pas de la présence, somme toute assez peu impressionnante, des populations étrangères, fussent-elles de tradition non européenne, mais d'une vitesse de transformation sociale et culturelle très rapide qui déstabilise les populations et crée des sentiments d'angoisse dans certains secteurs menacés. Il n'est pas difficile d'associer le niveau de puissance de l'extrême droite, à un moment donné, et la vitesse de transformation sociale dans la période correspondante. En Grande-Bretagne, la transformation n'inclut aucune composante religieuse. Elle est socio-économique, profonde, mais précoce, et donc, en 1989, déjà ancienne. La société britannique des années quatre-vingt a déjà retrouvé son équilibre. La xénophobie n'est plus un point de fixation nécessaire. En France, par contre, l'entrée dans l'âge post-industriel entraîne simultanément la liquidation de la classe ouvrière et la disparition de l'Église. Le gros du processus est concentré sur les années 1975-1990. La crise est brutale, multiple, concentrée. Elle engendre la réaction la plus violente, l'extrême droite xénophobe la plus tenace d'Europe.

En Allemagne, la xénophobie anti-immigrés produit une micro-idéologie « de taille moyenne », si l'on peut s'exprimer ainsi. Avec 7,1 % des voix, les « républicains » ne font pas telle-

---

1. Pour l'évaluation des diverses populations immigrées, voir la synthèse publiée sous l'égide du Conseil de l'Europe : *Les Populations immigrées et l'évolution démographique dans les États membres du Conseil de l'Europe* (*Études démographiques*, n° 13), Strasbourg, 1984.

ment mieux en 1989 que le NPD en 1969. En effet, entre les deux dates, le taux d'abstention s'élève. En 1969, le NPD réalise donc en fait un score de 3,7 % des inscrits ; en 1989, les « républicains » séduisent 4,3 % des inscrits. L'Allemagne vit (comme la France) une crise du catholicisme, dont les pointes (voir graphique page 448) en 1968 et 1985-1986 définissent bien les deux poussées d'extrême droite, NPD puis « républicaine ». Mais le redéploiement industriel, lent et contrôlé, ne définit pas comme en France une crise génératrice d'une angoisse profonde. En Allemagne, la combinaison d'une crise religieuse sérieuse et d'une rétraction industrielle mesurée produit une micro-idéologie xénophobe d'ampleur moyenne, que la problématique toute nouvelle de l'unité allemande pourrait évidemment démultiplier ou annihiler.

Européens et immigrés

La disparition des macro-idéologies n'implique pas l'extinction des valeurs fondamentales de liberté ou d'autorité, d'égalité ou d'inégalité. Portées à l'origine par les systèmes familiaux, ces couples de valeurs antagonistes continuent de structurer de multiples attitudes sociales, d'organiser le fonctionnement concret des sociétés et non seulement leurs rêves. La disparition du socialisme n'entraîne pas celle des classes sociales, la disparition du nationalisme n'implique pas celle de la nation. Seule la disparition de la cité céleste dissout la communauté des croyants, le groupe chrétien. Les groupes ouvriers et nationaux continuent d'exister en tant qu'entités objectives, définies par le métier ou par la langue.

L'examen des transformations industrielles et politiques des années 1965-1990 a mis en évidence la permanence dans certaines sociétés d'un trait autoritaire capable de freiner la rétraction industrielle, de stabiliser le système des partis et l'amour de l'État, en Allemagne, en Autriche, en Suisse et, pour ce qui concerne le seul domaine politique, en Italie et en Suède. Les mutations des années 1965-1990 révèlent la permanence, dans d'autres sociétés, d'un trait libéral, catalyseur d'évolutions socioprofessionnelles ou politiques particulièrement rapides, en Grande-Bretagne, en France, au Danemark, en Espagne, aux Pays-Bas. Les valeurs d'autorité ou de liberté qui guident la modernité post-industrielle ne sont vraisemblablement plus portées exclusivement par les systèmes familiaux. La famille joue un rôle, mais on ne peut raisonnablement affecter à une institution aussi secouée par les crises démographiques une capacité exagérée de transmission. L'école, le voisinage, l'entreprise servent aussi de relais. On peut postuler une diffusion des valeurs traditionnelles dans l'ensemble du corps social. La cité idéale, enfin réalisée, est structurée par ces valeurs aussi sûrement que la cité rêvée des socialistes, des nationalistes ou des chrétiens.

En conclusion de ce livre, j'ai choisi d'observer le fonctionnement persistant de ces valeurs dans un domaine central, celui de l'immigration. La confrontation à l'étranger, venu du monde extérieur, contraint les diverses sociétés européennes à une autodéfinition. L'Europe, démographiquement déprimée par sa faible fécondité, a besoin d'immigrés. L'installation d'étrangers sur son sol est l'une des conditions de sa survie. Toutes les sociétés européennes devront, dans les années qui viennent, définir pour les immigrants une insertion sociale d'un type ou d'un autre, définir leur statut dans la cité. Les étrangers sont le plus souvent des ouvriers. Leurs niveaux d'alphabétisation et de qualification ne leur permettent en général pas une insertion à un niveau plus élevé de la structure sociale. Aussi, au moment même où disparaissent les idéologies rêvant du prolétariat et de la nation, l'installation de groupes humains nouveaux pose très concrètement quelques questions essentielles concernant la définition de la classe et de la nation. L'histoire ne saurait être plus rusée, malicieuse ou perverse.

La réponse donnée par les diverses sociétés européennes n'est pas uniforme. Elle dépend, une fois de plus, des valeurs traditionnelles de liberté ou d'autorité, d'égalité ou d'inégalité. Les choix des trois grands de l'immigration en Europe – la France, l'Allemagne et la Grande-Bretagne – sont différents et cette divergence rejoue, dans un domaine neuf, ou même futur, l'interminable partie des différences entre cultures européennes. Les immigrés seront-ils libres et égaux ? Seront-ils une catégorie séparée, état d'Ancien Régime ressuscité au cœur de la société post-industrielle ? Seront-ils libres mais différents ? A l'approche de l'an 2000, les sociétés post-industrielles ne semblent pas encore avoir échappé aux contraintes anthropologiques héritées des temps fondateurs.

La France reste en 1990 l'héritière de Rome. Les valeurs de liberté et d'égalité continuent d'y imposer le dogme d'une assimilation nécessaire des populations immigrées, que celles-ci soient d'origine européenne, islamique, africaine ou asiatique, même si les données statistiques ne permettent pas de démontrer la puissance du mécanisme assimilateur. La présence d'un code de la nationalité généreux, qui assure mécaniquement la francisation de 95 % des enfants nés en France de parents étrangers, ne prouve pas en elle-même que les enfants d'immigrés deviennent réellement des citoyens libres et égaux. Il ne suffit pas, pour assimiler, de décréter l'égalité des droits et des devoirs. Il faut aussi que les populations française et immigrée se fondent par le mariage et par la production d'enfants incapables de définir une origine unique et séparée. Le processus est vraisemblablement déjà amorcé, mais la pratique administrative française, qui refuse d'enregistrer les individus selon leur origine religieuse ou ethnique, interdit toute analyse empirique du phénomène de brassage des populations. Cette pratique administrative illustre d'ailleurs à merveille la cohérence des principes fondateurs de la république, individualistes et égalitaires.

C'est paradoxalement l'existence du Front national qui a permis de vérifier empiriquement la persistance en 1988 de la tradition libérale et égalitaire française dans le domaine de l'assimilation. La mise en question du code de la nationalité, exigée par l'extrême droite, acceptée un instant par le gouvernement Chirac, a été refusée par la population. Tel est l'enseignement réel des fièvres électorales de 1988. La montée à 14,5 % du Front national ne doit pas masquer le phénomène essentiel de la période, la réélection, avec 55 % des suffrages, d'un candidat socialiste accusé de vouloir donner le droit de vote aux immigrés. L'alignement temporaire du gouvernement Chirac sur la thématique d'exclusion du Front national n'a eu qu'un résultat concret : la défaite d'une droite qui s'était définie contre la tradition nationale. Reste à savoir si cette tradition peut résister au maintien d'un niveau d'immigration élevé en provenance du tiers monde.

La menace d'extrême droite, effet de la décomposition de la classe ouvrière, du Parti communiste et de l'Église catholique, a donc curieusement réactivé dans un premier temps la conception française traditionnelle de l'égalité des hommes, superficiellement affaiblie par la mode du « respect de la différence » importée du monde anglo-saxon entre 1968 et 1980. Les mouvements du corps électoral français échappent au contrôle des élites culturelles, politiques ou intellectuelles, c'est-à-dire des strates conscientes de la nation. L'égalitarisme est logé dans l'inconscient national. Les électeurs du Front national eux-mêmes sont sans doute, à l'insu des hommes politiques de droite ou de gauche, des universalistes méconnus. Ils exigent moins le rejet à la mer des populations immigrées que leur alignement absolu sur les mœurs et les coutumes françaises majoritaires. L'incapacité des élites politiques à produire un discours assimilateur brutal du type « Les immigrés seront des Français comme les autres, qu'ils le veuillent ou non » a favorisé l'émergence du Front national. Le discours élitiste sur le droit à la différence est générateur d'incohérence et d'anxiété au pays de l'homme universel.

Au pays de l'ordre et de la hiérarchie, en Allemagne, la présence d'immigrés produit des réactions très différentes. Le code de la nationalité n'est ni contesté ni changé. Il assure que 95 % des enfants nés en Allemagne de parents étrangers resteront étrangers. Vers 1989, 70 % des étrangers présents en Allemagne étaient nés dans le pays. Ce système juridique très clair permet d'ailleurs de vérifier que les mariages mixtes sont très rares en Allemagne. L'ensemble de la mécanique, juridique et sociale, aboutit à la constitution sur le sol allemand d'un *ordre étranger,* analogue moderne des ordres d'Ancien Régime, successeur involontaire de l'ordre prolétarien de l'Allemagne wilhelmienne. La non-intégration des Turcs en Allemagne reproduit, sous une forme aggravée, l'intégration négative du prolétariat social-démocrate des années 1880-1914. La différence ethnique et religieuse renouvelle, démultiplie une tradition de séparation du monde ouvrier – car les immigrés sont bien sûr, majoritairement, des ouvriers. Si le code de la nationalité et les mœurs ne changent pas en Allemagne, le pays va retrouver sa structure d'ordre traditionnelle. L'homogénéisation de la société allemande, le mélange des classes, péniblement réalisé pendant la Deuxième Guerre mondiale, n'aurait alors duré que quelques décennies[1]. La représentation des étrangers en tant que corps, au niveau local, institutionnalise le caractère segmentaire et hiérarchisé de la société allemande. Elle confirme que les immigrés n'existent pas en tant qu'individus. L'intégration négative s'étend au domaine religieux : vers la fin des années quatre-vingt, l'annuaire statistique allemand, habitué à distinguer

---

1. Sur l'homogénéisation de la société allemande par le nazisme et la guerre, voir la synthèse de David Schoenbaum, *La Révolution brune.*

catholiques et protestants, introduit une nouvelle catégorie, les musulmans.

L'Allemagne et la France, respectivement accrochées à leurs valeurs autoritaires et inégalitaires, libérales et égalitaires, continuent de se comporter comme deux pôles antagonistes en Europe.

La Grande-Bretagne continue quant à elle une navigation à vue, guidée par des concepts intermédiaires. Son individualisme non égalitaire produit une perception spécifique de l'immigré. Très ouverte à l'origine, la Grande-Bretagne se ferme par étapes à l'immigration en provenance du New Commonwealth, c'est-à-dire des anciennes colonies non blanches. Cette fermeture n'empêche pas la stabilisation sur le territoire britannique d'une importante population de nationalité britannique, mais d'origine africaine, antillaise, pakistanaise ou indienne. Comme en France, la nationalité ne coïncide déjà plus avec l'origine ethnique. D'autant que la Grande-Bretagne pratique volontiers, au contraire de l'Allemagne, la naturalisation. Mais il semble que l'on assiste, en Grande-Bretagne plus qu'en France, à la constitution de ghettos ethniques, à un repliement sur elles-mêmes des communautés d'origine antillaise, musulmane ou indienne. La mécanique du respect de la différence produit inévitablement ces effets. Les mœurs sont objectivement différentes : l'assimilation exige la destruction de ces différences, un effort d'irrespect. A ce stade de l'analyse, la pratique britannique semble retrouver une séparation de type allemand, parce qu'elle ignore aussi le principe d'égalité. Mais la culture anglaise est fondamentalement individualiste et ne peut s'empêcher de percevoir l'individu au-delà de la race, de l'ethnie, de la religion. Elle autorise des adaptations, des réussites individuelles inconcevables en système autoritaire. L'individualisme pur permet une fréquence des mariages mixtes qui n'est pas négligeable[1]. Le libéralisme

1. Pour quelques chiffres, voir D. Coleman, « Ethnic intermarriage in Britain », *Population Trends*, 40, p. 4-9. Les mariages entre Antillais et « Blancs » sont plus fréquents qu'entre Pakistanais et « Blancs ». Des études comparables n'existent pas pour la France. A vrai dire, la seule existence en Grande-Bretagne d'enquêtes classant les individus selon l'ethnie évoque la persistance d'un modèle différenciateur, même si le résultat de l'enquête démontre que la Grande-Bretagne est très loin du modèle séparateur allemand.

anglais tolère aussi une large autonomie des immigrés. Ensemble, ces caractéristiques encouragent une auto-organisation des communautés ethniques et leur participation en tant que groupe au jeu des institutions britanniques. Les populations musulmanes ou de couleur élisent des représentants dans les conseils municipaux et même au Parlement. La présence en Grande-Bretagne de députés ou de conseillers municipaux issus des « minorités ethniques » (phénomène qui n'a pas son équivalent sur la même échelle en France) révèle simultanément l'ouverture du système politique britannique et la fermeture du système social. Elle suggère l'émergence d'un modèle libéral-différenciateur, qui fonctionne déjà à plein régime aux États-Unis.

L'apparition en Grande-Bretagne d'une représentation spécifique des minorités ethniques rappelle étrangement le développement, au début du siècle, d'une représentation spécifique du monde ouvrier. Les premiers élus du Labour à la Chambre des communes étaient souvent des ouvriers, images fidèles de leurs communautés. Les communautés closes de mineurs fournissaient au travaillisme des points d'appui particulièrement solides. Peut-être la classe ouvrière anglaise était-elle devenue, au terme de près de deux siècles d'industrialisation, un groupe ethnique séparé ? Les communautés antillaise ou pakistanaise semblent sur le point de répéter cette histoire électorale, à la fois différenciatrice et individualiste.

L'un des lieux communs de la littérature sociologique actuelle est de spéculer sur les capacités des divers groupes immigrés à s'intégrer[1]. On souligne que, jusqu'à une certaine date, les immigrés furent d'origine européenne, chrétienne, et que l'existence d'un fond culturel commun aux populations autochtones et immigrées facilitait le processus d'intégration. On souligne aussi que l'immigration en provenance du tiers monde pose des problèmes spécifiques, parce qu'elle met en contact des peuples relevant de traditions familiales ou religieuses différentes, opposées parfois. A travers toute l'Europe, l'attention se focalise sur

---

1. Exercice rituel auquel j'ai sacrifié dans *La Nouvelle France*, où l'on trouvera (p. 233) une description du système familial arabe, de type endogame. Les études sur la spécificité islamique exagèrent en général le poids du facteur religieux et sous-estiment l'importance de l'endogamie comme facteur de résistance à l'assimilation.

les groupes immigrés musulmans, bien représentés en Grande-Bretagne, en France et en Allemagne. Les populations noires de Grande-Bretagne et de France inquiètent moins parce que leur culture est au départ partiellement européenne. Les Antillais parlent anglais ou français. Les habitudes familiales des populations africaines ou antillaises accordent par ailleurs une très large autonomie aux femmes et s'adaptent fort bien aux mœurs françaises ou britanniques. La culture islamique, en revanche, semble aux Européens antiféministe par essence : elle polarise toutes les anxiétés, tous les rejets. On ne peut nier une certaine résistance à l'assimilation des populations musulmanes, la différence familiale étant renforcée par l'existence d'un système religieux ancien et cohérent. Mais on doit aussi constater que partout, dans l'Europe des années 1985-1990, les femmes d'origine musulmane alignent progressivement leur fécondité sur celles des populations européennes environnantes. Les femmes algériennes ont de moins en moins d'enfants en France. La natalité turque baisse en Allemagne. Les femmes d'origine pakistanaise évoluent en Grande-Bretagne vers des habitudes familiales et sexuelles de type européen. Aucun indicateur ne révèle plus clairement que la résistance à l'assimilation des populations musulmanes est très largement un mythe. La vérité toute simple est qu'aucune culture issue du tiers monde ne peut résister plus d'une génération au laminage de la culture post-industrielle européenne, envahissante et dominatrice. La résistance ne peut être qu'un baroud d'honneur. La religion musulmane elle-même est plus que menacée. Elle aurait peut-être pu survivre dans un monde chrétien croyant et persécuteur. Dans l'Europe uniformément déchristianisée, agnostique, des années 1990-2000, les chances de survie de l'islam sont à peu près nulles. A l'approche de l'an 2000, Turcs, Arabes et Pakistanais semblent parfaitement aptes à l'assimilation. Le problème réel, là où il existe, ne se situe pas du côté des populations immigrées mais du côté des populations d'accueil, dont certaines semblent par tradition capables d'assimiler, tandis que d'autres, en vertu de traditions contraires, s'apprêtent à séparer. Les réactions britanniques, françaises, allemandes à l'assimilation musulmane sont différentes, comme le furent un ou deux siècles plus tôt les réactions à l'assimilation des juifs – exigée par la France, acceptée par la Grande-Bretagne, refusée par l'Allemagne. Les juifs n'incarnent plus en Europe l'idée de différence. A l'échelle d'une planète unifiée par l'accélération des communications et des échanges, la judéité n'apparaît plus guère que comme une composante parmi d'autres de la tradition judéo-chrétienne. A l'approche de l'an 2000, c'est l'islam qui incarne dans l'inconscient collectif des diverses nations d'Europe l'idée de différence. Ironiquement, la différence musulmane, dans une Europe qui cherche son unité, est sur le point de révéler la persistance de différences fondamentales entre cultures européennes. Si l'enfant de l'Algérien devient français, si l'enfant du Turc reste un Turc vivant en Allemagne, si l'enfant du Pakistanais devient un type particulier de citoyen britannique, qui donc, en l'an 2000, sera européen ? La présence d'immigrés réactive en Europe le conflit entre conceptions française, allemande et britannique de la nationalité. Pour un continent qui cherche à définir une citoyenneté commune, le problème est capital. De la capacité des peuples européens à surmonter ces différences millénaires, anthropologiques plutôt que politiques, dépend la forme de l'Europe, peut-être même son existence réelle.

L'Europe sera-t-elle universaliste ? Respectueuse de la différence ? Ethnocentrique ? Les Européens ne pourront pas se définir sans se mettre d'accord sur la définition de l'Autre.

Bibliographie

80 – Monographies locales

Les numéros renvoient aux titres 1 à 93 de la bibliographie ci-contre.

1. Systèmes familiaux : monographies locales

Suède

1. Gaunt, D., « Family planning and the pre-industrial society. Some Swedish evidence », in Ågren, K., et coll., *Aristocrats, Farmers and Proletarians. Essays in Swedish Demographic History,* Uppsala, Studia historica Upsalensia, 1973.
2. Todd, E., *Seven Peasant Communities in Pre-Industrial Europe. A Comparative Study of French, Italian and Swedish Rural Parishes,* thèse dactylographiée, Cambridge, 1976.

Norvège

3. Barnes, J.A., « Land rights and kinship in two Bremnes hamlets », *The Journal of the Royal Anthropological Institute*, 1957, p. 31-56.
4. Sogner, S., *Folkevekst og Flytting. En historisk-demografisk studie i 1700-arenes Øst-Norge,* Oslo, Universitetsforlaget, 1979.
4 bis. Gjerde, J., « Patterns of migration to and demographic adaptation within rural ethnic American communities », *Annales de démographie historique,* 1988, p. 277-297.

Danemark
5. Elklit, J., « Household structure in Denmark, 1769-1890 », in Åkerman, S., et coll., *Chance and Change. Social and Economic Studies in Historical Demography in the Baltic Area,* Odense University Press, 1978.

Angleterre et pays de Galles
6. Anderson, M., « Household structure and the industrial revolution ; mid nine teenth century Preston in comparative perspective », in Laslett, P., et coll., *Household and Family in Past Time,* Cambridge University Press, 1972, p. 215-235.
7. Emmett, I., *A North Wales Village,* Londres, Routledge and Kegan Paul, 1964.
8. Laslett, P., « The stem-family hypothesis and its privileged position », p. 89-112, in Wachter, K.W., Hammel, E.A., et Laslett, P., *Statistical Studies of Historical Social Structure,* New York, Academic Press, 1978.
9. Macfarlane, A., « The myth of the peasantry ; family and economy in a northern parish », in Smith, R.M., et coll., *Land, Kinship and Life-Cycle,* Cambridge University Press, 1984, p. 333-349.
10. Nalson, J.S., *Mobility of Farm Families. A Study of Occupational and Residential Mobility in an Upland Area of England,* Manchester University Press, 1968 (non localisé au niveau du comté, Angleterre du Nord-Ouest).
11. Rees, A.D., *Life in a Welsh Countryside,* Cardiff, University of Wales Press, 1951.
12. Spufford, M., « Peasant inheritance customs and land distribution in Cambridgeshire from the sixteenth to the eighteenth century », in Goody, J., Thirsk, J., Thompson, E.P., et coll., *Family and Inheritance,* Cambridge University Press, 1976, p. 156-176.
13. Williams, W.M, *The Sociology of an English Village : Gosforth,* Londres, Routledge and Kegan Paul, 1969.
14. Williams, W.M., « The social study of family farming », in Mills, D.R., et coll., *English Rural Communities,* Londres, Macmillan, 1973, p. 116-133.
15. Wrightson, K., et Levine, D., *Poverty and Piety in an English Village. Terling 1525-1700,* New York, Academic Press, 1979.

Irlande
16. Arensberg, C.M., et Kimball, S.T., *Family and Community in Ireland,* Harvard University Press, 1968 (2ᵉ éd.).

17. Cresswell, R., *Une communauté rurale de l'Irlande,* Paris, Travaux et mémoires de l'Institut d'ethnologie, n° 74, 1969.
18. Fitzpatrick, D., « Irish farming before the first world-war », *Comparative Studies in Society and History,* vol. 25, n° 2, avril 1983, p. 339-374 (non localisé au niveau du comté).
19. O'Neill, K., *Family and Farm in Pre-Famine Ireland. The Parish of Killashandra,* Madison, The University of Wisconsin Press, 1984.

Pays-Bas
20. Van der Woude, A.M., « Variations in the size and structure of the household in the United Provinces of the Netherlands in the seventeenth and eighteenth centuries », in Laslett, P., et coll., *Household and Family in Past Time,* Cambridge University Press, 1972, p. 299-318.

Belgique
21. Danhieux, L., « The evolving household : the case of Lampernisse, West Flanders », in Wall, R., et coll., *Family Forms in Historic Europe,* Cambridge University Press, 1983, p. 409-420.
22. Gutman, M.P., et Leboutte, R., « Rethinking proto-industrialization and the family », *Journal of Interdisciplinary History,* vol. 14, n° 3, Winter 1984, p. 587-607.
23. Leboutte, R., « L'apport des registres de population à la connaissance de la dynamique des ménages en Belgique au XIXe siècle », dactylographié, texte présenté à « Strutture e rapporti familiari in epoca moderna », Trieste, sept. 1983.
24. Van de Walle, E., « Household dynamics in a Belgian village », *Journal of Family History,* n° 1, 1976, p. 80-94.
25. Wall, R., « Does owning real property influence the form of the household ? An exemple from rural West Flanders », in Wall, R., et coll., *Family Forms in Historic Europe,* Cambridge University Press, 1983, p. 379-407.

Allemagne
26. Berkner, L.K., « Inheritance, land-tenure and peasant family structure : a German regional comparison », in Goody, J., et coll., *Family and Inheritance,* Cambridge University Press, 1976.
27. Golde, G., *Catholics and Protestants. Agricultural Modernization in Two German Villages,* New York, Academic Press, 1974.

28. Le Play, F., « Mineur des corporations de mines d'argent et de plomb du haut Hartz (Hanovre) », *Les Ouvriers européens,* Tours, Mame, 1879, t. 3, chap. 3, p. 99-152.
29. Le Play, F., « Armurier de la fabrique demi-rurale collective de Solingen (Westphalie) », *Les Ouvriers européens,* t. 3, chap. 4, p. 153-203.
30. Le Play, F., « Fondeur au bois du Hundsrucke (province rhénane) », *Les Ouvriers européens,* t. 4, chap. 2, p. 68-407.

Autriche
31. Berkner, L.K., « The stem family and the developmental cycle of the peasant household : an eighteenth-century Austrian example », *American Historical Review,* vol. 77, n° 2, avril 1972, p. 398-418.
32. Khera, S., « Illegitimacy and mode of land inheritance among Austrian peasants », *Ethnology,* oct. 1981, vol. 20, n° 4, p. 307-323.
33. Schmidtbauer, P., « The changing household : Austrian household structure from the seventeenth to the early twentieth century », in Wall, R., et coll., *Family Forms in Historic Europe,* Cambridge University Press, 1983, p. 347-378.

Suisse
34. Friedl, J., *Kippel. A Changing Village in the Alps,* New York, Holt, Rinehart and Winston, 1974.
35. Le Play, F., « Horloger de la fabrique collective de Genève », *Les Ouvriers européens,* Tours, Mame, 1879, t. 6, chap. 2, p. 34-83.
36. McC. Netting, R., *Balancing on an Alp. Ecological Change and Continuity in a Swiss Mountain Community,* Cambridge University Press, 1981.

France
37. Audibert, A., *Le Matriarcat breton,* Paris, PUF, 1984.
38. Chiffre, J., « Le hameau familial dans la France du Centre-Est : permanences et mutations dans l'espace rural des communautés familiales », *Revue géographique de l'Est,* n° 3-4, juill.-déc. 1983, p. 331-345.
39. Biraben, J.N., « A southern French village : the inhabitants of Montplaisant in 1644 », in Laslett, P., et coll., *Household and Family in Past Time,* Cambridge University Press, 1972, p. 237-254.
40. Blayo, Y., « Size and structure of households in a northern

French village between 1836 and 1861 », in Laslett, P., et coll., *Household and Family in Past Time*, p. 255-265.

41. Claverie, E., et Lamaison, P., *L'Impossible mariage. Violence et parenté en Gévaudan, XVIIe, XVIIIe et XIXe siècle*, Paris, Hachette, 1982.

42. Collomp, A., *La Maison du père. Famille et village en Haute-Provence aux XVIIe et XVIIIe siècles*, Paris, PUF, 1983.

43. Dion-Salitot, M., et Dion, M., *La Crise d'une société villageoise*, Paris, Anthropos, 1972.

44. Dupâquier, J., et Jadin, L., « Structure of household and family in Corsica, 1769-1771 », in Laslett, P., et coll., *Household and Family in Past Time*, Cambridge University Press, 1972, p. 283-227.

45. Dussourd, H., *Au même pot et au même feu. Étude sur les communautés familiales du Centre de la France*, Moulins, Pottier et Cie, 1963.

46. Dussourd, H., *Les Communautés familiales agricoles du Centre de la France*, Paris, Maisonneuve et Larose, 1978 (même localisation que monographie 45).

47. Fine-Souriac, A., « La famille-souche pyrénéenne au XIXe siècle : quelques réflexions de méthode », *Annales ESC*, 1977, p. 478-487.

48. Goursaud, A., *La Société rurale traditionnelle en Limousin*, Paris, Maisonneuve et Larose, 1976.

49. Lenclud, G., « L'institution successorale comme organisation et comme représentation. La transmission du patrimoine foncier dans une communauté traditionnelle de la montagne corse, fin du XIXe siècle, début du XXe », *Ethnologie française*, vol. 15, n° 1, 1985, p. 35-44.

50. Le Play, F., « Ferblantier-couvreur d'Aix-les-Bains (Savoie) », *Les Ouvriers européens*, Tours, Mame, 1879, t. 4, chap. 4, p. 183-246.

51. Le Play, F., « Bordier dit pen-ty de la Basse-Bretagne », *Les Ouvriers européens*, t. 4, chap. 7, p. 336-368.

52. Le Play, F., « Paysan savonnier de la Basse-Provence », *Les Ouvriers européens*, t. 4, chap. 8, p. 390-444.

53. Le Play, F., « Paysans à famille-souche du Lavedan (Béarn) », *Les Ouvriers européens*, t. 4, chap. 9, p. 445-510.

54. Le Play, F., « Mineur des filons argentifères de Pontgibaud (Auvergne) », *Les Ouvriers européens*, t. 5, chap. 4, p. 150-191.

55. Le Play, F., « Paysan basque du Labourd (France) », *Les Ouvriers européens*, t. 5, chap. 5, p. 192-258.

56. Le Play, F., « Maneuvre-agriculteur du Morvan (Nivernais) », *Les Ouvriers européens,* t. 5, chap. 6, p. 259-322.
57. Le Play, F., « Bordier de la Champagne pouilleuse », *Les Ouvriers européens,* t. 5, chap. 7, p. 323-371.
58. Le Play, F., « Bordier-émigrant du Laonnais », *Les Ouvriers européens,* t. 6, chap. 3, p. 84-122.
59. Le Play, F., « Bordier-vigneron de l'Aunis (France) », *Les Ouvriers européens,* t. 6, chap. 4, p. 143-192.
60. Peyronnet, J.-C., « Famille élargie ou famille nucléaire ? L'exemple du Limousin au début du XIXe siècle », *Revue d'histoire moderne et contemporaine,* vol. 22, 1975, p. 568-582.
61. Rambaud, P., *Un village de montagne : Albiez-le-Vieux en Maurienne,* Paris, Librairie de la Nouvelle Faculté, 1981 (2e éd.).
62. Ravis-Giordani, G., « Des cousins à la mode de Corse », *G. Magazine,* nº 33, nov. 1985, p. 31-38.
63. Shaffer, J.W., *Family and Farm. Agrarian Change and Household Organisation in the Loire Valley, 1500-1900,* State University of New York Press, 1982.

Pour l'Artois et la Bretagne, voir aussi monographie nº 2.

Italie
64. Angeli, A., « Strutture familiari nella pianura e nella montagna bolognesi a meta' del XIX secolo. Confronti territoriali », *Statistica,* nº 4, oct.-déc. 1983.
65. Banfield, E.C., *The Moral Basis of a Backward Society,* New York, The Free Press, 1958.
66. Caiati, V., « The peasant household under Tuscan mezzadria : a socio economic analysis of some Sienese mezzadri households, 1591-1640 », *Journal of Family History,* vol. 9, nº 2, Summer 1984, p. 111-126.
67. Cole, J.W., et Wolf, E.R., *The Hidden Frontier. Ecology and Ethnicity in an Alpine Valley,* New York, Academic Press, 1974.
68. Douglass, W.A., « The south Italian family : a critique », *Journal of Family History,* vol. 5, nº 4, Winter 1980, p. 338-359.
69. Evans, R.H., *Life and Politics in a Venetian Community,* Notre Dame, University of Notre Dame Press, 1976.
70. Ferraroti, F., Ucelli,E., et Giorgi-Rossi, G., *La piccola città,* Milan, Edizioni di Comunità, 1959.
71. Kertzer, D.I., *Family Life in Central Italy, 1880-1910. Share-*

Cropping, Wage Labor and Coresidence, New Brunswick (New Jersey), Rutgers University Press, 1984.

72. Le Play, F., « Métayer de la Toscane », *Les Ouvriers européens,* Tours, Mame, 1879, t. 4, chap. 3, p. 121-182. (Je mentionne cette monographie pour mémoire, parce qu'elle contient l'une des rares erreurs de Le Play, qui attribue aux métayers toscans un système familial de type souche.)

73. Maraspini, A.L., *The Study of an Italian Village,* Paris-La Haye, Mouton, 1968.

74. Morassi, L., « Strutture familiari in un comune dell'Italia settentrionale alla fine del secolo XIX », *Genus,* vol. 35, n° 1-2, 1979, p. 197-217.

75. Silverman, S., *Three Bells of Civilization. The Life of an Italian Hill Town,* New York, Columbia University Press, 1975.
Pour la Toscane, voir aussi monographie n° 2.

Espagne

76. Behar, R., *Santa Maria del Monte. The Presence of the Past in a Spanish Village,* Princeton University Press, 1986.

77. Brandes, S.H., « La Solteria, or why people remain single in rural Spain », *Journal of Anthropological Research,* vol. 32, 1976, p. 205-233 (non localisé au niveau provincial, sud-ouest de la Castille).

78. Freeman, S.T., *Neighbors. The Social Contract in Castilian Hamlet,* University of Chicago Press, 1970 (non localisé au niveau provincial).

79. Gilmore, D.D., *The People of the Plain. Class and Community in Lower Andalusia,* New York, Columbia University Press, 1980.

80. Haritschelhar, J., et coll., *Être basque,* Toulouse, Privat, 1983.

81. Heran, F., *Tierra y parentesco en el campo sevillano : la revolucion agricola del siglo XIX,* Madrid, Ministerio de Agricultura, 1980.

82. Iszaevich, A., « Corporate household and ecocentric kinship group in Catalonia », *Ethnology,* vol. 20, n° 4, oct. 1981, p. 277-290.

83. Le Play, F., « Métayer de la Vieille-Castille », *Les Ouvriers européens,* Tours, Mame, 1879, t. 4, chap. 5, p. 247-290.

84. Le Play, F., « Pêcheur côtier de Saint-Sébastien (Pays basque) », *Les Ouvriers européens,* t. 4, chap. 6, p. 291-335.

85. Lison-Tolosana, C., *Belmonte de los Caballeros. A Sociological Study of a Spanish Town,* Oxford University Press, 1966.

86. Mira, J.F., « Mariage et famille dans une communauté rurale du

pays de Valence (Espagne) », *Études rurales,* avril-juin 1971, p. 104-119.
87. Perez-Diaz, V.M., « Process of change in rural Castilian communities », in Aceves, J B., Douglass, W.A., et coll., *The Changing Faces of Rural Spain,* New York-Londres, Wiley and Sons, 1976.
88. Perez-Garcia, J.M., *Un modelo de sociedad rural de Antiguo Regimen en la Galicia costera : la peninsula del Salnès,* Universidad de Santiago de Compostela, 1979.
89. Pitt-Rivers, J.A., *The People of the Sierras,* Londres, Weidenfeld and Nicolson, 1954 (non localisé au niveau provincial, Andalousie).

Portugal
90. Cascâo, R., « Demografia e sociedade a Figueira da Foz na primeira metade do seculo XIX », *Revista de historia economica et social,* n° 15, janv.-juin 1985, p. 83-122.
91. Cutileiro, J., *A Portuguese Rural Society,* Oxford University Press, 1971.
92. Da C. Medeiros, F., *Groupes domestiques et habitat rural dans le Nord du Portugal. La contribution des Le Playsiens (1908-1934),* contribution au colloque « Les campagnes portugaises de 1870 à 1930 : image et réalité », Aix-en-Provence, déc. 1982.
93. Nazareth, J.M., et De Souza, F., *A Demografia Portuguesa em Finais do Antigo Regime. Aspectos sociodemograficos de Coruche,* Lisbonne, Libraria sà da Costa Editoria, 1983.

2. Systèmes familiaux : données nationales ou générales

Andorka, R., et Farago, T., « Pre-industrial household structure in Hungary », in Wall, R., et coll., *Family Forms in Historic Europe,* Cambridge University Press, 1983, p. 281-307.
Atlas de folklore suisse (Atlas der Schweizerischen Volkskunde), Schweizerischen Gesellschaft für Volkskunde, 1937-1942.
Augustins, G., « Esquisse d'une comparaison des systèmes de perpétuation des groupes domestiques dans les sociétés paysannes européennes », *Archives européennes de sociologie,* vol. 23, 1982, p. 39-69.

Benoit, F., *La Provence et le Comtat venaissin,* Avignon, Aubanel, 1975.

Brandt, A. de, *Droit et coutumes des populations rurales de la France en matière successorale,* Paris, 1901.

Brooke, M.Z., *Le Play, Engineer and Social Scientist,* Londres, Longman, 1970.

Descamps, P., *Le Portugal. La Vie sociale actuelle,* Paris, 1935.

Duby, G., *Le Chevalier, la femme et le prêtre,* Paris, Hachette, 1981.

Ennew, J., *The Western Isles Today,* Cambridge University Press, 1980.

Fel, E., et Hofer, T., *Proper Peasants,* Chicago, Aldine, 1969.

Gaudemet, J., *Le Droit privé romain,* Paris, Armand Colin, 1974.

Goody, J., *The Development of the Family and Marriage in Europe,* Cambridge University Press, 1983.

Goody, J., Thirsk, J., et Thompson, E.P., et coll., *Family and Inheritance in Rural Western Europe,* Cambridge University Press, 1976.

Herlihy, D., et Klapisch-Zuber, C., *Les Toscans et leur famille. Une étude du Catasto florentin de 1427,* Paris, Presses de la Fondation nationale des sciences politiques, 1978.

Houlbrooke, R.A., *The English Family, 1450-1700,* Londres, Longman, 1984.

Johansen, H.C., « The position of the old in the rural household in a traditional society », *Scandinavian Economic History Review,* vol. 24, 1976, p. 129-142.

Laslett, P., et coll., *Household and Family in Past Time,* Cambridge University Press, 1972.

Laslett, P., « Mean household size in England since the sixteenth century », in Laslett, P., et coll., *Household and Family in Past Time,* p. 125-158.

– *Family Life and Illicit Love in Earlier Generations,* Cambridge University Press, 1977.

Le Bras, H., *L'Enfant et la famille dans les pays de l'OCDE,* Paris, OCDE, 1979.

Le Bras, H., et Todd, E., *L'Invention de la France,* Paris, Hachette, coll. « Pluriel », 1981.

– « Mountains, rivers and the family : comments on a map from the 1975 French census », in Bonfield, L., Smith, R., et Wrightson, K., *The World We Have Gained,* Oxford, Basil Blackwell, 1986, p. 379-387.

Lefébure, E., *Le Droit successoral paysan en Allemagne,* Paris, 1902.

Le Play, F., *Les Ouvriers européens,* Tours, Mame, 1879, 6 vol.

Lison-Tolosana, C., « Sobre àreas culturales en España », in Fraga-Iribarne, M., et coll., *La España de los años 70,* t. 1 : *La sociedad,* Madrid, Editorial Mùneda y Crédito, 1972, p. 319-375.

Löfgren, O., « Family and household among Scandinavian peasants : an exploratory essay », *Ethnologia Scandinavica,* 1974, p. 17-52.

Macfarlane, A., *The Family Life of Ralph Josselin. A Seventeenth Century Clergyman,* Cambridge University Press, 1970.

– *The Origins of English Individualism,* Oxford, Basil Blackwell, 1978.

Mattila, H.E.S., *Les Successions agricoles et la structure de la société. Une étude en droit comparé,* Helsinki, Juridica, 1979.

Mériot, C., *Les Lapons et leur société,* Toulouse, Privat, 1980.

Miaskowski, A. von, *Das Erbrecht und die Grundeigentumsverteilung in Deutschen Reiche,* Leipzig, 1882.

Mogey, J., et coll., *Family and Marriage,* Leyde, E.J. Brill, 1966.

Pehrson, R.N., « Bilateral kin groupings », in Goody, J., et coll., *Kinship,* Londres, Penguin Books, 1971, p. 290-295.

Rogers, J., Norman, H., et coll., *The Nordic Family. Perspectives on Family Research,* Uppsala University, Department of History, 1985.

Sabean, D., « Aspects of kinship behaviour in rural Western Europe before 1800 », in Goody, J., et coll., *Family and Inheritance in Rural Western Europe,* Cambridge University Press, 1978, p. 96-111.

Smith, R.M., et coll., *Land, Kinship and Life-Cycle,* Cambridge University Press, 1984.

Smith, T.B., *Scotland. The British Commonwealth. The Development of its Laws and Constitutions,* Londres, Stevens and Sons, 1962.

Sundt, E., *On Marriage in Norway,* translated and introduced by M. Drake, Cambridge University Press, 1980.

Thirsk, J., « The European debate on customs of inheritance, 1500-1700 », in Goody, J., Thirsk, J., et Thompson, E.P., *Family and Inheritance. Rural Society in Western Europe, 1200-1800,* Cambridge University Press, 1976, p. 177-191.

Thomas, Y., « A Rome, pères citoyens et cité des pères », in Burguière, A., Klapisch-Zuber, C., et coll., *Histoire de la famille,* Paris, Armand Colin, 1986, t. 1, p. 195-229.

Todd, E., « Mobilité géographique et cycle de vie en Artois et en Toscane au XVIIIe siècle », *Annales ESC,* vol. 30, 1975, p. 726-744.

– *La Troisième planète. Structures familiales et systèmes idéologiques,* Paris, Éd. du Seuil, 1983.
– *L'Enfance du monde,* Paris, Éd. du Seuil, 1984.
– *La Nouvelle France,* Paris, Éd. du Seuil, 1988.
Villers, R., *Rome et le droit privé,* Paris, Albin Michel, 1977.
Wachter, K., Hammel, E.A., et Laslett, P., *Statistical Studies of Historical Social Structure,* New York, Academic Press, 1978.
Wall, R., et coll., *Family Forms in Historic Europe,* Cambridge University Press, 1983.
Wall, R., « Regional and temporal variations in the structure of the British household since 1851 », in Barker, T., et Drake, M., *Population and Society in Britain, 1850-1980,* Londres, Batsford, 1982.
Willems, E., « On Portuguese family structure », in Mogey, J., et coll., *Family and Marriage,* Leyde, E.J. Brill, 1966, p. 65-79.
Willmott, P., et Young, M., *Family and Kinship in East London,* Londres, Penguin Books, 1957.
Yver, J., *Égalité entre héritiers et exclusion des enfants dotés. Essai de géographie coutumière,* Paris, Sirey, 1966.

3. Systèmes agraires

Annaert, J., « Répartition géographique des modes de faire-valoir en Belgique », *Études rurales,* juill.-sept. 1961, p. 60-98.
Barberis, C., *Sociologia rurale,* Bologne, Edizione agricole, 1965.
Bouhier, A., « Les phénomènes récents de dégradation des formes d'organisation agraire en openfield dans l'extrême sud galicien », *Revue géographique de l'Est,* n° 3-4, juill.-déc. 1988, p. 277-290.
Cabouret, M., « Traits permanents et tendances récentes de l'agriculture finlandaise », *Annales de géographie,* janv.-févr. 1982, p. 87-118.
– *Les Régions de l'Europe du Nord,* Paris, SEDES, 1983.
– « Les paysages agraires de l'Europe du Nord », in Bonnamour, J., et coll., *Paysages agraires et sociétés,* Paris, SEDES, 1984, p. 253-292.
Chaline, C., *Le Royaume-Uni et la république d'Irlande,* Paris, PUF, 1966.
Chambers, J.D., et Mingay, G.E., *The Agricultural Revolution, 1750-1880,* Londres, Batsford, 1966.

Chevallaz, G.A., *Aspects de l'agriculture vaudoise à la fin de l'Ancien Régime,* Lausanne, Librairie de l'Université, 1949.

Chombart de Lauwe, J., *Pour une agriculture organisée : Danemark et Bretagne,* Paris, PUF, 1949.

Connel, K.H., *Irish Peasant Society. Four Historical Essays,* Oxford University Press, 1968.

Coppock, J.T., *An Agricultural Geography of Great Britain,* Londres, Bell, 1971.

Cullen, L.M., Furet, F., et coll., *Irlande et France. Pour une histoire rurale comparée,* Paris, EHESS, 1981.

Dickinson, R.E., *Germany. A General and Regional Geography,* Londres, Methuen, 1953.

Duby, G., *L'Économie rurale et la vie des campagnes dans l'Occident médiéval,* Paris, Aubier, 1962.

Duplex, J., et coll., *Atlas de la France rurale,* Paris, Armand Colin, 1968.

Fossier, R., *Enfance de l'Europe, x^e-xiie siècle,* t. 2 : *Structures et problèmes,* Paris, PUF, 1982.

Franklin, S.H., *The European Peasantry,* Londres, Methuen, 1969.

George, P., et Sevrin, R., *Belgique, Pays-Bas, Luxembourg,* Paris, PUF, 1967.

George, P., et Tricart, J., *L'Europe centrale,* t. 2 : *Les États,* Paris, PUF, 1954.

Hilton, R., *Bond Men Made Free. Medieval Peasant Movements and the English Rising of 1381,* Londres, Temple Smith, 1973.

Hofstee, E.W., *Rural Life and Rural Welfare in the Netherlands,* La Haye, Government Printing and Publishing Office, 1957.

Jones, E.L., Woolf, S.J., et coll., *Agrarian Change and Economic Development,* Londres, Methuen, 1969.

Juillard, E., *La Vie rurale en basse Alsace,* Strasbourg-Paris, Éd. F.-X. Le Roux, 1953.

Jutikkala, E., « Finnish agricultural labour in the eighteenth and early nineteenth centuries », *Scandinavian Economic History Review,* vol. 10, n° 2, 1962, p. 203-219.

Kautsky, K., *La Question agraire,* Paris, Giard et Brière, 1900.

– *Le Bolchevisme dans l'impasse,* Paris, PUF, 1982 (1re éd. 1931).

Kennedy, R.E., *The Irish. Emigration, Marriage and Fertility,* University of California Press, 1973.

Lindgren, J., *Towards Smaller Families in the Changing Society,* Helsinki, Population Research Institute, 1984.

Maitland, F.W., *Domesday Book and Beyond,* Londres, Fontana-Collins, 1960.

Mayhew, A., « Structural reform and the future of West German agriculture », *The Geographical Review,* vol. 60, 1970, p. 54-68.

Milhau, J., et Montagne, R., *L'Agriculture, aujourd'hui et demain,* Paris, PUF, 1961.

Murray, J.W., *Growth and Change in Danish Agriculture,* Londres, Hutchinson Benham, 1977.

Norborg, K., *Jordbruksbefolkningen i Sverige,* Lund, CWK Gleerup, 1968.

OCDE, *Le Développement de l'agriculture en Europe méridionale,* Paris, 1969.

Østerud, Ø., *Agrarian Structure and Peasant Politics in Scandinavia,* Oslo, Universitets Forlaget, 1978.

Pazzagli, C., *L'agricoltura toscana nella prima metà dell'800,* Florence, Leo S. Olschki Editore, 1973.

Pinchemel, P., *La France,* Paris, Armand Colin, 1980.

Postan, M.M., *The Medieval Economy and Society,* Londres, Penguin Books, 1975.

Reitel, F., *Les Allemagnes,* Paris, Armand Colin, 1969.

Sancho-Hazak, R., « La sociedad rural hoy », in Fraga-Iribarne, M., et coll., *La España de los años 70,* t. 1 : *La sociedad,* Madrid, Editorial Moneda y Crédito, 1972, p. 219-317.

Schuler, M., Bopp, M., et coll., *Atlas structurel de la Suisse,* Zurich, Ex Libris Verlag, 1985.

Silbert, A., *Le Portugal méditerranéen à la fin de l'Ancien Régime, xviiie-début du xixe siècle,* Paris, SEVPEN, 1966.

Skrubbeltrang, F., *Agricultural Development and Rural Reform in Denmark,* Rome, FAO, 1953.

Slicher Van Bath, B.H., *The Agrarian History of Western Europe,* Londres, Arnold, 1963.

Utterström, G., « Two essays on population in eighteenth century Scandinavia », in Glass, D.V., et Eversley, D.E.C., *Population in History,* Londres, Arnold, 1965, p. 523-548.

Vandewalle, P., « Stabilité et perfection d'un système agricole : la châtellenie de Furnes », *Annales ESC,* 36e année, n° 3, mai-juin 1981, p. 382-389.

Verhaegen, B., *Contribution à l'histoire économique des Flandres,* Louvain-Paris, Nauwelaerts, 1961.

Wolf, E.R., *Peasants,* Englewood Cliffs (NJ), Prentice-Hall, 1966.

Wrigley, E A., « Men on the land and men in the countryside : employment in agriculture in early-nineteenth century England », in Bonfield, L., Smith, R., Wrightson, K., et coll., *The World We Have Gained,* Oxford, Basil Blackwell, 1986, p. 295-336.

4. Religion

Actes. Christianisation et déchristianisation, Presses de l'université d'Angers, 1986.

Augustin (saint), *Aux moines d'Adrumète et de Provence,* t. 24 des *Œuvres complètes,* Paris, Desclée de Brouwer, 1962.

Bennassar, B., *L'Inquisition espagnole, xve-xixe siècle,* Paris, Hachette, 1979.

Bernard, A., et Bruel, A., *Recueil des chartes de l'abbaye de Cluny,* Paris, 1876-1903, 6 vol.

Bianchi, S., « La déchristianisation dans le district de Corbeil », *Revue d'histoire moderne et contemporaine,* vol. 27, avril.-juin 1979, p. 256-281.

Birnbaum, N., « Soziologie der Kirchengemeinde in Grossbritannien », in Goldschmidt, D., Greiner, F., et Şchelsky, H., *Soziologie der Kirchengemeinde,* Stuttgart, Ferdinand Enke Verlag, 1960, p. 49-65.

Boulard, F., *Premiers itinéraires en sociologie religieuse,* Paris, Éditions ouvrières, 1954.

– *Matériaux pour une histoire religieuse du peuple français, xixe-xxe siècle,* Paris, Éd. de l'EHESS, Presses de la Fondation nationale des sciences politiques, Éd. du CNRS, 1982.

Boulard, F., et Remy, J., *Pratique religieuse urbaine et régions culturelles,* Paris, Éditions ouvrières, 1968.

Burgalassi, S., et coll., *La sociologia del cattolicesimo in Italia,* Rome, Lettera di sociologia religiosa, déc. 1965.

Calvin, *Institution de la religion chrétienne* (1541), Paris, Les Belles-Lettres, 1961.

Chadwick, O., *The Reformation,* Londres, Penguin Books, 1972.

Chaunu, P., *Le Temps des réformes,* Bruxelles, Éd. Complexe, 1984 (1re éd., Paris, Fayard, 1975).

– *Église, culture et société,* Paris, SEDES, 1981.

Cholvy, G., et Hilaire, Y.M., *Histoire religieuse de la France contemporaine, 1800-1880,* Toulouse, Privat, 1985.

Cohn, N., *The Pursuit of the Millenium,* Londres, Paladin, 1970.

Coleman, J.A., *The Evolution of Dutch Catholicism, 1958-1974,* Berkeley-Los Angeles, University of California Press, 1978.

La Confession d'Augsbourg, 1530, Paris-Strasbourg, Éditions luthériennes, 1949.

Cragg, G.R., *The Church and the Age of Reason, 1648-1789,* Londres, Penguin Books, 1970.

Dayras, S., et d'Haussy, C., *Le Catholicisme en Angleterre,* Paris, Armand Colin, 1970.

Dedieu, J.P., « Le modèle religieux : le refus de la Réforme et le contrôle de la pensée », in Bennassar, B., et coll., *L'Inquisition espagnole, XVᵉ-XIXᵉ siècle,* Paris, Hachette, 1979, p. 269-312.

De França, L., *Comportamento religioso da população portuguesa,* Lisbonne, Moraes Editores, 1981.

Dellepoort, J., Greinacher, N., et Menges, W., « Le problème sacerdotal en Europe occidentale », *Social compass,* vol. 8, n° 5, 1961, p. 425-445.

Delumeau, J., *Naissance et affirmation de la Réforme,* Paris, PUF, 1983.

Deyon, S., et Lottin, A., *Les Casseurs de l'été 1566. L'iconoclasme dans le Nord de la France,* Paris, Hachette, 1981.

Dickens, A.G., *The German Nation and Martin Luther,* Londres, Arnold, 1974.

Dictionnaire de théologie catholique, Paris, Letouzey et Ané, 1923-1967.

Dinet, D., « La déchristianisation des pays du sud-est du Bassin parisien au XVIIIᵉ siècle », in *Christianisation et déchristianisation,* Presses de l'université d'Angers, 1986, p. 121-136.

Dumoulin, C., « Le réveil du recrutement sous le Directoire et le Consulat, indice de l'échec de la déchristianisation », in *Christianisation et déchristianisation,* Presses de l'université d'Angers, 1986, p. 187-197.

Duocastella, R., « Géographie de la pratique religieuse en Espagne », *Social Compass,* vol. 12, n° 4-5, 1965, p. 253-311.

– *Analisis sociologico del catolicismo español,* Barcelone, Editorial Nova Terra, 1967.

Eckhart (Maître), *Les Traités,* Paris, Éd. du Seuil, 1971.

Elton, G.R., *Reformation Europe, 1517-1559,* Londres, Fontana-Collins, 1963.

Encrevé, A., « Religion et politique au milieu du XIXᵉ siècle : les protestants en décembre 1851 », in Langlois, C., Encrevé, A., et coll., *Christianisme et pouvoirs politiques de Napoléon à Adenauer,* Paris, Éditions universitaires, 1974.

Engels, F., *La Guerre des paysans en Allemagne,* Paris, Éditions sociales, 1974.

Fischer, H., et Holl, A., « Attitude envers la religion et l'Église en Autriche », *Social Compass,* vol. 15, n° 1, 1968, p. 13-35.

Freud, *L'Avenir d'une illusion,* Paris, Denoël et Steele, 1932.

Fröhlich, R., *Histoire de l'Église. Panorama et chronologie,* Paris, Desclée de Brouwer, 1984.

Gay, E., « Some aspects of the social geography of religion in England : the Roman Catholics and the Mormons », in Martin, D. (ed.), *A Sociological Yearbook of Religion in Britain,* Londres, SCM Press, 1968, p. 47-76.

Gay, J.D., *The Geography of Religion in England,* Londres, Duckworth, 1971.

Goldschmidt, D., Greiner, F., et Schelsky, H., *Soziologie der Kirchengemeinde,* Stuttgart, Ferdinand Enke Verlag, 1960.

Greinacher, N., « L'évolution de la pratique religieuse en Allemagne après la guerre », *Social Compass,* vol. 10, nº 4-5, 1963, p. 345-355.

Groner, F., « Statistik der katholischen Kirchengemeinden in Deutschland », in Goldschmidt, D., Greiner, F., et Schelsky, H., *Soziologie der Kirchengemeinde,* Stuttgart, Ferdinand Enke Verlag, 1960, p. 196-208.

Hasting, A., *A History of English Christianity, 1920-1985,* Londres, Fount Paperback, 1987.

Hémar, C., *Les Frères mineurs capucins sous l'Ancien Régime. Contribution à l'étude de la déchristianisation,* mémoire, Paris I, 1988.

Hermet, G., *Les Catholiques dans l'Espagne franquiste,* t. 1 : *Les Acteurs du jeu politique,* Paris, Presses de la Fondation nationale des sciences politiques, 1980.

Hessels, A., « L'appartenance religieuse et l'utilisation des loisirs du dimanche », *Social Compass,* vol. 10, nº 1-2, 1964, p. 27-39.

Hill, C., *Society and Puritanism in Pre-Revolutionary England,* Londres, Panther, 1969 (1ʳᵉ éd. 1964).

– *The World Turned Upside Down,* Londres, Penguin Books, 1975.

Houtard, F., « Physionomie sociale et religieuse des grandes villes de l'Europe occidentale », *Social Compass,* vol. 8, nº 6, 1961, p. 483-501.

Institut Nipo, Institut Emnid, « Foi, religion, morale et vie familiale dans dix pays d'Europe », *Social Compass,* vol. 18, nº 2, 1971, p. 279-284.

Isambert, F.A., et Terrenoire, J.-P., *Atlas de la pratique religieuse des catholiques en France,* Paris, Presses de la Fondation nationale des sciences politiques, Éd. du CNRS, 1980.

Janton, P., *Voies et visages de la Réforme au xvıᵉ siècle,* Paris, Desclée de Brouwer, 1986.

Jedin, H., Latourette, K.S., et Martin, J., *Atlas zur Kirchengeschichte,* Fribourg, Herder, 1987.

Jonassen, C T., « The protestant ethic and the spirit of capitalism in Norway », *American Sociological Review,* déc.1947, vol. 12, n° 6, p. 676-686.

Julia, D., « Le clergé paroissial dans le diocèse de Reims à la fin du XVIIᵉ siècle », *Revue d'histoire moderne et contemporaine,* vol. 13, juill.-sept. 1966, p. 195-216.

Julia, D., et McKee, D., « Le clergé paroissial dans le diocèse de Reims sous l'épiscopat de Charles-Maurice Le Tellier. Origine et carrières », *Revue d'histoire moderne et contemporaine,* vol. 29, oct.-déc. 1982, p. 529-583.

Lacouture, J. (abbé), *La Politique religieuse de la Révolution,* Paris, Auguste Picard, 1940.

Latourette, K S., *Christianity in a Revolutionary Age,* t. 2 : *The Nineteenth Century in Europe. The Protestant and Eastern Churches,* New York, Harper and Brothers, 1959.

– *Christianity in a Revolutionary Age,* t. 4 : *The Twentieth Century in Europe. The Roman Catholic, Protestant and Eastern Churches,* Londres, Eyre and Spottiswoode, 1962.

Lebigre, A., *La Révolution des curés. Paris, 1588-1594,* Paris, Albin Michel, 1980.

Le Bras, G., *Études de sociologie religieuse,* Paris, PUF, 1955.

Lebrun, F., et coll., *Histoire des catholiques en France,* Toulouse, Privat, 1980.

Léonard, E.G., *Histoire générale du protestantisme,* t. 3 : *Déclin et renouveau, XVIIIᵉ-XXᵉ,* Paris, PUF, 1964.

Ligou, D., *Le Protestantisme en France de 1598 à 1715,* Paris, SEDES, 1968.

Lincoln, B., « Revolutionary exhumations in Spain, July 1936 », *Comparative Studies in Society and History,* vol. 27, n° 2, avril 1985, p. 241-260.

Luther, *La Liberté du chrétien* (1520), in *Les Grands Écrits réformateurs,* éd. bilingue, Paris, Aubier-Montaigne. Introduction, traduction et notes de Maurice Gravier.

– *A la noblesse chrétienne de la nation allemande* (1520), in *Les Grands Écrits réformateurs,* éd. bilingue, Paris, Aubier-Montaigne.

– *De l'autorité temporelle et dans quelle mesure on lui doit obéissance* (1523), in *Luther et les problèmes de l'autorité civile,* Paris, Aubier-Montaigne, 1973. Introduction, traduction et notes de Joël Lefèbvre.

– *Exhortation à la paix en réponse aux douze articles des paysans de Souabe* (1525), in *Luther et les problèmes de l'autorité civile,* Paris, Aubier-Montaigne, 1973.
– *Du serf arbitre* (1525), t. 5 des *Œuvres,* Genève, Labor et Fides, 1958.
– *Le Petit catéchisme* (1529), Strasbourg, Oberlin, 1973.
Marcadé, J., « Beja, terre de mission au XVIIIᵉ siècle », in *Christianisation et déchristianisation,* Presses de l'université d'Angers, 1986, p. 137-149.
Maslow-Armand, L., « La bourgeoisie protestante, la Révolution et la déchristianisation à La Rochelle », *Revue d'histoire moderne et contemporaine,* vol. 31, juill.-sept. 1984, p. 489-502.
Miquel, P., *Les Guerres de Religion,* Paris, Fayard, 1980.
Mours, S., *Essai sommaire de géographie du protestantisme réformé français au XVIIᵉ siècle,* Paris, Librairie protestante, 1966.
Neill, S., *A History of Christian Missions,* Londres, Penguin Books, 1964.
Pascal, *De l'esprit géométrique. Écrits sur la grâce et autres textes,* Paris, Garnier-Flammarion, 1985.
Pickering, W.S.F., « The 1851 religious census. A useless experiment ? », *British Journal of Sociology,* vol. 18, nᵒ 4, déc. 1967, p. 382-407.
Pin, E., « Hypothèses relatives à la désaffection religieuse dans les classes inférieures », *Social Compass,* vol. 9, nᵒ 5-6, 1962, p. 515-537.
Plongeron, B., *Conscience religieuse en révolution. Regards sur l'historiographie religieuse de la Révolution française,* Paris, Picard, 1969.
Poeisz, J.J., « The parishes of the Dutch Church province, 1.1.1966 », *Social Compass,* vol. 14, nᵒ 3, 1967, p. 203-231.
Quinet, E., *Le Christianisme et la Révolution française* (1845), Paris, Fayard, 1984.
Sagnac, P., « Étude statistique sur le clergé constitutionnel et le clergé réfractaire en 1791 », *Revue d'histoire moderne et contemporaine,* vol. 8, 1906, p. 97-115.
Sellers, I., *Nineteenth Century Non-Conformity,* Londres, Arnold, 1977.
Suolinna, K., « The popular revival movements », in *Nordic Democracy,* Copenhague, Det Danske Selskab, 1981, p. 589-608.
Tackett, T., « Histoire sociale du clergé diocésain dans la France du XVIIIᵉ siècle », *Revue d'histoire moderne et contemporaine,* vol. 27, avril-juin 1979, p. 198-234.
– *La Révolution, l'Église, la France,* Paris, Éd. du Cerf, 1986.

Tenenti, A., « Hérétiques italiens et réformes européennes », *Annales ESC,* vol. 7, n° 2, avril-juin 1952 , p. 191-198.

Thureau-Dangin, P., *La Renaissance catholique en Angleterre au XIXᵉ siècle,* Paris, Plon, 1989.

Vidler, A.C., *The Church in an Age of Revolution,* Londres, Penguin Books, 1971.

Vogler, B., *Le Monde germanique et helvétique à l'époque des Réformes, 1517-1618,* Paris, SEDES, 1981.

Vovelle, M., *Piété baroque et déchristianisation en Provence au XVIIIᵉ siècle,* Paris, Éd. du Seuil, 1978.

Voyé, L., Dobbelaere, K., Remy, J., et Billet, J., *La Belgique et ses dieux. Églises, mouvements religieux et laïques,* Louvain-la-Neuve, Cabay, 1985.

Wahl, A., *Cultures et mentalités en Allemagne,1918-1960,* Paris, SEDES, 1988.

Weber, M., *L'Éthique protestante et l'esprit du capitalisme,* Paris, Plon, 1964.

– *Économie et société,* Paris, Plon, 1971.

Zieger, P., « Statistik der Evangelischen Kirche in Deutschland », in Goldschmidt, D., Greiner, F., et Schelsky, H., *Soziologie der Kirchengemeinde,* Stuttgart, Ferdinand Enke Verlag, 1960, p. 208-238.

5. Développement et démographie

Andree, R., et Peschel, O., *Physikalisch-statistischer Atlas des Deutschen Reichs,* Bielefeld und Leipzig, 1878.

Aperçu de la démographie des divers pays du monde, 1929-1936, La Haye, Office permanent de l'Institut international de la statistique, 1939.

Armstrong, W.A., « The use of information about occupation », in Wrigley, E.A., et coll., *Nineteenth-Century Society,* Cambridge University Press, 1972, p. 191-310.

Bairoch, P., *Commerce extérieur et développement économique de l'Europe au XIXᵉ siècle,* Paris, Mouton, 1976.

Balfour, G., *The Educational Systems of Great Britain and Ireland,* Oxford, Clarendon Press, 1898.

Chartier, R., « Stratégies éditoriales et lectures populaires, 1530-1660 », in Chartier, R., *Lectures et lecteurs dans la France d'Ancien Régime,* Paris, Éd. du Seuil, 1987.

Chesnais, J.-C., *La Transition démographique,* Cahier INED, n° 113, Paris, PUF, 1986.

Cipolla, C.M., *Literacy and Development in the West,* Londres, Penguin Books, 1969.

Coale, A.J., Watkins, S.C., et coll., *The Decline of Fertility in Europe,* Princeton University Press, 1986.

Coates, B.E., et Rawstron, E.M., *Regional Variations in Britain,* Londres, Batsford, 1971.

Condorcet, *Esquisse d'un tableau historique des progrès de l'esprit humain,* Paris, Vrin, 1970.

Cressy, D., « Levels of illiteracy in England, 1530-1730 », in Graff, H.J., et coll., *Literacy and Social Development in the West,* Cambridge University Press, 1981, p. 105-124.

Dupâquier, J., *La Population française aux XVIIe et XVIIIe siècles,* Paris, PUF, 1979.

Edwards, R.D., *An Atlas of Irish History,* Londres, Methuen, 1981.

Festy, P., *La Fécondité des pays occidentaux de 1870 à 1970,* Cahier INED n° 85, Paris, PUF, 1979.

Février, J.G., *Histoire de l'écriture,* Paris, Payot, 1984.

Furet, F., et Ozouf, J., *Lire et écrire : l'alphabétisation des Français de Calvin à Jules Ferry,* Paris, Éd. de Minuit, 1977.

Gille, B., et coll., *Histoire des techniques,* Paris, Gallimard, 1978.

Goldstein, A., *Determinants of Change and Response among Jews and Catholics in a Nineteenth Century German Village,* New York, Conference on Jewish Social Studies, Columbia University Press, 1984.

Goody, J., et coll., *Literacy in Traditional Societies,* Cambridge University Press, 1968.

Graff, H.J., et coll., *Literacy and Social Development in the West,* Cambridge University Press, 1981.

Johansson, E., « The history of literacy in Sweden », in Graff, H.J., et coll., *Literacy and Social Development in the West,* Cambridge University Press, 1981, p. 151-182.

– « State, church and family. The history of literacy in Sweden », in Rogers, J., Norman, H., et coll., *The Nordic Family. Perspectives on Family Research,* Uppsala, 1985.

Knodel, J.E., *The Decline of Fertility in Germany,* Princeton University Press, 1974.

Landes, D.S., *The Unbound Prometheus. Technological Change and Industrial Development in Western Europe from 1750 to the Present,* Cambridge University Press, 1969.

Langton, J., Morris, R.J., et coll., *Atlas of Industrializing Britain, 1700-1914,* Londres, Methuen, 1986.

Léon, P., *Histoire économique et sociale du monde,* Paris, Armand Colin, 1978, 6 vol.

Lesthaeghe, R.J., *The Decline of Belgian Fertility, 1800-1970,* Princeton University Press, 1978.

Lesthaeghe, R.J., et Wilson, C., « Modes of production, secularization and the pace of the fertility decline in Western Europe, 1870-1930 », in Coale, A.J., et Watkins, S.C., *The Decline of Fertility in Europe,* p. 251-292.

Levine, D., « Education and family-life in early industrial England », *Journal of Family History,* vol. 4, n° 4, Winter 1979, p. 368-380.

Livi-Bacci, M., *A Century of Portuguese Fertility,* Princeton University Press, 1971.

Lopez, R.S., *Naissance de l'Europe, v^e-xive siècle,* Paris, Armand Colin, 1962.

McEvedy, C., et Jones, R., *Atlas of World Population History,* Londres, Penguin Books, 1978.

Marsh, D.C., *The Changing Social Structure of England and Wales, 1871-1961,* Londres, Routledge and Kegan Paul, 1965.

Masuy-Stroobant, G ., « La surmortalité infantile des Flandres au cours de la deuxième moitié du xixe siècle. Mode d'alimentation ou mode de développement », *Annales de démographie historique,* 1983, p. 231-256.

Mathias, P., *The First Industrial Nation. An Economic History of Britain, 1700-1914,* Londres, Methuen, 1969.

Matthiessen, P.C., *The Limitation of Family Size in Denmark,* Copenhague, Princeton European Fertility Project, 1985.

Mitchell, B.R., *European Historical Statistics, 1750-1970,* Londres, Macmillan, 1978.

Morazé, C., *Les Bourgeois conquérants,* Paris, Armand Colin, 1957.

Rostow, W.W., *Les Étapes de la croissance économique,* Paris, Éd. du Seuil, 1963.

Royle, E., *Modern Britain. A Social History, 1750-1985,* Londres, Arnold, 1987.

Ruwet, J., Wellemans, Y., et coll., *L'Analphabétisme en Belgique, xviiie-xixe siècle,* Louvain, Bibliothèque de l'Université, 1978.

Schofield, R., « Dimensions of illiteracy in England, 1750-1850 », in Graff, H.J., et coll., *Literacy and Social Development in the West,* Cambridge University Press, 1981, p. 201-213.

Smith, C.T., *An Historical Geography of Western Europe before 1800,* Londres, Longman, 1978.

Smith, R.M., « Population and its geography in England, 1500-1730 », in Dodgshon, R.A., Butlin, R.A., et coll., *An Historical Geography of England and Wales,* Londres-New York, Academic Press, 1978, p. 199-239.

Stone, L., « The educational revolution in England, 1560-1640 », *Past and Present,* juill. 1964.

– « Literacy and education in England, 1640-1900 », *Past and Present,* févr. 1969.

Strauss, G., « Techniques of indoctrination : the German reformation », in Graff, H.J., et coll., *Literacy and Social Development in the West,* Cambridge University Press, 1981, p. 96-104.

Teitelbaum, M.S., *The British Fertility Decline : Demographic Transition in the Crucible of the Industrial Revolution,* Princeton University Press, 1984.

Verrière, J., *La Population de l'Irlande,* Paris, Mouton, 1979.

Wolff, P., *Les Origines linguistiques de l'Europe occidentale,* Toulouse, Association des publications de l'université de Toulouse-Le Mirail, 1982 (2ᵉ éd.).

6. Politique et idéologie

Adam, G., Bon, F., Capdevielle, J., et Moiriaux, R., *L'Ouvrier français en 1970,* Paris, Armand Colin, 1970.

Agulhon, M., *La République au village,* Paris, Plon, 1970.

Allardt, E., et coll., *Nordic Democracy,* Copenhague, Det Danske Selskab, 1981.

Aston, T., et coll., *Crisis in Europe, 1560-1660,* Londres, Routledge and Kegan Paul, 1970.

Atlas historique, Paris, Stock, 1968 (traduction du *DTV Atlas zur Weltgeschichte*).

Barnes, S.H., « Italy : religion and class in electoral behavior », in Rose, R., *Electoral Behavior, a Comparative Handbook,* p. 171-225.

Belgique, *Annuaire de statistiques régionales,* 1984, Bruxelles, Institut national de la statistique.

Bennassar, B., *Un siècle d'or espagnol,* Paris, Laffont, 1982.

Bennassar, B., et Jacquart, J., *Le XVIᵉ siècle,* Paris, Armand Colin, 1972.

Berengo, M., *Nobili e mercanti nella Lucca del Cinquecento,* Turin, Einaudi, 1965.

Bernstein, E., *Les Présupposés du socialisme,* Paris, Éd. du Seuil, 1974 (d'après l'édition allemande de 1899).

Berstein, S., *Histoire du Parti radical,* Paris, Presses de la Fondation nationale des sciences politiques, 1980.

Bertram, J., *Die Wahlen zum Deutschen Reichstag vom Jahre 1912,* Düsseldorf, Droste Verlag, 1964.

Besson, J., Bibes, G., et coll., *Sociologie du communisme en Italie,* Paris, Armand Colin, 1974.

Best, G., *Mid-Victorian Britain, 1851-1870,* Londres, Fontana-Collins, 1979.

Blake, R., *The Conservative Party from Peel to Thatcher,* Londres, Fontana, 1985.

Bloch, M., *Apologie pour l'histoire ou métier d'historien,* Paris, Armand Colin, éd. 1974.

Bluche, F., *Le Bonapartisme. Aux origines de la droite autoritaire (1800-1850),* Paris, Nouvelles Éditions latines, 1980.

Bonjour, E., Offler, H.S., et Potter, G.R., *A Short History of Switzerland,* Oxford, Clarendon Press, 1952.

Bonnet, S., *Sociologie politique et religieuse de la Lorraine,* Paris, Presses de la Fondation nationale des sciences politiques, 1972.

Braure, M., *Histoire des Pays-Bas,* Paris, PUF, 1951.

Buron, T., et Gauchon, P., *Les Fascismes,* PUF, 1979.

Butler, D., et Kavanagh, D., *The British General Election of 1979,* Londres, Macmillan, 1980.

– *The British General Election of 1983,* Londres, Macmillan, 1984.

Cassirer, E., *La Philosophie des Lumières,* Paris, Fayard, 1966.

Castellan, G., *L'Allemagne de Weimar, 1918-1933,* Paris, Armand Colin, 1972.

Chassériaud, J.-P., *Le Parti démocrate-chrétien en Italie,* Cahier de la Fondation nationale des sciences politiques, n° 125, Paris, Armand Colin, 1965.

Coleman, D., « Ethnic intermarriage in Britain », *Population Trends,* vol. 40, été 1985, p. 4-9.

Conseil de l'Europe, *Les Populations immigrées et l'évolution démographique dans les États membres du Conseil de l'Europe,* Études démographiques, n° 13, Strasbourg, 1984.

Cornell, T., et Matthews, J., *Atlas du monde romain,* Paris, Nathan, 1982.

Coverdale, J.F., *The Political Transformation of Spain after Franco,* New York, Praeger, 1979.

Craig, F.W.S., *British Parliamentary Election Statistics, 1918-1968,* Glasgow, Political Reference Publications, 1968.

Craig, G., *Germany, 1866-1945,* Oxford University Press, 1978.

Cuvillier, J.-P., *L'Allemagne médiévale,* Paris, Payot, 1979 et 1984.

Derry, J.K., *A Short History of Norway,* Londres, Allen and Unwin, 1968.

De Smet, R., Evalenko, R., Fraeys, W., *Atlas des élections belges, 1919-1954,* Bruxelles, Institut Solvay, 1958.

Diderot, *Supplément au voyage de Bougainville. Pensées philosophiques,* Paris, Garnier-Flammarion, 1972.

Djursaa, M., « Denmark », in Woolf, S.J., et coll., *Fascism in Europe,* Londres, Methuen, p. 237-256.

Dodgshon, R.A., Butlin, R.A., et coll., *An Historical Geography of England and Wales,* Londres-New York, Academic Press, 1978.

Donneur, A., *L'Internationale socialiste,* Paris, PUF, 1983.

Droz, J., *Le Socialisme démocratique, 1864-1960,* Paris, Armand Colin, 1966.

Droz, J., et coll., *Histoire générale du socialisme,* Paris, PUF, 1982.

Durkheim, É., *Le Suicide,* Paris, PUF, éd. 1973.

Duverger, M., *Les Partis politiques,* Paris, Armand Colin, 1957.

Encyclopédie, articles choisis, chronologie, introduction et bibliographie d'Alain Pons, Paris, Garnier-Flammarion, 1986.

Esping-Andersen, G., *Social Class, Social Democracy and State Policy,* Copenhague, New Social Science Monographs, 1980.

Étienne, J.-M., *Le Mouvement rexiste jusqu'en 1940,* Cahier de la Fondation nationale des sciences politiques, n° 165, Paris, Armand Colin, 1968.

Farreras, J.N., Wolff, P., et coll., *Histoire de la Catalogne,* Toulouse, Privat, 1982.

Ferraton, H., *Syndicalisme ouvrier et social-démocratie en Norvège,* Cahier de la Fondation des sciences politiques, n° 105, Paris, 1960.

Fichte, J.G., *Discours à la nation allemande,* Paris, Aubier, 1981.
– *Reden an die Deutsche Nation,* Hambourg, Felix Meiner Verlag, 1978.

Fitzmaurice, J., *Politics in Denmark,* Londres, C. Hurst and Company, 1981.

Fol, J.-J., *Les Pays nordiques aux xixe et xxe siècles,* Paris, PUF, 1978.

Freytag, G., *Reichstags Wahlkarte,* Leipzig, 1898.

Gallagher, M., *Political Parties in the Republic of Ireland,* Manchester University Press, 1985.

Geyl, P., *The Revolt of the Netherlands, 1555-1609,* Londres, Ernest Benn, 1958.

– *La Révolution batave (1783-1798),* Paris, Société des études robespierristes, 1971.

Girvin, B., et coll., *The Transformation of Contemporary Conservatism,* Londres, Sage, 1988.

Godechot, J., *Les Constitutions de la France depuis 1789,* Paris, Garnier-Flammarion, 1979.

– *La Grande nation,* Paris, Aubier-Montaigne, 1983, 2ᵉ éd.

– *La Contre-Révolution,1789-1804,* Paris, PUF, 1984.

– *La Révolution française dans le Midi toulousain,* Toulouse, Privat, 1986.

Goguel, F., *Géographie des élections françaises sous la Troisième et la Quatrième République,* Paris, Armand Colin, 1970.

Grégoire (abbé), *Essai sur la régénération physique, morale et politique des juifs,* rééd. Paris, Flammarion, 1988.

Guichard, P., *Structures sociales « orientales » et « occidentales » dans l'Espagne musulmane,* Paris-La Haye, Mouton, 1977.

Harmand, L., *L'Occident romain,* Paris, Payot, 1960.

Hegel, G.W.F., *Leçons sur la philosophie de l'histoire (1822-1831),* Paris, Vrin, 1979.

– *Principes de la philosophie du droit,* Paris, Vrin, 1986.

Hermet, G., *L'Espagne de Franco,* Paris, Armand Colin, 1974.

Hill, K., « Belgium : political change in a segmented society », in Rose, R., *Electoral Behavior, a Comparative Handbook,* p. 29-107.

Hitler, *Mein Kampf,* Paris, Nouvelles Éditions latines.

Hobsbawm, E.J., *Primitive Rebels,* Manchester University Press, 1959.

Hobson, J.A., *Imperialism, a Study,* Londres, Unwin Hyman, 1988 (éd. originale 1902).

Jelavich, B., *Modern Austria,* Cambridge University Press, 1987.

Jouanna, A., *Ordre social. Mythes et hiérarchies dans la France du xvfᵉ siècle,* Paris, Hachette, 1977.

Judt, T., *Le Marxisme et la gauche française,* Paris, Hachette, 1986.

Kertzer, D.I., *Comrades and Christians. Religion and Political Struggle in Communist Italy,* Cambridge University Press, 1980.

Kiernan, V.G., « Foreign mercenaries and absolute monarchy », in Aston, T., et coll., *Crisis in Europe, 1560-1660,* Londres, Routledge and Kegan Paul, 1970, p. 117-140.

Kitzinger, U., « The Austrian election of 1959 », *Political Studies,* n° 9, 1961, p. 19-140.

Korpi, W., « Labor movements and industrial relations », in *Nordic Democracy,* Copenhague, Det Danske Selskab, 1981, p. 308-323.

Labatut, J.-P., *Les Noblesses européennes de la fin du xvᵉ siècle à la fin du xviiiᵉ siècle,* Paris, PUF, 1978.

Larsen, K., *A History of Norway,* Princeton University Press, 1948.

Lavroff, D.G., *Le Régime politique espagnol,* Paris, PUF, 1985.

Laybourn, K., *The Rise of Labour. The British Labour Party, 1890-1979,* Londres, Arnold, 1988.

Lefebvre, J., *La Révolution française vue par les Allemands,* Lyon, Presses universitaires de Lyon, 1987.

Léon XIII, *Rerum novarum,* Paris, Maison de la Bonne Presse, 1956.

Letamendia, P., *La Démocratie-chrétienne,* Paris, PUF, 1977.

– *Les Partis politiques en Espagne,* Paris, PUF, 1983.

Lewin, L., Jansson, B., et Sörbom, D., *The Swedish Electorate, 1887-1968,* Stockholm, Almqvist et Wiksell, 1972.

Lijphart, A., « The Netherlands : continuity and change in voting behavior », in Rose, R., *Electoral Behavior, a Comparative Handbook,* p. 227-268.

– *The Politics of Accommodation. Pluralism and Democracy in the Netherlands,* University of California Press, 1975.

Ljunggren, S.B., « Conservatism in Norway and Sweden », in Girvin, B., et coll., *The Transformation of Contemporary Conservatism,* Londres, Sage, 1988, p. 120-144.

Locke, *Two Treatises of Government,* Londres, Dent, 1924, réimpr. 1984.

Loomis, C.P., et Beegle, J.A., « The spread of nazism in rural areas », *American Sociological Review,* vol. 2, nº 6, déc. 1946, p. 724-734.

Mackie, J.D., *A History of Scotland,* Londres, Penguin Books, 1964.

Mair, P., *The Changing Irish Party System,* Londres, Frances Pinter, 1987.

Maistre, Joseph de, *Considérations sur la France* (1797), Paris, Garnier, 1980.

Manent, P., *Les Libéraux,* Paris, Hachette, coll. « Pluriel », 1986.

Manniche, P., *Denmark, a Social Laboratory,* Oxford University Press, 1939.

Marcadé, J., *Le Portugal au xxᵉ siècle, 1910-1985,* Paris, PUF, 1988.

Martinez-Cuadrado, M., *El sistema politico español y el comportamento electoral en el sur de Europa,* Madrid, Instituto de Cooperacion Intercontinental, 1980.

Marx, K., *Le Capital,* Paris, Alfred Costes, 1930.

Marx, K., et Engels, F., *L'Idéologie allemande,* Paris, Éditions sociales, 1982.

Masnata, F., *Le Parti socialiste et la tradition démocratique en Suisse,* Paris, Armand Colin, 1963.

Mayeur, J.-M., *Des partis catholiques à la démocratie-chrétienne, xixe-xxe siècle,* Paris, Armand Colin, 1980.

Ménudier, H., *Système politique et élections en République fédérale d'Allemagne,* Berne, Peter Lang, 1986.

Meyer, J., *La Noblesse bretonne au xviiie siècle,* Paris, Flammarion, 1972.

Mielonen, M., *Geography of Internal Politics in Finland,* Turku, Turun Yliopisto, 1969.

Milatz, A., *Wähler und Wahlen in der Weimarer Republik,* Schriftenreihe der Bundeszentrale für politische Bildung, Heft. 68, Bonn, 1965.

Miller, K.E., *Government and Politics in Denmark,* Boston, Houghton Mifflin, 1968.

Miller, W.L., *Electoral Dynamics in Britain since 1918,* Londres, Macmillan, 1977.

Milza, P., et Berstein, S., *Le Fascisme italien, 1919-1945,* Paris, Éd. du Seuil, 1980.

Munch, P.A., « The peasant movement in Norway », *The British Journal of Sociology,* mars 1954, p. 63-77.

Muñoz-Alonso, A., *Las elecciones del cambio,* Barcelone, Editorial Argos Vergara, 1984.

Mylly, J., Berry, M., et coll., *Political Parties in Finland,* University of Turku, 1984.

Mylly, J., « The Agrarian/center party in Finnish politics », in Mylly, J., et Berry, R.M., *Political Parties in Finland,* University of Turku, 1984, p. 98-120.

Nadal-Farreras, J., Wolff, P., et coll., *Histoire de la Catalogne,* Toulouse, Privat, 1982.

Nietzsche, F., *Le Gai savoir,* Paris, Gallimard, 1982.

Nordmann, C., *Grandeur et liberté de la Suède, 1660-1792,* Paris-Louvain, Nauwelaerts, 1971.

Office fédéral de la statistique suisse, *Les Élections au Conseil national,* 1979.

Opello, W.C., *Portugal's Political Development. A Comparative Approach,* Boulder, Westview Press, 1985.

Paine, S., « Spain », in Rogger, H., et Weber, E., *The European Right,* Berkeley-Los Angeles, University of California Press, 1965, p. 168-207.

Palmer, R.R., *1789. Les Révolutions de la liberté et de l'égalité,* Paris, Calmann-Lévy, 1968.

Pelling, H., *A History of British Trade Unionism,* Londres, Penguin Books, 1987.

Penniman, H.R., *Ireland at the Polls. The Dail Elections of 1977,* Washington, 1978.

Pesonen, P., « Finland : party support in a fragmented system », in Rose, R., *Electoral Behavior, a Comparative Handbook,* p. 271-314.

Philip, D., *Le Mouvement ouvrier en Norvège,* Paris, Édition ouvrières, 1958.

Pulzer, P.G.J., *The Rise of Political Anti-Semitism in Germany and Austria,* New York, John Wiley, 1964.

Rémond, R., *Les Droites en France,* Paris, Aubier, 1982.

Rials, S., *Le Légitimisme,* Paris, PUF, 1983.

Rintala, M., « Finland », in Rogger, H., Weber, E., et coll., *The European Right,* p. 408-441.

Rogger, H., et Weber, E., *The European Right. A Historical Profile,* Berkeley-Los Angeles, University of California Press, 1965.

Rohr, J., *La Suisse contemporaine,* Paris, Armand Colin, 1972.

Romano, R., Vivanti, C., et coll., *Storia d'Italia,* t. 6 : *Atlas,* Turin, Einaudi, 1976.

Rose, R., et coll., *Electoral Behavior, a Comparative Handbook,* New York-Londres, The Free Press, 1974.

Rose, R., « Britain : simple abstractions and complex realities », in Rose, R., *Electoral Behavior, a Comparative Handbook,* p. 481-541.

Roth, G., *The Social-Democrats in Imperial Germany,* Totowa (NJ), Bedminster, 1963.

Rousseau, *Du contrat social,* Paris, Éd. du Seuil, 1977.

Rovan, J., *Histoire de la social-démocratie allemande,* Paris, Éd. du Seuil, 1978.

Särlvik, B., « Sweden : the social bases of the parties in a developmental perspective », in Rose, R., *Electoral Behavior, a Comparative Handbook,* p. 371-434

Schoenbaum, D., *La Révolution brune. La Société allemande sous le IIIe Reich,* Paris, Laffont, 1979.

Schumpeter, J., *Impérialisme et classes sociales,* Paris, Flammarion, 1984.

Seiler, D.-L., *Partis et familles politiques,* Paris, PUF, 1980.

– *Les Partis autonomistes,* Paris, PUF, 1982.

Seymour, C., et Frary, D.P., *How the World Votes,* Springfield (Mass.), 1918.

Siegfried, A., *Tableau politique de la France de l'Ouest sous la III* République,* Paris, 1913, réimpr. Paris-Genève, Slatkine, 1980.

Sieyès, *Qu'est-ce que le tiers état ?,* Paris, PUF, 1982.

Smout, T.C., *A History of the Scottish People, 1560-1830,* Londres, Fontana-Collins, 1972.

Soboul, A., *La Révolution française,* Paris, PUF, 1965.

– *Les Sans-Culottes,* Paris, Éd. du Seuil, 1968.

Soikkanen, H., « Revisionism, reformism and the Finnish labour movement before the first world war », in Mylly, J., Berry, R.H., et coll., *Political Parties in Finland,* University of Turku, 1984, p. 121-136.

Sternhell, Z., *La Droite révolutionnaire,* Paris, Éd. du Seuil, 1978.

– *Ni droite ni gauche. L'idéologie fasciste en France,* Paris, Éd. du Seuil, 1983.

Stoddard, T.L., et coll., *Area Handbook for Finland,* Washington, US Government Printing Office, 1974.

Sully, M.A., *Political Parties and Elections in Austria,* Londres, C. Hurst, 1981.

Suval, S., *Electoral Politics in Wilhelmine Germany,* Chapel Hill (WC), University of North Carolina Press, 1985.

Thomson, D., *England in the Nineteenth Century,* Londres, Penguin Books, 1978.

Thomson, E.P., *The Making of the English Working Class,* Londres, Penguin Books, 1963.

Tocqueville, *De la démocratie en Amérique,* Paris, Gallimard, 1961.

Upton, A.F., « Finland », in Woolf, S.J., et coll., *Fascism in Europe,* Londres, Methuen, 1981, p. 191-222.

Urwin, D.W., « Germany : continuity and change in electoral politics », in Rose, R., *Electoral Behavior, a Comparative Handbook,*, p. 109-170.

Valen, H., et Rokkan, S., « Norway : conflict structure and mass politics in a European periphery », in Rose, R., *Electoral Behavior, a Comparative Handbook,*, p. 315-370.

Vanlaer, J., *200 millions de voix. Une géographie des familles politiques européennes,* Bruxelles, Société royale belge de géographie et Laboratoire de géographie humaine de l'Université libre de Bruxelles, 1984.

Vicens-Vives, J., *Atlas de historia de España,* Barcelone, Editorial Teide, 1980.

Voltaire, *Lettres philosophiques,* Paris, Garnier-Flammarion, 1964.

Von Beyme, K., *Das politische System der Bundesrepublik Deutschland,* Munich, Piper, 1987.

Whittington, G., Whyte, I.D., et coll., *An Historical Geography of Scotland,* Londres-New York, Academic Press, 1983.

Whyte, J.H., « Ireland : politics without social bases », in Rose, R., *Electoral Behavior, a Comparative Handbook,*, p. 619-651.

Willard, C., *Socialisme et communisme français,* Paris, Armand Colin, 1978.

Williams, D., *A Short History of Modern Wales,* Londres, Murray,1961.

Williams, E.N., *The Ancien Régime in Europe,* Londres, Penguin Books, 1972.

Witte, E., et Craeybeckx, J., *La Belgique politique de 1830 à nos jours,* Bruxelles, Éd. Labor, 1987.

Woolf, S.J., et coll., *Fascism in Europe,* Londres, Methuen, 1981.

Zalacain, V., *Atlas de España y Portugal,* Paris, Éd Zalacain, 1982.

Zuckerman, A.S., *The Politics of Faction. Christian Democratic Rule in Italy,* New Haven-Londres, Yale University Press, 1979.

Annexes

Abréviations des noms de pays
et liste des unités géographiques utilisées
Les noms ne sont pas ici francisés

Suède : S
1. Stockholm (ville + land)
2. Uppsala
3. Södermanland
4. Östergötland
5. Jönköping
6. Kronoberg
7. Kalmar
8. Gotland
9. Blekinge
10. Kristianstad
11. Malmöhus
12. Halland
13. Göteborg och Bohus
14. Älvsborg
15. Skaraborg
16. Värmland
17. Örebro
18. Västmanland
19. Kopparberg
20. Gävleborg
21. Västernorrland
22. Jämtland
23. Västerbotten
24. Norrbotten

Norvège : N
1. Østfold
2. Akershus
3. Oslo
4. Hedmark
5. Oppland
6. Buskerud
7. Vestfold
8. Telemark
9. Aust-Agder
10. Vest-Agder
11. Rogaland
12. Hordaland
13. Sogn og Fjordane
14. Møre og Romsdal
15. Sør-Trøndelag
16. Nord-Trøndelag
17. Nordland
18. Troms
19. Finnmark

Finlande : SF
1. Uusimaa
2. Turku ja Pori
3. Ahvenanmaa
4. Häme
5. Kymi
6. Mikkeli
7. Pohjois-Karjala
8. Kuopio
9. Keski-Suomi
10. Vaasa
11. Oulu
12. Lappi

Danemark : DK
1. København (ville)
2. København (reste région)
3. Frederiksborg
4. Roskilde
5. Vestjaelland
6. Storstrøm
7. Bornholm
8. Fyn
9. Sønderjylland
10. Ribe
11. Vejle
12. Ringkøping
13. Århus
14. Viborg
15. Nordjylland

Écosse : GB-S
1. Highland
2. Orkney
3. Shetland
4. Western Isles
5. Grampian
6. Tayside
7. Fife
8. Lothian
9. Borders
10. Central
11. Strathclyde
12. Dumfries and Galloway

Angleterre-Galles : GB-E
1. Greater London
2. Bedfordshire
3. Berkshire
4. Buckinghamshire
5. Cambridgeshire + Huntingdonshire + Peterborough + Isle of Ely
6. Cornwall
7. Cumbria
8. Derbyshire
9. Devon
10. Dorset
11. Durham + Northumberland
12. Essex
13. Gloucestershire
14. Hampshire
15. Hereford and Worcester
16. Hertfordshire
17. Isle of Wight
18. Kent
19. Lancashire + Cheshire
20. Leicestershire + Rutland
21. Lincolnshire
22. Norfolk
23. Northamptonshire
24. Nottinghamshire
25. Oxfordshire
26. Shropshire
27. Somerset
28. Staffordshire + Warwickshire
29. Suffolk
30. Surrey
31. East Sussex
32. West Sussex
33. Wiltshire
34. Yorkshire
35. Clwyd
36. Dyfed
37. Glamorgan
38. Gwent
39. Gwynedd
40. Powys
41. Ulster (4 comtés)

Irlande : IRL
1. Carlow + Kilkenny
2. Cavan
3. Clare + Galway
4. Cork (ville)
5. Cork (comté)
6. Donegal
7. Dublin (ville)
8. Dublin (comté)

9. Dun Laoghaire
10. Kerry
11. Kildare
12. Laois + Offaly
13. Limerick (ville + comté)
14. Longford + Westmeath
15. Louth
16. Mayo
17. Meath
18. Monaghan
19. Sligo + Roscommon + Leitrim
20. Tipperary-North
21. Tipperary-South
22. Waterford (ville + comté)
23. Wexford
24. Wicklow

Pays-Bas : NL
1. Noord-Brabant
2. Gelderland
3. Zuid-Holland
4. Noord-Holland
5. Zeeland
6. Utrecht
7. Friesland
8. Overijssel
9. Groningen
10. Drenthe
11. Limburg

Belgique : B
1. Anvers
2. Brabant
3. Hainaut
4. Liège
5. Limbourg
6. Luxembourg
7. Namur
8. Flandre-Orientale
9. Flandre-Occidentale

Luxembourg : L
1. Totalité de l'État

Allemagne : D
1. Schleswig-Holstein (Land)
2. Hamburg (ville libre)
3. Hannover + Hildesheim
   + Braunschweig
4. Lüneburg
5. Stade + Oldenburg
6. Osnabrück + Aurich
7. Bremen (ville libre)
8. Düsseldorf
9. Köln
10. Aachen
11. Münster
12. Detmold
13. Arnsberg
14. Darmstadt + Wiesbaden
15. Kassel
16. Koblenz
17. Trier
18. Rheinhessen-Pfalz
19. Nordwürttemberg
20. Nordbaden
21. Südbaden
22. Südwürttemberg-Hohenzollern
23. Oberbayern
24. Niederbayern
25. Oberpfalz
26. Oberfranken
27. Mittelfranken
28. Unterfranken
29. Schwaben
30. Saar (Land)

Autriche : A
1. Burgenland
2. Kärnten
3. Niederösterreich

4. Oberösterreich
5. Salzburg
6. Steiermark
7. Tirol
8. Vorarlberg
9. Wien

Suisse : CH
1. Schwyz
2. Uri
4. Nidwalden
4. Obwalden
5. Zug
6. Luzern
7. Schaffhausen
8. Thurgau
9. Solothurn
10. Aargau
11. Zürich
12. St. Gallen
13. Fribourg
14. Bern
15. Glarus
16. Neuchâtel
17. Vaud
18. Genève
19. Valais
20. Ticino
21. Graubünden
22. Basel-Stadt
23. Basel-Landschaft
24. Appenzell-Ausser Rhoden
25. Appenzell-Inner Rhoden

France : F
1. Ain
2. Aisne
3. Allier
4. Alpes-de-Haute-Provence
5. Hautes-Alpes

6. Alpes-Maritimes
7. Ardèche
8. Ardennes
9. Ariège
10. Aube
11. Aude
12. Aveyron
13. Bouches-du-Rhône
14. Calvados
15. Cantal
16. Charente
17. Charente-Maritime
18. Cher
19. Corrèze
20. Corse
21. Côte-d'Or
22. Côtes-du-Nord
23. Creuse
24. Dordogne
25. Doubs
26. Drôme
27. Eure
28. Eure-et-Loir
29. Finistère
30. Gard
31. Haute-Garonne
32. Gers
33. Gironde
34. Hérault
35. Ille-et-Vilaine
36. Indre
37. Indre-et-Loire
38. Isère
39. Jura
40. Landes
41. Loir-et-Cher
42. Loire
43. Haute-Loire
44. Loire-Atlantique
45. Loiret
46. Lot
47. Lot-et-Garonne
48. Lozère

49. Maine-et-Loire
50. Manche
51. Marne
52. Haute-Marne
53. Mayenne
54. Meurthe-et-Moselle
55. Meuse
56. Morbihan
57. Moselle
58. Nièvre
59. Nord
60. Oise
61. Orne
62. Pas-de-Calais
63. Puy-de-Dôme
64. Pyrénées-Atlantiques
65. Hautes-Pyrénées
66. Pyrénées-Orientales
67. Bas-Rhin
68. Haut-Rhin
69. Rhône
70. Haute-Saône
71. Saône-et-Loire
72. Sarthe
73. Savoie
74. Haute-Savoie
75. Seine (Paris)
76. Seine-Maritime
77. Seine-et-Marne
78. Seine-et-Oise
79. Deux-Sèvres
80. Somme
81. Tarn
82. Tarn-et-Garonne
83. Var
84. Vaucluse
85. Vendée
86. Vienne
87. Haute-Vienne
88. Vosges
89. Yonne
90. Territoire de Belfort

Italie : I
1. Torino
2. Vercelli
3. Novara
4. Cuneo
5. Asti
6. Alessandria
7. Valle d'Aosta
8. Varese
9. Como
10. Sondrio
11. Milano
12. Bergamo
13. Brescia
14. Pavia
15. Cremona
16. Mantova
17. Bolzano-Bozen
18. Trento
19. Verona
20. Vicenza
21. Belluno
22. Treviso
23. Venezia
24. Padova
25. Rovigo
26. Pordenone
27. Udine
28. Gorizia
29. Trieste
30. Imperia
31. Savona
32. Genova
33. La Spezia
34. Piacenza
35. Parma
36. Reggio-Emilia
37. Modena
38. Bologna
39. Ferrara
40. Ravenna
41. Forli
42. Massa-Carrara

43. Lucca
44. Pistoia
45. Firenze
46. Livorno
47. Pisa
48. Arezzo
49. Siena
50. Grosseto
51. Perugia
52. Terni
53. Pesaro e Urbino
54. Ancona
55. Macerata
56. Ascoli Piceno
57. Viterbo
58. Rieti
59. Roma
60. Latina
61. Frosinone
62. L'Aquila
63. Teramo
64. Pescara
65. Chieti
66. Isernia
67. Campobasso
68. Caserta
69. Benevento
70. Napoli
71. Avellino
72. Salerno
73. Foggia
74. Bari
75. Taranto
76. Brindisi
77. Lecce
78. Potenza
79. Matera
80. Cosenza
81. Catanzaro
82. Reggio-Calabria
83. Trapani
84. Palermo

85. Messina
86. Agrigento
87. Caltanissetta
88. Enna
89. Catania
90. Ragusa
91. Siracusa
92. Sassari
93. Nuoro
94. Oristano
95. Cagliari

Espagne : E
1. Alava
2. Albacete
3. Alicante
4. Almería
5. Avila
6. Badajoz
7. Baleares
8. Barcelona
9. Burgos
10. Cáceres
11. Cádiz
12. Castellón
13. Ciudad Real
14. Córdoba
15. La Coruña
16. Cuenca
17. Gerona
18. Granada
19. Guadalajara
20. Guipúzcoa
21. Huelva
22. Huesca
23. Jaén
24. León
25. Lérida
26. Logroño
27. Lugo
28. Madrid
29. Málaga

30. Murcia
31. Navarra
32. Orense
33. Oviedo
34. Palencia
35. Pontevedra
36. Salamanca
37. Santander
38. Segovia
39. Sevilla
40. Soria
41. Tarragona
42. Teruel
43. Toledo
44. Valencia
45. Valladolid
46. Vizcaya
47. Zamora
48. Zaragoza

Portugal : P
1. Aveiro
2. Beja
3. Braga
4. Bragança
5. Castelo Branco
6. Coimbra
7. Évora
8. Faro
9. Guarda
10. Leiria
11. Lisboa
12. Portalegre
13. Porto
14. Santarém
15. Setúbal
16. Viana do Castelo
17. Vila Real
18. Viseu

Cartes : sources et notes

Carte 1 – Le découpage de l'Europe

Un certain nombre d'unités géographiques très petites n'ont pas été dessinées sur la carte 1 et sur toutes les cartes d'Europe :
- Oslo (N 3) englobé dans l'Akershus (N 2),
- Copenhague-ville (DK 1) englobé dans Copenhague-région (DK 2),
- Dublin-ville (IRL 7) et son avant-port Dun Laoghaire (IRL 9) englobés dans Dublin-comté (IRL 8),
- Cork-ville (IRL 4) englobé dans Cork-comté (IRL 5).

Dans tous ces cas, les valeurs numériques présentées sur les cartes d'Europe correspondent aux moyennes des valeurs numériques pour l'unité non représentée et pour l'unité englobante, après pondération par les populations. (Cette façon de procéder équivaut en fait à définir une unité d'ordre supérieur agrégeant unité englobante et unité englobée.)

Le même procédé a été utilisé dans le cas des cantons suisses regroupés :
- Les cantons catholiques de Schwyz (CH 1), Uri (CH 2), Nidwalden (CH 3), Obwalden (CH 4), Zug (CH 5) et Luzern (CH 6) sont représentés par une seule zone de la carte.
- Les cantons protestants de Schaffausen (CH 7) et Thurgau (CH 8) également.

Les valeurs présentées sur les cartes d'Europe correspondent donc aux moyennes pondérées des valeurs pour ces cantons.

Certains cantons suisses très petits ne sont ni représentés ni agrégés à des unités environnantes plus vastes, pour des raisons de cohérence religieuse. C'est le cas de Basel-Stadt (CH 22) et de Basel-Landschaft (CH 23), protestants, qui n'ont pas été agrégés à Solothurn (CH 9), canton à majorité catholique. C'est également le cas des cantons d'Appenzell-Ausser Rhoden (CH 24), protestant, et d'Appenzell-Inner Rhoden (CH 25), catholique, minuscules, qui n'ont pas été agrégés à St. Gallen (CH 12), à dominante catholique mais non homogène. Les valeurs concernant ces cantons ne sont donc pas du tout présentées par les cartes d'Europe. La ville de Trieste (I 29) n'a été, comme ces quatre cantons, ni représentée ni agrégée à son environnement, distinct sur le plan culturel et historique.

Cependant, dans tous les calculs de corrélation, toutes les unités géographiques dont la liste est donnée à l'annexe 1 sont utilisées séparément, même lorsqu'elles ont été agrégées sur les cartes.

Carte 2 – Les coutumes successorales

Les monographies villageoises décrivant les coutumes d'héritage n'ont été mentionnées que dans le cas des pays pour lesquels il n'a pas été trouvé de carte générale déjà réalisée des coutumes successorales.

Suède : Löfgren, O., « Family and household among Scandinavian peasants : an exploratory essay ». Général, p. 38 ; sur la Dalécarlie, p. 35-36 ; sur Gotland, p. 36. – Østerud, Ø, *Agrarian Structure and Peasant Politics in Scandinavia.* Général, p. 109. – Le Play, F., *Les Ouvriers européens,* t. 3, p. 34. ·

Norvège : Löfgren, O., « Family and household among Scandinavian peasants : an exploratory essay ». Général, p. 34 et 38. – Østerud, Ø., *Agrarian Structure and Peasant Politics in Scandinavia.* Général, p. 81. – Le Play, F., *Les Ouvriers européens,* t. 3, p. 34, 65 et 81.

Finlande : Löfgren, O., « Family and household among Scandinavian peasants : an exploratory essay », p. 38-39. – Mattila, H.E.S., *Les Successions agricoles et la structure de la société.*

Danemark : Østerud, Ø., *Agrarian Structure and Peasant Politics in Scandinavia..* Sur la rareté des successions père-fils dans les îles, p. 125. – Le Play, F., *Les Ouvriers européens,* t. 3. Sur l'importance du testament et des dots payées avant la mort du père, p. 91-92.

Écosse : Smith, T.B., *Scotland. The Development of its Laws and Constitution.* Chap. 14, p. 401-413, *intestate succession.*

Angleterre : Houlbrooke, R.A., *The English Family, 1450-1700.* Chap. 9 : *Inheritance* ; p. 229 sur la primogéniture ; p. 232 sur la facilité du testament. – Le Play, F., *Les Ouvriers européens,* t. 3 ; p. 422-433, sur la liberté de tester.

Monographies locales – *1. Sud et Est : testament et instabilité des groupes familiaux :* Spufford, M., « Peasant inheritance customs and land distribution in Cambridgeshire from the sixteenth to the eighteenth century » (Cambridgeshire). – Wrightson, K., et Levine, D., *Poverty and Piety in an English Village. Terling, 1525-1700* (Essex), p. 94-99. – Williams, W.M., « The social study of family farming » (Devon), p. 130-131. – *2. Ouest : héritier unique plus manifeste :* Rees, A.D., *Life in a Welsh Countryside* (Powys). – Williams, W.M., *The Sociology of an English Village : Gosforth* (Cumbria). – Macfarlane, A., « The myth of the peasantry. Family and economy in a northern parish » (Cumbria).

Irlande : Arensberg, C.M., et Kimball, S.T., *Family and Community in Ireland*. – Cresswell, R., *Une communauté rurale de l'Irlande*, p. 438. – O'Neil, *Family and Farm in Pre-Famine Ireland. The Parish of Killashandra*, p. 130.

Pays-Bas : Hofstee, E.W., *Rural Life and Rural Welfare in the Netherlands*. Inégalité à l'est (Overijssel), p. 102. – Le Play, F., *Les Ouvriers européens*, t. 3, p. 245, sur l'usage extensif du testament en « Neerlande ».

Belgique : Verhaegen, B., *Contribution à l'histoire économique des Flandres*, p. 128-129.

Allemagne : Berkner, L., « Inheritance, land tenure and peasant family structure : a German regional comparison ». Carte des coutumes successorales, p. 75. – Mayhew, A., « Structural reform and the future of West German agriculture ». Carte de la fragmentation du sol, p. 59.

Autriche : Khera, S., « Illegitimacy and mode of land inheritance among Austrian peasants ». Indivision générale sauf au Burgenland égalitaire, p. 310. – Berkner, L.K., « The stem-family and the developmental cycle of the peasant household : an eighteenth century example » (Niederösterreich).

Suisse : Atlas de folklore suisse. Cartes I/99, 100 et 101.

France : Brandt, A. de, *Droit et coutumes des populations rurales de la France en matière successorale*, carte de synthèse. Sur l'usage du testament et sur la non-division des biens réels dans l'Ouest, p. 182-189.

Pour les nuances concernant la Provence : Benoit, F., *La Provence et le comtat Venaissin*, p. 188 sur l'aînesse en pays d'Arles (Bouches-du-Rhône). – Collomp, A., *La Maison du père. Famille et village en Haute-Provence aux XVIIe et XVIIIe siècles*, p. 138 sur l'aînesse dans le haut Var. – *Pour la Savoie :* Rambaud, P., *Un village de montagne. Albiez-le-Vieux en Maurienne* (Savoie), sur le successeur unique, p. 188. – *Pour l'Alsace* (exclue de la carte de De Brandt) : Juillard, E., *La Vie rurale en Basse-Alsace*, partage égalitaire sauf dans le Kochersberg, p. 189.

Italie : Cole, J.W., et Wolf, E.R., *The Hidden Frontier. Ecology and Ethnicity in an Alpine Valley*. Sur l'égalitarisme italien et l'inégalitarisme tyrolien, chap. 8 : *Inheritance*.

Espagne : Lison-Tolosana, C., « Sobre areas culturales en España ». Cartes des systèmes inégalitaires les plus nets, p. 375-380.

Portugal : Descamps, P., *Le Portugal. La vie sociale actuelle,* nombreuses monographies locales dont on peut tirer une carte assez précise.

Carte 3 – Ménages complexes
Dates des recensements et classes statistiques utilisées pour définir les zones de complexité en pays hétérogène :
- Norvège : plus de 1,5 % des ménages comprennent au moins 2 noyaux familiaux apparentés en 1970.
- Danemark : plus de 5,5 parents pour 100 chefs de ménage (conjoint et enfants exclus) en 1970.
- Grande-Bretagne : plus de 1,5 % des ménages comprennent au moins 2 familles en 1971.
- Irlande : plus de 3,6 % des ménages comprennent au moins 2 unités familiales en 1971.
- Pays-Bas : plus de 1,5 % des ménages comprennent au moins 2 noyaux familiaux en 1971.
- Belgique : plus de 1,5 % des ménages comprennent au moins 2 noyaux en 1970.
- France : plus de 3 % des ménages d'agriculteurs comprennent au moins une famille secondaire en 1975.
- Italie : plus de 20 % de ménages complexes de type D en 1971.
- Espagne : plus de 5 % de ménages comprennent 2 noyaux familiaux en 1970.
- Portugal : plus de 4 % de ménages comprennent plusieurs noyaux familiaux en 1970.

Carte 4 – Coutumes successorales et ménages complexes
Voir cartes 2 et 3.

Carte 5 – La famille nucléaire absolue
Voir cartes 2 et 3 et texte.

Carte 6 – La famille nucléaire égalitaire
Voir cartes 2 et 3 et texte.

Carte 7 – La famille souche
Voir cartes 2 et 3 et texte.

Carte 8 – Formes communautaires

• France : Brandt, A. de, *Droit et coutumes des populations rurales de la France en matière successorale*.

• Finlande : Löfgren, O., « Family and household among Scandinavian peasants ».

• Autriche : Khera, S., « Illegitimacy and mode of land inheritance among Austrian peasants ». Sur les traditions hongroises, voir Fel, A., et Hofer, T., *Proper Peasants* ; Andorka, R., et Hofer, T., « Pre-industrial household structure in Hungary ».

• Sur la France et l'Italie, voir aussi les monographies 2, 38, 39, 45, 46, 48, 56, 60, 63, 64, 66, 71 et 75.

Carte 9 – La famille souche incomplète

Voir cartes 2, 3, 8 et texte.

Carte 10 – Le suicide vers 1970

Moyenne des années : Suède, 1969-1977 et 1980 ; Norvège, 1972-1977, 1979 et 1981 ; Finlande, 1969-1974 et 1976 ; Danemark, 1979 ; Écosse, 1974-1979 ; Angleterre-Galles, 1974-1978 ; Ulster, 1977 ; Irlande, 1970-1978 ; Pays-Bas, 1975-1977 ; Belgique, 1974-1975 ; Luxembourg, 1976 ; Allemagne, 1965-1970, données au niveau des *Regierungsbezirke* pour la Bavière seulement ; Autriche, 1975-1979 ; Suisse, 1969-1972 ; France, 1973-1978 ; Italie, 1970-1973 ; Espagne, 1961-1967 et 1969-1974 ; Portugal, 1960-1969.

Carte 11 – Les enfants naturels vers 1975

Année : Suède, 1975 ; Norvège, 1975 ; Finlande, 1976 ; Danemark, 1976 ; Écosse, 1975 ; Angleterre-Galles, 1974 ; Ulster, 1974 ; Irlande, 1976 ; Pays-Bas, 1975 ; Belgique, 1975 ; Luxembourg, 1975 ; Allemagne, 1978 ; Autriche, 1973 ; Suisse, 1976 ; France, 1975 ; Italie, 1978 ; Espagne, 1979 ; Portugal, 1971.

Carte 12 – Les types familiaux : synthèse

Voir cartes 2 à 11 et texte.

Carte 13 – Les paysans vers 1970

Recensements utilisés : Suède, 1970 ; Norvège, 1960 et 1980 (moyenne) ; Finlande, 1975 ; Danemark, enquête population active de 1978 ; Écosse, enquête 1973 ; Angleterre-Galles, 1966 ; Ulster, 1966 ; Irlande, 1971 ; Pays-Bas, 1971 ; Belgique, 1970 ; Luxembourg, 1970 ; Allemagne, 1970 ; Autriche, 1971 ; Suisse, 1970 ; France, 1975 ; Italie, 1971 ; Espagne, *Inscripción* 1975 ; Portugal, 1970.

Carte 14 – Les salariés agricoles vers 1970

Comme pour la carte 13. Sauf : Suède, 1960 ; Norvège, 1960 ; Danemark, 1970. Les aides familiaux sont exclus du total des actifs agricoles.

Carte 15 – Le métayage

Pour la France, recensement de 1851, en pourcentage des exploitants agricoles masculins ; pour l'Italie, recensement de 1936, en pourcentage des chefs de famille chefs d'exploitation agricole, hommes seulement ; pour l'Espagne, recensement de 1950, en pourcentage des chefs d'exploitation, hommes et femmes. Pour les traces portugaises, voir A. Silbert, *Le Portugal méditerranéen à la fin de l'Ancien Régime,* t. 1, p. 99 ; pour les traces finnoises, voir Jutikkala, E., « Finnish agricultural Labour in the eighteenth and early nineteenth centuries », p. 203-219.

Carte 16 – Les systèmes agraires : synthèse

Comme cartes 13, 14 et 15 et :

Suède : Cabouret, M., *Les Régions de l'Europe du Nord,* p. 65-283.

Norvège : Østerud, Ø., *Agrarian Structure and Peasant Politics in Scandinavia,* p. 115.

Finlande : Cabouret, M., « Traits permanents et tendances récentes de l'agriculture finlandaise », p. 99

Danemark : Skrubbeltrang, F., *Agricultural Development and Rural Reform in Denmark,* p. 7-101.

Écosse : Coppock, J.T., *An Agricultural Geography of Great Britain,* p. 59.

Angleterre et Galles : Coppock, J.T., *An Agricultural Geography of Great Britain,* p. 59. – Chaline, C., *Le Royaume-Uni et la république d'Irlande,* p. 23.

Irlande : Kennedy, R.E., *The Irish. Emigration, Marriage and Fertility,* p. 30

Pays-Bas : Hofstee, E.W., *Rural Life and Rural Welfare in the Netherlands,* p. 36 et 38.

Belgique : George, P., et Sevrin, R., *Belgique, Pays-Bas, Luxembourg,* p. 90. – Verhaegen, B., *Contribution à l'histoire économique des Flandres,* p. 134-139.

Allemagne : Dickinson, R.E., *Germany. A General and Regional Geography,* p. 214. – Reitel, F., *Les Allemagnes,* p. 182.

Autriche : George, P., et Tricart, J., *L'Europe centrale,* t. 2 : *Les États,* p. 503-505.

Suisse : Schuler, M., Bopp, M., et coll., *Atlas structurel de la Suisse,* p. 44-45.

France : Pinchemel, P., *La France,* p. 250.

Italie : Barberis, C., *Sociologia rurale,* p. 266, et *Storia d'Italia : Atlante,* p. 659.

Espagne : OCDE, *Le Développement de l'agriculture en Europe méridionale,* p. 160.

Portugal : OCDE, *Le Développement de l'agriculture en Europe méridionale,* p. 260.

Carte 17 – Famille souche et propriété
Comme pour les cartes 12 et 16.

Carte 18 – Famille nucléaire égalitaire et grande exploitation
Comme pour les cartes 12 et 16.

Carte 19 – Famille communautaire et métayage
Comme pour les cartes 12 et 16.

Carte 20 – Famille nucléaire absolue et fermage
Comme pour les cartes 12 et 16.

Carte 21 – Famille nucléaire égalitaire et propriété
Comme pour cartes 12 et 16.

Carte 22 – L'imprimerie en 1480
D'après la carte proposée par Philippe Wolff dans *Les Origines linguistiques de l'Europe occidentale,* p. 149-150.

Carte 23 – Les luttes protestantes
Pour la guerre des paysans, *Atlas historique,* Stock, p. 228. Pour la vague iconoclaste aux Pays-Bas, en Belgique et dans la France du Nord, Deyon, S., et Lottin, A., *L'Iconoclasme dans le Nord de la France,* p. 15. Pour le reste de la France (implantations calvinistes et ligueuses), voir Miquel, P., *Les Guerres de religion,* ensemble du texte. Pour l'Écosse, Smout, T.C., *A History of the Scottish People,* p. 55.

Carte 24 – Le protestantisme établi
Pour les pays hétérogènes : Pays-Bas, état des confessions en 1849 ; Allemagne, recensement de 1933 ; Suisse, recensement de 1970.

Carte 25 – L'alphabétisation en 1900
   • Pour les pays totalement alphabétisés (Suède, Norvège, Finlande, Danemark, Écosse, Allemagne, Suisse, Pays-Bas), estimations d'après les divers chiffres donnés par Cipolla, C.M., dans *Literacy and Development in the West,* notamment p. 14 et 113-130.
   • Pour l'Angleterre, estimation d'après les variations régionales pour 1839 (Royle, E., *Modern Britain,* p. 345) et d'après la vitesse de progression globale de l'alphabétisation entre 1840 et 1900 (Schofield, R.S., « Dimensions of illiteracy in England », p. 205).
   • Pour l'Irlande, estimation d'après les variations régionales en 1841 et d'après la vitesse de progression entre 1840 et 1900 (Edwards, R.D., *An Atlas of Irish History,* p. 242-243).
   • Pour les autres pays, pourcentages d'individus de plus de 10 ans sachant lire et écrire aux recensements suivants : France, 1901 ; Italie, 1901 ; Espagne, 1900 (les individus sachant lire seulement ont été éliminés des alphabétisés et de la population totale) ; Portugal, 1900 (sachant lire).

Carte 26 – Allemagne : l'alphabétisation vers 1875
   D'après Andree, R., et Peschel, O., *Physikalisch-Statistischen Atlas des Deutschen Reichs.*

Carte 27 – Le décollage culturel
   • Pour la Suède, estimation d'après Johansson, E., « The history of literacy in Sweden ».
   • Pour l'Allemagne, l'Écosse, la Finlande, le Danemark, les Pays-Bas, estimation d'après Cipolla, C.M., *Literacy and Development in the West,* et d'après le profil de développement suédois, beaucoup mieux connu pour la période la plus ancienne.
   • Pour l'Angleterre, estimation d'après Cipolla, *op. cit.,* et Cressy, D., « Levels of illiteracy in England, 1530-1730 » ; Wrightson, K., et Levine, D., *Poverty and Piety in an English Village,* chap. 6.
   • Pour l'Irlande, d'après Balfour, G., *The Educational Systems of Great Britain and Ireland.* Pour la Belgique, d'après Ruwet, J., et coll., *L'Analphabétisme en Belgique, xviiie-xixe siècles.*
   • Pour la France, voir les données sur les xviie, xviiie et xixe siècles dans Le Bras, H., et Todd, E., *L'Invention de la France,* p. 270-274.
   • Pour l'Italie, analyse de l'alphabétisation par tranches d'âge aux recensements de 1901, 1936 et 1971 ; pour l'Espagne, *idem* pour 1900, 1930 et 1970 ; pour le Portugal, *idem* pour 1900, 1930 et 1970.

Carte 28 – L'industrie vers 1880
D'après les chiffres donnés dans Mitchell, B.R., *European Historical Statistics*, p. 51-63.

Carte 29 – L'industrie vers 1970
Recensements utilisés : Suède, 1970 ; Norvège, 1960 et 1980 (moyenne) ; Finlande, 1975 ; Danemark, enquête 1978 ; Écosse, enquête 1973 ; Angleterre-Galles, 1966 ; Irlande, 1971 ; Pays-Bas, 1971 ; Belgique, 1970 ; Luxembourg, 1970 ; Allemagne, 1970 ; Autriche, 1971 ; Suisse, 1970 ; France, 1975 ; Italie, 1971 ; Espagne, *Inscripción* de 1975 ; Portugal, 1970.

Carte 30 – La pratique religieuse catholique (1950-1965)
• Pays-Bas : Coleman, J.A., *The Evolution of Dutch Catholicism*, p. 302.
• Belgique : Voyé, L., et coll., *La Belgique et ses dieux*, p. 194-196.
• Allemagne et Autriche : Boulard, F., et Remy, J., *Pratique religieuse urbaine et régions culturelles*, carte hors texte.
• France : Le Bras, H., et Todd, E., *L'Invention de la France*, p. 430-431.
• Italie : Burgolassi, S., et coll., « La sociologia del cattolicesimo in Italia », p. 146.
• Espagne : Hermet, G., *Les Catholiques dans l'Espagne franquiste*, p. 303-304.
• Portugal : De França, L., *Comportamento religioso da populacão portuguesa* (données un peu tardives concernant l'année 1977).
• Irlande : Whyte, J.H., « Ireland : Politics without Social Bases », p. 640.

Carte 31 – Italie : le clergé séculier en 1971
D'après la statistique des professions au recensement de 1971.

Carte 32 – Pôles de déchristianisation
Voir carte 30.

Carte 33 a – Angleterre : la pratique religieuse globale en 1851
Gay, J.D., *The Geography of Religion in England*, p. 266. Pour le pays de Galles, Pickering, W.S.F., « The 1851 religious census – a useless experiment ? », p. 396.

Carte 33 b – Angleterre : l'industrialisation en 1821
Wrigley, E.A., « Men on the land and men in the countryside », p. 326.

Carte 34 a – Angleterre : la concentration agraire en 1851
Comme la carte 33 *b*, p. 310-311.

Carte 34 b – Angleterre : la pratique anglicane en 1851
Comme la carte 33 *a* : Gay, J.D., p. 271, et Pickering, W.S.F., p. 399.

Carte 35 a – Angleterre : la pratique « non conformiste » en 1851
Comme la carte 33 *a* : Gay, J.D., p. 288, et Pickering, W.S.F., p. 400.

Carte 35 b – Angleterre : la pratique méthodiste en 1851
Pour l'Angleterre, Gay, J.D., *The Geography of Religion in England,* p. 310 ; pour le pays de Galles, Royle, E., *Modern Britain,* p. 318.

Carte 36 – Le dernier catholicisme
Voir la carte 30.

Carte 37 a – France : l'espace révolutionnaire
Voir les cartes 12 et 30.

Carte 37 b – France : l'alphabétisation en 1789
Le Bras, H., et Todd, E., *L'Invention de la France,* p. 270.

Carte 38 a – France : l'espace contre-révolutionnaire
Voir les cartes 12 et 30.

Carte 38 b – France : le refus de la Constitution civile du clergé (1791)
D'après Tackett, T., *La Révolution, l'Église, la France,* chiffres fournis, p. 344-430.

Carte 39 a – France : le bonapartisme en 1851
D'après Bluche, F., *Le Bonapartisme,* p. 275. En pourcentage des inscrits.

Carte 39 b – France : le gaullisme en 1962
Todd, E., *La Nouvelle France,* p. 148.

Carte 40 – Espagne : le fond anthropologique et religieux
Voir les cartes 12 et 30.

Carte 41 a – Espagne : l'anarchisme
Vivens Vives, J., *Atlas de historia de España.* D'après la carte LXXIII.

Carte 41 b – Espagne : le Parti socialiste en 1977-1979
Moyenne des voix socialistes aux élections générales de 1977 et 1979.

Carte 42 a – Espagne : zones nationalistes en 1936
Comme la carte 41 *a*, d'après la carte LXXIV.

Carte 42 b – Espagne : le carlisme
Comme la carte 41 *a*, d'après la carte LXXI.

Carte 43 – Allemagne : social-démocratie, antisémitisme et Zentrum en 1898
D'après Freytag, G., *Reichstags Wahlkarte 1898.*

Carte 44 – Allemagne : le nazisme en juillet 1932
D'après Milatz, A., *Wähler und Wahlen in der Weimarer Republik,* planche hors texte.

Carte 45 – L'Internationale socialiste vers 1975
Dates des élections législatives utilisées. Pour chaque pays, le chiffre utilisé est une moyenne qui permet d'atténuer les fluctuations conjoncturelles (2 élections au moins, non obligatoirement consécutives) : Suède, 1968 et 1970 ; Norvège, 1977 et 1981 ; Finlande, 1975 et 1979 ; Danemark, 1977 et 1979 ; Écosse et Angleterre-Galles, 1970 et février 1974 ; Irlande, 1973 et 1977 ; Pays-Bas, 1971, 1972 et 1977 ; Belgique, 1974 et 1979 ; Luxembourg, 1969, 1974 et 1979 ; Allemagne, 1969 et 1976 ; Autriche, élections régionales (Bürgenland, 1972 et 1977 ; Kärnten, 1975 et 1979 ; Niederösterreich, 1974 et 1979 ; Oberösterreich, 1973 et 1979 ; Salzburg, 1974 et 1979 ; Steiermark, 1974 et 1978 ; Tirol, 1975 et 1979 ; Vorarlberg, 1974 et 1979 ; Wien, 1973 et 1978) ; Suisse, 1975 et 1979 ; France, 1973 et 1978 ; Italie, 1972 et 1979 ; Espagne, 1977 et 1979 ; Portugal, 1976 et 1979.

Carte 46 – La revendication ethnocentrique vers 1975
On trouvera une excellente présentation générale des autonomismes européens dans Seiler, D.L., *Les Partis autonomistes.* J'ai ajouté le cas très particulier mais néanmoins significatif de la revendication linguistique en Norvège occidentale.

Carte 47 – La démocratie-chrétienne vers 1975
Comme la carte 45. Sauf pour l'Irlande, élections de 1973 seulement, et pour les Pays-Bas, élections de 1972 et 1977 seulement.
Pour la province de Bolzano-Bozen (Sud-Tyrol), total des voix de la
démocratie-chrétienne italienne et du Parti populaire du Sud-Tyrol
(défense des germanophones), affilié à la démocratie-chrétienne
européenne.

Carte 48 – Italie : la démocratie-chrétienne en 1919
D'après Chassériaud, J.-P., *Le Parti démocrate-chrétien en Italie*,
p. 150 et 373-376.

Carte 49 – Suède : la social-démocratie en 1968
Annuaire statistique de la Suède, 1969.

Carte 50 a – Suède : les salariés agricoles en 1960
Recensement de 1960.

Carte 50 b – Suède : l'industrie en 1970
Recensement de 1970.

Carte 51 a – Autriche : l'alphabétisation en 1900
Recensement de 1900.

Carte 51 b – Autriche : les protestants en 1934
Recensement de 1934.

Carte 51 c – Autriche : la social-démocratie en 1945
Sully, M.A., *Political Parties and Elections in Austria*, p. 42.

Carte 52 a – Belgique : les régions linguistiques
Institut national de la statistique, *Annuaire de statistiques régionales*, 1984, p. 1.

Carte 52 b – Belgique : l'alphabétisation en 1900
Recensement de 1900.

Carte 52 c : Belgique : les socialistes en 1958
Annuaire statistique de la Belgique, 1959. Élections à la Chambre
des représentants.

Carte 53 – Suisse : les régions linguistiques
D'après Rohr, J., *La Suisse contemporaine*, p. 81.

Carte 54 a – Suisse alémanique : les religions
Recensement de 1941.

Carte 54 b – Suisse alémanique : social-démocratie et démocratie-chrétienne en 1935
Office fédéral de la statistique. *Élections au Conseil national,* p. 63.

Carte 55 a – Irlande : le Labour Party en 1973
Penniman, H.R., *Ireland at the Polls. The Dail Election of 1977,* appendice B.

Carte 55 b – Irlande : l'industrie en 1971
Recensement de 1971.

Carte 55 c – Irlande : les salariés agricoles en 1971
Recensement de 1971.

Carte 56 a – Irlande : la langue gaélique en 1851
Verrière, J., *La Population de l'Irlande,* p. 261.

Carte 56 b – Irlande : le Fianna Fail en 1973
Comme la carte 55 *a.*

Carte 56 c – Irlande : le Fine Gael en 1973
Comme la carte 55 *a.*

Carte 57 – Le communisme vers 1975
Comme la carte 45.

Carte 58 a – Italie : les types familiaux
Comme la carte 12.

Carte 58 b – Italie : les systèmes agraires
Comme la carte 16.

Carte 59 a – Italie : l'industrie en 1971
Recensement de 1971

Carte 59 b – Italie : le communisme en 1972
Élection à la Chambre des députés *(Camera dei deputati).* Ufficio elettorale e di statistica del PCI, *Elezioni politiche 7-8 maggio 1972.*

Carte 60 a – Italie : le Parti socialiste (PSI) en 1972
Comme la carte 59 *b*.

Carte 60 b – Italie : le Parti social-démocrate (PSDI) en 1972
Comme la carte 59 *b*.

Carte 61 a – Italie : le socialisme en 1921
D'après les chiffres fournis dans Besson, J., Bibes, G., et coll.,
Sociologie du communisme en Italie, p. 145.

Carte 61 b – Italie : les adhérents fascistes en 1922
D'après les chiffres fournis par Buron, T., et Gauchon, P., dans
Les Fascismes, p. 32.

Carte 62 – Finlande : le socialisme en 1911
D'après les chiffres fournis par l'*Annuaire statistique de Finlande*
(1912) *(Arsbok för Finland),* p. 592-593.

Carte 63 a – Finlande : le communisme en 1958
Annuaire statistique de Finlande, 1959.

Carte 63 b – Finlande : la social-démocratie en 1958
Comme la carte 63 *a*.

Carte 63 c – Finlande : les agrariens en 1958
Comme la carte 63 *a*.

Carte 64 a – Finlande : l'industrie en 1960
Recensement de 1960.

Carte 64 b – Finlande : la langue suédoise en 1910
Annuaire statistique de Finlande, 1912, p. 37.

Carte 64 c – Finlande : les conservateurs en 1958
Comme la carte 63 *a*.

Carte 65 – Finlande : « Jeunes » et « Vieux-Finnois » en 1911
Comme la carte 62.

Carte 66 a – Portugal : les types familiaux
Comme la carte 12.

Carte 66 b – Portugal : les enfants naturels en 1971
Le Bras, H., *L'Enfant et la famille dans les pays de l'OCDE*, p. 64.

Carte 66 c – Portugal : les salariés agricoles en 1951
Recensement de 1950.

Carte 67 a – Portugal : la pratique religieuse en 1977
De França, L., *Comportamento religioso da populaçao portuguesa*, p. 75-92.

Carte 67 b – Portugal : le communisme en 1979
Editions Avante, *As eleicôes no Portugal de abril*.

Carte 67 c – Portugal : le Parti socialiste en 1979
Comme la carte 67 *b*.

Carte 68 a – Grande-Bretagne : les types familiaux
Comme la carte 12.

Carte 68 b – Grande-Bretagne : l'industrie en 1966
Recensement de 1966 (Sample Census, 1966).

Carte 69 a – Grande-Bretagne : le Parti travailliste en 1970
The Times Guide to the House of Commons 1970.

Carte 69 b – Grande-Bretagne : le Parti conservateur en 1970
Comme la carte 69 *a*.

Carte 70 a – Grande-Bretagne : le socialisme sans la classe ouvrière
Comme les cartes 68 *b* et 69 *a*. Comtés où les résidus de la régression « vote socialiste de 1970/population employée dans l'industrie en 1966 » sont supérieurs à 2.

Carte 70 b – Grande-Bretagne : le méthodisme en 1961
Gay, J.D., *The Geography of Religion in England*, p. 311. Les méthodistes ne sont ici recensés que sur le territoire anglais et non sur les territoires gallois et écossais.

Carte 71 a – Pays-Bas : trois zones anthropologiques et religieuses
Comme la carte 12 pour les structures familiales. Recensement de 1930 pour les zones religieuses.

Carte 71 b – Pays-Bas : les Églises fondamentalistes en 1909
Recensement de 1909.

Carte 71 c – Pays-Bas : les « sans-religion » en 1930
Recensement de 1930.

Carte 72 a – Pays-Bas : le Parti travailliste en 1959
Annuaire statistique des Pays-Bas, 1959-1960.

Carte 72 b – Pays-Bas : le Parti anti-révolutionnaire en 1959
Comme la carte 72 *a*

Carte 72 c – Pays-Bas : le Parti chrétien-historique en 1959
Comme la carte 72 *a*.

Carte 73 a – Pays-Bas : le Parti libéral en 1959
Comme la carte 72 *a*.

Carte 73 b – Pays-Bas : le Parti catholique en 1959
Comme la carte 72 *a*.

Carte 73 c – Pays-Bas : l'industrie en 1971
Recensement de 1971.

Carte 74 a – Danemark : les paysans en 1978
Annuaire statistique du Danemark, 1980, p. 24-25. Résultats
d'une enquête par sondage.

Carte 74 b – Danemark : la Venstre en 1971 (parti libéral)
Annuaire statistique du Danemark, 1972.

Carte 75 a – Danemark : les salariés agricoles en 1978
Comme la carte 74 *a*.

Carte 75 b – Danemark : la Radikale Venstre en 1971 (gauche radicale)
Comme la carte 74 *b*.

Carte 76 a – Danemark : la social-démocratie en 1971
Comme la carte 74 *b*.

Carte 76 b – Danemark : les conservateurs en 1971
Comme la carte 74 *b*.

Carte 77 a – Norvège : types familiaux et régions linguistiques
Comme la carte 12 pour les structures familiales. Pour la distribution des langues, voir *Annuaire statistique de Norvège,* 1982, p. 372.

Carte 77 b – Norvège : les « libéraux » en 1953
Annuaire statistique de Norvège, 1954.

Carte 78 a – Norvège : les chrétiens-populaires en 1953
Comme la carte 77 *b.*

Carte 78 b – Norvège : les travaillistes en 1953
Comme la carte 77 *b.*

Carte 79 – Zones de faiblesse du socialisme vers 1975
Comme les cartes 45 et 57.

Carte 80 – Monographies locales
Voir introduction de la bibliographie.

Liste des cartes

Table

COMPOSITION : IMPRIMERIE HÉRISSEY À EVREUX (EURE)
IMPRESSION : MAURY-EUROLIVRES - 45300 MANCHECOURT (06-2005)
DÉPÔT LÉGAL : MARS 1996 – Nº 28522-2 (05/06/114851)

Collection Points

SÉRIE ESSAIS

DERNIERS TITRES PARUS